DE LA NATURE

GF

Sur la couverture :

Le Printemps, par Arcimboldo (détail).
Collection particulière, Paris.
Cliché Giraudon.

LUCRÈCE

DE LA NATURE

Traduction, introduction et notes
par
Henri Clouard

GARNIER-FLAMMARION

PRÉFACE

Titus Lucretius Carus naquit à Rome vers 98 avant Jésus-Christ. Nous savons peu de chose de sa vie. Il appartenait à l'antique et glorieuse famille des Lucretii Tricipitini; il pouvait donc ambitionner les honneurs; mais ce descendant de plusieurs consuls préféra ne prendre aucune part aux affaires publiques; l'ami de Cicéron, d'Atticus et de Catulle voulut mener la calme existence d'un philosophe plus encore que d'un poète.

Alla-t-il en Grèce ? Y passa-t-il sa jeunesse en écoutant les leçons de Zénon ? Rien n'est moins sûr. Nous ignorons même à quel moment il composa son grand ouvrage.

Lucrèce mourut l'année, sinon le jour, où Virgile revêtit la toge virile, c'est-à-dire en 55. Saint Jérôme prétend qu'un philtre amoureux l'avait rendu fou et qu'il composa le *De Natura Rerum* dans les répits de son délire : sans doute n'y a-t-il là qu'une légende propre à discréditer le poète impie. Toutefois il n'est pas interdit de penser que Lucrèce s'est suicidé.

Le *De Natura Rerum* n'est pas la seule épopée philosophique de son temps, et bien d'autres l'avaient précédée; la plus célèbre est l'*Epicharme* d'Ennius qui cent ans avant Lucrèce avait exposé le système de Pythagore. C'est Epicure que Lucrèce vulgarisa. Son « manuscrit », quand il mourut, restait à peu près dans le même état où Virgile laissa le sien; bien des imperfections, quelques lacunes, restaient à corriger. Cicéron assuma la tâche de le mettre au net et de le publier; il s'agit de l'orateur plutôt que de son frère, car saint Jérôme, qui nous donne le renseignement, n'aurait vraisemblablement pas oublié le prénom s'il se fût agi de Quintus; et puis, Lucrèce semble avoir eu avec l'orateur d'assez étroits rapports littéraires et l'on a relevé dans son poème des emprunts nombreux à la traduction des *Phénomènes*. Certains ont prétendu que nous n'avions pas le poème complet, mais le contraire est plus probable : aucune citation d'auteurs anciens ne se rapporte à d'autres livres que ceux que nous possédons, et d'ailleurs l'exposition de la doctrine est à peu près complète avec le sixième. Au reste, le poète ne déclare-t-il pas formellement, avant le centième vers de ce livre VI, qu'il touche au terme de son ouvrage ? Tel quel, le *De Natura Rerum* compte 7 400 vers.

Il est dédié à Memmius, c'est-à-dire C. Memmius Gemellus, un ami d'illustre famille, orateur ingénieux et personnage politique qui fut questeur et préteur. Nous avons le droit de le tenir pour un intrigant, et même pour un ambitieux sans scrupules. Il ne réussit pourtant point au consulat : banni pour corruption électorale, réfugié à Athènes, il acheta les jardins d'Epicure et prétendit s'y faire bâtir un palais. Cicéron le supplia de renoncer à ce sacrilège envers le maître que Lucrèce avait célébré comme un dieu... Vraiment ce Memmius avait grand besoin d'être converti ! puisque c'est à le convertir que semble s'être appliqué son ami. Quelle pouvait bien être l'amitié de ces deux hommes ?

Lucrèce vivait à une époque des plus troublées de l'histoire romaine et la politique n'avait rien qui pût tenter un cœur aussi noble. Bien au contraire ! Sa jeunesse avait été témoin des massacres consécutifs aux luttes de Marius et de Sylla. Dans la suite, il assista au déchaînement des pires ambitions et entendit souvent le tumulte des émeutes. C'est peut-être devant de tels spectacles qu'il eut l'idée de renverser par la force du génie ces tyrans que sont les passions, c'est-à-dire la conquête des honneurs, la cupidité au sein des familles, la violence égoïste : Lucrèce, « c'est du Salluste en vers », a dit Martha. Et comme les dieux romains étaient devenus des moyens d'action entre les mains d'intrigants politiques, et qu'on multipliait par intérêt de basse propagande les divinités les plus malfaisantes, le poète se révolta contre les prétendues puissances célestes, inventions de l'ignorance et de la peur et qui préparaient les citoyens au joug.

Alors il pensa au sage Athénien dont la mémoire était vénérée depuis deux siècles et qui possédait le secret d'arracher tout mortel au malheur des temps pour le mener au souverain bien ; car ce magicien savait dissiper la crainte du surnaturel et faire fleurir le repos de l'âme sur la ruine des passions. Lucrèce adopta d'enthousiasme la doctrine d'Épicure et s'en fit l'apôtre auprès des Romains.

Dans la doctrine épicurienne, telle qu'on l'enseignait et qu'on la pratiquait alors, il n'y avait rien qui pût choquer un esprit délicat, écrit Martha. « Le système ne manquait ni de grandeur ni de prestige. Cette morale qui apprenait à se vaincre soi-même, à se retrancher des désirs frivoles, à combattre les terreurs de la superstition, semblait fortifier le courage et pouvait même tenter les âmes généreuses par l'attrait d'une certaine austérité. Enfin la physique, qui livrait le monde au hasard et aux lois naturelles de la matière, qui reléguait les dieux loin de l'univers et, sans nier absolument leur existence, niait du moins leur présence et leur intervention dans les affaires humaines, cette physique à la fois simple et triste devait convenir à un Romain que les malheurs de sa patrie avaient déjà préparé à l'impiété, qui avait vu pendant les guerres civiles la religion au service de tous les partis et de tous les crimes, les présages les plus certains ne point empêcher le triomphe du plus fort, et les dieux, impuissants ou imbéciles, contempler sans colère, du haut de leur Capitole, le massacre des plus honnêtes gens. »

On a retrouvé à Herculanum des fragments du grand traité d'Epicure; ils garantissent une fidélité toute relative du poète-traducteur. Certes, il suit le maître dans ses grandes directions, il observe le catéchisme de l'école. Certes encore, il échauffe et rajeunit par la poésie une froide physique conjecturale. Mais à la morale d'Epicure, qui alors n'était pas encore dégénérée, il donne une raideur bien romaine. Et surtout, il tourne l'irréligion du maître, toujours discrète et riche de sous-entendus, en machine de guerre anticléricale, ou tout au moins en athéisme irrité. Enfin l'épicurisme s'assombrit chez lui en pessimisme d'ailleurs émouvant. Lucrèce est de ceux qui condamnent la vie, regrettent d'être nés et n'éprouvent que pitié pour une race d'êtres vivants qu'accablent tous les tourments, que menacent tant de maladies et autour desquels la mort rôde au hasard, toujours prête à frapper avant le temps.

Lucrèce semble avoir eu le sentiment que l'épicurisme, faisant un dogme de l'infaillibilité des sens, prétendant se livrer à une investigation scientifique de l'univers, saluant l'autorité de l'expérience, apportait la doctrine la plus susceptible de perfectionnement. Mais hélas, son enthousiasme hyperbolique et sa soumission sans réserves ne peuvent inspirer qu'une assez médiocre confiance. Dans l'exposé du système des atomes notamment, il donne l'impression de réciter une leçon mal comprise. Ce qui chez Epicure était hypothèse ingénieuse, vision provisoire du monde, comme le sont les systèmes chez les grands philosophes de la Grèce, devient avec Lucrèce une foi de charbonnier. L'esprit balourd des Romains confronté avec les plus fins métaphysiciens de l'univers ne pèse nulle part un si bon poids que dans le *De Natura Rerum*.

On sait qu'Epicure avait fait sienne la physique déjà vieillie de Démocrite. Ce n'est certes pas sur Lucrèce qu'elle pouvait compter pour se rajeunir. Ce serait un jeu bien puéril toutefois de relever tout ce qui peut, dans ce vieux livre, scandaliser les modernes si fiers de leurs connaissances scientifiques; par exemple, l'existence des antipodes y est niée; le soleil et la lune n'y sont pas reconnus plus grands qu'ils n'apparaissent à notre vue; la foudre, les tremblements de terre, aussi bien que le sommeil et autres actes physiologiques, sont expliqués de façon bien amusante... Mais ne vaut-il pas mieux, après tout, noter les observations intéressantes qui sont faites, par exemple, sur la matérialité de l'air ou sur la chute des corps dans le vide ? Ces Anciens ont même eu de curieux pressentiments; ils ont entrevu la sélection naturelle de Darwin; ils ont eu un soupçon des doctrines de Cuvier sur les fossiles; la pluralité des mondes, l'origine relativement récente de notre univers, l'apparition tardive de l'homme parmi les êtres vivants, sont autant de thèses qui les rapprochent de nous.

Quant à la théorie atomique, elle semble faire de Lucrèce, d'Epicure et de Démocrite trois précurseurs prodigieux. Il est certain que la science moderne marche actuellement dans leur voie... Mais peut-être n'est-ce qu'apparence : car les théories de la science contemporaine sont suspendues à la vertu de l'électricité. En tout cas, si vraiment la vieille physique épicurienne a eu l'intuition géniale qu'une science complètement différenciée de la métaphysique paraît confirmer, il n'en est pas moins vrai que Lucrèce n'y est pas pour grand-chose. On ne doit voir en lui, sur ce chapitre, que le plus banal des disciples.

La morale de Lucrèce a les mêmes mérites et les mêmes inconvénients que celle d'Epicure. Celui-ci était arrivé à proposer la tempérance comme vertu essentielle, dont toutes les autres découlent ou qu'elles conditionnent. En pratiquant la prudence et la justice, en tuant en lui les passions et en goûtant les plaisirs de l'esprit, le philosophe épicurien avait conscience d'avoir bien vécu. Mais que de sacrifices! il ne s'interdisait pas seulement les désirs de luxe, il s'efforçait d'éviter tout ce qui pouvait troubler sa sérénité, les charges de famille aussi bien que la recherche du pouvoir ou la complaisance à l'amour. Du moins sauvegardait-il l'amitié. Lucrèce a dogmatisé sur cette morale en acceptant tout son ascétisme, mais aussi toute son insensibilité égoïste, au moins théoriquement. On connaît le cri fameux : « *Suave mari magno...* » La société est pour lui une association nécessaire; le droit n'est qu'un contrat; il n'a guère que mépris pour ses contemporains, et que sa pitié est altière! Il ne semble pas se douter que l'épicurisme, mieux encore que la vieille religion, taillait le joug pour les Romains et préparait la servitude de leurs âmes. Peut-être l'épicurisme n'a-t-il été à Rome, chez les meilleurs et chez Lucrèce lui-même, qu'une forme de leur pessimisme et de leur désespoir. Considérons le suicide hypothétique du poète comme un symbole.

En théorie, la métaphysique et la morale du *De Natura Rerum* reposent sur la science de Démocrite et d'Epicure et sur ce que Lucrèce avait pu glaner autour de lui de connaissances physiques. Mais on peut se demander si ce n'est pas, en fait, l'inverse : tellement toute l'œuvre semble acharnée à délivrer les hommes de la crainte des dieux. Il faut reconnaître que l'athéisme de Lucrèce a une force de conviction qui finalement reste son seul principe de vie philosophique. Personne n'a parlé avec une liberté plus audacieuse de ces divinités qui n'étaient plus prises au sérieux par les lettrés et les gens instruits, mais au pied desquelles la foule se prosternait encore. Ah! la doctrine épicurienne donnait satisfaction à cet athée farouche. Sa métaphysique est le pur matérialisme; il refuse à l'âme l'immortalité, il fait de l'univers un mécanisme. Mais tout cela est superficiel autant que brutal; car il néglige de rechercher comment un simple assemblage d'atomes peut avoir le sentiment et la pensée, comment le hasard qu'il substitue à la Providence peut présider à un univers où tout arrive selon des lois rigoureuses. Enfin explique-t-il la vie, qui se distingue si nettement, en son essence, du mécanisme?

Le miracle est que de telles doctrines aboutissent à de vastes perspectives. Ce qui peut-être caractérise le mieux le poème de Lucrèce, c'est l'admirable sentiment de l'infini qu'il chante à maintes reprises avec gravité; ou plutôt il ne le chante pas, il sait, de page en page, nous en pénétrer. Il n'est jamais si grand que lorsqu'il nous entraîne dans les régions mystérieuses au-delà de toutes limites, lorsqu'il renverse « les murailles du monde » et, dans le resplendissement d'une pure lumière, contemple au loin, d'une part notre misérable petit monde, d'autre part les espaces infinis. C'est cette contemplation qui nous émeut encore aujourd'hui; c'est elle qui fut une neuve surprise pour les Romains; c'est elle surtout qui explique l'enthousiasme de Lucrèce lui-même.

Et nous voici arrivés à l'écrivain et au poète. Ils échappent à toute comparaison avec le savant et le philosophe. On s'est souvent étonné que la poésie ait pu se contraindre ainsi à exprimer les abstractions d'une doctrine bien prosaïque en somme. Lucrèce a réussi là où il avait toutes les chances d'échouer. Il faut que la vertu poétique ait été grande en lui.

S'il y a dans son poème un certain nombre de passages où l'aridité de la matière lui a résisté, il a pu répandre presque partout des flots de clarté et d'aimables couleurs; à force d'exemples brillants, il a fait vivre ses démonstrations : voyez la danse des poussières dans un rayon de soleil, l'armée en manœuvre dans la plaine, le paysage qui fuit à l'arrière du navire... Certes, il ne s'est pas vanté à tort d'avoir fait étinceler « un vers lumineux sur un sujet obscur »!

Mais c'est surtout par l'émotion et la passion que ce prétendu impassible secoue nos âmes. Qu'on pense à sa *prosopopée de la Nature :* Montaigne l'admirait et Bossuet s'en est inspiré pour son *Sermon sur la mort*. Ce soi-disant égoïste se montre en réalité plein de tendresse pour toutes les formes de la vie, pour les animaux qui souffrent, à plus forte raison pour l'humanité malheureuse. Rappelez-vous la génisse qui cherche son petit immolé; mais surtout ses tableaux de la misère humaine, ses épisodes de souffrance physique et morale, d'agonie, de mort, de passion tragique. Son poème, quand il devient, et il le devient souvent, le poème pitoyable et vengeur de la destinée humaine, s'élève à des hauteurs de lyrisme sévère et fort, magnifiquement viril, où ne saurait atteindre la mélancolie virgilienne.

Lucrèce s'est plaint sans relâche de la pauvreté de la langue qu'il avait à manier; et en effet, s'il fait souvent soupirer après Virgile, c'est par la raideur et la lourde marche de son style. « Il n'a point connu, écrit Fontanes, cet art qui fut celui des écrivains du siècle d'Auguste, cet art difficile d'offrir une succession de beautés variées, de réveiller dans un seul trait un grand nombre d'impressions, et de ne les épuiser jamais en les prolongeant; il ne connut point enfin cette rapidité qui abrège et développe en même temps. » Il faut dire que Lucrèce semble bien avoir été le plus souvent âpre et rude à dessein; ce contemporain de Catulle a pratiqué l'archaïsme, il a repris volontairement tous les procédés des anciens écrivains et des anciens poètes; il y a des élisions sauvages dans ses vers et de terribles fins d'hexamètres! Mais oublions ces défauts et ces manies devant la majesté d'un poème où bien des vers ont un charme infini. Achevons la citation de Fontanes : « Peu de poètes ont réuni à un plus haut degré ces deux forces dont se compose le génie, la méditation qui pénètre jusqu'au fond des sentiments ou des idées dont elle s'enrichit lentement, et cette inspiration qui s'éveille à la présence des grands objets. En général, on ne connaît guère de son poème que l'invocation à Vénus, la prosopopée de la Nature sur la mort, la peinture énergique de l'amour et de la peste. Qu'on lise son cinquième chant sur la formation de la société, et qu'on juge si la poésie offrit jamais un plus riche tableau. »

Il est difficile de savoir si Lucrèce a été goûté par ses contemporains. Cicéron n'en fait pas un éloge excessif. Plus tard, après une allusion généreuse de sa jeunesse, Virgile, le courtisan, a gardé le silence sur le poète à qui il n'était pas sans devoir beaucoup. Un seul enthousiaste : Ovide, Ovide qui s'est écrié : « Les vers du sublime Lucrèce périront le jour où l'univers sera détruit. » A la Renaissance, le *De Natura Rerum* fut pour Montaigne un livre de chevet; ensuite il a passionné Gassendi, rénovateur de la philosophie épicurienne, qui l'expliqua au jeune Molière. Chapelle et Cyrano de Bergerac sont de ses admirateurs. Volataire eut un moment l'idée de mettre en vers français « l'admirable troisième chant »; Diderot consacre au poème un article de l'*Encyclopédie*, et les Encyclopédistes exaltent cette philosophie. Lucrèce connaît même à ce moment un tel renouveau que l'abbé de Polignac éprouve le besoin de le réfuter dans son *Anti-Lucrèce*, un poème latin en neuf livres, s'il vous plaît. Voltaire disait du bon abbé : « Bien moins poète que ce Romain, il fut aussi mauvais physicien que lui. Il ne fit qu'opposer erreur à erreur, dans son ouvrage sec et décharné, qu'on loue beaucoup et qu'on ne peut lire. »

Nous pensons aujourd'hui qu'aucun poète n'a évoqué avec plus de force que Lucrèce la puissance de la vie universelle et que son livre inégal est le plus original et le plus vigoureux de la poésie latine.

Henri CLOUARD.

DE LA NATURE

LIVRE PREMIER

ARGUMENT

Le poète débute par une invocation à *Vénus ;* viennent ensuite : 1° la dédicace de son poème à *Memmius ;* 2° l'exposition du sujet; 3° l'éloge d'*Epicure ;* 4° la réfutation des objections générales qu'on pourrait faire contre la doctrine du philosophe grec et contre la hardiesse du poète latin d'oser la rendre en sa langue. Puis il entre en matière, et établit pour premier principe que *l'être ne peut sortir du néant ni y entrer*. Il existe donc des *corpuscules primitifs ou atomes*, dont tous les corps sont formés, et dans lesquels ils se résolvent; quoique invisibles, leur existence n'en est pas moins incontestable. Mais ils ne pourraient agir, se mouvoir, ni même exister sans vide. L'univers est donc le résultat de *la matière et du vide*. Tout ce qui n'est ni l'un ni l'autre en est *propriété* ou *accident*, et non pas une troisième classe d'êtres à part. Les corps premiers, étant la base des ouvrages de la nature, doivent être parfaitement solides, indivisibles et éternels. C'est donc à tort qu'*Héraclite* donne aux corps pour principe le feu, d'autres philosophes l'eau, l'air ou la terre, et *Empédocle* les quatre éléments. L'*Homéomérie d'Anaxagore* n'explique pas mieux la formation des êtres. Le *grand Tout*, indestructible dans ses principes, est infini dans sa masse : il n'y a donc pas de centre où tendent les corps graves; la doctrine des *Antipodes* est une folie.

LIVRE PREMIER

O Mère d'Enée et de sa race [1], plaisir des hommes et des dieux, bienfaisante Vénus, toi qui, sous les signes errants du ciel, peuples la mer porteuse de vaisseaux et les terres aux riches moissons! C'est par toi que toutes les espèces vivantes sont conçues et, arrivant à l'existence, voient la lumière du soleil; devant toi, ô Déesse, à ton approche, fuient les vents, fuient les nuages; sous tes pas la terre industrieuse étend ses doux tapis de fleurs, les flots de la mer te sourient, et pour toi, dans le ciel apaisé se répand et resplendit la lumière.

Sitôt qu'a reparu le visage printanier des jours et que, longtemps captive, s'affranchit l'haleine féconde du zéphir, tout d'abord les oiseaux des airs, ô Déesse, témoignent de ta venue, frappés au cœur par ta puissance. Ensuite s'emportent les troupeaux qui bondissent dans les gras pâturages et qui traversent les fleuves rapides; cédant à ton charme, à tes doux attraits, toute la nature animée brûle de te suivre dans la voie où tu veux l'entraîner. Enfin dans les mers, sur les montagnes, au sein des fleuves impétueux, sous les feuillages qu'habitent les oiseaux, parmi les herbes des prairies, jetant dans tous les cœurs les doux traits de l'amour, tu inspires à tous les êtres l'ardeur de perpétuer leur espèce.

Puisque ainsi tu gouvernes seule la nature et que sans toi rien n'aborde aux rivages divins de la lumière, rien ne se produit de doux et d'aimable, je t'appelle à mon aide pour le travail de ce poème où je m'efforcerai d'expliquer la nature à mon cher Memmius, lui qu'en tout temps, ô Déesse, tu as voulu voir comblé de tous les dons. Donne donc, ô Déesse, en sa faveur surtout, donne à mes paroles un charme éternel.

Fais cependant que sur mer et sur terre nous voyions cesser les cruels travaux de la guerre, fais que leur fureur partout s'apaise. Car toi seule peux rendre aux mortels le repos heureux de la paix. A ces cruels travaux Mars préside, le Dieu puissant des armes, qui souvent vient se jeter dans tes bras, vaincu par l'éternelle blessure d'amour. Alors, les yeux élevés vers toi, sa nuque ronde rejetée en arrière, il repaît de ta vue ses regards avides, et suspend son souffle à tes lèvres. Ah! lorsque ainsi, ô Déesse, il repose près de ton corps sacré, enlace-toi à lui, et que ta bouche, répandant de douces paroles, lui demande le repos de la paix, ô glorieuse, pour les Romains. Car, moi-même, je ne pourrais, parmi les embarras de la patrie, me donner à mon œuvre avec un esprit libre, ni l'illustre rejeton des Memmius se dérober aux nécessités du salut commun [2].

Allons, Memmius, prête une oreille libre et un esprit sagace dégagé des soucis de la vie, à l'étude de la vraie doctrine; ces présents que te prépare ma fidèle amitié, ne va pas, avant d'en avoir compris la valeur, les dédaigner. Car c'est un système qui comprend et le ciel et les dieux que je prétends t'exposer; ce sont les principes des choses que je vais te découvrir; je te dirai de quoi la nature les crée, les entretient, les nourrit; à quoi, après leur dissolution, la nature les ramène; et je désignerai ces éléments par les noms de matière, de corps générateurs, de semences des choses, les appelant aussi corps premiers, parce qu'en eux tout a son origine. Les dieux en effet, par le privilège de leur nature, doivent jouir d'une durée immortelle dans une souveraine paix, séparés, éloignés de nous et de ce qui nous touche, à l'abri de toute douleur, de tout péril, puissants par leurs propres forces, sans aucun besoin de nous, insensibles à nos services, inaccessibles à la colère [3].

Au temps où, spectacle honteux, la vie humaine traînait à terre les chaînes d'une religion qui, des régions du ciel, montrait sa tête aux mortels et les effrayait de son horrible aspect, le premier, un homme de la Grèce, un mortel, osa lever contre le monstre ses regards, le premier il engagea la lutte. Ni les fables divines, ni la foudre, ni le ciel avec ses grondements ne purent le réduire; son courage ardent n'en fut que plus animé du désir de briser les verrous de la porte étroitement fermée de la nature. Mais la force de son intelligence l'a entraîné bien au-delà des murs enflammés du monde [4]. Il a parcouru par la pensée l'espace immense du grand Tout [5], et de là, il nous rapporte vainqueur la connaissance de ce qui peut ou ne peut pas naître, de la puissance départie à chaque être et de ses bornes inflexibles. Ainsi la superstition est à son tour terrassée, foulée aux pieds, et cette victoire nous élève jusqu'aux cieux.

Mais j'éprouve une crainte. Peut-être vas-tu croire qu'on t'initie à des doctrines impies et qu'on t'ouvre la voie du crime? Au contraire, c'est la superstition qui a enfanté trop d'impiétés criminelles. Rappelle-toi la honte d'Aulis, l'autel de Diane, de la chaste déesse, souillé du sang d'Iphigénie par l'élite des chefs grecs, la fleur des guerriers. Quand le bandeau funèbre eut enveloppé la coiffure virginale de la jeune princesse et fut retombé également des deux côtés de son visage, qu'elle vit que son père était là, devant l'autel, accablé de douleur et, près de lui, les prêtres dérobant aux yeux la vue du couteau, et tout autour le peuple fondant en larmes à son aspect, alors, muette de terreur, elle fléchit les genoux et tomba. La malheureuse! que lui servait en un tel moment d'avoir la première donné à un roi le nom de père? Des mains d'hommes la saisissent et, tremblante, l'emportent à l'autel; non pour qu'une fois accomplies les cérémonies saintes, un éclatant cortège d'hyménée la conduise, mais pour que, laissée vierge par le crime, au temps même de l'hymen, elle tombe, triste victime, immolée par un père qui veut obtenir des dieux pour sa flotte un heureux départ. Tant la superstition a pu conseiller d'horreurs!

Toi-même, quelque jour peut-être, vaincu par les effrayants discours des devins, tu chercheras à m'échapper. Que de songes, en effet, ils peuvent imaginer, capables de renverser tout le plan d'une vie, de troubler par la crainte ta fortune prospère! Et tu ne manquerais pas d'excuse : car si les hommes voyaient un terme assuré à leurs misères, ils auraient quelque moyen de résister à la superstition et aux menaces des devins : aujourd'hui point de résistance possible, du moment qu'il faut craindre, par la mort, des châtiments éternels. On ne sait en effet quelle est la nature de l'âme. Naît-elle avec le corps, ou s'y glisse-t-elle au moment de la naissance ? périt-elle avec nous par la dissolution de la mort, ou va-t-elle visiter les ténèbres d'Orcus et ses vastes marais ? ou bien, faut-il croire que les dieux l'envoient animer d'autres êtres, comme l'a chanté notre Ennius, qui, le premier, des riants sommets de l'Hélicon, rapporta une couronne au feuillage immortel, dont la gloire devait se répandre dans toute l'Italie ? Et toutefois, dans ses impérissables vers, il nous parle des régions infernales de l'Achéron, où ne demeurerait de nous ni âme ni corps, mais de certains fantômes d'une pâleur étrange. C'est de là, dit-il, que lui est apparue l'ombre d'Homère, à la gloire éternellement jeune, et qui, ayant versé des larmes amères, lui dévoila les secrets de la nature [6].

Si donc il nous faut rendre compte des phénomènes d'en haut, des lois qui règlent les mouvements du soleil et de la lune, de celles qui gouvernent toutes choses sur la terre, il nous faut encore et surtout, au moyen d'une méthode pénétrante, rechercher quelle est la formation de l'esprit et de l'âme, ce que c'est que ces objets effrayants qui nous terrifient dans la fièvre de la maladie, ou ensevelis dans le sommeil, au point que nous croyons voir et entendre face à face ceux qui ont déjà subi la mort et dont la terre enferme les ossements.

Je sais bien que les systèmes obscurs des Grecs sont difficiles à rendre clairement dans nos vers latins, surtout parce qu'il faut user de tant de mots nouveaux, à cause de la pauvreté de la langue et de la nouveauté des sujets ! Et toutefois l'attrait de ta vertu, la douceur espérée de ta chère amitié, m'engagent à surmonter toutes les fatigues, à veiller durant les nuits sereines, cherchant par quelles paroles et dans quels vers je pourrai faire luire à ton esprit une lumière qui éclaire pour lui les secrets les plus profonds de la nature. Cette terreur, ces ténèbres de l'âme, il faut, pour les dissiper, non pas les rayons du soleil, les traits lumineux du jour, mais la vue exacte de la nature et son explication raisonnée.

Le principe qui nous servira de point de départ, c'est que rien ne peut être engendré de rien par l'effet d'une puissance divine [7]. Car si la crainte tient enchaînés tous les mortels, c'est que sur la terre et dans le ciel leur apparaissent des phénomènes dont ils ne peuvent aucunement apercevoir les causes, et qu'ils attribuent à une action des dieux. Quand donc nous aurons vu que rien ne se fait de rien, alors ce que nous cherchons se découvrira plus aisément; nous saurons de quoi chaque chose peut recevoir l'être et comment toutes choses se forment, sans intervention des dieux.

Si de rien pouvait se former quelque chose, de tout corps indifféremment pourraient naître toutes les espèces; à aucune il ne faudrait de semence. Ainsi de la mer pourraient sortir les hommes, de la terre les espèces qui portent écaille ou qui volent; du ciel s'élanceraient les grands troupeaux, le petit bétail; les bêtes sauvages, produits du hasard, occuperaient indifféremment régions habitées ou déserts. On ne verrait point constamment les mêmes fruits aux mêmes arbres; l'ordre des productions changerait, tout pourrait tout produire. Comme il n'y aurait point pour chaque être d'éléments générateurs, comment chacun pourrait-il avoir une mère déterminée ? Mais à la vérité, comme les êtres ont tous leur semence propre, ils naissent et abordent aux rives de la lumière dès que se trouve prête la matière de chacun, avec ses éléments premiers; et c'est ainsi que tout ne peut s'engendrer de tout, à cause des propriétés distinctes de chaque corps.

En outre, pourquoi voyons-nous fleurir au printemps les roses, les blés mûrir au temps des chaleurs et les fruits de la vigne aux jours de l'automne, sinon parce qu'au temps marqué les germes affluent tous ensemble, et que tout être créé paraît au jour quand la saison est venue, quand la terre vivifiée peut exposer sans crainte ses tendres productions à la lumière ? Que si elles sortaient du néant, elles apparaîtraient tout à coup, à des époques indéterminées, et dans d'autres saisons que les leurs, puisqu'il n'y aurait plus de germes dont une saison contraire pût arrêter l'union féconde.

Allons plus loin; pour l'accroissement des êtres il ne serait plus besoin du temps nécessaire à l'assemblage de leurs éléments, s'ils pouvaient se faire de rien. On deviendrait jeune homme en un moment, à peine sorti de la première enfance; de la terre s'élanceraient tout à coup des arbres déjà grands. Or il est clair que rien de cela n'arrive, que toutes choses au contraire se développent par degrés, comme il est naturel, venant d'un germe déterminé, et que dans ce développement le caractère de l'espèce se conserve; à quoi l'on peut reconnaître que chaque être a sa matière propre qui le fait grandir, qui l'entretient.

Ajoutons que, sans les pluies annuelles, la terre ne pourrait produire ses joyeuses moissons; les animaux eux-mêmes, privés de nourriture, ne pourraient propager leur espèce ni maintenir leur existence. Et l'on concevrait plutôt des éléments communs à plusieurs êtres, comme le sont les lettres aux mots, que l'existence d'un être sans éléments premiers.

Enfin, pourquoi la nature n'a-t-elle pas produit des hommes tellement grands qu'ils puissent traverser à pied la mer comme un gué, écarter de leurs mains les hautes montagnes, et par la longue durée de leur vie dépasser celle de nombreuses générations, sinon parce qu'à la production de chaque être fut attribuée une part déterminée de cette matière dont se compose tout ce qui peut naître ? Il faut donc avouer que rien ne peut provenir de rien, puisqu'il faut à toute chose une semence pour être créée et pour se développer ensuite aux souffles tendres de l'air.

Enfin, puisque nous voyons les lieux cultivés l'emporter sur les lieux incultes et, par l'effort de nos mains, rendre de meilleurs fruits, la terre évidemment possède des germes élémentaires, qu'ensuite, retournant la glèbe féconde et domptant le sol avec le soc, nous appelons à la naissance. S'il n'y en avait pas, on verrait toutes choses se produire sans notre travail, d'elles-mêmes et beaucoup mieux.

Autre vérité : la nature réduit chaque corps en ses parties élémentaires, mais ne le fait point périr, ne l'anéantit point. S'il y en avait de mortels en toutes leurs parties, les choses disparaîtraient tout à coup à nos yeux et cesseraient d'exister; il ne serait, en effet, besoin d'aucune force pour en séparer les parties, pour en délier les nœuds. Tandis qu'étant formées d'éléments éternels, jusqu'au jour où une force les heurte du dehors ou les pénètre par les vides qu'elles présentent, et en détruit l'assemblage, jamais la nature ne nous en laisse voir la fin.

D'ailleurs, tout ce que le temps dérobe à nos yeux, s'il le détruisait tout entier, s'il en consumait toute la matière, comment Vénus pourrait-elle ramener sans cesse à la lumière de la vie les générations des espèces, comment la terre industrieuse pourrait-elle les nourrir et les développer ? Où la mer aurait-elle ses sources ? D'où viendraient les fleuves qui lui apportent de loin leurs eaux ? où l'éther trouverait-il la pâture des astres [8] ? Des êtres au corps mortel, la durée infinie du temps et des jours devrait les avoir entièrement consumés. Que si, dans ce vaste espace du passé, il s'est trouvé des éléments propres à réparer sans cesse l'univers, il faut bien que ces éléments soient d'une nature immortelle. Il ne se peut donc pas que quoi que ce soit retourne au néant.

Tous les êtres, enfin, succomberaient indistinctement à l'action d'une même cause, si une matière éternelle ne les maintenait assemblés par des nœuds plus ou moins serrés. Le simple contact en effet serait pour eux une cause suffisante de mort. N'étant point formés d'éléments éternels, toute rencontre pourrait en rompre le tissu. Mais, au contraire, des nœuds de diverses sortes lient leurs parties élémentaires, ces parties étant faites d'une matière éternelle; ils subsistent donc dans leur intégrité jusqu'à ce qu'il survienne quelque atteinte trop forte pour leur tissu. Ainsi nul corps ne retourne au néant, mais tous retournent, après leur dissolution, aux éléments de la matière.

Les pluies semblent se perdre quand le dieu Ether les a précipitées dans le sein de notre mère commune, la terre. Mais en retour surgissent les brillantes moissons, sur les arbres verdissent les rameaux; eux-mêmes, les arbres croissent et se courbent sous le poids des fruits. De là des aliments pour notre espèce et celles des animaux; de là tous ces enfants qui font fleurir les villes réjouies; tous ces oiseaux, nouvellement éclos, qui font chanter le feuillage des forêts; de là ces brebis qui reposent dans les gras pâturages, leur corps fatigué d'embonpoint, et dont la mamelle gonflée distille une blanche liqueur; de là les tendres agneaux jouant et folâtrant, faibles encore et tout tremblants, parmi les herbes, quand le lait maternel a comme enivré leur jeune tête. Rien donc ne se perd tout à fait de ce qui semblait périr, puisque d'un être fini la nature reforme un être qui commence, et que ce n'est que par la mort des uns qu'elle procure la vie aux autres.

Tu sais donc maintenant que les choses ne s'engendrent point du néant, et qu'une fois produites, elles n'y retournent point. Mais comme des doutes pourraient te venir par cette raison que les éléments des corps échappent à nos yeux, je vais te citer des corps dont il te faut confesser l'existence, bien qu'on ne les puisse voir.

D'abord, c'est le vent qui, de ses coups redoublés, frappe la mer, renverse les plus grands vaisseaux, disperse les nuages; qui, d'autres fois, promenant un tourbillon rapide dans les plaines, les jonche de grands arbres renversés, ou bien balaie de son souffle, fléau des forêts, le sommet des montagnes; tant est redoutable sa force frémissante, aux grondements pleins de menaces! Les vents sont donc des corps invisibles, puisqu'ils balayent et la terre et la mer et les nuages du ciel, qu'ils malmènent et emportent dans leur tourbillon. Leur cours, qui sème au loin la ruine, est pareil à celui de ces eaux d'abord paisibles qui tout à coup se précipitent en flots abondants, grossies par les torrents que les pluies diluviennes précipitent des montagnes, et entraînent avec elles les débris des forêts, des arbres tout entiers. Point de ponts si solides, qu'ils puissent tenir contre cette brusque violence; le fleuve troublé par les grandes pluies vient heurter avec trop de force leurs assises de pierre, il les fait crouler à grand bruit, il en roule les immenses blocs dans ses eaux; il renverse tout ce qui lui fait obstacle. Ainsi doit s'emporter le souffle du vent : partout où il s'abat à la manière d'un fleuve impétueux, il bouscule ce qu'il rencontre, il le renverse par ses assauts répétés; quelquefois il le saisit dans ses tourbillons, il l'emporte en trombe. Les vents sont donc, je le répète, des corps invisibles, puisque par leur action, leurs caractères, ils rivalisent avec les grands fleuves, dont est visible la substance.

De même, la variété des odeurs se fait sentir à nous et cependant nous ne les voyons pas arriver à nos narines; nos yeux ne perçoivent pas davantage la chaleur, le froid, les sons, toutes choses qui sont nécessairement de nature corporelle, puisqu'elles affectent les sens. Car toucher, être touché, les corps seuls en ont le pouvoir.

Sur le rivage où brisent les vagues, suspends des vêtements, ils deviennent humides; étends-les au soleil, ils sèchent; or l'on ne voit ni de quelle manière l'eau y pénètre, ni de quelle manière sous l'action de la chaleur elle s'en retire. Il faut donc qu'elle soit divisée en particules que les yeux ne peuvent d'aucune façon apercevoir. Et même, avec le concours des années, l'anneau que nous portons au doigt s'amincit par-dedans, la chute répétée d'une goutte d'eau creuse la pierre; le fer du soc recourbé s'émousse invisiblement dans le sillon; on voit que se sont usées sous les pas de la foule les pierres qui pavent les rues; et les statues d'airain placées à la porte des villes nous montrent des mains usées aussi par le baiser des passants qui les adorent. Ces objets diminuent donc, nous le voyons, par l'usure. Mais quelles particules s'en retirent à tout instant? La nature nous en a dérobé le spectacle. Enfin, tout ce que jour par jour la nature ajoute lentement aux corps, pour les faire croître par degrés, l'effort de notre vue n'en peut rien atteindre. Nos yeux n'aperçoivent pas davantage ce que le temps enlève aux corps en les vieillissant. Les rochers suspendus au-dessus de la mer, sans cesse rongés par le sel de ses eaux, font à tout instant des pertes que nous ne voyons pas. C'est donc au moyen de corps invisibles que la nature accomplit son œuvre.

Ne crois pas, cependant, qu'il n'y ait partout que matière : car il y a du vide dans la nature. Voilà une connaissance qui te sera utile en bien des cas; qui ne te permettra plus d'erreurs, de doutes, d'incertitudes sur les lois de l'univers, ni de défiance à l'égard de mes paroles. Posons donc en principe qu'il y a un espace intangible et immatériel, le vide. S'il n'y en avait point, les corps ne pourraient absolument se mouvoir; cette propriété qu'a chaque corps de s'opposer, de résister, ferait, à tout moment, obstacle à tous; rien n'avancerait parce que rien ne commencerait à céder. Or les mers et les terres, et les hauteurs du ciel, contiennent des corps sans nombre qui se meuvent de mille manières à nos yeux : s'il n'existait point de vide, ces corps ne connaîtraient point l'agitation de ces mouvements; bien plus, ils ne seraient même pas arrivés à l'existence, parce que la matière, comprimée de toutes parts, serait toujours demeurée en repos.

En outre, bien que les corps nous paraissent pleins, on peut juger qu'en réalité il y a des vides en eux. A travers les rochers et les grottes pénètre la fluidité des eaux, et de toutes parts les pierres y pleurent des larmes abondantes. Par tout le corps des animaux se distribue la nourriture. Les arbres croissent et, le temps venu, prodiguent leurs fruits, parce qu'eux-mêmes, la sève les renouvelle tout entiers, montant de l'extrémité de leurs racines à leur tronc et se répandant jusque dans leurs derniers rameaux. Le son passe à travers les cloisons, et les murailles des maisons n'arrêtent point son vol. Le froid se fait sentir jusqu'à nos os. Or s'il n'y avait point de vide qui livrât passage à la matière, on ne verrait point de tels faits s'accomplir.

Enfin, pourquoi remarquons-nous une différence de poids entre des corps de même dimension ? S'il y avait en eux une égale quantité de matière, un flocon de laine, une masse de plomb de même volume, devraient peser également, puisque c'est une propriété de la matière de tendre en bas par sa gravité, tandis que le vide est sans pesanteur. Concluons que si de deux corps égaux, l'un est plus léger, c'est qu'il contient plus de vide. Le plus lourd révèle clairement qu'il renferme moins de vide avec plus de matière. Il existe donc bien, comme nous nous ingénions à le montrer, cet espace mêlé aux choses et que nous nommons le vide.

Ici, je dois aller au-devant d'une théorie que plusieurs ont imaginée et qui pourrait t'égarer. Les eaux, disent-ils, cèdent aux efforts de la gent porte-écailles et lui ouvrent un liquide chemin, parce que derrière les poissons reste un espace vide où, dans leur retraite, les eaux peuvent refluer. C'est ainsi que d'autres objets encore peuvent se mouvoir mutuellement et échanger leurs espaces, bien que le tout soit plein.

Mais c'est d'un faux raisonnement qu'on tire cette explication : comment, en effet, les poissons iraient-ils en avant, si les eaux ne leur faisaient place; et comment se retireraient les eaux, si les poissons n'avançaient pas ? Il faut donc ou refuser le mouvement aux corps, ou reconnaître qu'à la matière se mêle un vide nécessaire pour que le mouvement commence.

Enfin si, après s'être rencontrés, deux corps à surface plane s'écartent brusquement, il faut bien que l'air occupe tout le vide qui se forme entre eux deux. Or cet air, quelle que soit la rapidité de son mouvement, ne peut, en un moment, remplir l'espace tout entier : il doit en occuper de proche en proche tous les points, avant de combler l'ensemble.

Quelqu'un prétendra-t-il que, lorsque les deux corps se séparent, le phénomène observé vient de ce que l'air se condense ? Erreur; car alors il se fait un vide qui n'existait pas d'abord, et le vide d'abord existant se remplit. Ce n'est pas ainsi que l'air peut se condenser; et, la chose serait-elle possible, il ne pourrait, je pense, sans vide, se ramasser en lui-même et ramener à un tout ses diverses parties. Ainsi donc il te faut, quelque retard que causent tes objections, arriver à reconnaître que le vide existe.

Je pourrais encore, en multipliant les preuves, gagner à mes discours ton assentiment. Mais, pour ton esprit pénétrant, il suffit de ces quelques points de repère, qui l'amèneront sans moi à la connaissance du reste. Ainsi quand les chiens poursuivent dans les montagnes la bête fauve, le flair leur fait trouver le repaire caché sous le feuillage, une fois qu'ils sont sur la piste certaine. De même tu pourras, dans cette étude, aller seul de conséquence en conséquence, pénétrer les profondeurs les plus obscures et en tirer la vérité qui s'y cache. Que si ton zèle se ralentit, ou si tu t'écartes tant soit peu de notre sujet, songe à ce que je puis te promettre, ô Memmius. La source où je puise est si abondante et, de mon esprit enrichi, s'épancheront suavement de tels trésors de doctrine, que la vieillesse, je le crains, se sera glissée pesante dans nos membres, y relâchant les liens de la vie, avant que, sur chaque point, mes vers aient porté à ton oreille toute l'abondance des preuves.

Mais il me faut reprendre la trame de mon exposé. La nature entière, telle qu'elle est, a donc une double origine; elle comprend des corps et ce vide dans lequel ils se situent et se meuvent. L'existence des corps, le sens commun suffit pour nous l'attester, et sans ce fondement inébranlable de notre pensée, nous ne pourrions, à l'égard de faits plus obscurs, appuyer sur rien notre jugement.

Quant à l'espace que nous nommons vide, s'il n'existait pas, il n'y aurait pour les corps ni place ni moyen de mouvement, comme je viens de te le montrer.

En outre, il n'est rien dont tu puisses affirmer l'existence hors de toute espèce de corps, hors du vide, rien en quoi tu puisses t'imaginer avoir découvert comme une troisième manière d'être. En effet, quoi qu'elle fût, encore lui faudrait-il, pour exister, des dimensions grandes et petites; or, si le toucher pouvait l'atteindre, même le moins du monde, on devrait la compter au nombre des corps, l'ajouter à leur total. La supposerait-on impalpable, incapable d'opposer dans quelqu'une de ses parties la moindre résistance au passage des corps, alors elle serait précisément ce que nous nommons le vide.

De plus, tout être existant en soi devrait être ou actif ou passif à l'égard d'autres êtres, ou bien encore fournir un espace à l'existence et au mouvement. Or il n'y a que les corps qui puissent être actifs ou passifs; et fournir l'espace n'appartient qu'au vide. Donc, en dehors du vide et des corps, il n'y a point place dans la série des choses pour un troisième état susceptible de tomber sous nos sens ou d'être atteint par la pensée.

Dans tous les êtres qui ont un nom, ne vois que propriétés ou accidents soit du vide, soit des corps. Une propriété, c'est ce qu'on ne peut abstraire, séparer d'un être sans que ce divorce n'entraîne sa perte, comme la pesanteur pour la pierre, la chaleur pour le feu, la fluidité pour l'eau, la tangibilité pour les corps, l'intangibilité pour le vide. Quant à la servitude, à la pauvreté et à la richesse, à la liberté, à la guerre, à la concorde, à tout ce dont la présence ou l'absence laisse subsister les êtres dans leur intégrité, c'est là ce qu'on appelle, à juste titre, accidents.

Mais le temps ? Il n'a pas d'existence en soi. Ce sont les choses et leur écoulement qui rendent sensibles le passé, le présent, l'avenir. A personne, il le faut avouer, le temps ne se fait sentir indépendamment du mouvement des choses ou de leur repos.

Enfin si, nous parlant d'événements, comme le rapt d'Hélène ou la soumission des Troyens par les armes, on nous dit qu'*ils sont*, gardons-nous de leur attribuer une existence propre, puisque les générations d'hommes qui éprouvèrent ces accidents ont été irrévocablement emportées par le cours des âges. Il n'y a point d'événement qui, à l'égard des hommes comme des pays, ne puisse être qualifié d'accident.

Sans la matière qui forme les corps, sans l'étendue et l'espace où toutes choses s'accomplissent, jamais le feu d'amour allumé par la beauté de la fille de Tyndare au cœur du Phrygien Pâris n'eût fait éclater les fameux combats d'une guerre cruelle, et jamais le cheval de bois dans l'ombre de la nuit, à l'insu des Troyens, n'eût enfanté des guerriers grecs et vomi l'incendie dans Pergame. On peut voir par là que les faits du passé n'ont point d'existence propre comme les corps ni n'existent à la manière du vide, mais qu'il est plus juste de les regarder comme des accidents de la matière et de l'étendue où tout s'accomplit.

Les corps, ce sont d'une part les principes simples des choses, les atomes, et d'autre part les composés formés par ces éléments premiers. Pour ceux-ci, il n'est aucune force qui puisse les détuire; à toute atteinte leur solidité résiste.

On aura cependant de la peine à concevoir un corps d'une matière absolument pleine. Ainsi la foudre du ciel traverse les murs de nos maisons, comme la voix et le son; le fer blanchit dans la fournaise, les pierres éclatent sous l'action violente du feu, la dureté de l'or cède elle-même à cette ardeur et fond; l'airain, poli et froid comme la glace, se liquéfie comme elle, vaincu par la flamme; le chaud et le froid pénètrent à travers l'argent jusqu'à nos mains, quand elles tiennent une coupe et qu'on y verse suivant l'usage la liqueur des libations. Tant il est vrai que rien parmi les choses ne nous apparaît parfaitement solide.

Toutefois, puisque la logique, puisque la nature elle-même nous mène à cette vérité, apprends en quelques vers qu'il existe des corps, solides et éternels, semence et principe des choses, par lesquels a été constitué l'univers.

Tout d'abord, puisque nous avons découvert que la nature est double, composée de deux éléments essentiellement dissemblables, la matière et le vide où tout s'accomplit, il faut que chacun d'eux existe par lui-même, pur, sans mélange. Car partout où s'étend l'espace que nous appelons vide, point de matière; et partout où se dresse un corps, impossible qu'il y ait espace libre, vide. Les corps élémentaires sont donc de matière pleine; ils n'admettent point le vide.

Et puisque le vide existe dans les choses créées, il faut nécessairement qu'il y ait à l'entour quelque matière solide : comment un corps pourrait-il contenir du vide caché dans sa substance s'il n'y avait pour envelopper ce vide les cloisons d'un élément solide ? Or ces cloisons, que seraient-elles, sinon un agrégat de matière capable d'enfermer le vide ? Voilà pourquoi la matière, formée d'éléments solides, peut être douée d'éternité, tandis que tout le reste se décompose.

Au reste, si le vide n'existait pas, l'univers serait un solide parfait; par contre, s'il n'y avait certains corps à occuper de l'espace, l'univers ne serait qu'un vide immense. C'est pourquoi matière et vide sont évidemment distincts et cependant entremêlés, puisque rien n'existe qui soit plein ou vide parfaitement. Il y a donc certains corps qui ont le pouvoir de faire alterner le plein avec l'espace libre.

Ces corps premiers ne risquent d'être détruits par aucun choc extérieur, ni pénétrés par aucun corps ni enfin altérés par aucune autre atteinte : c'est ce que je t'ai enseigné plus haut. Car on ne conçoit pas que, sans vide, quoi que ce soit puisse être broyé, brisé, fendu en deux; rien non plus ne souffrirait de l'humidité ni du froid pénétrant, ni de la chaleur, pénétrante aussi, par quoi tout est détruit. Et plus un corps renferme de vide, plus ses agents de destruction ont de prise sur lui. Si donc les corps premiers sont, comme je l'ai enseigné, solides et sans vide, il faut nécessairement qu'ils soient éternels.

Supposons du reste que la matière n'ait pas été éternelle : toutes choses déjà seraient tout entières retournées au néant, et du néant serait né à nouveau tout ce que nous voyons. Mais puisque rien ne peut être créé de rien, je l'ai démontré, et que ce qui est né, le néant ne peut le reprendre, une substance immortelle est donc nécessaire aux éléments en lesquels chaque corps ira se fondre à son heure suprême, afin que la matière puisse suffire au renouvellement incessant du monde. Les corps premiers sont donc simples et solides à la fois; autrement ils ne pourraient résister au temps pour travailler éternellement à la renaissance des êtres.

Enfin si la nature n'avait pas imposé une limite à la destruction des choses, les éléments de la matière rongés par tant de siècles se trouveraient maintenant réduits au point qu'aucun corps né d'eux à partir d'une certaine époque ne serait capable d'atteindre au terme de son âge. Car nous voyons que les corps peuvent se dissoudre plus vite qu'ils ne se reforment; aussi ce que la longue durée des jours, l'infinité des temps accomplis aurait brisé, dissous, détruit, ne pourrait jamais se refaire dans les temps qui suivraient. Mais évidemment un terme immuable de destruction a été fixé, puisque chaque corps détruit se reforme, nous le voyons, et que chaque espèce d'êtres arrive dans un temps donné à la fleur de son âge.

Il y a plus : les corps premiers de la matière, les atomes, ont beau offrir une solidité absolue, on peut cependant expliquer la formation et les modes d'existence des corps de nature fluide, tels que l'air, l'eau, la terre, les vapeurs, car il suffit d'admettre que le vide se mêle à tous les corps. Supposera-t-on que les atomes soient mous ? Il sera alors impossible d'expliquer la naissance des roches, celle du fer, car la nature sera privée de ses bases initiales. Mais non, les atomes sont solides et forts de leur simplicité essentielle; et c'est leur union plus étroite qui peut former tous les corps durs et résistants.

Ainsi donc la nature, dans chaque espèce, a fixé des bornes à l'accroissement et à la durée des corps; elle a fixé les limites de leur pouvoir par des lois inviolables; rien ne se modifie jamais, mais au contraire tout reste constant, au point que de génération en génération les oiseaux divers portent sur leur corps certaines marques distinctives de chaque espèce. Eh bien, ne s'ensuit-il pas évidemment que leur substance doit être formée d'éléments immuables ? Car si les corps premiers pouvaient subir quelque défaite qui les modifiât, il ne serait plus possible de fixer ce qui peut ou ne peut pas naître, on ne saurait plus comment le pouvoir des êtres se trouve borné par leur immuable nature, ni comment les générations peuvent ramener périodiquement dans chaque espèce le même tempérament, les mêmes gestes, le même genre de vie et les mêmes mœurs.

Poursuivons : puisqu'il existe un terme extrême pour le corps premier qui déjà lui-même cesse d'être perceptible à nos sens, ce dernier élément ne peut qu'être dépourvu de parties, et c'est le plus petit corps de la nature ; il n'a jamais existé et n'existera jamais isolé, puisqu'il fait lui-même partie de quelque autre corps à titre d'unité première, à laquelle d'autres et encore d'autres unités semblables s'ajoutent et s'agglomèrent étroitement pour former le corps entier ; et toutes ces unités ne pouvant exister à part, il faut que leur cohésion soit si forte que rien ne les puisse séparer. Ainsi les atomes sont simples et impérissables, et l'union parfaite de leurs particules irréductibles est le fruit, non pas de quelque hétérogène assemblage, mais d'une simplicité éternelle ; la nature ne permet pas qu'on puisse soustraire encore quoi que ce soit à ce qu'elle a choisi pour être la semence des choses.

Au reste, si l'on n'admet pas dans la nature un dernier terme de petitesse, les corps les plus petits seront composés d'une infinité de parties, puisque chaque moitié de moitié aura toujours une moitié, et cela à l'infini. Quelle différence y aurait-il alors entre l'univers même et le plus petit corps ? On n'en pourrait point établir ; car si infiniment étendu qu'on suppose l'univers, les corps les plus petits seraient eux aussi composés d'une infinité de parties. La droite raison se révolte contre cette conséquence et n'admet pas que l'esprit y adhère ; aussi faut-il t'avouer vaincu et reconnaître qu'il existe des particules irréductibles à toute division et qui vont jusqu'au dernier degré de la petitesse ; et puisqu'elles existent, tu dois reconnaître aussi qu'elles sont solides et éternelles.

Enfin, si la nature créatrice des choses n'avait coutume en détruisant les êtres de les réduire à leurs particules infimes, elle ne pourrait se servir des débris pour former de nouveaux corps, car ces débris encore décomposables ne pourraient posséder les qualités d'une matière d'où tout doit naître : liens divers, densité, chocs, rencontres et mouvements, tout ce par quoi les choses se composent.

Inutile de supposer que la divisibilité des éléments n'ait pas de borne assignée, car il faut bien cependant qu'il existe de toute éternité, pour chaque être, des corps élémentaires qui jusqu'ici n'aient jamais reçu d'atteinte. Mais ils sont fragiles de nature, n'est-ce pas ? Alors, comment s'expliquer qu'ils aient pu se maintenir durant l'éternité et résister aux assauts innombrables que les siècles leur ont livrés ?

Ceux qui ont pensé que la matière initiale du monde était le feu et que du feu seul l'ensemble des choses s'était constitué, ceux-là paraissent bien être tombés dans une grave erreur. Héraclite [9] marche à leur tête, c'est lui qui a engagé les premiers combats, cet homme que son langage obscur a fait illustre chez les Grecs, auprès des têtes légères évidemment plutôt que des sages passionnés de vérité. Car les sots admirent et aiment les opinions qu'ils ont à chercher sous des termes mystérieux ; le vrai pour eux, c'est ce qui produit une harmonie flatteuse à l'oreille, c'est ce qui se pare d'agréables sonorités.

D'où pourrait venir la prodigieuse variété des choses, je le demande, si l'on admet que le feu pur et simple les a produites ? C'est en vain que le feu pourrait se condenser et se raréfier, si ses parties composantes gardaient la même nature que le tout à sa plus haute ardeur. L'ardeur serait plus vive avec les éléments concentrés, plus faible avec les éléments séparés et dispersés ; je défie que l'on puisse de telles causes tirer d'autres effets, bien loin de pouvoir former tant de corps divers par la condensation ou la raréfaction du feu.

Encore faut-il que ces philosophes reconnaissent le vide pour qu'on leur accorde des feux qui puissent se condenser ou se raréfier. Mais, comme ce principe entraîne beaucoup de contradictions dans leur système, ils n'osent l'admettre et ne croyant pas que le vide pur subsiste dans les choses, ils s'écartent du vrai chemin par crainte des difficultés : ils ne voient pas que d'un autre côté, s'ils bannissent le vide de la nature, tout se condense et ne forme plus qu'un seul corps, incapable d'émettre rapidement la moindre émanation à la façon dont nous voyons le feu brûlant projeter lumière et chaleur : preuve qu'il n'est pas formé de parties agglomérées.

S'aviseront-ils — autre hypothèse — de soutenir que les feux peuvent s'éteindre et changer de nature en se combinant ? Mais c'est évidemment, à moins de quelque restriction de leur part, anéantir tout entier le feu élémentaire et par conséquent faire naître tous les êtres du néant. Car aucun être ne peut accepter de changement qui le fasse sortir des limites de sa nature sans cesser aussitôt d'être ce qu'il est : c'est pourquoi il faut conserver intact un certain élément des corps, sinon on les ramène tous au néant et c'est alors du néant que le grand Tout devrait renaître et prendre vigueur.

Ainsi donc il existe des corps très déterminés dont l'essence est immuable; et leur retrait, leur accession ou leurs combinaisons créent la diversité de la nature : il faut en conclure que ces corpuscules ne sont pas de feu. Qu'importerait, en effet, que certains d'entre eux s'ajoutent, se retranchent et s'en adjoignent d'autres, ou bien aient leur ordre changé, si tous néanmoins conservaient leur nature brûlante ? Ils ne pourraient toujours engendrer que du feu.

Voici ma thèse : il existe certains corps dont les rencontres, les mouvements, l'ordre, la position, les figures produisent le feu et dont les différentes combinaisons engendrent la diversité des choses; mais ils ne ressemblent ni au feu, ni à aucun autre corps capable de frapper nos sens par ses émanations et d'affecter par son contact notre toucher.

Dire que le feu est tout, ne vouloir admettre que le feu au nombre des existences réelles, comme le fait Héraclite, me paraît le comble de la folie. Car nous voyons ce philosophe partir des sens pour les combattre; il les ruine, eux dont dépendent toutes les certitudes et par lesquels lui-même a connu ce qu'il nomme le feu. Il croit en effet que les sens nous donnent la connaissance du feu, mais nous refusent celle du reste, qui n'a pas cependant une moindre évidence. Voilà ce que je trouve sans fondement et insensé. A quoi donc recourir ? Quel témoignage plus sûr pour nous que celui des sens pour distinguer le vrai du faux ?

Pourquoi d'ailleurs tout supprimer pour ne laisser subsister que le feu ? Cela vaut-il mieux que de nier l'existence du feu en acceptant un autre élément ? Les deux thèses me semblent également folles.

C'est pourquoi ceux qui ont pensé que le feu créateur a constitué la matière universelle, ceux qui ont attribué à l'air la formation de tous les corps, ceux qui ont décidé que l'eau a eu le pouvoir de tout produire ou encore que la terre a suffi à toutes les créations et pris forme et nature de tous les êtres, — tous ces philosophes, à mon avis, ont été se perdre bien loin du vrai. Ajoute encore ceux qui accouplent ces principes deux à deux, joignant l'air au feu, la terre à l'eau, et ceux qui les acceptent tous les quatre pour tirer de la terre, de l'eau, de l'air et du feu réunis, tout l'ensemble des êtres.

A la tête de ceux-là est Empédocle d'Agrigente [10], qu'a vu naître entre ses trois rivages l'île que le flot ionien entoure et creuse en baies spacieuses par l'assaut de ses eaux glauques et amères; un étroit passage où se précipite un courant rapide la sépare de la terre italienne. Là est la profonde Charybde, là les menaçants grondements de l'Etna font craindre que sa colère contenue ne se réveille à nouveau pour vomir encore avec violence un feu qui porterait jusqu'au ciel les éclairs de sa flamme. Mais cette région riche en merveilles, digne de l'admiration du genre humain et de la curiosité des voyageurs, cette vaste terre abondante, défendue par un rempart de héros, n'a cependant rien produit de plus illustre que cet homme, rien de plus saint, de plus étonnant et de plus grand prix. Les chants de ce génie divin font retentir partout sa voix et publient ses sublimes découvertes : à peine si l'on ne doute point de son origine mortelle. Il s'est trompé cependant, lui et tous ceux dont je parlais plus haut, qui lui cèdent à tant de titres et ne lui vont pas à la taille. Sans doute leur génie inspiré a souvent découvert le vrai et du sanctuaire de leur pensée sont sorties des réponses plus saintes et plus certaines que n'en fait entendre la Pythie du haut de son trépied, couronnée du laurier de Phœbus; mais arrivés aux principes des choses ils sont tombés dans l'erreur et leur grandeur même n'a fait que leur infliger une chute plus profonde et plus lourde.

D'abord ils supposent le mouvement en supprimant le vide; ils admettent des corps mous et de très légère densité, air, soleil, feu, terre, animaux, végétaux, sans vouloir mêler le vide à leur substance.

Ensuite, ils n'admettent aucun terme à la division de la matière, aucune limite à son fractionnement : plus d'infiniment petits. Or nous trouvons en toute chose une partie extrême, la plus petite qui soit accessible à nos sens : n'en peut-on inférer l'existence dans les atomes invisibles de quelque partie extrême infiniment petite et irréductible ? A cela s'ajoute que, puisque l'on suppose à la matière certains éléments premiers de nature molle que nous voyons astreints à naître et à mourir, l'univers tout entier aurait déjà dû retourner au néant et c'est du néant qu'aurait dû renaître et reprendre vigueur l'ensemble des êtres. Or tu sais déjà combien ces deux thèses s'égarent loin du vrai.

D'ailleurs de tels éléments sont ennemis, véritables poisons les uns pour les autres : lors donc qu'ils se rapprocheraient, ils périraient ou se dissiperaient comme font, quand la tempête s'est amassée, la foudre, la pluie et les vents.

Enfin, si tout se forme de quatre éléments, puis y doit faire retour par la dissolution des êtres, quelle raison avons-nous d'en faire les principes des corps plutôt que de leur donner inversement les corps mêmes pour principes ? Les corps, en effet, s'engendrent les uns les autres et s'empruntent mutuellement leur forme et même leur substance entière, de toute éternité.

Si tu prétends au contraire que feu, terre, souffle de l'air et eau fluide s'unissent sans que leur nature en soit modifiée, aucun être ne s'en pourra former, ni animé ni inanimé, tel qu'un arbre; car chaque élément de cette masse confuse et disparate laissera paraître sa nature; on verra l'air mêlé avec la terre, le feu avec l'eau, mais chacun gardant ses propriétés. Or il faut, au contraire, que dans la création des êtres, les principes apportent une nature secrète et invisible, de peur que ne vienne dominer un élément qui contrarie l'ensemble et prive tout corps créé de son caractère spécifique.

Bien plus, nos philosophes remontent jusqu'au ciel et à ses feux et ils imaginent que le feu, premier élément, se transforme en souffle aérien, que de l'air se forme l'eau, de l'eau la terre et que, dans l'ordre inverse, la terre appelle à la vie tout le reste, l'eau d'abord, puis l'air, ensuite la chaleur, et qu'il y a une perpétuelle transformation de ces éléments les uns dans les autres, en un échange incessant du ciel à la terre et de la terre aux astres. Or de telles métamorphoses sont incompatibles avec la nature des principes élémentaires. Car il faut qu'il subsiste quelque chose d'immuable, si l'on ne veut pas que tout soit entièrement réduit au néant. Aucun être en effet ne peut accepter de changement qui le fasse sortir des limites de sa nature sans cesser aussitôt d'être ce qu'il était. Aussi les quatre éléments subissant, avons-nous dit, leur métamorphose, il leur faut être eux-mêmes composés d'autres éléments immuables, sans quoi tout serait entièrement réduit au néant. Ne vaut-il pas mieux supposer certains corps tels qu'après avoir formé le feu, par exemple, ils soient capables, par un accroissement léger ou une légère diminution de leur nombre, par une autre disposition et un autre mouvement, de créer les souffles de l'air ? Ainsi se feraient toutes les métamorphoses.

Mais, diras-tu, c'est une évidence que tous les êtres s'élèvent dans l'air en naissant de la terre qui les accroît et les nourrit; et si la saison ne leur accorde la pluie en temps favorable, de façon à faire plier les jeunes arbres sous la fonte des nuages, et si le soleil à son tour ne les favorise d'une part de chaleur, rien ne pourra croître, ni moissons, ni arbres, ni animaux.

J'en conviens; et nous-mêmes, si nous n'étions soutenus par une nourriture solide et une claire boisson, notre corps dépérirait, la vie abandonnerait tous nos nerfs, tous nos os. Force nous est de demander à certaines substances de nous nourrir et tous les êtres d'ailleurs vivent aux dépens les uns des autres : c'est qu'une multitude de principes communs à quantité d'espèces se trouvent combinés de mille façons dans les êtres, et voilà pourquoi avec la variété des êtres varie la nourriture. Il importe donc de considérer, non seulement la nature des éléments, mais encore leurs mélanges; les positions respectives qu'ils prennent, leurs mouvements réciproques. Les mêmes, en effet, qui forment le ciel, la mer, les terres, les fleuves, le soleil, forment aussi les moissons, les arbres, les êtres vivants : mais les mélanges, l'ordre des combinaisons, les mouvements, voilà ce qui diffère.

Réfléchis; dans nos vers mêmes tu vois nombre de lettres communes à nombre de mots, et cependant ces vers, ces mots, est-ce qu'ils ne sont pas différents par le sens et par le son ? Tel est le pouvoir des lettres quand seulement l'ordre en est changé! Mais les principes du monde apportent incomparablement plus d'éléments à la création des êtres et à leur variété infinie.

Il nous faut maintenant approfondir l'*Homéométrie* d'Anaxagore [11], comme l'appellent les Grecs par une expression que ne nous permet pas de traduire l'indigence de notre langue. Quant à la chose elle-même, il est facile de faire comprendre ce que le philosophe entend par *Homéométrie*. Pour lui, par exemple, un os est un assemblage de tout petits os, la chair est composée de particules de chair; le sang est formé par une multitude de gouttes de sang qui s'unissent; l'or résulte de paillettes d'or, la terre de particules terreuses, le feu de particules ignées, l'eau de particules liquides; et tout le reste se composerait de même.

Néanmoins, il n'admet aucun vide dans les corps, ni ne reconnaît de bornes à leur division. Sur ces deux points il me paraît partager l'erreur des philosophes dont j'ai parlé plus haut.

Ajoute qu'il suppose des principes trop faibles, si l'on peut appeler principes des éléments de même nature que leurs composés, soumis comme eux à l'usure et à la mort, et que rien ne retient sur la pente fatale. Lequel en effet, au cas d'un choc violent, pourra durer assez pour échapper à la mort, étant déjà sous sa dent ? Sera-ce le feu, l'eau ou l'air, ou bien encore le sang ou les os ? Aucun, je pense, car toutes choses ne sont pas moins mortelles que ce que nous voyons sous nos yeux, vaincu par quelque force, disparaître et mourir. Mais rien ne peut retourner au néant, ni se créer de rien, j'en atteste les preuves que j'ai déjà données.

En outre, de ce que les aliments accroissent notre corps en le nourrissant, on peut conclure que nos veines, notre sang, nos os, nos nerfs sont faits de parties hétérogènes.

Si l'on dit que tout aliment est un corps composite, contenant des parcelles de nerfs et d'os, des veines et des gouttes de sang, alors il faudra croire que tout aliment solide ou liquide se trouve composé lui-même de parties hétérogènes; ce sera un mélange d'os, de nerfs, de sérum et de sang.

Et si tout ce que la terre fait croître se trouve d'abord dans la terre, il faut que la terre se compose de tous ces corps qui naissent d'elle. Transporte l'argument à tout autre composé que tu voudras, tu pourras le reproduire dans les mêmes termes. Si dans le bois se cachent la flamme, la fumée et la cendre, il faudra bien que le bois se compose de ces éléments hétérogènes.

Reste ici une faible ressource, dont use Anaxagore. Il imagine que les éléments de toutes sortes sont mêlés ensemble et que, dans leur mélange, celui-là seul nous apparaît qui s'y rencontre en plus grand nombre, qui est plus en évidence et plus près de la surface. Mais voilà ce qu'énergiquement repousse la vérité. Car en cette hypothèse, il devrait arriver que le blé, sous la redoutable meule qui le broie, laissât souvent paraître des traces de sang ou de quelqu'un des éléments qu'il nourrit dans notre corps. De même on verrait quelquefois le sang couler des herbes que nous écrasons entre deux pierres, et l'eau distiller un liquide de même saveur que celui qui s'exprime des mamelles de la brebis. Voilà ce qui arriverait; comme aussi dans la glèbe rompue s'apercevraient quelquefois les traces éparses des herbes, des grains, des feuillages, que contient en petit la terre; ou dans le bois brisé s'apercevraient cette cendre, cette fumée, ce feu qui s'y cachent. Mais puisque, bien évidemment, rien de tout cela n'arrive, on doit reconnaître qu'il n'y a point dans les choses un mélange de cette sorte, mais bien plutôt, en grand nombre et diversement mêlés, des éléments communs à tous les êtres.

Mais, dis-tu, dans les forêts que couvrent les hautes montagnes, il arrive fréquemment que les grands arbres se heurtent par leur cime, sous l'effort impétueux des vents, jusqu'à ce que le frottement y fasse s'ouvrir la fleur éclatante de la flamme. Oui, sans doute : mais ce n'est pas que le feu existe dans la substance du bois, c'est plutôt que le bois contient en grand nombre des éléments inflammables, lesquels, par le frottement qui les rassemble, produisent les incendies des forêts. Si la flamme toute formée se tenait dans le bois, elle n'y pourrait rester cachée, elle embraserait partout les arbres et consumerait les forêts.

Par là, tu peux voir maintenant quelle importance ont pour des éléments donnés, ainsi que je te le disais tout à l'heure, leurs mélanges, leur position dans les combinaisons, les mouvements qu'ils communiquent ou reçoivent. Et tu vois encore que les mêmes, au moyen d'un léger changement, créent également feu et bois. C'est aussi un léger changement dans les lettres qui nous fait distinguer des sons très différents dans les mots *ligneux* et *igné*.

Enfin, si dans les différents phénomènes qui se produisent dans l'univers à portée de nos sens, rien ne te semble pouvoir s'expliquer sans attribuer aux éléments des êtres la même nature qu'à eux-mêmes, c'en est fait des principes des choses. Il faudra alors que la nature soit secouée par des éclats de rire ou qu'elle baigne de larmes amères son visage et ses joues! Et maintenant, apprends les vérités qui me restent à te découvrir, tu vas entendre de plus claires révélations. Je n'ignore pas l'obscurité de mon sujet; mais d'un coup de son thyrse un grand espoir de gloire a frappé mon cœur, il m'a pénétré du doux amour des Muses; et dans l'enthousiasme je parcours sur la cime des Piérides une région que nul mortel encore n'a foulée. J'aime puiser aux sources vierges, j'aime cueillir des fleurs inconnues et en tresser pour ma tête une couronne unique dont les Muses n'ont encore ombragé le front d'aucun poète. C'est que, tout d'abord, grandes sont les leçons que je donne : je travaille à dégager l'esprit humain des liens étroits de la superstition. C'est aussi que sur un sujet obscur je compose des vers brillants de clarté qui le parent tout entier des grâces de la poésie. N'est-ce pas une méthode légitime ? Les médecins, quand ils veulent faire prendre aux enfants l'absinthe amère, commencent par dorer d'un miel blond et sucré les bords de la coupe : ainsi, le jeune âge imprévoyant, ses lèvres trompées par la douceur, avale en même temps l'amer breuvage et, dupé pour son bien, recouvre force et santé. Ainsi moi-même aujourd'hui, sachant que notre doctrine est trop amère à qui ne l'a point pratiquée et que le vulgaire recule d'horreur devant elle, j'ai voulu te l'exposer dans le doux langage des Muses et, pour ainsi dire, l'imprégner de leur miel : heureux si je pouvais, tenant ainsi ton esprit sous le charme de mes vers, te faire pénétrer tous les secrets de la nature et jusqu'aux lois selon lesquelles la nature est formée.

J'ai enseigné que la matière se compose d'atomes absolument pleins qui se meuvent indestructibles à travers l'éternité [12]; maintenant voyons si le vide dont nous avons établi l'existence ou, si tu veux, l'étendue, l'espace, où toutes choses s'accomplissent, est lui-même fini, ou bien s'il s'étend sans limites et dans un abîme de profondeur.

L'univers total n'est donc limité nulle part; autrement, il aurait une extrémité. Or est-il une extrémité possible sans que quelque chose constitue une limite, pour qu'apparaisse le point où notre regard cesse de suivre ? Et comme hors de l'ensemble des choses il n'y a rien, convenons-en, notre univers n'a point d'extrémité, donc point de limite ni de mesure. Peu importe la position qu'on y occupe : toujours, de tous côtés, à partir de chaque position, le tout immense s'étend à l'infini.

D'autre part, limite-t-on l'espace total ? Si quelqu'un s'élançait jusqu'à ses bords extrêmes, et de là fît voler une flèche ailée, ce trait, lancé d'une main puissante, s'envolerait-il au loin de sa direction donnée, ou penses-tu qu'il puisse rencontrer un obstacle dont serait brisée sa course ? Dans cette alternative il faut choisir; or l'une et l'autre hypothèse te coupe toute retraite et t'oblige à reconnaître que l'espace ne s'enferme dans aucune borne. Car, soit qu'il y ait obstacle à la flèche et qu'elle ne puisse aller se fixer à son but, soit que le passage reste libre, son point de départ ne peut être le terme de l'univers. Par cet argument je te poursuivrai sans relâche; partout où tu fixeras des limites suprêmes, je te demanderai ce qu'il advient de la flèche. Ainsi, nulle part ne pourra se dresser de borne, et sans cesse s'ouvrira au vol de la flèche une nouvelle perspective.

Au reste, si l'espace où se meut l'univers était enfermé de toutes parts et maintenu dans des limites fixes, la masse de la matière depuis longtemps, entraînée par le poids de ses corps solides, se serait de toutes parts rassemblés dans les lieux les plus bas; et dès lors, rien ne pourrait plus s'accomplir sous la voûte du ciel, il n'y aurait plus même de ciel ni de lumière solaire ; en effet, toute la matière, se déposant depuis des siècles, aboutirait à n'être plus qu'une masse inerte. Mais au contraire, s'il n'y a point de repos pour les principes élémentaires, c'est qu'il n'y a nulle part de fond où ils puissent affluer en masse et se fixer. Toujours et partout c'est un perpétuel mouvement pour l'accomplissement des choses; sans cesse se succèdent, précipités en foule de l'espace infini, les éléments d'une matière éternelle.

Enfin, nos yeux nous font voir des corps bornés par d'autres corps; l'air limite les collines et les montagnes l'air; la terre borne la mer et la mer borne toutes les terres; mais au-delà du grand Tout, il n'y a rien hors de lui pour le limiter. Il existe donc un espace, une immense étendue que les éclairs de la foudre pourraient traverser pendant l'éternelle durée des âges sans en atteindre le terme et sans que la distance restant à franchir fût jamais diminuée. Tant il est vrai que partout s'ouvre aux choses un immense espace sans limites qui se prolonge en tous sens.

L'univers, d'ailleurs, ne saurait s'arrêter lui-même à un terme extrême, la nature ne le permet pas; elle veut que la matière soit bornée par le vide, le vide par la matière et qu'au moyen de ces alternances le tout soit infini. Si l'un des deux éléments ne se trouvait pas limité par l'autre, il s'étendrait cependant à lui seul et sans fin; ni la mer, ni la terre, ni les espaces brillants du ciel, ni la race mortelle, ni les corps sacrés des dieux ne pourraient un seul instant subsister. Car la matière, ne se trouvant plus assujettie, se verrait emportée comme en poussière dans les profondeurs du vide; ou plutôt, jamais elle n'aurait trouvé de combinaisons pour former aucun corps, nulle force n'ayant pu réunir ses éléments dispersés.

Ce n'est certes pas en vertu d'un dessein arrêté, et par raison clairvoyante, que les premiers principes des choses sont venus prendre chacun leur place. Ils n'ont pas combiné entre eux leurs mouvements respectifs; mais après avoir subi maints changements de maintes sortes à travers le grand Tout, heurtés, déplacés au cours des âges par des chocs incessants, à force d'essayer toutes sortes de mouvements et d'assemblages divers, ils arrivent enfin à un ordre dont notre monde est le résultat. Et c'est en vertu de cet ordre maintenu durant de longues et innombrables années, une fois trouvés les mouvements convenables, que nous voyons les larges fleuves entretenir par leur apport l'intégrité de l'avide océan, la terre échauffée par les feux du soleil renouveler ses productions, les races d'êtres animés naître et fleurir, les feux errants de l'éther brûler sans fin; or rien de tout cela ne pourrait être, si l'infini de la matière ne fournissait sans cesse de quoi réparer les pertes. De même que privées de nourriture, les espèces animales languissent et perdent leur corps, ainsi toutes choses doivent se dissoudre quand ne fournit plus à leur entretien la matière détournée de sa voie.

Il est impossible que des chocs extérieurs suffisent à maintenir partout l'intégrité de l'ensemble, quelle qu'en soit la formation. Ils peuvent bien, par une action soutenue, maintenir une partie en attendant que d'autres corps accourent pour achever le tout. Mais bien souvent, forcés de rejaillir après le choc, les corps élémentaires laissent aux premiers occupants assez d'espace et de temps pour s'enfuir et s'élancer désagrégés dans l'espace. Il faut donc, encore une fois, que les nouveaux corps soient fournis sans cesse en grand nombre; et d'ailleurs, pour suffire aux chocs eux-mêmes, il est besoin d'une masse de matière infinie affluant de toutes parts.

A ce propos, garde-toi bien de croire, Memmius, que toute chose tende, comme disent certains philosophes, vers le centre du monde, et que le monde subsiste ainsi sans avoir besoin de chocs extérieurs, extrémités supérieures ou inférieures ne pouvant s'échapper dès l'instant qu'il y aurait tendance universelle vers un centre. Mais comment croire qu'un corps se soutienne par lui-même, que des corps pesants, situés de l'autre côté de la terre, se tiennent dressés dans l'air et donc reposent sur le sol à l'inverse des nôtres, ainsi que nous voyons les images renversées dans l'eau ? C'est en vertu de ces idées qu'on suppose des êtres vivants qui marchent au-dessous de nous la tête en bas, et qui pourtant ne peuvent pas plus tomber de la terre dans le ciel inférieur que nos corps ne pourraient s'envoler d'eux-mêmes vers la voûte céleste; des êtres enfin, qui voient le soleil quand se découvrent à nous les astres de la nuit, qui partagent alternativement avec nous les saisons, et qui ont des nuits égales à nos jours.

Voilà les grossières erreurs où des fous sont tombés, pour avoir soumis les faits à de faux principes. Il ne peut pas y avoir de centre dans une étendue infinie, et quand il y en aurait un, les corps n'auraient pas plus de raisons de s'y arrêter que dans toute autre partie de l'espace. La nature du vide, en effet, est de livrer également passage aux corps pesants, où qu'ils portent leurs mouvements, que ce soit au centre ou ailleurs. Il n'y a pas d'endroit où les corps, une fois arrivés, perdent leur pesanteur et puissent s'appuyer sur le vide : le vide, d'autre part, ne peut servir d'appui à quelque corps que ce soit, mais il lui cède la place : ainsi l'exige sa nature. Impossible d'admettre, avec ce système, que la cohésion des choses se puisse maintenir par l'attrait irrésistible d'un centre.

Au reste, ce ne sont pas tous les corps que cette école imagine en mouvement vers le centre, mais seulement ceux qui se composent de terre et d'eau, comme les flots de la mer, les torrents des montagnes et tout ce qui participe de la nature terrestre : au contraire, les souffles légers de l'air, les chaudes vapeurs du feu, elle les tient à l'écart du centre; et si des étoiles scintillent de toutes parts dans les airs, si la flamme du soleil se nourrit dans l'azur du ciel, c'est que la chaleur échappée du centre se rassemble là tout entière. Les mêmes philosophes reconnaissent que, sans les sucs nourriciers qui viennent de la terre, les espèces animales n'auraient point de nourriture, les arbres ne couvriraient pas de feuillage leurs plus hautes branches. Enfin, ils enferment les étoiles sous la voûte céleste, de peur que, s'envolant comme la flamme, les remparts du monde ne se déplacent tout à coup, pour aller se perdre dans l'espace. Car tout le reste suivrait le mouvement; le ciel, palais du tonnerre, s'écroulerait sur nos têtes; le sol se déroberait sous nos pieds; et parmi les ruines confondues de la terre et du ciel, tous les êtres en dissolution se disperseraient dans les profondeurs du vide, si bien qu'en un moment rien ne subsisterait plus que l'espace désert et les atomes invisibles. Car, en quelque endroit que cesse la continuité des corps, c'est en cet endroit que s'ouvrira pour l'univers la porte de la mort, et c'est par là que s'échappera toute la poussière des choses.

Ainsi, Memmius, guidé pas à pas, tu posséderas sans trop de peine ma doctrine; de vérité en vérité une clarté se répandra; l'aveugle nuit ne pourra pas, te voilant le chemin, t'empêcher de pénétrer jusqu'au secret suprême de la nature. Oui, chaque découverte sera un flambeau où d'autres découvertes s'allumeront.

LIVRE DEUXIÈME

ARGUMENT

Le poète, après un éloge de la philosophie, à l'étude de laquelle il invite Memmius, continue à traiter des qualités des atomes, et en particulier de leur mouvement. Les changements continuels que subissent tous les corps ne nous permettent pas de supposer la matière immobile. Ainsi : 1° le mouvement est essentiel aux atomes, parce qu'il n'y a pas de centre où ils puissent jamais s'arrêter; 2° ce mouvement est de la plus grande rapidité, parce qu'ayant le vide pour théâtre, il n'est gêné par aucun obstacle; 3° la direction en est de haut en bas, et si nous voyons des corps s'élever comme la flamme, c'est un état forcé, contraire à leur tendance naturelle; 4° il ne faut pourtant pas croire que la chute des atomes soit rigoureusement perpendiculaire : parallèles entre eux, ils n'auraient jamais pu s'unir en masse; assujettis à une direction nécessaire, ils n'auraient jamais pu former des âmes libres. Il faut donc qu'ils s'écartent un peu, mais le moins possible, de la direction perpendiculaire. Tels sont les mouvements dont les atomes ont toujours joui et jouiront toujours, parce que la quantité de mouvement est toujours la même dans la nature. Voilà ce que la raison nous fait découvrir; car les sens ne peuvent pas même apercevoir l'atome, bien loin d'en distinguer les mouvements. C'est encore la raison qui nous éclaire sur les figures des atomes; elle nous dit que les corps dont nous sommes environnés ne pourraient agir sur nos sens de tant de manières différentes, si leurs atomes n'étaient diversement configurés. Mais elle nous apprend en même temps que, quoiqu'il y ait une multitude infinie d'atomes dans chaque classe de figures, le nombre de ces classes est borné : il ne pourrait être infini sans que l'atome fût immense, et les qualités sensibles des corps progressives à l'infini. Ce nombre peu considérable de figures, combiné diversement dans tous les corps, suffit pour établir entre eux cette variété que nous y remarquons. La solidité, l'indivisibilité, l'éternité, le mouvement et la figure, sont les seules qualités qui conviennent à des corps simples, tels que les atomes. Quant aux qualités qui ont rapport à la vue, à l'ouïe, au goût et à l'odorat, elles ne sont que le résultat d'une association : en revêtir les atomes, c'est donner à la nature une base trop fragile. Les atomes ne sont donc pas non plus sensibles, et ce n'est qu'à leur situation et à leurs mouvements respectifs qu'est due la sensibilité dont jouissent certains assemblages. A l'aide de ce petit nombre de qualités que le poète assigne aux atomes, ils ont, suivant lui, produit non seulement notre monde, mais encore une infinité d'autres : car il ne veut pas qu'on borne la puissance de la nature. Il prétend qu'ayant à ses ordres un nombre infini d'atomes, ce qu'elle fait ici pour nous, elle le fait pour d'autres dans d'autres régions de l'espace, et que notre monde n'est qu'un individu particulier d'une classe nombreuse, un grand animal, soumis, comme les autres, à la naissance, à l'accroissement, au déclin et à la mort.

LIVRE DEUXIÈME

Il est doux, quand la vaste mer est soulevée par les vents, d'assister du rivage à la détresse d'autrui; non qu'on trouve si grand plaisir à regarder souffrir; mais on se plaît à voir quels maux vous épargnent. Il est doux aussi d'assister aux grandes luttes de la guerre, de suivre les batailles rangées dans les plaines, sans prendre sa part du danger. Mais la plus grande douceur est d'occuper les hauts lieux fortifiés par la pensée des sages, ces régions sereines d'où s'aperçoit au loin le reste des hommes, qui errent çà et là en cherchant au hasard le chemin de la vie, qui luttent de génie ou se disputent la gloire de la naissance, qui s'épuisent en efforts de jour et de nuit pour s'élever au faîte des richesses ou s'emparer du pouvoir.

O misérables esprits des hommes, ô cœurs aveugles! Dans quelles ténèbres, parmi quels dangers, se consume ce peu d'instants qu'est la vie! Comment ne pas entendre le cri de la nature, qui ne réclame rien d'autre qu'un corps exempt de douleur, un esprit heureux, libre d'inquiétude et de crainte ?

Au corps, nous voyons qu'il est peu de besoins. Tout ce qui lui épargne la douleur est aussi capable de lui procurer maintes délices. La nature n'en demande pas davantage : s'il n'y a point dans nos demeures des statues d'or, éphèbes tenant dans leur main droite des flambeaux allumés pour l'orgie nocturne; si notre maison ne brille pas d'argent et n'éclate pas d'or; si les cithares ne résonnent pas entre les lambris dorés des grandes salles, du moins nous suffit-il, amis étendus sur un tendre gazon, au bord d'une eau courante, à l'ombre d'un grand arbre, de pouvoir à peu de frais réjouir notre corps surtout quand le temps sourit et que la saison émaille de fleurs l'herbe verte des prairies. Et puis, la brûlure des fièvres ne délivre pas plus vite notre corps, que nous nous agitions sur des tapis brodés, sur la pourpre écarlate, ou qu'il nous faille coucher sur un lit plébéien.

Puisque les trésors ne sont pour notre corps d'aucun secours, et non plus la noblesse ni la gloire royale, comment seraient-ils plus utiles à l'esprit ? Quand tu vois les légions pleines d'ardeur se déployer dans la plaine et brandir leurs étendards ; quand tu vois la flotte frémissante croiser au large, est-ce qu'à ce spectacle les craintes religieuses s'enfuient tremblantes de ton esprit, les terreurs de la mort laissent-elles ton cœur libre et en paix ?

Si nous ne voyons là qu'hypothèse ridicule et vaine, si la hantise des soucis ne cède ni au bruit des armes, ni aux cruels javelots, s'ils tourmentent avec audace rois et puissants du monde, s'ils ne respectent ni l'éclat de l'or, ni la glorieuse splendeur de la pourpre : comment douter que la raison ait seule le pouvoir de les chasser, d'autant plus surtout que notre vie se débat dans les ténèbres ?

Car pareils aux enfants qui tremblent et s'effraient de tout dans les ténèbres aveugles, c'est en pleine lumière que, nous-mêmes, parfois nous craignons des périls aussi peu redoutables que ceux dont s'épouvantent les enfants dans les ténèbres et qu'ils imaginent tout près d'eux. Ces terreurs, ces ténèbres de l'esprit, il faut donc, pour les dissiper, non les rayons du soleil ni les traits lumineux du jour, mais l'étude rationnelle de la nature [13].

Et maintenant, au moyen de quel mouvement les corps élémentaires de la matière, les atomes, engendrent la variété des êtres, puis arrivent à les désagréger, à quelle force ils obéissent et quelle est cette mobilité qui les emporte à travers le vide immense, je vais te l'expliquer : et toi, prête attention à mes paroles.

La matière, assurément, ne forme pas une masse étroitement cohérente, puisque les corps s'usent, nous le voyons, et qu'ils semblent se fondre pour ainsi dire à la longue, jusqu'à dérober leur vieillesse à nos yeux, cependant que le grand Tout demeure intact : c'est qu'en effet les particules qui se détachent des corps diminuent celui qu'elles quittent pour accroître celui qu'elles vont enrichir; ainsi forcent-elles l'un à vieillir, l'autre à prospérer. Encore ne s'en tiennent-elles pas là : l'ensemble des choses se renouvelle sans fin, et les mortels se prennent mutuellement de quoi vivre. Certaines espèces se développent, d'autres s'épuisent; en peu de temps se remplacent les générations qui, tels les coureurs de la fête athénienne, se passent le flambeau de la vie.

Si tu penses que les atomes, principes des choses, peuvent trouver le repos et dans ce repos engendrer toujours de nouveaux mouvements, tu te trompes et t'égares loin de la vérité [14]. Puisqu'ils errent dans le vide, il faut qu'ils soient tous emportés, soit par leur pesanteur propre, soit par le choc d'un autre corps. Car s'il leur arrive dans leur agitation de se rencontrer avec choc, aussitôt ils rebondissent en sens opposés : ce qui n'a rien d'étonnant puisqu'ils sont corps très durs, pesants, denses, et que rien derrière eux ne les arrête.

Et pour mieux comprendre comment s'agitent sans fin tous les éléments de la matière, souviens-toi qu'il n'y a dans l'univers entier aucun fond ni aucun lieu où puissent s'arrêter les atomes, puisque l'espace sans limite ni mesure est infini en tous sens, ainsi que je l'ai montré abondamment avec la plus sûre doctrine.

Puisqu'il en est ainsi, il ne peut y avoir aucun repos pour les atomes à travers le vide immense; au contraire agités d'un mouvement continuel et divers, ils se heurtent, puis rebondissent, les uns à de grandes distances, les autres faiblement, et s'éloignent peu. Tous ceux qui, formant les assemblages les plus denses, ne s'écartent que de fort peu après leur rencontre, enchevêtrés qu'ils sont grâce aux entrelacs de leurs figures, ceux-là servent de base au corps dur de la pierre, au fer inflexible, à d'autres substances encore du même genre. Les autres, au contraire, peu nombreux, qui errent aussi dans le vide immense, mais se repoussent à de grandes distances, ceux-là fournissent le fluide de l'air et l'éclatante lumière du soleil.

Enfin, beaucoup d'autres atomes errent dans le vide immense, exclus des combinaisons qui forment les corps, n'ayant trouvé nulle part encore à quoi associer leurs mouvements : nous en avons tous les jours l'image et le spectacle sous les yeux. Regarde, en effet, quand la lumière du soleil fait pénétrer un faisceau de rayons dans l'obscurité de nos maisons : tu verras une multitude de corpuscules s'entremêler de mille façons à travers le vide dans le faisceau lumineux et, comme soldats d'une guerre éternelle, se livrer combats et batailles, guerroyer par escadrons, sans trêve, et ne cessant fiévreusement de se joindre et de se séparer : tu peux te figurer par là ce qu'est l'agitation sans fin des atomes dans le grand vide, autant toutefois qu'une petite chose peut en représenter une grande et nous guider sur la trace de sa connaissance.

Une autre raison d'observer attentivement les corpuscules qui s'agitent en désordre dans un rayon de soleil, c'est qu'une telle agitation nous révèle les mouvements invisibles auxquels sont entraînés les éléments de la matière. Car souvent tu verras beaucoup de ces poussières, sous l'impulsion sans doute de chocs imperceptibles, changer de direction, rebrousser chemin, tantôt à droite, tantôt à gauche et dans tous les sens. Or, leur mobilité tient évidemment à celle de leurs principes.

Les atomes, en effet, se meuvent les premiers par eux-mêmes ; c'est ensuite au tour des plus petits corps composés : les plus proches des atomes par leur force ; sous leurs chocs invisibles ils s'ébranlent, se mettent en marche et eux-mêmes en viennent à déplacer des corps plus importants. C'est ainsi que part des atomes le mouvement, qui s'élève toujours et parvient peu à peu à nos sens, pour parvenir enfin à la poussière que nous apercevons dans les rayons du soleil, alors même que les chocs qui la mettent en mouvement nous demeurent invisibles.

Maintenant, quelle est l'extrême mobilité des éléments de la matière, il ne me sera pas difficile, Memmius, de t'en faire juge. D'abord, quand l'aurore répand sur la terre une clarté nouvelle, et que les oiseaux divers, volant çà et là dans la profondeur des bois, remplissent l'air tendre de leurs limpides accents, avec quelle soudaineté le soleil, qui se lève en cet instant, répand sa lumière et en revêt tous les objets, c'est un spectacle que nous avons chaque jour sous les yeux. Cependant cette chaleur qu'envoie le soleil et cette lumière sereine ne traversent pas un vide absolu ; elles s'avancent donc avec lenteur, obligées qu'elles sont de fendre les ondes aériennes. Et ce n'est pas isolément que voyagent les atomes de chaleur, mais par faisceaux et par masses. Aussi se gênent-ils mutuellement et subissent-ils en outre des gênes de l'extérieur : les voilà retardés dans leur marche. Mais les atomes qui sont simples et denses, traversant l'espace vide sans être retardés par rien, ces atomes, grâce à leur complète unité, volant d'un même élan dans une direction constante, doivent l'emporter de beaucoup en mobilité, en rapidité, sur la lumière du soleil, et dans le même temps fournir de bien plus longues étapes qu'un rayon de cet astre dans le ciel. Car on ne supposera point que leur propre réflexion puisse les ralentir ni qu'ils aient délibéré entre eux sur les modes de leur action.

Il y a pourtant des philosophes ignorants des propriétés de la matière et selon qui la matière ne pourrait, sans l'intervention des dieux, s'accorder harmonieusement avec les humaines nécessités, varier les saisons, produire les moissons, enfin ouvrir aux mortels ces voies où les engage et les conduit le guide de la vie, la divine volupté, afin que doucement attirées aux actes de Vénus, les races se perpétuent et que le genre humain ne périsse point. Quand ils s'imaginent que c'est pour l'homme et par les dieux que tout a été créé, ils se trompent, ils s'égarent fort loin de la vérité. Pour moi, quand j'ignorerais la nature des éléments premiers, j'oserais encore, sur le simple examen des phénomènes du ciel et sur bien d'autres faits, affirmer que l'univers n'a pas été fait pour nous de création divine, tant l'ouvrage est défectueux! Mais c'est, Memmius, ce que je te ferai voir plus tard avec évidence. Maintenant il faut que j'en finisse avec les mouvements des atomes.

C'est ici le lieu, je pense, de te démontrer qu'aucun corps ne peut, par une force qui lui soit propre, monter, s'élever. Il ne faut pas qu'à cet égard les corps de la flamme te fassent illusion. Sans doute c'est pour monter qu'elle se forme, c'est en hauteur qu'elle s'accroît; c'est dans le même sens aussi que croissent les céréales et les arbres, tandis que tout ce qui est pesant est de soi-même emporté dans une direction contraire. Quand le feu s'élance jusqu'au toit d'une maison et de ses flammes rapides semble en lécher poutres et solives, ne va pas croire qu'il agisse ainsi de lui-même, sans qu'une force étrangère l'y oblige. Il en est de lui comme du sang qui, s'échappant de notre corps, lance en hauteur un jet de pourpre. Ne vois-tu pas encore avec quelle violence poutres et planches sont repoussées par l'eau ? Plus nous faisons d'efforts pour les y enfermer, plus nous sommes nombreux à vouloir de toutes nos forces les maintenir plongées, et plus l'eau montre de passion à les vomir, à les expulser, au point qu'elles émergent de plus de la moitié et rebondissent à la surface. Et cependant ces corps, nous ne doutons pas qu'abandonnés à eux-mêmes dans le vide, ils ne soient portés à descendre. C'est de la même manière que la flamme peut s'élever dans les hauteurs de l'air, grâce à la pression qui la fait jaillir, bien que sa pesanteur lutte autant qu'il est en elle pour la faire descendre. Et ces nocturnes flambeaux qui volent dans les hauteurs du ciel, ne vois-tu pas comme ils laissent derrière eux de longs sillons de flammes partout où la nature leur ouvre un passage ? Ne vois-tu pas des étoiles, des astres, tomber sur la terre [15] ? Le soleil lui-même, du faîte élevé d'où il répand sa chaleur en tous sens, sème dans nos champs ses lumières. C'est donc que vers la terre aussi tendent ses feux. Tu vois encore comme la foudre obliquement cingle les chutes de pluie; partis de points divers, émergeant des nuages avec violence, les éclairs s'élancent, et c'est souvent sur la terre que tombe le trait enflammé.

Voici encore, en cette matière, ce que je veux te faire connaître. Les atomes descendent bien en droite ligne dans le vide, entraînés par leur pesanteur; mais il leur arrive, on ne saurait dire où ni quand, de s'écarter un peu de la verticale, si peu qu'à peine peut-on parler de déclinaison [16].

Sans cet écart, tous, comme des gouttes de pluie, ne cesseraient de tomber à travers le vide immense; il n'y aurait point lieu à rencontres, à chocs, et jamais la nature n'eût pu rien créer.

Si l'on pense que de ces atomes, les plus lourds, emportés plus vite en ligne droite à travers le vide, tombent d'en haut sur les plus légers et produisent ainsi des chocs d'où résultent les mouvement générateurs, on se fourvoie bien loin de la vérité. Ce qui tombe dans l'eau ou dans l'air doit sans doute accélérer sa chute en proportion de sa pesanteur, parce que les éléments de l'eau et ceux de l'air subtil ne peuvent opposer même résistance à tous les corps et cèdent plus vite à la pression des plus pesants. Mais à aucun corps, en nul point, dans nul moment, le vide ne peut cesser, comme le veut sa nature, de céder. Aussi tous les atomes doivent, à travers le vide inerte, être emportés d'une vitesse égale, malgré l'inégalité de leurs pesanteurs. Jamais donc sur les plus légers ne tomberont les plus lourds, ni ne produiront d'eux-mêmes, avec des chocs, les mouvements divers au moyen desquels peut opérer la nature.

C'est pourquoi, je le répète, il faut que les atomes s'écartent un peu de la verticale, mais à peine et le moins possible. N'ayons pas l'air de leur prêter des mouvements obliques, que démentirait la réalité. C'est en effet une chose manifeste et dont l'œil nous instruit, que les corps pesants ne peuvent d'eux-mêmes se diriger obliquement lorsqu'ils tombent, cela est visible à chacun : mais que rien ne dévie en quoi que ce soit de la verticale, qui serait capable de s'en rendre compte ?

Enfin, si tous les mouvements sont enchaînés dans la nature, si toujours d'un premier naît un second suivant un ordre rigoureux; si, par leur déclinaison, les atomes ne provoquent pas un mouvement qui rompe les lois de la fatalité et qui empêche que les causes ne se succèdent à l'infini; d'où vient donc cette liberté accordée sur terre aux êtres vivants, d'où vient, dis-je, cette libre faculté arrachée au destin, qui nous fait aller partout où la volonté nous mène [17] ? Nos mouvements peuvent changer de direction sans être déterminés par le temps ni par le lieu, mais selon que nous inspire notre esprit lui-même. Car, sans aucun doute, de tels actes ont leur principe dans notre volonté et c'est de là que le mouvement se répand dans les membres. Ne vois-tu pas qu'au moment où s'ouvre la barrière, les chevaux ne peuvent s'élancer aussi vite que le voudrait leur esprit lui-même ? Il faut que de tout leur corps s'anime la masse de la matière, qui, impétueusement portée dans tout l'organisme, s'unisse au désir et en suive l'élan. Tu le vois donc, c'est dans le cœur que le mouvement a son principe; c'est de la volonté de l'esprit qu'il procède d'abord, pour se communiquer de là à tout l'ensemble du corps et des membres.

Rien de semblable ne se passe, quand un choc nous atteint et que la violence d'une force étrangère nous fait avancer. En ce cas, en effet, toute la masse matérielle de notre corps se trouve évidemment entraînée, emportée malgré nous et n'est enfin arrêtée dans tous nos membres que par le frein de la volonté. Tu vois maintenant qu'en dépit de la force étrangère qui souvent nous oblige à marcher malgré nous-mêmes, nous emporte et nous précipite, il y a pourtant en nous quelque chose capable de combattre et de résister. C'est ce quelque chose dont les ordres meuvent la masse de la matière dans notre corps, dans nos membres, la refrènent dans son élan et la ramènent en arrière pour le repos.

C'est pourquoi aux atomes aussi nous devons reconnaître la même propriété : eux aussi ont une autre cause de mouvement que les chocs et la pesanteur, une cause d'où provient le pouvoir inné de la volonté, puisque nous voyons que rien de rien ne peut naître. La pesanteur, en effet, s'oppose à ce que tout se fasse par des chocs, c'est-à-dire par une force extérieure. Mais il faut encore que l'esprit ne porte pas en soi une nécessité intérieure qui le contraigne dans tous ses actes, il faut qu'il échappe à cette tyrannie et ne se trouve pas réduit à la passivité : or, tel est l'effet d'une légère déviation des atomes, dans des lieux et des temps non déterminés.

La masse de la matière n'a jamais été plus condensée ni plus éparse qu'aujourd'hui, car rien ne s'y ajoute comme rien ne s'en distrait. Aussi le mouvement des atomes est-il le même qu'il a toujours été, le même qui les emportera dans la suite des temps; et ce qu'ils ont pris coutume de produire sera produit à nouveau dans des conditions pareilles, vivra, grandira, montrera sa vigueur suivant la part assignée à chacun par les lois de la nature. Et point de force capable de modifier l'ensemble des choses; car il n'y a pas d'endroit, hors de l'univers, où puisse s'enfuir en échappant au tout immense aucun élément de la matière, pas d'endroit d'où une force inconnue pourrait fondre subitement sur le tout, de façon à changer l'ordre de la nature et à déranger ses mouvements.

Ne sois pas surpris, à ce propos, que malgré le mouvement incessant de tous les atomes, l'univers cependant paraisse immobile dans un repos total, à l'exception des corps qui ont un mouvement propre. C'est que ces éléments échappent de beaucoup à la portée de nos sens;

puisqu'ils sont déjà invisibles par eux-mêmes, comment ne nous déroberaient-ils pas leur mobilité ? D'autant plus que même des objets visibles pour nous cachent leurs mouvements par la vertu de la distance. Souvent, en effet, sur une colline dont ils tondent les gras pâturages, cheminent lentement les troupeaux porte-laine, allant çà et là où les appellent les herbes perlées de fraîche rosée; les agneaux rassasiés jouent et se menacent gracieusement de la tête; or de loin tout cela n'offre à nos yeux qu'une masse confuse et comme une tache blanche qui ressort sur le vert de la colline. De même encore, quand de fortes légions manœuvrent dans la plaine et y animent une image de la guerre, quand les cavaliers voltigent çà et là et soudain chargent à travers le champ qui en tremble; quand l'éclair des armes jaillit dans les airs et que leur reflet illumine toute la terre alentour, que le pas puissant des guerriers fait résonner le sol et que leurs cris heurtant les collines font rebondir les voix jusqu'aux astres du ciel, — eh bien, il y a cependant au sommet des montagnes un point d'où tout ce spectacle a l'air d'une immobilité et ne fait qu'une tache éclatante dans la plaine.

Et maintenant, passons aux autres qualités des atomes; apprends quelle est leur nature, combien leur forme diffère et quelle variété il y a dans leurs multiples figures; non qu'une même forme n'en groupe qu'un petit nombre, mais parce que, en général, il n'y a pas ressemblance complète. Ne t'en étonne pas : car la masse en est telle qu'elle n'a ni limite ni total, ainsi que je l'ai enseigné : il faut donc bien que les atomes n'aient pas tous les mêmes traits, ni n'affectent tous une même forme.

Considère en outre le genre humain, les muets troupeaux nageurs et couverts d'écailles, le riche bétail, les bêtes sauvages, les oiseaux variés, ceux qui peuplent les bords riants des fleuves, des sources et des lacs, ceux qui volent çà et là dans la profondeur des bois : si tu examines successivement chaque être de chaque espèce, tu trouveras entre eux des différences de formes. Autrement, le petit ne pourrait reconnaître sa mère, ni la mère son petit; or ils le peuvent, nous le voyons; les animaux entre eux se connaissent, non moins bien que les hommes.

Souvent, au seuil d'un temple magnifiquement décoré, au pied d'un autel où brûle l'encens, un jeune veau tombe immolé et de sa poitrine jaillit une source chaude de sang; sa mère cependant, restée seule, parcourt les vastes bois cherchant à reconnaître sur le sol l'empreinte de ses sabots fendus; elle jette des regards en tous lieux, elle espère y découvrir le petit qu'elle a perdu; elle emplit de sa plainte le bocage feuillu, à l'orée duquel elle s'arrête, puis à tout instant revient visiter l'étable, son cœur de mère percé de regrets. Ni les tendres pousses des saules, ni les herbes que vivifie la rosée, ni les fleuves coulant à pleins bords, ne sont capables d'attacher son esprit, ni de détourner le souci qui l'occupe; les autres veaux qu'elle voit dans les gras pâturages n'ont pas le pouvoir de la distraire et d'alléger sa peine : tant il est vrai qu'elle recherche un bien qui lui est propre et qu'elle connaît entre tous. Les chevreaux aussi, dont la voix tremble, savent reconnaître leurs mères cornues; les agneaux bondissants distinguent le bêlement des brebis : ainsi le veut la nature, chacun accourt à la mamelle qui lui donne son lait.

Enfin, choisis un épi au hasard; de quelque espèce qu'il soit, tu ne trouveras jamais les grains identiques au point de ne pas pouvoir révéler dans leur forme la moindre différence. Même variété aux coquillages qui colorent diversement le rivage dans les anses où la molle caresse du flot vient aplanir le sable altéré. C'est pourquoi, je le répète, les principes des corps, produits de la nature et non faits de main d'homme sur un modèle unique, doivent voleter dans l'espace sous des formes diverses.

Il nous est très facile d'expliquer par la raison pourquoi le feu de la foudre pénètre mieux les corps que la flamme qui s'élance de nos torches terrestres. On peut dire, en effet, que la flamme céleste, plus subtile par l'extrême petitesse de ses éléments, peut traverser des pores qui ne s'ouvriraient point à notre flamme née du bois et produite par la torche.

La corne laisse passer la lumière, tandis qu'elle renvoie la pluie. C'est parce que les atomes de la lumière sont plus petits que ceux dont se forme la liqueur nourricière des eaux.

Nous voyons le vin traverser rapidement le filtre, mais au contraire l'huile lente tarder à passer; c'est que l'huile est formée d'éléments plus grands, ou bien plus crochus et plus enchevêtrés : aussi sont-ils moins prompts à se séparer pour tomber un à un par chacun des pores du filtre.

Ajoute à cela que le lait et le miel laissent dans la bouche une sensation qui flatte la langue, tandis que l'absinthe amère, la sauvage centaurée, ont une saveur qui nous fait faire la grimace : à quoi tu reconnaîtras aisément que des éléments lisses et ronds composent les corps agréables à nos sens, et qu'au contraire toutes les substances amères et âpres au goût proviennent d'un assemblage d'éléments crochus et serrés, lesquels les obligent à déchirer les voies qui accèdent à nos sens et à maltraiter les organes dont elles forcent l'entrée.

Le plaisir et la douleur, en un mot, dépendent des formes dissemblables, voire ennemies, dont sont formés les corps qui affectent nos sens. Ne va pas croire que le grincement aigu de la scie soit dû à des atomes aussi polis que les accents mélodieux éveillés sur la lyre par les musiciens aux doigts agiles. Ne t'imagine pas non plus que des éléments de même forme entrent dans nos narines, près d'un bûcher où se consument des cadavres fétides ou près de la scène qu'on vient d'arroser de safran de Cilicie, ou encore devant un autel où brûlent des parfums d'Arabie.

Et n'attribue pas une même composition aux couleurs agréables, nourriture de nos yeux, et à celles qui les blessent, les forcent aux larmes et les obligent à se détourner de répulsion. Rien, en effet, de ce qui flatte les sens ne peut se passer d'éléments lisses dans sa composition, comme aussi rien ne les blesse et ne les repousse dont la matière première ne présente pas d'aspérités.

Il existe encore des atomes qu'on peut croire n'être ni tout à fait lisses, ni tout à fait crochus et armés de pointes; ceux-là auraient plutôt de menus angles à peine saillants et plus propres à chatouiller les sens qu'à les blesser : tels sont ceux du tartre et de l'aulnée.

Le feu brûlant, la gelée glaciale, sont diversement armés pour mordre et piquer nos sens, c'est ce que nous révèle, pour l'un comme pour l'autre, le toucher. Car le toucher, grands dieux! le toucher, c'est le sens du corps tout entier : par lui pénètrent en nous les impressions du dehors, par lui se révèle toute souffrance intérieure de l'organisme, ou bien au contraire le plaisir provoqué par l'acte de Vénus; par lui enfin se produit à la suite d'un choc qui entraîne le désordre des atomes dans le corps une confusion des sensations : tu peux en faire toi-même l'expérience, en frappant de la main l'un quelconque de tes membres. Ne faut-il donc pas que les atomes diffèrent beaucoup de forme entre eux, pour produire ainsi la variété des sensations ?

Enfin, les corps que nous voyons durs et massifs, doivent leur cohésion à des atomes plus crochus, plus intimement liés et entrelacés en ramifications complexes. De ce genre sont, en première ligne, le diamant qui brave les coups, les blocs de pierre dure, le fer rigide, et l'airain qui crie aux gonds de nos portes.

Ce sont au contraire des atomes lisses et ronds qui forment les corps de nature liquide et fluide. Car les atomes de forme sphérique ne peuvent se maintenir unis, et, sous un choc, tout roule aisément comme sur un plan incliné.

Quant à ces corps que tu vois se dissiper en un instant, comme la fumée, les nuages, la flamme, ils doivent sinon se composer en entier d'atomes lisses et ronds, du moins ne pas être embarrassés d'éléments qui s'enchevêtrent, de façon à pouvoir piquer nos organes, pénétrer les pierres. Ce qu'on ne peut leur accorder, c'est une forte cohésion, et tu reconnaîtras aisément que leurs atomes ne sauraient être entrelacés, mais de forme aiguë.

Quand tu vois l'amertume mêlée à la fluidité, dans l'eau de mer, par exemple, tu ne dois nullement t'en étonner. La fluidité d'un tel corps provient de ses atomes lisses et ronds, mêlés à d'autres atomes rugueux qui excitent la douleur. Il n'est pourtant pas nécessaire que ceux-ci soient armés de crochets qui les tiennent assemblés; sans doute sont-ils en forme de globes, et cependant rugueux, de façon à pouvoir tout ensemble rouler sur eux-mêmes et blesser nos sens.

Veux-tu que j'achève de te persuader qu'un mélange d'atomes rugueux et lisses forme le corps amer de Neptune ? Il y a un moyen de les séparer les uns des autres et de les voir isolément. L'eau de mer devient douce, quand filtrée plusieurs fois à travers la terre, elle coule dans une citerne et y perd son âpreté ; c'est qu'elle laisse les principes de sa rebutante amertume à la surface du sol, auquel leurs aspérités mêmes les accrochent aisément.

A ce que j'ai déjà enseigné, j'ajouterai une évidence qui en découle : c'est que les formes des atomes ne varient pas à l'infini. Autrement, il faudrait qu'il y eût certains atomes d'une infinie grandeur. Car dans leur commune petitesse, ils ne sont pas susceptibles d'une riche variété de formes. Imagine-les divisés en parties très petites, trois ou un peu davantage ; eh bien, ces parties d'un même atome, mets-les en haut, en bas, transpose-les de gauche à droite, cherche de toutes les manières à épuiser les combinaisons capables de modifier l'aspect total ; pour peu que tu veuilles encore trouver de nouvelles figures, il te faudra supposer de nouvelles parties et toujours, d'autres combinaisons exigeront d'autres parties à leur tour, si tu prends envie d'une incessante variété. Tu vois donc que la multiplication des formes entraîne l'augmentation du volume. Alors, comment serait-il possible d'admettre pour les atomes une infinie diversité de formes ? Ce serait vouloir accorder à certains des proportions monstrueuses : ce qui, je l'ai démontré, ne se peut concevoir.

Et d'ailleurs, les étoffes brillantes des barbares, la pourpre de Mélibée et la teinte qu'elle doit aux coquillages de Thessalie, les paons dorés et parés de grâce riante, tout cela, vaincu par l'éclat de couleurs nouvelles, tomberait dans l'abandon ; l'odeur de la myrrhe se verrait méprisée, ainsi que la saveur du miel ; les accents du cygne, les chants harmonieux que module la lyre de Phœbus, se trouveraient condamnés au silence, puisque des beautés toujours plus grandes ne cesseraient de se succéder. Et par un mouvement contraire, tout pourrait empirer sans répit, aussi bien que s'améliorer dans l'infini ; alors, s'offenseraient de plus en plus gravement l'odorat, l'ouïe, la vue, le goût. Mais puisqu'il n'en est rien, puisque dans l'un et l'autre sens tout se heurte à des limites, il faut nécessairement reconnaître que pour les éléments de la matière, la diversité des formes ne peut être infinie.

Enfin, des feux de l'été aux glaces de l'hiver, il y a une distance bornée et dans l'ordre inverse l'année a même mesure. Froid et chaleur sont entre ces limites avec des degrés intermédiaires dont la succession complète un ensemble. Donc, les qualités sensibles des objets sont finies, puisque à leurs points extrêmes elles sont comprises entre les feux brûlants et les frimas glacés.

A cette vérité que je viens de dire, j'ajouterai l'évidence d'une autre qui en dépend, c'est que les atomes qui ont forme semblable sont en nombre infini. Et, en effet, la diversité de forme ayant ses limites, il faut ou que les éléments semblables soient en nombre sans fin ou qu'il y ait une limite pour la matière totale : ce qui n'est pas, je l'ai prouvé.

Allons plus loin, je veux te convaincre en peu de vers, mais harmonieux, que les corpuscules de la matière accourant de l'infini entretiennent l'ensemble intégral des choses par une suite de chocs ininterrompus qu'ils produisent de toutes parts.

Si tu peux voir que certaines espèces animales sont plus rares que d'autres et que tu leur attribues une nature moins féconde, c'est que peut-être en d'autres lieux, dans d'autres contrées et terres lointaines, telle espèce se multiplie davantage pour compléter le nombre total; c'est ainsi que parmi les quadrupèdes nous voyons tout d'abord les éléphants dont la trompe s'allonge comme un serpent; l'Inde en a des milliers dont elle se fait un rempart d'ivoire qui interdit l'entrée de son territoire : tant ils sont là-bas en grand nombre, tandis que nous n'en connaissons ici que de rares spécimens.

Néanmoins je veux bien t'accorder qu'un être puisse se produire, absolument unique et qui n'ait point son pareil sur tout le globe : sans une quantité infinie de matière dont il tirera conception et naissance, jamais il n'arrivera à l'existence, il ne pourra pas davantage s'alimenter et croître.

A supposer, en effet, les éléments d'un corps unique épars dans le grand Tout, d'où arriveront-ils, où, par quelle force et comment se rencontreront-ils pour s'unir, à travers le vaste océan de la matière et parmi la multitude d'atomes étrangers ? Jamais, je pense, ils ne parviendraient à la cohésion. On voit, après qu'ont sévi de nombreuses et violentes tempêtes, la mer immense disperser dans ses vagues des bancs de rameurs, des gouvernails, des antennes, des proues, des mâts, des avirons, débris flottants qui vont se jeter sur tous les rivages, comme une leçon vivante aux mortels pour les garder désormais des guet-apens de la mer perfide, de ses violences et de ses ruses et les détourner de jamais se confier à elle, même quand la traîtresse fait sourire ses flots apaisés. Eh bien, de même, si tu bornes le nombre de certains éléments matériels, ils devront pendant toute la durée des âges être emportés en tous sens par le flux et le reflux des choses, sans pouvoir jamais former de combinaisons, ni demeurer unis en cas de groupement, ni grandir et se développer. Or, nous voyons chaque jour ces phénomènes se produire, il est manifeste que des corps se créent, et qu'une fois créés ils sont susceptibles de croissance. C'est donc évidemment qu'en chaque espèce, des atomes en nombre infini fournissent à tous les besoins.

Aussi les mouvements qui donnent la mort ne peuvent l'emporter définitivement ni ensevelir la vie à jamais, pas plus que les mouvements qui assurent naissance et accroissement des corps ne peuvent les doter de l'éternelle durée. C'est ainsi que luttent sans pouvoir se vaincre, engagés dans une guerre sans fin, les principes des choses. Tantôt ici, tantôt là, triomphent les forces vitales; puis elles succombent à leur tour. Aux gémissements funèbres se mêlent les vagissements des nouveau-nés abordant aux rivages de la lumière; aucune nuit n'a succédé au jour, aucune aurore à la nuit, qui n'ait entendu, mêlés aux vagissements douloureux, les plaintes et les pleurs, cortège de la mort et des noires funérailles.

Voici encore une vérité qu'il faut tenir scellée et que ta mémoire devra garder fidèlement : c'est que de tous les êtres dont nous apparaît la substance, il n'en est aucun qui soit formé d'une seule espèce d'atomes, aucun qui ne résulte d'un mélange d'atomes divers. Plus un être possède en soi de vertus et de propriétés, plus est grande, nous fait-il savoir ainsi, la diversité de ses principes et de leurs formes.

Tout d'abord, la terre contient en elle les corps élémentaires au moyen desquels les sources, roulant avec leurs eaux la fraîcheur, vont renouveler sans cesse la mer immense. Elle contient les principes du feu, car en maint endroit du sol ses profondeurs s'embrasent et ce sont des feux sans pareils que l'Etna vomit dans sa fureur. Enfin, elle a en germe de quoi produire pour le genre humain moissons riantes et arbres féconds, de quoi aussi fournir aux animaux sauvages errant sur les montagnes, feuillages, cours d'eau et gras pâturages.

C'est pourquoi on lui a donné les noms de grande mère des dieux, mère des espèces sauvages, créatrice de l'espèce humaine [18]. C'est elle que les savants poètes de la Grèce ancienne ont représentée assise sur un char attelé de deux lions, nous enseignant par là que le vaste globe suspendu dans l'espace aérien ne peut avoir un autre globe pour point d'appui. Au char, ils ont attelé des bêtes sauvages, pour faire entendre que toute race, si farouche soit-elle, se laisse nécessairement adoucir et dompter par les bienfaits des parents. Ils ont ceint le front de la déesse d'une couronne murale, parce que la terre, sur les hauteurs privilégiées, porte villes et forteresses. Et maintenant encore, parée de ce diadème, se promène partout à travers son vaste empire et parmi les frissons de la foule, l'image de la divine mère.

Divers peuples, fidèles aux rites antiques, l'appellent Mère Idéenne et lui donnent pour cortège des troupes de Phrygiens, parce que c'est en Phrygie que naquirent, dit-on, les premières céréales, depuis répandues par toute la terre. Ils lui ont attribué pour ministres des Galles, prêtres mutilés, pour signifier que ceux qui ont violé la majesté maternelle et qui se sont montrés ingrats envers leurs parents doivent être jugés indignes de faire parvenir une postérité aux rivages de la lumière. Sous les paumes résonne la peau tendue des tambourins; alentour retentissent les cymbales concaves et s'élève la rauque menace des trompettes, tandis que le rythme phrygien [19] de la flûte met les cœurs en délire. Les gens du cortège sont armés de traits, emblème d'une violente fureur, car il fallait jeter dans les âmes ingrates et les cœurs impies de la foule une terreur sacrée, que répand la puissance de la déesse.

Aussitôt donc que traînée sur son char à travers les grandes villes, la muette statue favorise les mortels de sa munificence secrète, partout sur son passage l'airain et l'argent jonchent le sol, tombant en généreuses offrandes; une neige de roses enveloppe de son ombre la déesse vénérable et son cortège.

Des groupes d'hommes en armes, que les Grecs nomment Curètes phrygiens, joutent entre eux; ils bondissent en cadence, joyeux du sang qui coule; du mouvement de leurs têtes ils agitent leurs aigrettes menaçantes et rappellent les Curètes dictéens de la légende, qui couvrirent en Crète les vagissements de Jupiter, tandis qu'autour de lui des enfants armés formaient des rondes agiles et frappaient en mesure l'airain contre l'airain : c'était pour que Saturne ne découvrît point son fils, qu'il eût fait périr sous sa dent, portant ainsi une blessure éternelle au cœur de la mère. Voilà pourquoi la grande mère est entourée de guerriers. Peut-être aussi veulent-ils avertir par là que la déesse ordonne aux hommes de défendre par les armes et le courage la terre ancestrale et d'être pour leurs parents soutien et gloire.

De telles légendes ont beau resplendir de beauté, elles errent vraiment trop loin d'une saine doctrine. Les dieux, en effet, doivent à leur nature même la jouissance de l'immortalité dans une paix absolue; éloignés de nos affaires, ils en sont complètement détachés. Exempts de toute douleur, exempts de tout danger, forts de leurs propres ressources, indépendants de nous, ils ne sont ni sensibles à nos mérites, ni accessibles à la colère.

Pour la terre, elle n'a jamais été qu'une matière privée de sentiment; mais, comme elle possède une multitude d'éléments des choses, elle produit de mille manières une multitude de corps à la lumière du soleil. Néanmoins, si l'on veut appeler la mer Neptune, et les moissons Cérès, si l'on se plaît à employer abusivement le nom de Bacchus au lieu du terme propre qui désigne le vin, on est maître aussi de donner à la terre le titre de Mère des dieux, pourvu qu'en réalité on préserve son esprit de la souillure honteuse de la superstition.

Souvent, on voit qui tondent l'herbe d'un même pré, le bétail porte-laine, la race belliqueuse des chevaux, les troupeaux aux longues cornes; ils ont pour toit le même ciel, le même cours d'eau apaise leur soif : et néanmoins ils vivent dissemblables d'aspect, conservent les caractères de leurs parents respectifs, et continuent chacun les mœurs particulières de leur espèce : tant est grande dans chaque sorte d'herbe la diversité de la matière, tant elle est grande aussi dans chaque cours d'eau.

Puis examine un animal pris entre tous : os, sang, veines, chair, liquide, viscères, nerfs, concourent à sa formation; et tous les corps qui le composent sont très différents faits d'éléments de formes dissemblables.

Les corps inflammables et combustibles contiennent, à défaut d'autres principes, certains éléments d'où peut jaillir la flamme, briller la lumière, surgir des étincelles et voler au loin la cendre. Passe en revue selon la même méthode tous les corps, tu trouveras qu'ils recèlent tous en grand nombre les éléments d'une multitude de choses et qu'ils agglomèrent des formes variées.

Enfin, de nombreux corps se manifestent à la fois par la couleur, la saveur et l'odeur : telles sont surtout les offrandes. Les éléments de tels corps affectent nécessairement diverses formes; l'odeur en effet pénètre en nous par une autre voie que la couleur; la couleur a de même son chemin à elle, et la saveur également, pour accéder à nos sens : à quoi tu peux reconnaître que leurs principes sont différents. Preuve qu'un composé unique rassemble des éléments dissemblables, et que les corps résultent d'un mélange de principes divers.

Mais voyons! dans nos vers mêmes, à tout instant t'apparaissent des lettres communes à plusieurs mots, et cependant tu dois reconnaître que ces vers, ces mots, sont diversement composés : non qu'ils n'aient que peu de lettres communes, non qu'il ne puisse se trouver deux mots où tous les éléments se ressemblent, mais parce qu'en général les ensembles ne sont pas pareils de tous points. C'est ainsi que dans d'autres corps encore, malgré les éléments nombreux qu'ils ont identiques, la somme des éléments diffère. N'aura-t-on donc pas raison de dire qu'une même composition ne se peut retrouver dans la race humaine, dans les céréales et dans les corps des arbres vigoureux ?

Ne va pas croire pourtant que tous les atomes puissent se combiner de toutes les façons : car alors on verrait communément des monstres dans la nature; des êtres mi-hommes mi-bêtes viendraient au monde, de hautes branches s'élanceraient du corps d'un animal vivant, des membres d'animaux terrestres s'uniraient à des parties d'animaux marins et des chimères soufflant la flamme par leur gueule effroyable seraient nourries par la nature sur la terre, mère de toutes choses. Aucun de ces prodiges n'apparaît; c'est que tous les corps proviennent de semences définies, ont une mère déterminée et croissent avec la faculté de conserver chacun son espèce.

Il faut, évidemment, que tout cela se passe suivant un plan défini, car dans chaque être s'introduisent, fournis par la masse des aliments, les éléments propres à chaque organe; ils se combinent avec eux pour produire les mouvements nécessaires à la vie; quant aux éléments qui restent étrangers à la masse, la nature les rend à la terre. Il y en a beaucoup d'imperceptibles que certains chocs font sortir de notre corps : ceux-là n'ont nulle part pu s'unir à d'autres ni participer aux mouvements créateurs de la vie.

Mais ne crois pas que les seuls êtres animés soient assujettis à ces lois : le même principe sert à déterminer tous les corps. Car les choses créées différant toutes entre elles par l'ensemble de leur constitution, il faut bien que leurs éléments aient des formes diverses : non qu'il y ait peu d'éléments à se ressembler, mais parce qu'en général les ensembles ne sont pas pareils de tous points.

Et si les atomes diffèrent les uns des autres, il s'ensuit une différence aussi entre leurs distances, leurs directions, leurs unions, leurs poids, leurs chocs, leurs rencontres, leurs mouvements, tout ce qui, non seulement, différencie les êtres vivants des êtres vivants, mais encore distingue la terre du monde marin, comme de la terre l'univers céleste.

Maintenant, écoute encore d'autres vérités acquises par un travail que j'accomplis avec amour : garde-toi bien de croire que des atomes blancs composent les corps blancs dont l'éclat frappe tes yeux, ni que ceux que tu vois noirs proviennent d'une noire semence; ne crois pas non plus, quelle que soit la couleur des corps, qu'ils la doivent à des éléments de couleur semblable. Car les éléments de la matière n'ont aucune couleur, pas plus semblable que dissemblable à celle des objets.

Peut-être penses-tu que de tels éléments ne peuvent se concevoir ? Ce serait se perdre loin du vrai. Les aveugles-nés, dont les yeux ignorent la lumière du soleil, savent pourtant, dès l'enfance, reconnaître au toucher des corps dépourvus pour eux de toute couleur; de même, conclurai-je, notre esprit peut se former une idée de corps sans aspect coloré. Enfin, nous-mêmes, quand dans les ténèbres aveugles nous touchons un objet, nous n'en sentons nullement la couleur.

A l'expérience qui me donne raison, joignons maintenant le raisonnement. Il n'y a pas de couleur qui ne puisse se convertir en toute autre : or les atomes ne peuvent subir de pareils changements. Car il faut quelque chose d'immuable dans la nature pour que toute chose, sans exception, ne retourne pas au néant, puisqu'un corps ne peut subir un changement qui le fasse sortir de ses limites, sans que ce soit aussitôt la mort de ce qu'il est. Ainsi donc, garde-toi de croire que les semences des corps aient la couleur, ou bien tu précipites au néant le grand Tout.

Admets-tu que tes atomes sont privés de toute couleur, qu'ils sont doués d'une diversité de formes au moyen desquelles ils produisent toutes ces teintes et les varient ? Considères-tu que dans le jeu de leurs combinaisons il importe de prendre garde à leurs unions, à leurs positions, à leurs mouvements réciproques ? Eh bien, il te devient fort aisé d'expliquer pourquoi ce qui tout à l'heure était noir peut tout à coup égaler le marbre en blancheur : telle la mer, quand les grands vents la battent et soulèvent des vagues dont la blancheur est au marbre pareille. Tu pourras dire, en effet, que si les éléments d'un corps, noir d'ordinaire, se troublent, se confondent, perdent leur ordre premier, et si quelques atomes s'échappent pour faire place à d'autres, la surface de ce corps éclate aussitôt de blancheur. Que si les flots de la mer se composaient d'atomes couleur d'azur, jamais ils ne blanchiraient : car de quelque manière qu'on trouble l'ordre des atomes, jamais couleur d'azur ne peut devenir de marbre.

Si la couleur de la mer, uniforme et pure, résultait d'éléments diversement colorés, comme de l'assemblage de figures différentes et variées on peut faire une figure unique et par exemple un carré, il faudrait, puisqu'on distingue dans le carré ses diverses figures composantes, distinguer aussi dans la mer, comme dans tout autre corps de couleur uniforme et pure, les teintes si différentes et variées dont se compose la couleur totale.

Au reste, la variété des figures composantes n'empêche nullement la figure d'ensemble de dessiner un carré, au lieu que la différence de couleur dans les éléments s'oppose absolument à l'unité de couleur dans le tout.

Et par là, certes, tombe la raison qui parfois nous fait supposer des couleurs aux atomes, puisque les corps blancs ne sont pas formés d'atomes blancs, ni les corps noirs d'atomes noirs, mais les uns et les autres d'atomes divers; car la blancheur naîtra plus aisément d'atomes privés de couleur que d'atomes noirs ou revêtus de toute autre couleur disparate et opposée.

D'ailleurs, il ne peut y avoir de couleur sans lumière, et les atomes ne se produisent pas à la lumière; il est donc évident qu'aucune couleur ne les revêt. Quelle sorte de couleur pourra-t-il y avoir dans les ténèbres aveugles? Bien plus, la couleur change avec la lumière elle-même, suivant que la frappent des rayons directs ou obliques; ainsi chatoie au soleil le collier de plumage qui orne la nuque et le cou de la colombe; il a tantôt les feux du rubis, tantôt il nous fait l'impression de mêler au bleu du firmament le vert de l'émeraude. De même la queue du paon, quand la baigne une lumière généreuse, change de couleur selon l'exposition. Ainsi donc, c'est de la chute des rayons de lumière que les couleurs dépendent, et l'on ne conçoit naturellement pas qu'elles puissent sans lumière exister.

Des impressions différentes affectent la pupille selon qu'elle réagit au blanc, au noir ou à toute autre couleur; et comme, pour les objets soumis au toucher, la couleur est indifférente et seule la forme importe, il faut conclure que la couleur est inutile aux atomes et que seules leurs formes variées produisent la variété de nos sensations colorées.

Je dirai plus : si les couleurs des atomes ne dépendent pas rigoureusement de leur figure, et si toutes les formes d'atomes peuvent avoir n'importe quelle teinte, pourquoi les corps par eux composés ne sont-ils pas également revêtus de toutes sortes de couleurs, quelle que soit d'ailleurs leur espèce ? Nous devrions voir souvent le vol des corbeaux répandre partout le blanc éclat de leur plumage et des cygnes naître noirs d'une noire substance, ou de quelque autre couleur pure ou bigarrée.

Plus d'ailleurs un corps se divise en parties menues, plus tu peux voir les couleurs pâlir et finir par s'éteindre; c'est ce qui arrive quand on divise en menues parties une étoffe de pourpre : la couleur pourpre, de beaucoup la plus éclatante de toutes, si l'on effiloche l'étoffe, disparaît complètement : tu vois par expérience que les parcelles de matière se dépouillent de leur couleur avant d'être réduites à l'état d'atomes.

Enfin, tu admets bien que les corps n'émettent pas tous son ou odeur, et tu n'attribues donc pas à tous l'odeur et le son. De même, puisque tous les corps ne sont pas perceptibles aux yeux, il peut s'ensuivre qu'il existe des corps privés de couleur, comme il en existe qui n'ont ni odeur ni son; et un esprit sagace peut concevoir des corps sans couleur, comme il en conçoit dépourvus des autres qualités.

Mais ne va pas croire que la couleur soit la seule qualité qui manque aux corps premiers; ils n'ont pas davantage la tiédeur, le froid ou la chaleur; ils errent privés de son, dénués de saveur et n'exhalent aucune odeur qui leur soit propre. Ainsi, quand on compose l'essence délectable de marjolaine, de myrrhe ou de cette fleur du nard qui nous fait respirer un parfum de nectar, il faut trouver avant tout, autant qu'il est possible, une huile qui ne dégage aucune odeur, qui n'envoie à nos narines aucune émanation, de peur qu'en se mêlant par la cuisson au parfum des fleurs, son âcre substance tant soit peu ne les altère.

Pour la même raison, les atomes qui entrent dans la composition des corps n'y doivent apporter aucune odeur propre, aucun son, puisqu'ils ne peuvent émettre aucune émanation; pour la même raison, ils n'ont ni saveur, ni température froide ou chaude, ni tiédeur, ni telles autres qualités qui entraînent la ruine des corps : mollesse et flexibilité, fragilité et friabilité, mélange de matière et de vide; tout cela doit rester étranger aux atomes, si tu veux asseoir la nature sur des fondements éternels et assurer son salut. Sinon, tous les corps sans exception retourneront au néant.

Pensons maintenant aux corps que tu vois doués de sentiment : il te faut convenir qu'ils sont pourtant formés d'atomes insensibles. Loin de rejeter cette vérité et de la combattre, l'expérience quotidienne semble nous conduire à elle par la main, et nous force à croire que de substances insensibles peuvent naître, comme je le dis, des êtres animés.

On peut voir en effet des vers vivants sortir de la fange, quand des pluies excessives ont détrempé la terre et la décomposent; et tous les corps, du reste, se tranforment de la même façon. Les fleuves, les feuillages, les gras pâturages, se métamorphosent en troupeaux; les troupeaux se changent en corps humain; et notre corps lui-même, trop souvent, sert à accroître la force des bêtes sauvages et des oiseaux aux ailes puissantes.

C'est ainsi que la nature convertit en corps vivants les aliments de toute espèce, elle en compose tous les sens des êtres animés, de même à peu près qu'elle fait jaillir la flamme du bois sec et convertit toute matière en feu. Vois-tu maintenant comme il importe de considérer l'ordre que prennent les atomes, leurs mélanges et les mouvements que les uns aux autres ils s'impriment ?

Mais qu'est-ce donc qui frappe ton esprit, qui le trouble, qui excite en lui mille raisons de ne pas croire que la matière insensible ait la faculté de produire le sensible ?

Assurément les pierres, le bois et la terre elle-même, mêlés ensemble, ne peuvent engendrer la vie et le sentiment. Aussi n'ai-je pas prétendu, et c'est le moment de t'en souvenir, que tous les atomes sans restriction soient capables de produire à l'instant la sensibilité; je t'ai prévenu d'avoir à considérer le rôle que jouent d'abord la petitesse des éléments créateurs du sensible, puis leur forme, enfin leurs mouvements, leur ordre, leurs positions : conditions nullement réalisées dans les bois et les glèbes. Et cependant, ces corps, quand la pluie les a putréfiés, font éclore des vermisseaux, parce que leurs atomes, déplacés par cette condition nouvelle, fournissent la combinaison nécessaire pour engendrer des êtres vivants.

Et puis, supposer que la sensibilité puisse naître d'atomes sensibles, accoutumé que l'on est à tirer ses sensations de corps sensibles aussi, c'est attribuer aux atomes la mollesse. Car la sensibilité est toute liée aux viscères, aux nerfs et aux veines qui sont évidemment corps mous et périssables.

Mais admettons un instant que de tels éléments soient capables d'éternité : encore faudra-t-il qu'ils aient une sensibilité partielle ou bien leur attribuer la sensibilité totale de l'être vivant. Or une partie du corps qu'on isole par elle-même ne peut avoir de sensibilité, car toute sensation des membres se réfère à autre chose qu'eux-mêmes; la main, ou n'importe quel membre séparé du corps, demeure insensible. Reste donc à faire des atomes autant de petits êtres vivants, en leur accordant une sensibilité totale. Mais alors, les pourra-t-on dire encore principes des choses et capables d'échapper à la mort, puisqu'ils seront êtres vivants ? — Vivant et mortel, c'est une seule et même chose.

Admettons tout de même que cela soit possible : leur union produira-t-elle autre chose qu'une mêlée d'êtres animés ? Nous savons que des êtres humains, du bétail et des bêtes sauvages, unis par la volupté, ne peuvent engendrer que des hommes, du bétail ou des bêtes sauvages.

Si tu dis que les atomes dans leurs unions abandonnent leur sensibilité propre pour en prendre une autre, quel besoin avait-on de leur accorder ce qu'on leur enlève ? Il ne nous reste plus que notre recours de tout à l'heure; car en voyant se changer en poussins les œufs des oiseaux et les vers sortir en grouillant d'une terre corrompue par les pluies excessives, nous ne doutons pas que des êtres sensibles ne naissent de l'insensible.

Prétendra-t-on que le sensible sort de l'insensible par un changement, par une sorte d'enfantement qui l'amène au jour ? Il suffira de prouver qu'aucune naissance ne s'accomplit sans un concours préalable de germes et qu'il ne se fait nulle transformation sans association antérieure. En premier lieu, aucun sens d'aucun corps n'a le pouvoir d'exister avant que soit né l'être vivant lui-même; car jusque-là les éléments composants se trouvent épars dans l'air, les eaux, la terre et les corps produits par la terre; ils n'ont pu se rencontrer pour produire la vie, ni combiner entre eux les mouvements qui allument en nous les sens, ces gardiens clairvoyants de tout être vivant.

Qu'un être vivant subisse un coup trop violent pour sa nature : le voilà qui s'abat soudain dans la confusion des sens de son corps et de son âme. Les éléments, en effet, se déplacent, les mouvements de la vie au fond de l'être se trouvent entravés, jusqu'à ce que la matière, bouleversée dans tous les membres, rompe les liens de l'âme au corps et par tous les pores la chasse au dehors. Quel autre résultat attribuer à un tel choc ? Il brise et désagrège.

Que si le coup est moins violent, les mouvements vitaux qui subsistent en peuvent triompher et dès lors calmer le tumulte excité, ramener chaque élément dans ses conduits naturels et, domptant la mort déjà presque maîtresse du corps, rallumer ainsi la sensibilité à peu près éteinte. Comment expliquer autrement que du seuil même de la mort un être puisse rassembler ses esprits et revenir à l'existence, au lieu d'aller jusqu'au terme presque atteint de sa course et de disparaître ?

Puisque d'ailleurs il n'y a douleur que lorsque les principes de la matière, troublés par une force étrangère, s'agitent en désordre dans l'intimité profonde de la chair vivante et des membres, et qu'au contraire il y a doux plaisir lorsqu'ils reprennent leur place, il est évident par là que les atomes ne sont accessibles ni à la douleur ni au plaisir, n'étant point composés d'éléments dont le déplacement puisse les faire souffrir ou bien leur procurer plaisir et douceur. Voilà pourquoi aucun sentiment n'est en eux.

Enfin, si les êtres vivants, pour être capables de sentir, ont besoin d'éléments sensibles, comment se comporteront les atomes qui constituent en particulier l'espèce humaine ? Faudra-t-il donc qu'un rire aux éclats les secoue, ou que la rosée des larmes baigne leurs yeux et leurs joues ? Sans doute seront-ils habiles à discourir sur le mélange des corps comme à étudier les éléments qui les composent eux-mêmes ? Semblables en tout point à un homme intégral, ils devront comme lui résulter de principes divers, ceux-ci formés d'autres principes, puis ceux-ci encore, sans qu'on ose s'arrêter. Car tu ne m'échapperas pas et pour tout être que tu me citeras capable de parler, de rire et de penser, je te dirai qu'il doit se composer d'atomes ayant les mêmes facultés. Mon hypothèse est-elle le comble du délire et de la folie ? Peut-on rire sans être formé d'atomes rieurs, peut-on penser et rendre des comptes avec éloquence sans atomes philosophes et orateurs ? Alors pourquoi les êtres capables de sensibilité ne pourraient-ils se composer d'atomes qui en soient complètement dénués ?

Enfin nous sommes tous nés d'une semence venue du ciel; l'éther est notre père commun; c'est de lui que la terre, notre mère nourricière, reçoit les gouttes de la pluie fécondante et enfante ainsi les brillantes moissons, les arbres vigoureux et la race des hommes, ainsi que toutes les espèces sauvages, puisqu'elle leur offre les biens avec lesquels ils se nourrissent, mènent douce vie et propagent leur espèce : ne mérite-t-elle pas bien le nom de mère qu'elle a reçu ? Et le cycle se renverse; tout ce qui est sorti de la terre fait retour à la terre, et tout ce qui est descendu des régions de l'éther regagne le ciel et s'y fait recevoir. Ne va pas considérer comme une propriété essentielle aux atomes éternels l'apparence que nous voyons ondoyer à la surface des corps, naître de temps en temps et soudain disparaître. La mort en détruisant les corps n'anéantit pas leurs éléments; elle se borne à dissoudre leurs unions, puis à en combiner d'autres; elle fait en sorte que toutes choses changent de forme et de couleur, acquièrent le sentiment pour le perdre en un éclair : d'où t'apparaît l'importance qu'il faut attacher aux combinaisons des atomes, à leurs positions, aux mouvements qu'entre eux ils s'impriment. C'est à l'aide des mêmes caractères que nous désignons le ciel, la mer, la terre, les fleuves, le soleil; et de la même façon encore les moissons, les arbres, les animaux. Et dans nos vers eux-mêmes, l'ordre des lettres est essentiel, essentiels sont leurs arrangements; les mots, non tous pareils, mais se ressemblant en grande partie, ne diffèrent que par l'ordonnance des lettres. Ainsi en est-il des corps de la nature. Il suffit que changent leurs figures, — intervalles, direction, liens, poids, chocs, rencontres, mouvements, ordre, positions — pour qu'eux-mêmes se trouvent changés.

Maintenant prête ton attention à la doctrine de vérité : c'est une idée singulièrement nouvelle qui va frapper ton oreille, un nouvel aspect des choses qui va se révéler à toi. Mais s'il n'y a pas d'opinion si aisée qui n'apparaisse comme incroyable au premier abord, il n'y a pas non plus de merveille qui ne cesse avec le temps de nous surprendre : ainsi le clair et pur azur du ciel et tout ce qu'il renferme en lui, les feux errants des astres et la lune et l'éclat incomparable du soleil, si tous ces objets apparaissaient aujourd'hui pour la première fois aux mortels, s'ils surgissaient à l'improviste et brusquement à leurs regards, que pourrait offrir la nature de comparable à ce spectacle et qu'aurait-il pu y avoir de plus hardi à concevoir pour l'imagination ? Rien, à mon sens; tant étonnerait le prodige ! Eh bien, déjà personne qui ne soit fatigué et blasé du spectacle, personne qui daigne encore lever les yeux vers la voûte lumineuse du ciel ! Toi, cesse donc, sous prétexte que la nouveauté te fait peur, de rejeter mon système; mais n'en aiguise que mieux ton jugement, pèse mes idées; et si elles te semblent vraies, rends-toi; ou bien si tu n'y vois que mensonge, arme-toi pour les combattre. Ce que l'esprit recherche dans l'espace infini qui s'étend au-delà des limites de notre monde, c'est ce qu'il peut bien y avoir dans cette immensité que l'intelligence scrute à son gré, et vers laquelle s'envole la pensée, libre d'entraves.

Tout d'abord, nulle part, en aucun sens, à droite ni à gauche, en haut ni en bas, l'univers n'a de limite; je te l'ai montré, l'évidence le crie, cela ressort clairement de la nature même du vide. Si donc de toutes parts s'étend un libre espace sans limites, si des germes innombrables multipliés à l'infini voltigent de mille façons et de toute éternité, est-il possible de croire que notre globe et notre firmament aient été seuls créés et qu'au-delà il n'y ait qu'oisiveté pour la multitude des atomes ? Songe bien surtout que ce monde est l'ouvrage de la nature, que d'eux-mêmes, spontanément, par le seul hasard des rencontres, les atomes, après mille mouvements désordonnés et tant de jonctions inutiles, ont enfin réussi à former les unions qui, aussitôt accomplies, devaient engendrer ces merveilles : la terre, la mer, le ciel et les espèces vivantes. Il te faut donc convenir, je le redis, qu'il s'est formé ailleurs d'autres agrégats de matière semblables à ceux de notre monde, que tient embrassé l'étreinte jalouse de l'éther.

Toutes les fois d'ailleurs qu'une abondante matière se tient prête, qu'un espace l'attend et que rien ne fait obstacle, il est évidemment fatal que les choses prennent forme et s'accomplissent. Et si par surcroît les germes sont en telle quantité que tout le temps de l'existence des êtres ne suffirait à les compter; si la même force subsiste et la même nature pour les rassembler en tous lieux et dans le même ordre que les atomes de notre monde, il faut admettre que les autres régions de l'espace connaissent aussi leur globe, leurs races d'hommes et leurs espèces sauvages.

A cela s'ajoute que dans la nature il n'y a pas un être qui soit isolé, qui naisse et grandisse unique et seul de son espèce : chacun rentre dans une famille, beaucoup font partie d'une espèce nombreuse. Tout d'abord vois les êtres vivants : c'est dans ces conditions que furent créés les fauves errant sur les montagnes et la race des hommes, ainsi que les troupes muettes des poissons couverts d'écailles et toutes les espèces ailées. Le même principe nous persuade que le ciel et la terre, le soleil, la lune, la mer et tout ce qui vit, loin d'être uniques de leur sorte, existent au contraire en nombre infini; car leur existence a son terme inflexible et leur essence est mortelle comme celle de tous les corps qui abondent en chaque espèce terrestre.

Quand le monde fut né, après que se fut levé le premier jour marin, après la formation simultanée de la terre et du soleil, à leur matière s'agrégèrent de nombreux corps étrangers, tout autour vinrent adhérer des éléments que le grand Tout précipitait vers ces régions; tant d'atomes nouveaux permirent à la mer et à la terre de s'accroître, au palais céleste de s'agrandir et de dresser ses toits orgueilleux loin de la terre, à l'air enfin de s'élever dans l'espace. Car d'où qu'ils viennent, ces éléments supplémentaires sont adjoints par des chocs aux substances auxquelles ils sont destinés, tous rejoignent leurs espèces respectives. L'eau s'unit à l'eau et la terre à la terre, le feu accroît le feu, l'éther accroît l'éther, jusqu'à ce que tous les êtres aient été conduits par la nature universellement créatrice au dernier terme de leur croissance et de leur achèvement.

Cela arrive quand les principes de complément sont à égalité avec ceux qui s'écoulent et fuient. Alors la vie en tous les êtres arrête son progrès, alors la nature met un frein à l'accroissement des choses.

Tous les corps, en effet, que tu vois grandir heureusement et s'élever peu à peu à l'état d'adultes, acquièrent plus qu'ils ne dissipent; la nourriture aisément circule dans toutes les veines et les tissus ne sont pas assez lâches et distendus pour perdre beaucoup de substance et laisser la dépense l'emporter sur l'acquis. Nos corps font des pertes importantes, il faut en convenir, mais le compte des acquisitions domine jusqu'au jour où le faîte de la croissance est atteint. Dès lors, insensiblement les forces diminuent, la vigueur de l'adolescence est brisée et l'âge glisse vers la décrépitude. Plus est vaste en effet un corps qui ne cesse de croître, plus sa surface est large, et plus nombreux sont les éléments qu'il répand de toutes parts et qui s'échappent de sa substance. Les aliments ne se répandent plus aisément dans toutes les veines et ne suffisent pas pour réparer les flots de matière qui s'échappent sans cesse et pour fournir la substance de remplacement. Il est donc fatal que les corps périssent, étant moins denses à cause de leurs pertes incessantes et plus faibles contre les chocs qui surviennent. Car la nourriture finit par manquer au grand âge; et dans son état d'affaissement l'être résiste mal aux chocs répétés du dehors, sa résistance est vaincue par leur acharnement.

Ainsi le tour viendra pour les murailles du vaste monde qui, succombant aux assauts du temps, ne laisseront plus que décombres et poussière de ruines. Tous les corps en effet ont besoin de la nourriture pour les réparer et les renouveler; elle doit les étayer tous et tous les soutenir; mais la tâche cesse d'être possible lorsque les veines ne supportent plus des quantités suffisantes ou que la nature n'en fournit plus. Et déjà notre époque est brisée, et la terre lasse d'engendrer crée avec peine de chétifs animaux, elle qui a jadis créé toutes les espèces et mis au monde les corps de gigantesques bêtes sauvages. Car je ne crois pas que les espèces mortelles aient été descendues du ciel dans nos plaines par un câble d'or; ni la mer, ni les flots qui viennent battre les rochers ne les créèrent : mais la même terre les engendra qui les nourrit aujourd'hui de sa substance. C'est elle aussi qui pour les mortels créa spontanément les moissons brillantes, les vignobles prospères; elle aussi qui leur offrit les doux fruits et les gras pâturages. Tout cela maintenant pousse avec peine malgré les efforts de nos bras. Nous y fatiguons les bœufs, nous y épuisons les forces de nos cultivateurs, nous y usons le fer des charrues et cependant les champs se font toujours plus avares à mesure que nous nous dépensons davantage. Et déjà le vieux laboureur, hochant la tête, pense en soupirant à tout son grand travail resté stérile, et s'il compare les temps d'aujourd'hui à ceux d'autrefois, il ne manque pas de vanter le sort de son père; il a toujours à la bouche le bonheur des siècles passés, où l'homme tout rempli de piété vivait plus aisé dans un domaine plus étroit et subsistait mieux d'un plus modeste patrimoine : il ne voit pas que tout va dépérissant, que tous les êtres marchent au cercueil, épuisés par le long chemin de la vie.

Que ces vérités se gravent bien dans ton esprit et la nature aussitôt t'apparaîtra libre, affranchie de maîtres superbes, gouvernant elle-même son empire sans contrainte et sans l'aide des dieux. Car j'en atteste les cœurs sacrés des dieux, qui dans une paix parfaite mènent une vie sans trouble et des jours sereins; lequel d'entre eux pourrait gouverner l'ensemble de l'immensité ? Lequel aurait les mains assez fermes pour tenir les rênes du grand Tout ? Lequel serait capable de faire tourner ensemble tous les cieux, de verser les feux de l'éther sur toutes les terres fertilisées, de se trouver partout et toujours prêt à rassembler les nuages ténébreux, à ébranler par le tonnerre les espaces tranquilles du ciel et à lancer la foudre ? Cette foudre parfois détruit leurs temples, exerce sa vaine colère dans les déserts et prépare furieusement un trait qui est bien capable de passer à côté des coupables pour aller, justicier injuste, arracher la vie à des innocents.

LIVRE TROISIÈME

ARGUMENT

Ce livre est employé tout entier à traiter de l'âme humaine : c'était l'objet essentiel de la philosophie d'Épicure. Après une invocation à Épicure, il fait sentir l'importance du sujet qu'il va traiter, en ce que l'ignorance où sont les hommes sur la nature de leur âme leur inspire cette crainte de la mort, qu'il regarde comme l'unique source de tous les maux et de tous les crimes. Il entre ensuite en matière, et s'efforce de prouver : 1° que l'*âme* est une partie réelle de nous-mêmes, et non pas une affection générale de la machine, une *harmonie*, comme l'ont voulu quelques philosophes; 2° que l'*âme* ne forme qu'une même substance conjointement avec l'*esprit*, qui réside au centre de la poitrine, tandis que l'âme est répandue dans tout le corps; 3° qu'ils sont l'un et l'autre *corporels*, quoique formés des atomes les plus subtils de la nature; 4° que, bien loin d'être simples, ils résultent au contraire de quatre principes, le *souffle*, l'*air*, la *chaleur*, et un quatrième (qui paraît n'être autre chose que les *esprits animaux*), auquel le poète ne donne pas de nom, et qu'il regarde comme l'âme de notre âme; 5° que ces quatre principes sont mélangés et combinés, sans pouvoir jamais agir à part, n'étant, pour ainsi dire, que différentes propriétés d'une même substance, mais qu'ils peuvent dominer plus ou moins, et que de là naît la différence des caractères; 6° que l'âme et le corps sont tellement unis, qu'ils ne peuvent subsister l'un sans l'autre, mais qu'il ne faut pas croire pourtant, comme l'a prétendu Démocrite, qu'à chaque élément du corps réponde un élément de l'âme. Après tous ces détails, il tâche de prouver que l'âme naît et meurt en même temps que le corps, d'où il conclut que la mort n'est pas à craindre, et que les hommes ont tort de se désespérer d'un état qui les rend ce qu'ils étaient avant que de naître.

LIVRE TROISIÈME

Toi qui le premier au fond d'affreuses ténèbres as brandi un si lumineux flambeau pour nous révéler les vrais biens de la vie, je te suis, ô gloire de la Grèce, et j'ose aujourd'hui poser mes pas dans tes pas, non que je veuille devenir ton rival, mais plutôt parce que ton amour me guide et m'exhorte à t'imiter. L'hirondelle ose-t-elle défier les cygnes, les chevreaux aux membres tremblants pourraient-ils lutter à la course avec le cheval fougueux ? Toi, père, qui es l'initiateur, tu prodigues à tes enfants de sages leçons; c'est dans tes traités, maître glorieux, que semblables aux abeilles butinant çà et là parmi les fleurs des prés, nous allons cueillir nous aussi, pour nous en repaître, des paroles d'or, oui, d'or vraiment, et telles qu'il n'en fut jamais de plus dignes d'une vie éternelle.

A peine ta sagesse a-t-elle commencé à proclamer avec puissance un système de la nature né de ton divin génie, aussitôt s'évanouissent les terreurs de l'esprit, s'écartent les murailles du monde; je vois à travers le vide immense les choses s'accomplir; je vois les dieux puissants dans leurs tranquilles demeures que n'ébranlent pas les vents, que les nuages ne battent pas de leur pluie, que la blanche neige glacée n'outrage pas dans sa chute, car un éther toujours serein leur sert de voûte et leur verse à larges flots sa lumière en riant. Tous leurs besoins, la nature y pourvoit et rien en aucun temps n'altère la paix de leurs âmes. Mais par contre, nulle part je n'aperçois les régions de l'Achéron et la terre ne m'empêche point de contempler sous mes pieds tout ce qui s'accomplit dans le vide. Devant de telles visions, une joie divine, un saint frémissement me saisissent à la pensée que ton génie contraignit la nature à se dévoiler tout entière.

Ma doctrine enseigne les principes de l'univers : j'ai dit leur nature, la variété de leurs formes, le mouvement éternel dont ils s'envolent spontanément dans l'espace et comment ils sont capables de créer toutes choses. Mon objet est maintenant, je crois, la nature de l'esprit, et c'est l'âme, le principe vital, qu'il me faut éclairer dans mes vers. Je dois chasser et renverser cette peur de l'Achéron qui, pénétrant l'homme jusqu'au cœur, trouble sa vie, la teint tout entière de la couleur de la mort et ne laisse subsister aucun plaisir limpide et pur.

Tant d'hommes prétendent que les maladies et la honte sont plus à craindre que les abîmes de la mort! Ils savent bien, proclament-ils, que le principe de la vie relève du sang [20], sinon même du vent [21], si jusque-là se porte leur fantaisie, et qu'auraient-ils donc besoin de nos leçons ? Mais tu vas voir comme c'est là propos vides de fanfarons, non conviction réelle. Car ces mêmes hommes, chassés de leur patrie, proscrits loin de leurs semblables, flétris d'accusations infamantes, accablés enfin de tous les maux, ces hommes vivent; où qu'ils soient venus traîner leur misère, ils célèbrent des funérailles, ils immolent des brebis noires, ils sacrifient aux mânes, et plus l'adversité leur est rude, plus leurs esprits se tournent vers la religion. Ah! c'est dans les dangers qu'il faut observer l'homme, c'est dans l'adversité qu'il se révèle : alors seulement la vérité jaillit de son cœur; le masque tombe, le visage réel apparaît.

Enfin l'avidité, le désir aveugle des honneurs, poussent les hommes misérables hors des bornes du droit et parfois même les font complices ou même agents du crime; ils les assujettissent jour et nuit à un labeur sans égal pour s'élever au faîte de la fortune : or de ces plaies de la vie, la plus grande part revient à la crainte de la mort, leur vraie cause [22]. Vivre dans le mépris infamant et l'âpre pauvreté semble en effet aux hommes incompatibles avec des jours doux et posés : ces maux paraissent les mettre dès cette terre aux portes mêmes de la mort; c'est pourquoi les hommes en proie à ces vaines alarmes voudraient fuir au loin et, pour y échapper, grossissent leurs biens au prix du sang de leurs concitoyens [23]; ces avides doublent leurs richesses, multiplient leurs meurtres; ces cruels suivent avec joie les funérailles d'un frère, la table de leurs proches leur inspire haine et effroi.

C'est la même crainte de la mort qui met au cœur des hommes l'envie qui le ronge : ils voient celui-ci qui est puissant, celui-là qui attire tous les regards et qui marche dans l'éclat des honneurs, tandis qu'eux-mêmes se traînent dans l'obscurité et la fange : autant de sujets de plainte. Il y en a qui périssent pour avoir leur statue, pour illustrer leur nom. Souvent même la peur de la mort inspire aux humains un tel dégoût de la vie et de la lumière qu'ils vont dans leur désespoir jusqu'à s'assurer de leurs mains le trépas, sans se souvenir que la source de leur souffrance était cette peur elle-même, elle qui persécute la vertu, qui rompt les liens de l'amitié et qui en somme par ses conseils détruit la piété. N'a-t-on pas déjà vu souvent des hommes trahir leur patrie et leurs chers parents, dans le but d'échapper aux sombres demeures de l'Achéron ?

Car pareils aux enfants qui tremblent et s'effraient de tout dans les ténèbres aveugles, c'est en pleine lumière que nous-mêmes, parfois, nous craignons des périls aussi peu redoutables que ceux dont s'épouvantent les enfants dans les ténèbres et qu'ils imaginent tout près d'eux. Ces terreurs, ces ténèbres de l'esprit, il faut donc pour les dissiper, non les rayons du soleil ni les traits lumineux du jour, mais l'étude rationnelle de la nature.

Ce que je dirai tout d'abord, c'est que l'esprit ou, comme nous l'appelons souvent, la pensée, conseil et gouvernement de notre vie, est une partie de l'homme non moins réellement que la main, le pied et les yeux sont des parties de tout l'être vivant. En vain une foule de philosophes assurent que le sentiment et la pensée n'ont pas dans l'homme un siège particulier; mais, disent-ils, c'est une disposition vitale du corps, appelée *harmonie* par les Grecs, quelque chose qui nous fait vivre et sentir : nulle résidence assignée à l'esprit; c'est ainsi qu'on parle souvent de la santé du corps, bien que la santé ne constitue pas un organe du corps bien portant. Le sentiment et l'esprit n'auraient pas davantage un siège particulier, et voilà ce qui me paraît se perdre fort loin de la vérité.

Il arrive souvent qu'une partie visible de notre corps soit malade, tandis que la joie règne dans une autre partie cachée; et d'ailleurs le contraire se produit à son tour : un homme souffrant dans son esprit quand se réjouit tout son corps, de même qu'on peut souffrir du pied sans éprouver cependant aucune douleur à la tête.

Est-ce que dans le doux sommeil auquel nos membres s'abandonnent, lorsque allongé, privé de sentiments, notre corps repose appesanti, quelque chose en même temps ne s'agite pas en nous de mille manières ? et c'est le centre de tous les mouvements de joie comme des vaines inquiétudes du cœur.

L'âme aussi, tu vas le savoir, demeure dans nos membres et ce n'est pas l'harmonie qui donne au corps la faculté de sentir. Tout d'abord il arrive qu'après la perte d'une grande partie du corps la vie cependant se maintienne dans nos membres; et en revanche, quelques atomes de chaleur abandonnant le corps, quelques parcelles d'air sorties par la bouche suffisent pour que la vie déserte aussitôt nos veines et fuie nos os; à cela se reconnaît que tous les éléments du corps n'y ont pas un rôle égal et n'assurent pas également notre conservation; mais ce sont plutôt les principes du vent et ceux de la chaleur qui veillent à maintenir la vie dans nos membres. Donc il existe une chaleur vitale, un souffle vital dans le corps même : au moment de la mort, ils se retirent de nous.

Et puisque nous avons découvert que l'esprit et l'âme sont une partie du corps, rends aux Grecs ce nom d'harmonie descendu pour les musiciens du haut de l'Hélicon ou qu'ils ont tiré je ne sais d'où pour l'appliquer à un objet qui n'avait pas encore de nom à lui. Qu'ils le gardent en tout cas! Et toi, suis le fil de mon discours.

Je dis maintenant que l'esprit et l'âme se tiennent étroitement unis et ne forment ensemble qu'une même substance; toutefois ce qui est la tête et comme le dominateur de tout le corps, c'est le conseil que nous appelons esprit et pensée; lui, il se tient au centre de la poitrine. C'est là en effet que bondissent l'effroi et la peur, c'est là que la joie palpite doucement, c'est donc là le siège de l'esprit et de la pensée.

L'autre partie, l'âme, répandue par tout le corps, obéit à la volonté de l'esprit et se meut sous son impulsion. L'esprit a le privilège de penser par lui-même et pour lui, et aussi de se réjouir en soi, dans le moment où l'âme et le corps n'éprouvent aucune impression. Et de même que la tête ou l'œil peuvent éprouver une douleur particulière sans que le corps entier s'en trouve affecté, de même l'esprit peut être seul à souffrir ou à s'animer de joie pendant que le reste de l'âme disséminé à travers nos membres ne ressent plus aucune émotion. Mais une crainte particulièrement violente vient-elle à s'abattre sur l'esprit, nous voyons l'âme entière y prendre part dans nos membres : la sueur alors et la pâleur se répandent sur tout le corps, la langue bégaye, la voix s'éteint, la vue se trouble, les oreilles tintent, les membres défaillent, au point qu'à cette terreur de l'esprit nous voyons souvent des hommes succomber. En faut-il plus pour montrer que l'âme est unie intimement à l'esprit ? Une fois que l'esprit l'a violemment heurtée, elle frappe à son tour le corps et l'ébranle.

Les mêmes raisons avertissent que l'esprit et l'âme sont de nature corporelle : car s'ils portent nos membres en avant, arrachent notre corps au sommeil, nous font changer de visage, dirigent et gouvernent tout le corps humain, comme rien de tout cela ne peut se produire sans contact, ni le contact s'effectuer sans corps, ne devons-nous pas reconnaître la nature corporelle de l'esprit et de l'âme ?

Au reste l'esprit souffre avec le corps et en partage les sensations, tu le sais. La pointe d'un trait pénètre-t-elle en nous sans détruire tout à fait la vie, mais en déchirant les os et les nerfs ? Une défaillance se produit, nous nous affaissons doucement à terre; là un trouble s'empare de l'esprit; nous avons par instants une vague velléité de nous relever. Donc, que de substance corporelle soit formé notre esprit, il le faut, puisque les atteintes corporelles d'un trait le font souffrir.

Mais cet esprit, quels en sont les éléments ? comment est-il constitué ? C'est ce que je vais maintenant t'exposer. Je dis tout d'abord qu'il est d'une extrême subtilité et composé de corps très déliés. Si tu veux t'en convaincre, réfléchis à ceci : que rien évidemment ne s'accomplit aussi rapidement qu'un dessein de l'esprit et un début d'action. L'esprit est donc plus prompt à se mouvoir qu'aucun des corps placés sous nos yeux et accessible à nos sens. Or, une si grande mobilité nécessite des atomes à la fois très ronds et très menus, qui puissent rendre les corps sensibles à l'impulsion du moindre choc. Car l'eau ne s'agite et s'écoule sous le plus léger choc que parce que ses atomes sont petits et roulent facilement. Le miel au contraire est de nature plus épaisse, c'est une liqueur plus paresseuse, d'écoulement plus lent, du fait que la cohésion est plus grande dans la masse d'une matière formée d'atomes moins lisses, moins déliés et moins ronds. La graine du pavot, un souffle léger qui passe suffit pour la dissiper et la répandre en quantité : au lieu que sur un tas de pierres ou sur un faisceau d'épis, il ne peut rien. C'est donc que les corps les plus petits et les plus lisses sont ceux aussi qui sont doués de la plus grande mobilité. Au contraire, les plus lourds, les plus rugueux, demeurent les plus stables.

Ainsi donc, puisque l'esprit se révèle d'une singulière mobilité, il faut qu'il se compose d'atomes tout petits, lisses et ronds : vérité dont tu trouveras en bien des cas, mon cher Memmius, la possession utile et opportune.

Autre preuve encore, qui fait voir de quel tissu léger est cette substance : le peu d'espace qu'elle occuperait si l'on pouvait la condenser; quand le sommeil de la mort s'est emparé de l'homme et lui a apporté le repos, quand l'esprit et l'âme se sont retirés de lui, aucune perte ne se constate dans tout son corps, ni dans sa forme extérieure ni dans son poids : la mort laisse tout en place, sauf la sensibilité et la chaleur vitale. Cela prouve que des éléments minuscules composent l'âme entière, partout répandue en nous, étroitement liée à nos veines, à notre chair, à nos nerfs; sinon l'on ne verrait point, après que l'âme a fait sa retraite complète, le corps garder les contours de ses membres et ne pas perdre un grain de son poids. C'est ainsi que se comportent un vin dont le bouquet s'est évaporé, un parfum dont la douce haleine s'est dissipée dans les airs, un mets dont la saveur s'est perdue; à nos yeux, l'objet n'est privé de rien dans sa forme, de rien dans son poids, et précisément parce que saveur et odeur naissent d'un grand nombre de germes minuscules épars dans toute la substance des corps. C'est pourquoi, je le répète, l'esprit et l'âme ne peuvent être composés que d'atomes aussi petits que possible, puisque leur fuite n'enlève rien au poids du corps humain.

Ne croyons pas cependant que leur substance soit simple. Un léger souffle en effet, mêlé de chaleur, s'exhale des mourants ; or la chaleur entraîne l'air avec elle ; pas de chaleur sans de l'air qui l'accompagne. La chaleur n'étant pas de nature rigoureusement cohérente, comment ne se glisseraient pas en elle de nombreux atomes d'air ? Voilà déjà trois éléments découverts dans la substance de l'esprit.

Et pourtant ce n'est pas assez pour créer le sentiment : car la raison n'admet pas qu'aucun d'eux soit capable de produire des mouvements de sensibilité qui provoquent à leur tour des mouvements de pensée. Une quatrième substance doit leur être adjointe, qui n'a pas encore reçu de nom : rien de plus mobile qu'elle et rien de plus ténu ; rien qui soit composé de corpuscules plus petits et plus lisses ; les mouvements sensitifs, c'est elle la première qui les répartit dans les membres. La première, en effet, elle s'émeut, grâce à la petitesse de ses éléments ; aussitôt le mouvement se communique à la chaleur, puis au pouvoir invisible du souffle, ensuite à l'air ; alors tout l'organisme est en action, le sang fait battre nos veines, la sensation pénètre alors dans les chairs, jusqu'à ce que les os et la moelle éprouvent l'impression du plaisir ou de la douleur.

Ce n'est pas impunément que la douleur pénètre jusque-là et que la souffrance aiguë se glisse aussi profond ; une perturbation générale se déclenche, au point qu'enfin la place manque à la vie et que les éléments de l'âme s'échappent par toutes les issues du corps. Mais, le plus souvent c'est à la surface que s'arrêtent les mouvements douloureux et, dans ce cas, la vie nous est conservée.

Il s'agit maintenant de savoir comment les quatre éléments se mélangent et constituent une vivante unité. Je voudrais te l'expliquer, mais la pauvreté de notre langue est une gêne. J'en toucherai pourtant un mot et, comme je pourrai, j'effleurerai le sujet. Les atomes dans leurs mouvements s'entrecroisent à ce point qu'il est impossible d'en isoler un seul ni de localiser chacune de leurs facultés, lesquelles sont au contraire comme des propriétés multiples d'un seul corps. C'est ce qu'on peut voir chez tout être animé : sa chair a odeur, couleur, saveur, et cependant de toutes ces qualités réunies se forme un seul corps complet. C'est ainsi que la chaleur, l'air et le pouvoir invisible du souffle composent par leur mélange une seule substance, et aussi cette force mobile, initiatrice du mouvement distribué par lequel s'engendrent dans nos organes les mouvements sensitifs. Cette quatrième substance se trouve dissimulée, cachée, enfouie en nous; rien n'est enfoncé plus intimement dans notre corps; elle constitue vraiment l'âme de notre âme. De même qu'à travers nos membres et dans tout notre corps se mêlent et se dissimulent les forces de l'esprit et de l'âme, grâce à la petitesse et à la rareté de leurs particules, de même cette force sans nom, composée d'éléments infimes, se cache aussi; elle est, pour ainsi dire, l'âme de toute l'âme et règne sur le corps entier. Il faut pareillement que souffle, air et chaleur existent entremêlés dans nos membres, mais que l'un de ces éléments prédomine aux dépens des autres, pour que de l'ensemble se dégage une certaine unité : car il ne faut pas que la chaleur et le souffle agissant d'un côté, la puissance de l'air agissant d'un autre, détruisent la sensibilité et rompent le faisceau de la vie.

Il y a dans l'esprit une chaleur qu'il rassemble quand, enflammé de colère, il fait briller les yeux d'un éclat plus ardent. L'esprit possède aussi ce souffle froid, compagnon de la crainte, qui met le frisson dans les membres et les fait trembler. Il possède encore la paix de l'air qui fait les cœurs tranquilles et les visages sereins. Mais c'est la chaleur qui domine chez les êtres dont les cœurs sont violents, dont l'esprit s'abandonne facilement aux échauffements de la colère. En cette espèce, la première place revient à la sauvagerie des lions, qui de leurs rugissements parfois rompent leur poitrine et ne peuvent y contenir les flots de leur fureur. Il y a plus de souffle dans l'âme froide des cerfs; aussi les courants glacés passent-ils plus promptement dans leur chair pour provoquer le tremblement de tous leurs membres. Le bœuf a une nature où domine l'air paisible; jamais la torche de la colère, allumée en lui, ne l'excite et ne répand de fumées qui l'aveuglent de leurs ombres noires; jamais non plus les traits glacés de la peur ne le traversent pour le paralyser; il tient le milieu entre les cerfs et les lions cruels.

Ainsi en est-il de la race humaine. L'éducation peut former certains hommes et les polir uniformément; le caractère de chacun n'en garde pas moins son empreinte première. Nos défauts, croyons-le, ne peuvent être si bien extirpés, que l'un ne reste toujours sur la pente qui fait glisser à la colère, que l'autre ne se tourmente trop vite de crainte, qu'un troisième n'ait trop de facilité à s'accommoder des choses. En bien d'autres points, des différences distinguent fatalement les divers tempéraments, avec les mœurs qu'ils engendrent; je ne puis en exposer maintenant les raisons secrètes, ni trouver des noms pour tant d'éléments et de figures, principes de cette diversité. Il est une évidence que je puis cependant proclamer, c'est que les traces du naturel premier, que la raison est incapable d'effacer, s'atténuent cependant au point que rien ne peut nous empêcher de mener une vie digne des dieux.

L'âme ainsi faite est enveloppée dans le corps tout entier, elle en est la gardienne, elle en assure le salut, car tous deux tiennent à des racines qui les unissent et l'on ne peut les séparer sans les détruire. Aux grains d'encens arracherait-on leur parfum sans que la substance n'en périsse ? La substance de l'esprit et de l'âme ne saurait être soustraite au corps sans que l'ensemble se dissolve. Leurs principes se trouvent dès l'origine si enchevêtrés entre eux qu'ils leur font un destin commun. Il ne semble pas que chacun puisse se passer du secours de l'autre, corps et âme n'ont pas le pouvoir de sentir isolément; c'est leur réunion et la communauté de leurs mouvements qui allument en nous et entretiennent en tous nos organes la flamme de sensibilité.

Le corps ne peut par sa vertu propre naître ni grandir, ni durer au-delà de la mort. L'eau peut bien perdre la chaleur qu'elle a reçue, sans que cet accident la détruise; elle reste intacte; tandis que le retrait de l'âme est fatal aux membres qu'elle abandonne : privés d'elle, leur bouleversement est total, ils périssent et tombent pourris. Dès le commencement de leur âge, exercés à former ensemble les mouvements de la vie, corps et âme vivent si étroitement unis que dans le corps même et le ventre de la mère, les deux substances ne se peuvent séparer sans périr. Tu le vois donc, deux existences aussi intimement liées pour leur conservation le sont aussi dans leur nature.

Refuser au corps la faculté de sentir et croire que l'âme répandue dans tout le corps entre seule dans ce mouvement que nous appelons sensibilité, c'est vouloir lutter contre l'évidence de la vérité. Qui expliquera la sensibilité du corps, sinon les faits eux-mêmes qui nous en donnent de claires raisons ? Mais privé de l'âme, dira-t-on, le corps n'a plus aucun sentiment : sans doute; il a perdu au cours de la vie maintes choses qui ne lui appartenaient pas en propre, il en perd bien d'autres lorsqu'il est chassé d'entre les vivants.

Et prétendre que les yeux n'ont le pouvoir de rien voir [24], mais qu'ils sont comme une porte par laquelle l'esprit regarde, il est difficile de le soutenir, et le sens même de la vue fait penser le contraire; il nous contraint en effet de rapporter la vue à l'organe même, surtout si nous réfléchissons que souvent nous ne pouvons voir une lumière trop vive et que son éclat blesse nos yeux. Rien de pareil avec une porte, n'est-ce pas ? Jamais celle par laquelle nous regardons n'éprouve la moindre douleur à être ouverte. Au reste, si nos yeux étaient des portes pour notre âme, qu'on les enlève, et l'esprit, débarrassé de ces montants, n'en devrait voir que mieux.

Ici, ne va pas suivre le sage Démocrite qui accouple les principes du corps et de l'âme en les faisant alterner et en entrelaçant le tissu qui les compose. Tout d'abord, les éléments de l'âme sont beaucoup plus petits que ceux de notre corps, ils sont aussi moins nombreux, dispersés à travers tous les membres. Tout ce qu'on peut donc avancer, c'est cette proposition : aussi petits que sont les corpuscules dont le choc peut exciter en nous les mouvements de la sensibilité, aussi grands sont les intervalles qui séparent les corps premiers de l'âme. Nous ne sentons point en effet la poussière qui s'attache à notre corps, ni le fard appliqué sur notre peau, ni le brouillard de la nuit, ni la toile d'araignée quand son fin réseau nous prend dans notre marche, ni encore la dépouille flétrie que l'insecte laisse tomber sur notre tête, ni les plumes des oiseaux, ni les flocons aériens du chardon dont l'extrême légèreté suspend la chute, ni les bestioles qui courent sur notre peau, ni enfin l'empreinte distincte des pattes que promènent sur nous moucherons et autres petites bêtes. Il faut exciter en nous bien des éléments corporels avant qu'atteints par l'agitation, les éléments de l'âme mêlés au corps dans tous nos membres soient capables, malgré leurs intervalles, de se rencontrer et heurter, pour tour à tour s'unir et se repousser.

Et c'est l'esprit surtout qui tient fermées les portes de la vie; il est, plus que l'âme, notre maître. Sans l'esprit, en effet, et sans la pensée, aucune parcelle de l'âme ne peut s'arrêter un moment dans nos membres; elle les suit, compagne fidèle, dans leur fuite, et se dissipe avec eux dans les airs, en abandonnant le corps à la glace de la mort. L'homme au contraire demeure en vie, à qui l'esprit reste, quand bien même son corps mutilé perdrait ses membres; l'âme a beau lui être enlevée de ses membres, il vit encore, il respire les souffles éthérés qui entretiennent la vie. Privé sinon de l'âme tout entière, au moins d'une bonne part, il s'attarde pourtant dans la vie, il ne parvient pas à s'en détacher. Imaginons un œil déchiré tout autour, mais la pupille intacte : la faculté de voir garde toute sa vigueur, du moment que le globe de l'œil n'a pas été endommagé et que la pupille ne se trouve pas isolée par la blessure; car alors la perte serait totale. Au contraire, que la minuscule partie centrale de l'œil soit mise à mal, le reste du globe gardât-il son intégrité et son éclat, aussitôt la lumière s'éteint et fait place aux ténèbres. Telles sont les lois par lesquelles âme et esprit sont tenus pour toujours enchaînés.

Et maintenant, il faut que tu saches que chez les êtres vivants, esprits et âmes fragiles connaissent la naissance et la mort; ces vérités, conquêtes d'un doux labeur, je continue à les exposer en un poème que je voudrais digne de toi. Mais toi, comprends désormais l'une et l'autre substance sous un même nom; si, parlant de l'âme, j'enseigne qu'elle est mortelle, sache que je l'entends aussi de l'esprit, puisque tous les deux se tiennent dans une indissoluble unité.

Souvenons-nous que l'âme, substance subtile, est composée de corps menus, faite d'éléments beaucoup plus petits que l'eau limpide, le brouillard ou la fumée. Car elle l'emporte sur ces corps en mobilité et de bien plus légers chocs la mettent en mouvement, des simulacres de fumée ou de brouillard suffisent à l'émouvoir. Ainsi les rêves du sommeil nous font voir la vapeur des autels monter dans les airs et répandre de la fumée : ce ne sont là, sans nul doute, que les simulacres de ces objets. Or, si d'un vase brisé tu vois l'eau s'échapper de toutes parts, si le brouillard et la fumée se dissipent dans les airs, il faut croire que l'âme aussi se répand dans l'espace et qu'elle disparaît plus vite, qu'elle est plus prompte à se résoudre en ses éléments une fois arrachée au corps et enfuie. Le corps est pour ainsi dire le vase de l'âme; s'il ne peut plus la contenir quand un choc le bouleverse, ou quand le retrait du sang hors des veines le rend poreux, comment croire que l'air la puisse contenir un moment, lui dont la matière a moins de consistance que notre corps ?

Au reste, nous le sentons, l'âme naît avec le corps, avec lui elle grandit, elle partage sa vieillesse. Les enfants ont un corps tendre et frêle, la démarche incertaine, une pensée qui participe de cette faiblesse. Puis, avec les forces accrues par l'âge, l'intelligence s'étend, l'esprit acquiert de la puissance. Ensuite les durs assauts du temps ébranlent les forces du corps, les facultés s'émoussent et les membres s'affaissent; alors l'esprit se met à boiter, la langue s'égare, la pensée chancelle, tout défaille, tout manque à la fois. Il faut donc que l'âme, en sa substance même, se dissipe comme une fumée dans les hautes régions de l'air, puisque nous la voyons naître avec le corps, avec lui grandir et, comme je l'ai montré, succomber avec lui à la fatigue des ans.

A cela s'ajoute que si le corps contracte de terribles maladies, des douleurs cruelles, l'âme a aussi à redouter les soucis cuisants du chagrin, de la crainte : comment n'aurait-elle pas sa part de la mort ?

Souvent même, dans les maladies du corps, l'esprit s'égare hors de ses voies, il déraisonne, il délire. Parfois une lourde léthargie plonge le malade dans un profond sommeil sans fin, où, ses yeux fermés, sa tête tombante, il n'entend plus les voix, ne reconnaît plus les visages de ceux qui autour de lui s'efforcent de le rappeler à la vie, leurs joues et tout leur visage baignés de larmes. Reconnaissons donc une fatalité de dissolution pour l'âme si aisément gagnée par la contagion du mal : car la douleur et la maladie sont toutes deux ministres de la mort, la fin de bien des hommes a pu nous l'apprendre.

Enfin lorsqu'un homme se trouve en puissance d'un vin généreux, dont la chaleur se répand partout dans ses veines, on voit ses membres s'alourdir, l'embarras de ses jambes qui vacillent; sa langue est engourdie, son intelligence est noyée, ses yeux flottants; voici des cris, des hoquets, des injures, enfin toutes les tristes suites de l'ivresse. Pourquoi tout cela ? sinon parce que l'ardente force du vin est capable de troubler l'âme à l'intérieur même du corps ? Or tout être susceptible de trouble et de paralysie laisse assez voir que si une cause plus puissante l'atteignait, il devrait périr et renoncer à l'existence.

D'autres fois un malheureux, frappé tout à coup par la violence de son mal et comme foudroyé sous nos yeux, s'abat en écumant, gémit, tremble de tout son corps, délire, raidit ses muscles, se tord, respire d'un souffle haletant et saccadé, s'épuise en mouvements convulsifs. C'est évidemment que la violence du mal à travers les membres vient déchirer l'âme, qui se soulève et écume, comme sur la plaine salée de la mer le déchaînement des vents fait bouillonner les flots.

Des gémissements sont arrachés à l'homme, parce que ses membres éprouvent de la douleur et parce que les éléments de la voix, chassés tous à la fois, se précipitent en masse hors de sa bouche, leur canal familier et pour ainsi dire leur grand chemin. Il y a délire, parce que l'esprit et l'âme sont en désordre et, comme je l'ai montré, séparés violemment, arrachés l'un à l'autre par l'effet du même poison. Puis, quand la cause de la maladie s'est éclipsée, quand est rentrée dans ses retraites l'âcre humeur du corps malsain, alors le malade chancelant comme un homme ivre se redresse, peu à peu reprend ses sens et rentre enfin en possession de son esprit. Or, puisque l'âme et l'esprit sont dans le corps même ébranlés par de tels maux; puisqu'ils y souffrent si cruellement de pareils déchirements, comment croire que sans l'abri du corps, dans la liberté de l'air, parmi les vents en tempête, ils puissent se maintenir en vie ?

Et nous voyons d'autre part l'esprit guérir comme un corps malade, se prêter aux soins de la médecine; n'est-ce pas encore un signe de sa condition mortelle ? Augmenter le nombre des parties ou leur donner un autre ordre, ou encore retrancher à leur somme, autant de nécessités qui s'imposent à quiconque entreprendrait de changer l'état de l'âme ou voudrait modifier toute autre substance. Mais une substance immortelle ne souffre ni transformation ni addition de parties, ni perte quelconque; car le changement qui fait sortir un être de ses limites le fait aussitôt mourir à ce qu'il est. Ainsi donc l'âme, qu'elle tombe malade ou que la médecine la guérisse, donne, ai-je montré, des signes de mortalité. Tant il est vrai qu'une fausse doctrine trouve toujours en face d'elle la vérité qui lui barre la retraite et par une double réfutation triomphe de ses sophismes.

Enfin nous voyons souvent l'homme s'en aller peu à peu, et perdre membre à membre le sentiment de la vie; aux pieds d'abord, les doigts, les ongles deviennent livides, puis les pieds, les jambes meurent et le reste du corps, de proche en proche, cède à la mort glacée. Or l'âme se trouve alors entamée aussi, et elle ne sort pas du corps d'un seul coup et tout entière : c'est pourquoi nous devons la tenir pour mortelle. Pensera-t-on qu'elle peut rassembler ses éléments épars, se porter sur un point de l'intérieur, enlever le sentiment à tous les membres pour en concentrer toute la somme en elle ? Mais alors ce point où les éléments de l'âme auraient afflué en foule devrait apparaître doué d'une plus vive sensibilité. Comme ce point n'est nulle part, il faut, je l'ai déjà dit, que l'âme morcelée se dissipe au dehors : elle meurt donc. Je dis plus : accorderais-je ce qui est faux, à savoir que l'âme peut se concentrer dans le corps des moribonds, privés par degrés de la lumière ? Il faudrait encore convenir qu'elle est mortelle. Peu importe qu'elle périsse dissipée dans les airs ou qu'après la concentration de ses parties elle aille s'engourdissant, puisque c'est toute la personne qui perd de plus en plus de toutes parts le sentiment et que de tous côtés la vie abandonne.

L'âme constitue une partie du corps et y occupe sa place fixe et déterminée ainsi que les oreilles, les yeux et tous les autres sens qui gouvernent la vie; c'est pourquoi si la main, l'œil, le nez, une fois séparés de nous, ne peuvent éprouver de sensation ni exister par eux-mêmes, mais qu'au contraire ils se dissolvent et se corrompent en peu de temps, l'âme ne peut elle non plus exister seule sans le corps, détachée de la personne, qui la contient, pour ainsi dire, comme ferait un vase ou tout ce qu'il te plaira d'imaginer pour avoir l'idée du plus intime rapport possible, puisqu'un lien étroit attache les deux substances.

Enfin c'est par leur union que les facultés du corps et de l'âme fonctionnent et vivent. L'âme séparée du corps est incapable d'accomplir toute seule les mouvements de la vie et le corps privé de l'âme ne peut subsister ni sentir. De même qu'arraché de sa racine et séparé du reste du corps, l'œil isolé ne voit plus aucun objet, de même l'âme et l'esprit ne peuvent rien par eux seuls. C'est que leurs éléments épars dans les veines et la chair, parmi les nerfs et les os, se trouvent retenus par tout le corps et n'ont pas la liberté de s'écarter à de longs intervalles; grâce à cette cohésion, ils exécutent les mouvements de sensibilité qu'ils ne sauraient après la mort, une fois rejetés du corps dans les brises de l'air, exécuter de même, parce qu'alors ils ne seraient plus retenus par les mêmes liens. L'air en effet deviendra un être vivant, si l'âme peut s'y maintenir et y enfermer les mouvements qui avaient lieu antérieurement dans les nerfs et dans le corps. Je le répète donc : l'enveloppe corporelle une fois dissoute et le souffle vital expulsé, il faut de toute nécessité que les facultés de l'esprit s'éteignent et l'âme pareillement, car leurs causes sont liées.

Bien plus, puisque le corps ne peut supporter le départ de l'âme sans se corrompre dans une odeur fétide, comment douter que montant de nos profondeurs elle ne se soit échappée, évanouie comme une fumée, et qu'ainsi le corps tombé en ruine et décomposé ne doive l'ébranlement de ses assises à la fuite de l'âme qui a traversé tout l'organisme et suivi tous les méandres des canaux intérieurs jusqu'aux pores ? Tout prouve donc que l'âme éparse dans le corps s'est échappée à travers tout l'organisme et que déjà son unité se trouvait rompue dans le corps même avant qu'elle se glissât au dehors pour flotter sur les souffles de l'air.

Souvent même, sans quitter le séjour de la vie, l'âme ébranlée par les secousses de quelque mal, semble vouloir s'en aller, se détacher du corps entier; alors, comme au moment suprême, le visage pâlit de langueur et les membres affaissés semblent vouloir se détacher d'un corps qui n'a plus de sang. Tel est l'état d'un homme qui se trouve mal, comme l'on dit, qui a perdu connaissance, autour de qui déjà tous s'empressent et cherchent à ressaisir le dernier lien de la vie. Dans cette circonstance en effet l'esprit et l'âme, ébranlés tout entiers par la secousse, défaillent avec le corps, si bien qu'une secousse un peu plus violente suffirait à tout détruire. Peux-tu douter encore qu'une fois chassée hors du corps, l'âme dans sa faiblesse à l'air libre, sans abri qui la protège, soit incapable de subsister, non seulement pendant la durée des âges, mais même un seul instant ?

Il n'est pas de mourant en effet qui sente son âme se retirer intacte de tout le corps et remonter d'abord vers la gorge ; il la sent plutôt défaillir à la place où la nature l'a mise, avec les autres sens dont il éprouve la lente dissolution. Si notre âme était immortelle, la mort, bien loin de lui inspirer des gémissements, la ferait se réjouir de gagner l'air et de quitter son ancien vêtement, comme le serpent change de peau, comme le vieux cerf se défait de son bois trop long.

Enfin, pourquoi l'esprit et la pensée, notre conseil vital ne naissent-ils jamais dans la tête, les pieds ou les mains ? Pourquoi un siège déterminé les fixe-t-il chez tous les hommes, sinon parce qu'il y a pour chaque organe un lieu assigné à sa naissance et, une fois né, à sa durée : de sorte que les divers organes et membres de chaque être, dans la variété de la répartition, n'aient jamais leur ordre interverti ? Tel est l'enchaînement des causes et des effets ; la flamme n'est pas engendrée dans les fleuves, non plus que la glace dans le feu.

Si du reste l'âme est immortelle et capable de sentiment, même séparée du corps, il faut, je pense, la supposer pourvue de cinq sens : ce n'est pas autrement que nous nous représentons les âmes aux enfers errant au bord de l'Achéron. Les peintres, les anciens écrivains, nous les ont représentées sous cet aspect. Mais l'âme séparée du corps ne peut avoir ni yeux, ni nez, ni mains, ni langue, ni oreilles, ainsi donc les âmes par elles seules ne peuvent avoir sensation ni existence.

Nous nous rendons bien compte que tout notre corps est animé du sentiment de la vie, que partout l'âme y est répandue. Si donc une force soudaine le tranche par le milieu et le sépare en deux tronçons, il est hors de doute que l'âme du même coup sera tranchée, fendue, et, comme le corps, tombera en deux moitiés. Or, ce qui se fend et se divise ne peut évidemment prétendre à l'immortalité.

On dit que les chars armés de faux, tout fumants de carnage au fort de la mêlée, tranchent des membres d'un coup si rapide qu'on voit palpiter à terre la partie tranchée, tandis que l'âme du soldat et sa force vitale, tant l'atteinte a été prompte, ne peuvent en ressentir la douleur. Et même, possédé par l'ardeur du combat, le soldat veut ramener à la lutte et au carnage ce qui reste de son corps : il ne s'aperçoit pas que sa main gauche avec son bouclier est emportée au milieu des chevaux par les chars et leur faux meurtrières. Un autre ne sent pas que sa main droite est tombée tandis qu'il monte à l'assaut et menace l'ennemi. Un troisième s'efforce de se relever sur la jambe qu'il a perdue, et près de lui son pied agonisant sur le sol remue encore les doigts. C'est quelquefois une tête coupée d'un tronc encore chaud et vivant qui garde un visage animé et des yeux ouverts jusqu'à ce que soient rendus les derniers restes de l'âme.

Bien plus, vois ce serpent, le dard vibrant et qui se dresse menaçant sur la queue de son long corps; s'il te plaît de t'armer d'un fer, de le trancher en deux et de mettre en pièces chacune des deux moitiés, tu verras tous les tronçons fraîchement coupés se tordre sur le sol et y distiller leur venin, tu verras même la partie antérieure se retourner pour se saisir elle-même, et, furieuse de sa blessure, essayer de se mordre. Dirons-nous que chaque tronçon possède une âme entière ? Il s'ensuivrait qu'un animal aurait dans son corps plusieurs âmes. Ainsi donc, cette âme, qui était une dans le corps, a été partagée en même temps que lui, et les deux substances doivent être regardées comme mortelles, puisqu'elles sont également divisibles.

Si l'âme est immortelle et qu'au moment de la naissance elle se glisse dans le corps [25], pourquoi notre vie antérieure ne nous laisse-t-elle aucun souvenir ? Pourquoi ne conservons-nous aucune trace de nos anciennes actions ? Et si l'âme a subi de telles altérations que tout souvenir du passé soit perdu, un tel état n'est pas, je pense bien éloigné de la mort. Allons! l'âme d'autrefois est morte et celle d'aujourd'hui a été créée aujourd'hui.

Si c'est une fois le corps formé que l'âme s'introduit en nous à l'heure où nous naissons et franchissons le seuil de la vie, on ne devrait pas en ce cas la voir grandir avec le corps, avec les membres, dans le sang même; elle devrait vivre, comme l'oiseau dans sa cage, de sa vie propre, tout en répandant le sentiment par tout le corps.

Aussi, je le répète, faut-il penser que les âmes ne sont ni exemptes de commencement ni soustraites à la loi de la mort.

Serait-il possible d'imaginer qu'elles auraient pu se lier si étroitement au corps en s'y glissant de l'extérieur ? L'évidence nous enseigne tout le contraire. Car l'âme se mêle si intimement aux veines, à la chair, aux nerfs, aux os, que les dents elles-mêmes participent à la sensibilité, comme le font bien voir leurs maux, leurs douleurs, au contact de l'eau glacée, à la rencontre d'un gravier égaré dans le pain. Au reste, prises comme elles le sont dans le tissu général du corps, il n'y a pas moyen, semble-t-il, qu'elles s'échappent intactes et se dégagent sans dommage de tout l'ensemble des nerfs, os et articulations.

Peut-être penseras-tu qu'introduite en nous du dehors l'âme coule fluide dans notre organisme ? Elle n'en sera que plus exposée, ainsi incorporée, à périr. Ce qui coule ainsi se dissout, donc meurt. L'âme se disperse par les pores du corps tout entier. De même que les aliments distribués en nous perdent leur existence pour vivre sous une forme nouvelle, l'âme et l'esprit, intacts à leur entrée dans le corps, doivent se dissoudre ensemble par leur écoulement; leurs particules se dispersent par tous les pores dans les membres afin d'y former l'âme nouvelle, souveraine actuelle de notre corps, mais née de l'autre âme qui périssait tout à l'heure en se distribuant. C'est pourquoi il semble bien impossible que l'âme n'ait pas eu son jour de naissance, impossible aussi qu'elle vive exempte de la mort.

Reste-t-il ou non, après la mort, des éléments de l'âme dans le corps ? S'il en reste, il n'y aura pas lieu de tenir l'âme pour immortelle, puisque c'est dépouillée d'une partie d'elle-même qu'elle s'est retirée. Si au contraire elle a fui tout entière, sans rien laisser de sa substance dans le corps, d'où vient que les chairs déjà putrides des cadavres donnent naissance à des vers ? d'où cette multitude d'êtres vivants dépourvus d'os et de sang qui grouillent en flots dans les chairs gonflées ?

Si tu crois par hasard que des âmes venues du dehors se glissent dans les vers, y trouvant chacune un corps, et que tu négliges de te demander comment tant de milliers d'âmes se rassemblaient en un lieu d'où une seule s'est retirée, une question reste encore à te poser et à mettre en discussion : ces âmes font-elles la chasse à chaque germe de la vermine pour s'y préparer des demeures, ou bien est-ce dans des corps pour ainsi dire tout formés qu'elles s'introduisent ? Mais pourquoi prendraient-elles la peine de composer elles-mêmes leurs corps ? il n'est pas facile de le dire. Car tant qu'elles sont privées de corps, elles voltigent à l'abri des maladies, du froid et de la faim; c'est le corps qui est exposé à ces maux, et l'âme les reçoit de lui par contagion. Accordons pourtant que les âmes aient avantage à se construire un corps pour s'y établir : par quels moyens, on ne peut le voir. Concluons qu'elles ne se font ni corps ni membres. Mais il n'y a pas plus de raisons de croire qu'elles entrent dans des corps tout faits, car elles ne pourraient avec eux former un tissu bien serré, ni réaliser l'accord de leurs sensations.

Pourquoi enfin la colère et la violence sont-elles toujours attachées à la race cruelle des lions, la ruse à celle des renards ? Pourquoi l'instinct de fuir se transmet-il des pères aux enfants chez les cerfs, qu'une timidité native fait trembler de tous leurs membres ? Et pourquoi tous les héritages de cette sorte se reçoivent-ils dès le plus jeune âge dans l'organisme et dans le caractère de chacun, sinon parce que dans chaque germe, dans chaque espèce, à chaque corps est jointe une âme qui croît avec lui ? Si cette âme était immortelle et passait de corps en corps, les mœurs des animaux se confondraient; un chien de race hyrcanienne fuirait l'attaque et les bois du cerf, l'épervier dans les airs tremblerait en s'envolant à l'approche de la colombe, l'homme perdrait sa raison et les bêtes féroces auraient la sagesse.

C'est une erreur de penser que l'âme prétendue immortelle change de nature en changeant de corps. Car ce qui change se dissout, donc périt. S'il y a dans l'âme transposition des parties et modifications d'un ordre intérieur, ces parties doivent pouvoir dissoudre leur assemblage dans nos membres et finalement périr avec le corps. Dira-t-on que les âmes humaines passent toujours dans des corps humains ? Je veux demander pourquoi de sages elles peuvent devenir sottes, pourquoi l'enfant n'a pas de prudence, pourquoi le poulain n'a pas l'entraînement du cheval belliqueux, sinon parce que l'âme a son germe propre qui se développe en même temps que le corps ? Peut-être que dans un jeune corps l'âme se fait plus frêle. En ce cas elle est mortelle, avouons-le, puisqu'en changeant de corps elle perd la vie et le sentiment tels qu'elle les possédait jusque-là.

Mais comment pourra-t-elle se fortifier de concert avec le corps, atteindre avec lui à la fleur tant désirée de l'âge, si une même origine ne les unit pas l'un à l'autre ? et pourquoi veut-elle échapper aux membres décrépits de sa vieillesse ? Craint-elle la prison d'un corps en ruine et que sa vieille maison, cédant au poids des années, sur elle s'écroule ? Mais pour un être immortel le danger n'est point.

Enfin quand se nouent les liens de Vénus et quand les femelles sont délivrées, n'est-il pas ridicule d'imaginer les âmes postées toutes prêtes et ces immortelles en foule innombrable guettant des corps mortels, luttant même entre elles, à qui aura le privilège de trouver place la première ? A moins que peut-être un pacte ne lie les âmes pour que la première arrivée au vol ait le droit d'entrer la première sans dispute ni violence.

Songeons encore qu'il ne peut subsister d'arbres dans l'air, ni de nuages dans la mer profonde, ni de poissons dans les campagnes, ni de sang dans le bois, ni de sève dans les pierres. Un ordre fixe assigne à chaque être le lieu de sa croissance et de son habitat. La substance de l'esprit ne saurait donc naître seule hors du corps ni vivre séparée des nerfs et du sang. Si elle avait ce privilège, à plus forte raison pourrait-elle naître et habiter dans la tête, dans les épaules, dans les talons, dans n'importe quelle partie du corps, puisque enfin elle demeurerait toujours dans le même homme, dans la même enveloppe. Or, puisque dans notre corps aussi un ordre a fixé la place spéciale où puissent subsister et grandir l'âme et l'esprit, on n'en est que plus fondé à contester qu'ils puissent naître et vivre hors du corps tout entier. Voilà pourquoi, quand le corps a péri, l'âme, il te faut l'avouer, a péri avec lui, dans la même décomposition.

Joindre le mortel à l'immortel et supposer à tous deux des sentiments communs, une mutuelle action, c'est folie. Que peut-on imaginer en effet de plus contradictoire, de plus disparate, de plus incohérent qu'une substance mortelle unie à une autre qui n'aurait ni commencement ni fin pour subir ensemble l'assaut des mêmes tempêtes ?

Poursuivons. Tout corps qui dure éternellement doit posséder le pouvoir de repousser par la plénitude d'une solide substance les chocs extérieurs, sans se laisser entamer par d'autres corps qui risqueraient de rompre l'étroite cohésion de ses parties (tels sont les éléments premiers de la matière dont j'ai précédemment exposé la nature) ou bien il est capable de se perpétuer dans l'infini des âges, parce qu'il ne peut subir de coups (tel le vide intangible et qui ne redoute aucun choc) ou encore parce qu'il n'a autour de lui aucun espace où les choses puissent en quelque sorte aller s'égarer et se dissoudre : tel cet éternel ensemble des ensembles hors duquel il n'y a ni lieu ouvert à la dissipation des parties, ni corps pour les heurter et les briser par violence. Or l'âme n'est pas immortelle en tant que corps solide, puisqu'il y a du vide dans la nature, t'ai-je enseigné; elle n'est pas non plus semblable au vide et il ne manque pas de corps capable, à travers l'univers infini, de heurter violemment son être et de l'exposer à un danger mortel; enfin il existe aussi des espaces immenses où la cohésion de l'âme peut se dissiper et sa substance périr par la violence. Ce n'est donc pas pour elle que les portes de la mort ont été fermées.

Prétendra-t-on l'âme immortelle parce qu'elle est protégée contre les menaces de destruction, soit que des chocs mortels ne puissent l'atteindre, soit que ceux qui l'atteignent se trouvent repoussés avant que nous ayons pu sentir leur funeste action ? Voilà qui nous rejetterait bien loin de la vérité. Car sans parler des maladies qu'elle partage avec le corps, l'âme éprouve souvent l'inquiétude de l'avenir qui la ronge de crainte et la mine de souci, ainsi que la hantise des fautes passées et le déchirement du remords. Ajoute la folie qui lui est propre et la perte de la mémoire; ajoute les ondes noires de la léthargie, où elle sombre.

Ce n'est donc rien que la mort, elle ne nous touche aucunement, du moment que la substance de l'âme se révèle mortelle. Et de même que dans le temps passé nous n'avons pas éprouvé de douleur quand les Carthaginois se ruèrent de toutes parts pour nous assaillir, quand le monde secoué d'un pôle à l'autre par le choc effroyable de la guerre trembla d'épouvante sous la haute voûte du ciel, quand tous les humains eurent l'anxiété de se demander auquel des deux peuples allait échoir l'empire des terres et des mers : de même, quand nous cesserons d'exister, quand divorceront corps et âme dont l'union fait notre être, absolument rien, à cette heure où nous ne serons plus, ne sera capable de nous atteindre et d'émouvoir nos cœurs, quand bien même la terre se confondrait avec la mer, la mer avec le ciel.

Même si, affranchis du corps, l'esprit et l'âme conservaient le sentiment, en quoi cela nous intéresse-t-il, nous dont une union intime de l'âme et du corps réalise l'existence et constitue l'être ? Et quand bien même le temps, après notre mort, rassemblerait toute notre matière et la réorganiserait dans son ordre actuel en nous donnant une seconde fois la lumière de la vie, là encore il n'y aurait rien qui nous pût toucher, du moment que rupture se serait faite dans la chaîne de notre mémoire. Que nous importe aujourd'hui ce que nous fûmes autrefois ? que nous importe ce que le temps fera de notre substance ? En effet, tournons nos regards vers l'immensité du temps écoulé, songeons à la variété infinie des mouvements de la matière : nous concevrons aisément que nos éléments de formation actuelle se sont trouvés plus d'une fois déjà rangés dans le même ordre; mais notre mémoire est incapable de ressaisir ces existences détruites, car dans l'intervalle la vie a été interrompue et tous les mouvements de la matière se sont égarés sans cohésion bien loin de nos sens.

Il faut bien qu'un homme, pour que le malheur et la souffrance puissent l'atteindre, vive lui-même à l'époque où il doit faire leur rencontre. Voilà que la mort fait disparaître cet homme et retire l'existence à cette victime présumée d'un concert de maux. Eh bien, n'est-ce pas là de quoi conclure qu'il n'y a rien de redoutable dans la mort ? Aucun malheur ne peut atteindre celui qui n'est plus; il ne diffère en rien de ce qu'il serait s'il n'était jamais né, puisque sa vie mortelle lui a été ravie par une mort immortelle.

Lors donc qu'un homme se lamente sur lui-même à la pensée du sort mortel qui fera pourrir son corps abandonné, ou le livrera aux flammes, ou le donnera en pâture aux bêtes sauvages, tu peux dire que sa voix sonne faux, qu'une crainte secrète tourmente son cœur, bien qu'il affecte de ne pas croire qu'aucun sentiment puisse résister en lui à la mort. Cet homme, à mon avis, ne tient pas ses promesses et cache ses principes; ce n'est pas de tout son être qu'il s'arrache à la vie; à son insu peut-être il suppose que quelque chose de lui doit survivre. Tout vivant en effet qui se représente son corps déchiré après la mort par les oiseaux de proie et les bêtes sauvages se prend en pitié; car il ne parvient pas à se distinguer de cet objet, le cadavre, et croyant que ce corps étendu, c'est lui-même, il lui prête encore, debout à ses côtés, la sensibilité de la vie. Alors il s'indigne d'avoir été créé mortel, il ne voit pas que dans la mort véritable il n'y aura plus d'autre lui-même demeuré vivant pour pleurer sa fin et, resté debout, gémir de voir sa dépouille devenue la proie des bêtes et des flammes. Car si c'est un malheur pour les morts d'être broyés entre les dents des fauves, je ne trouve pas qu'il puisse être moins douloureux de rôtir dans les flammes d'un bûcher, d'être étouffé dans du miel, de subir raidi la pierre glacée du tombeau ou le poids écrasant de la terre qui vous broie.

« Il n'y a plus désormais de maison heureuse pour t'accueillir, plus d'épouse vertueuse, plus d'enfants chéris pour courir à ta rencontre, se disputer tes baisers et pénétrer ton cœur d'une douceur profonde. Tu ne pourras plus travailler à ta fortune, à la sécurité de ta famille. Malheureux! disent-ils, ô malheureux, tant de joie de la vie, un seul jour, un jour funeste te les a arrachées. » Ils n'ajoutent point : « Mais le regret de tous ces biens ne te suit pas dans la mort. » Si l'on se pénétrait de cette vérité, si l'on y conformait ses paroles avec sa pensée, de quelle crainte et de quelle angoisse on délivrerait son esprit. — « Pour toi, tel que tu t'es endormi dans la mort, tel tu demeureras éternellement, exempt de toutes les douleurs. Mais nous, au pied de l'horrible bûcher où tu achèves de te réduire en cendres, nous n'avons pas cessé de te pleurer, aucun jour de l'avenir ne t'arrachera de notre cœur. » Qu'ils nous disent, ceux qui parlent ainsi, à quelle source amère peut s'entretenir un deuil qui nous consume éternellement, alors que tout se réduit au sommeil et au repos.

Certains, quand ils sont installés à table, tenant une coupe à la main et le front ombragé de couronnes, s'écrient le plus sérieusement du monde : « Combien est brève la joie pour les humains ! bientôt ils auront passé et jamais plus ne pourront revenir. » Comme si dans la mort les malheureux avaient à craindre avant tout la brûlure desséchante d'une soif ardente ou le poids d'un regret quelconque.

Qui donc se regrette, qui regrette la vie, lorsque l'esprit et le corps reposent dans un égal assoupissement ? Or, il ne tient qu'à nous qu'il en soit ainsi du sommeil éternel, aucun regret de nous-mêmes ne vient nous y affliger. Et pourtant les principes répandus dans un organisme pendant le repos du sommeil ne vont pas se perdre au loin, au-delà des mouvements de sensibilité, puisque l'homme en se réveillant recouvre ses facultés rassemblées. Pensons donc que la mort nous touche beaucoup moins encore, s'il peut y avoir des degrés dans ce qui n'est rien. La mort jette dans la matière un plus grand désordre et une plus complète dispersion ; personne ne se réveille pour se relever, une fois que la glace de la mort est venue l'endormir.

Supposons enfin que prenant soudain la parole, la Nature adresse à l'un de nous ces reproches : « Qu'est-ce donc qui te tient si à cœur, ô mortel, pour que tu t'abandonnes à tant de douleur et de plaintes ? Pourquoi la mort te fait-elle gémir et pleurer ? Si la vie jusqu'à ce jour t'a été douce, si tous tes plaisirs n'ont pas été s'entassant dans un vase sans fond et si donc ils ne sont pas écoulés et perdus, que ne te retires-tu de la vie en convive rassasié ? Es-tu sot de ne pas prendre de bonne grâce un repos qui ne sera plus troublé ! Mais si toutes les jouissances se sont consumées en pure perte et si la vie n'est plus pour toi que blessure, quelle idée de vouloir la prolonger d'un moment, lequel à son tour finirait tristement et tomberait tout entier inutile. Ne vaut-il pas mieux mettre un terme à ta vie et à ta souffrance ? Car des nouveautés pour te plaire, je ne puis en inventer désormais : le monde se ressemble toujours. Si ton corps n'est plus abîmé par les ans, si tes membres ne tombent pas de langueur, tu ne verras cependant jamais que les mêmes choses, même si ta vie durait jusqu'à tromper les âges ou même si tu ne devais jamais mourir. »

Qu'aurions-nous à répondre, sinon que la Nature nous fait un juste procès et qu'elle plaide la cause de la vérité ? Mais si un malheureux plongé dans la misère se lamente sans mesure parce qu'il lui faut mourir, la Nature n'aurait-elle pas raison d'élever la voix pour l'accabler de reproches plus sévères ? « Chasse ces larmes, fou que tu es, et arrête tes plaintes. » Et si c'est un vieillard chargé d'ans : « Toutes les joies de la vie, tu les as goûtées avant d'en venir à cet épuisement. Mais si tu désires toujours ce que tu n'as pas; tu méprises ce que tu as, ta vie s'est donc écoulée sans plénitude et sans charme; et puis soudain la mort s'est dressée debout à ton chevet avant que tu puisses te sentir prêt à partir content et rassasié. Maintenant il faut quitter tous ces biens qui ne sont plus de ton âge. Allons, point de regret, laisse jouir les autres; il le faut. »

Juste réquisitoire à mon sens, juste discours de blâmes et de reproches. Toujours en effet, la vieillesse dans le monde doit céder au jeune âge qui l'expulse; les choses se renouvellent aux dépens les unes des autres, suivent un ordre fatal. Nul n'est précipité dans le noir gouffre du Tartare; mais il est besoin de matière pour la croissance des générations nouvelles, lesquelles à leur tour, leur vie achevée, iront te rejoindre; toutes celles qui t'ont précédé ont déjà disparu, toutes après toi passeront. Ainsi jamais les êtres ne cesseront de s'engendrer les uns des autres; la vie n'est la propriété de personne, tous n'en ont que l'usufruit.

Regarde maintenant en arrière, tu vois quel néant est pour nous cette période de l'éternité qui a précédé notre naissance. C'est un miroir où la nature nous présente l'image de ce qui suivra notre mort. Qu'y apparaît-il d'horrible, quel sujet de deuil ? Ne s'agit-il pas d'un état plus paisible que le sommeil le plus profond ?

Et puis tout ce qui, selon la légende, attend nos âmes dans les profondeurs de l'Achéron nous est donné dès cette vie. Il n'y a pas de Tantale malheureux, comme le prétend la fable, qui tremble sous la menace d'un énorme rocher et qu'une terreur vaine paralyse : mais plutôt l'inutile crainte des dieux tourmente la vie des mortels et chacun de nous redoute les coups du destin.

Il n'y a pas davantage de Tityon gisant au bord de l'Achéron et la proie des oiseaux; pourraient-ils d'ailleurs trouver dans sa vaste poitrine de quoi fouiller pour l'éternité ? On a beau donner à son corps étendu de gigantesques proportions, quand bien même il ne couvrirait pas seulement neuf arpents de ses membres écartés en tous sens, mais la terre tout entière, il ne pourrait supporter une pâture sans fin. Mais le voici, le vrai Tityon : c'est un malade d'amour, livré aux vautours de sa dévorante angoisse, ou la victime déchirée par les tourments de quelque autre passion.

Sisyphe aussi existe dans la vie, sous nos yeux, s'acharnant à briguer devant le peuple les faisceaux et les haches et se retirant toujours vaincu et triste. Car rechercher le pouvoir qui n'est que vanité et que l'on n'obtient point, et dans cette poursuite s'atteler à un dur travail incessant, c'est bien pousser avec effort au flanc d'une montagne le rocher qui à peine hissé au sommet retombe et va rouler en bas dans la plaine.

Et repaître sans cesse les appétits d'une âme ingrate, la combler de biens sans parvenir jamais à la rassasier, comme font à notre égard dans leur retour annuel les saisons qui nous apportent leurs productions et tant d'agréments, sans que nous ayons jamais assez de ces fruits de la vie, c'est bien là, je pense, ce qu'on raconte de ces jeunes filles condamnées dans la fleur de leur âge à verser de l'eau dans un vase sans fond, un vase que nul effort jamais ne saurait remplir.

Cerbère et les Furies et l'Enfer privé de lumière, le Tartare dont les gouffres vomissent des flammes terrifiantes, tout cela n'existe nulle part et ne peut exister. Mais la vie elle-même réserve aux auteurs des pires méfaits la terreur des pires châtiments; pour le crime, il y a l'expiation de la prison, la chute horrible du haut de la Roche Tarpéienne, les verges, les bourreaux, le carcan, la poix, le fer rouge, les torches; et même à défaut de tout cela, il y a l'âme consciente de ses fautes et prise de peur, qui se blesse elle-même de l'aiguillon, qui s'inflige la brûlure du fouet, sans apercevoir de terme à ses maux, de fin à ses supplices, et qui craint au contraire que maux et supplices ne s'aggravent encore dans la mort. Oui, c'est ici-bas que les insensés trouvent leur Enfer.

Voici encore ce que tu pourrais te dire à toi-même : Le bon roi Ancus lui aussi ferma ses yeux à la lumière et pourtant comme il valait mieux que toi, canaille! Depuis lors, combien d'autres rois, combien d'autres puissants du monde sont morts, qui gouvernèrent de grandes nations! Celui-là même qui jadis établit une route à travers la vaste mer et qui ouvrit à ses légions un chemin sur les flots [26], qui leur apprit à traverser les abîmes salés à pied sec et de ses escadrons foula dédaigneusement les eaux grondantes, celui-là aussi a perdu la lumière et son corps moribond rendit l'âme. Et Scipion, ce foudre de guerre, la terreur de Carthage, a rendu ses os à la terre comme le dernier des esclaves. Ajoute les inventeurs des sciences et des arts, ajoute les compagnons des Muses; un des leurs, unique entre tous, Homère, a tenu le sceptre; pourtant avec eux tous il repose dans le même sommeil. Enfin Démocrite, lorsque le poids de l'âge l'avertit que les ressorts de la mémoire faiblissaient en lui, alla de lui-même offrir sa tête à la mort [27]. Epicure en personne a succombé au terme de sa carrière lumineuse, lui qui domina de son génie le genre humain et qui rejeta dans l'ombre tous les autres sages, comme le soleil en se levant dans l'éther éteint les étoiles.

Et toi, tu hésiteras, tu t'indigneras de mourir ? Tu as beau vivre et jouir de la vue, ta vie n'est qu'une mort, toi qui en gaspilles la plus grande part dans le sommeil et dors tout éveillé, toi que hantent les songes, toi qui subis le tourment de mille maux sans parvenir jamais à en démêler la cause, et qui flottes et titubes, dans l'ivresse des erreurs qui t'égarent.

Si les hommes, comme ils semblent sentir sur leur cœur le poids qui les accable, pouvaient aussi connaître l'origine de leur mal et d'où vient leur lourd fardeau de misère, ils ne vivraient pas comme ils vivent trop souvent, ignorant ce qu'ils veulent, cherchant toujours une place nouvelle comme pour s'y libérer de leur charge.

L'un se précipite hors de sa riche demeure, parce qu'il s'ennuie d'y vivre, et un moment après il y rentre, car ailleurs il ne s'est pas trouvé mieux. Il court à toute bride vers sa maison de campagne comme s'il fallait porter secours à des bâtiments en flammes; mais, dès le seuil, il bâille; il se réfugie dans le sommeil pour y chercher l'oubli ou même il se hâte de regagner la ville. Voilà comme chacun cherche à se fuir, mais, on le sait, l'homme est à soi-même un compagnon inséparable et auquel il reste attaché tout en le détestant; l'homme est un malade qui ne sait pas la cause de son mal. S'il la pouvait trouver, il s'appliquerait avant tout, laissant là tout le reste, à étudier la nature; car c'est d'éternité qu'il est question, non pas d'une seule heure; il s'agit de connaître ce qui attend les mortels dans cette durée sans fin qui s'étend au-delà de la mort.

Enfin pourquoi trembler si fort dans les alarmes? Quel amour déréglé de vivre nous impose ce joug? Certaine et toute proche, la fin de la vie est là; l'heure fatale est fixée, nous n'échapperons pas. D'ailleurs nous tournons sans cesse dans le même cercle; nous n'en sortons pas; nous aurions beau prolonger notre vie, nous ne découvririons pas de nouveaux plaisirs. Mais le bien que nous n'avons pu atteindre encore nous paraît supérieur à tout le reste; à peine est-il à nous, c'est pour en désirer un nouveau et c'est ainsi que la même soif de la vie nous tient en haleine jusqu'au bout. Et puis nous sommes incertains de ce que l'avenir nous réserve, des hasards de la fortune et de la fin qui nous menace.

Mais pourquoi donc vouloir plus longue vie? qu'en serait-il retranché du temps qui appartient à la mort? Nous ne pourrions rien en distraire qui diminuât la durée de notre néant. Ainsi tu aurais beau vivre assez pour enterrer autant de générations qu'il te plairait : la mort toujours t'attendra, la mort éternelle, et le néant sera égal pour celui qui a fini de vivre aujourd'hui ou pour celui qui est mort il y a des mois et des années.

LIVRE QUATRIÈME

ARGUMENT

Ce quatrième livre n'est qu'une continuation du troisième. Le poète tâche d'expliquer la manière dont les objets extérieurs agissent sur l'âme par le canal des sens. Nos sensations sont produites, suivant lui, par des corpuscules invisibles, répandus dans l'atmosphère, qui, en s'introduisant dans les divers conduits de nos corps, affectent diversement nos âmes : ces *simulacres* se divisent en différentes classes. Les uns sont envoyés par les corps mêmes, et sont des émanations ou de la surface, ou de l'intérieur des objets; les autres se forment dans l'air; d'autres ne sont qu'un mélange des uns et des autres, que le hasard réunit souvent dans l'atmosphère. Tous ces *simulacres* sont d'une finesse et d'une subtilité inconcevables, et doués par conséquent d'une très grande vitesse. D'après cette notion préliminaire des *simulacres*, le poète croit pouvoir expliquer d'une manière satisfaisante tout le mécanisme des *sensations* et des *idées*.

1° La *vision* est produite par des *simulacres* émanés de la surface même des corps, qui nous font juger non seulement de la couleur, de la grandeur et de la figure des objets, mais encore de leur distance, de leur mouvement, etc. Il est vrai que souvent les jugements que nous proférons à la suite de ces perceptions sont faux; mais l'erreur ne vient jamais de l'organe, qui ne rapporte que la sensation précise qu'il éprouve, mais de la précipitation de l'esprit, qui se hâte toujours d'ajouter de son propre fonds quelque chose à leur rapport : d'où il conclut que les sens sont des guides infaillibles, les seuls juges de la vérité.

2° La sensation du *son* est excitée par des corpuscules détachés des corps, qui viennent frapper l'organe de l'ouïe; quand ces éléments sont façonnés par la langue et le palais, ils forment des *paroles ;* quand ils sont répercutés par des corps solides, tels que les rochers, etc., ils forment des *échos*.

3° La *saveur* est produite par les sucs que la trituration exprime des aliments, et qui s'introduisent dans les pores du palais : si les mêmes aliments ne produisent pas les mêmes sensations sur des animaux de différente espèce, ou sur les mêmes animaux placés dans des circonstances différentes, cette variété tient à la fois et à l'organisation même des animaux, et à la structure des molécules, de l'action desquelles résultent les saveurs.

4° Les *odeurs*, qui sont des corpuscules émanés de l'intérieur des corps, et dont par conséquent la marche doit être lente et tardive, ne sont pas non plus également analogues à tous les organes : il faut dire la même chose des *simulacres* de la vue et des éléments du son.

Il n'y a que ces quatre espèces de sensations qui soient excitées par des émanations; car, pour le *toucher*, il est produit par l'impression immédiate des objets.

Quant aux *idées*, Lucrèce les attribue aux *simulacres* dont l'atmosphère est sans cesse remplie; simulacre dont le tissu est si délié qu'ils s'insinuent dans tous les pores de nos corps, et dont la succession et la combinaison sont si rapides qu'il croit pouvoir expliquer par leur moyen cette foule d'idées qui assiègent nos esprits à chaque instant, ces images chimériques de *Centaures*, de *Scylles*, etc., et les autres illusions de ce genre qui nous trompent la nuit comme le jour.

Après cette théorie des *sensations* et des *idées*, le poète entre dans quelques détails qui s'y rattachent : 1° il combat les *causes finales*, en s'efforçant de prouver que nos organes n'ont pas été faits en vue de nos besoins, mais que les hommes en ont usé parce qu'ils les ont trouvés faits; 2° il explique pourquoi le besoin de boire et de manger est naturel à tous les animaux; 3° comment l'âme, cette substance si déliée, peut mouvoir une masse aussi pesante que nos corps; 4° par quel mécanisme le sommeil vient à bout d'engourdir toutes les facultés de l'âme et du corps, et d'où viennent les songes dont il est souvent accompagné. A l'occasion des songes, il traite de l'amour contre lequel il avertit les hommes de se mettre en garde, par les peintures qu'il fait du malheur des amants; enfin il termine ce morceau et le livre entier par une espèce de traité anatomique et physique sur la *génération*.

LIVRE QUATRIÈME

Au domaine des Piérides je parcours une région ignorée que nul mortel encore n'a foulée. J'aime puiser aux sources vierges, j'aime cueillir des fleurs inconnues et en tresser pour ma tête une couronne unique, dont les Muses n'ont encore ombragé le front d'aucun poète. C'est que, tout d'abord, grandes sont les leçons que je donne; je travaille à dégager l'esprit humain des liens étroits de la superstition; c'est aussi que sur un sujet obscur je compose des vers brillants de clarté qui le parent tout entier des grâces de la poésie. N'est-ce pas une méthode légitime ? Les médecins, quand ils veulent faire prendre aux enfants l'absinthe amère, commencent par dorer d'un miel blond et sucré les bords de la coupe; ainsi le jeune âge imprévoyant, ses lèvres trompées par la douceur, avale en même temps l'amer breuvage et, dupé pour son bien, recouvre force et santé. Ainsi moi-même aujourd'hui, sachant que notre doctrine est trop amère à qui ne l'a point pratiquée et que le vulgaire recule d'horreur devant elle, j'ai voulu te l'exposer dans le doux langage des Muses et pour ainsi dire l'imprégner de leur miel : heureux si je pouvais, tenant ainsi ton esprit sous le charme de mes vers, te faire pénétrer tous les secrets de la nature et te convaincre de l'utilité de ces études [28].

Je t'ai enseigné jusqu'ici la nature des atomes, la diversité de leurs formes, le mouvement éternel qui emporte dans l'espace, par une tendance qui leur est propre, ces éléments de toutes choses, et comment tous les êtres naissent de leurs unions; je t'ai enseigné aussi la nature de l'âme et sa composition, comment elle se comporte liée au corps et comment, après leur séparation, elle retourne en ses premiers principes.

Et maintenant je vais t'entretenir d'un sujet qui tient étroitement à ceux-là. Il existe pour toutes choses ce que nous appelons leurs simulacres, sortes de membranes [29] légères, détachées de la surface des corps et qui voltigent en tous sens dans les airs. C'est eux qui le jour comme la nuit viennent effrayer nos esprits en nous faisant apparaître des figures étranges ou les ombres de ceux qui ne jouissent plus de la lumière; et ces images nous ont souvent arrachés au sommeil, frissonnants et glacés d'effroi. Ne croyons pas que ce soient des âmes échappées de l'Achéron, des ombres qui viennent errer parmi nous; ni d'ailleurs que rien de nous puisse subsister après la mort, lorsque le corps et l'âme, frappés d'un même coup, ont été rendus l'un et l'autre à leurs éléments.

Ma thèse est donc que la surface des corps émet des figures et images subtiles, auxquelles nous pourrions donner le nom de membranes ou d'écorces, puisqu'elles ont la même forme et le même aspect que les corps, quels qu'ils soient, dont elles émanent pour errer dans l'espace. C'est ce que mon raisonnement pourra faire comprendre à l'esprit le moins pénétrant.

Et d'abord il existe un grand nombre de corps qui mettent à la portée de nos sens leurs émanations : les unes se détachent pour s'évanouir en tous sens, comme la fumée du bois vert ou la chaleur du feu; les autres sont d'une contexture plus serrée, comme les rondes tuniques que les cigales déposent à l'été, comme la membrane dont se débarrassent les veaux naissants ou la robe que le serpent abandonne en glissant au milieu des ronces : nous voyons souvent cette dépouille flottante suspendue aux buissons. Puisque de telles métamorphoses se produisent, il faut croire aussi à ces images impalpables qui se détachent de la surface des corps. Pourquoi en effet certaines émanations seraient-elles possibles et non pas d'autres plus subtiles ? On ne saurait répondre. Songeons surtout qu'une multitude de corpuscules imperceptibles, qui se trouvent à la surface des corps, peuvent s'évader sans perdre leur structure, sans changer leur figure première, et d'autant plus rapidement que peu d'entre eux ont des obstacles à redouter sur leur route, et qu'ils sont placés au premier plan.

Il est certain que nous voyons nombre de particules se détacher non seulement du plus profond des corps, comme je l'ai dit auparavant, mais de leur surface même, comme il arrive pour les couleurs. Vois notamment l'effet produit par les voiles jaunes, rouges et verts tendus au-dessus de nos vastes théâtres et qui flottent et ondulent entre les mâts et les poutres. Le public assemblé, le décor de la scène, les rangs des sénateurs, des matrones et les statues des dieux, tout cela se colore des reflets qui flottent avec eux. Et plus le théâtre est étroit et élevé, plus aussi tous les objets s'égayent à ces couleurs dans la lumière raréfiée. Or si des éléments colorés se détachent de ces toiles, n'est-ce pas tout objet qui doit émettre de subtiles images, puisqu'il s'agit toujours d'émanations superficielles ? Voilà donc bien les simulacres qui voltigent dans l'air sous une forme si impalpable que l'œil ne saurait en distinguer les éléments.

En outre, si toute odeur, fumée, chaleur et autres effluves semblables se dissipent en se répandant hors des corps, c'est que venant jusque des profondeurs, ils se divisent dans les sinuosités du parcours et ne trouvent pas d'issues directes pour faire une sortie d'ensemble. Au contraire, la membrane délicate des couleurs émises d'une surface ne court aucun risque d'être déchirée, puisque sa place au premier plan lui assure un libre départ.

Enfin dans les miroirs, dans l'eau, dans toute surface polie, nous apparaissent des simulacres qui ressemblent parfaitement aux objets reflétés et ne peuvent donc être formés que par des images émanées d'eux. Pourquoi admettre de telles émanations qui se produisent manifestement pour un grand nombre de corps, si l'on méconnaît d'autres émanations plus subtiles ? On ne saurait répondre.

Il existe donc pour tous les corps des reproductions exactes et subtiles dont les éléments isolés échappent à la vue, mais dont l'ensemble, continûment renvoyé par l'action du miroir, est capable de la frapper. Autrement nous ne verrions pas si bien conservée, pour nous être rendue à la perfection, la figure des objets.

Apprends maintenant quelle est la subtilité de ces images. Elle résulte d'éléments premiers infiniment plus imperceptibles et menus que les objets dont nos yeux n'arrivent plus même à soupçonner l'existence. Mais pour t'en donner une nouvelle preuve, je veux te dire en peu de mots combien sont ténus les principes de toutes choses.

Songe d'abord à certains animaux si petits que, coupés en trois, leurs fractions deviendraient invisibles. Chez de tels êtres, que penses-tu que soit l'intestin ou ce qui en tient lieu ? Et l'organe du cœur, et les yeux et les membres et les jointures ? quelle petitesse ! Alors, les éléments dont il faut bien que se composent leur esprit et leur âme, ne vois-tu pas combien le tissu doit en être subtil et menu ?

Passons aux plantes, à celles qui exhalent d'âcres senteurs, la panacée, la noire absinthe, l'aurone fétide, l'amère centaurée ; prends-en une et presse-la ; tu reconnaîtras aussitôt l'existence de simulacres voletant en grand nombre et de mille manières, sans aucune énergie, imperceptibles à nos sens. Mais combien ces images sont petites, comparées aux corps dont elles émanent, c'est ce qu'il est impossible de dire, ce dont il est impossible de rendre compte.

Mais ne va pas croire qu'il n'y ait dans l'atmosphère que des simulacres émanés des corps ; il en est d'autres qui se forment d'eux-mêmes, spontanément, dans la région du ciel que nous nommons l'air ; ceux-là constitués de mille façons s'élèvent très haut et font prendre indéfiniment à leur fluidité toutes sortes d'aspects : tels les nuages que nous voyons parfois se rassembler dans les hauteurs, voiler l'azur serein et caresser l'air de leurs glissements ; ce sont souvent des géants qui montrent leur face mouvante et répandent au loin leur ombre ; tantôt de hautes montagnes, avec une traîne de rochers détachés qui dans leur marche masquent le soleil ; tantôt enfin un monstre qui sans cesse attire à lui d'autres nuages et s'en fait un manteau.

Avec quelle facilité, quelle promptitude légère, ces simulacres se forment et émanent sans arrêt des corps ! Car des surfaces de toutes choses rayonnent sans cesse des corpuscules qui à la rencontre d'autres objets traversent les uns, par exemple les étoffes, mais se déchirent aux autres, comme le bois ou les rochers, sans produire d'images. Mais si un corps dense et lisse, comme l'est un miroir, s'oppose à leur marche, rien de semblable n'arrive. Ils ne peuvent le traverser comme les étoffes, ni s'y déchirer. Le poli du corps assure leur salut. Voilà pourquoi de telles surfaces nous renvoient des simulacres. Aussi promptement que tu le veux, en n'importe quel temps, il n'y a qu'à présenter au miroir un objet quelconque, aussitôt l'image apparaît. Apprends par là que de la surface des choses émanent sans cesse de minces tissus, des figures impalpables. Un bref instant donne donc naissance à une foule de simulacres; on a le droit de dire que leur formation est la rapidité même. Tout ainsi que le soleil doit mettre fort peu de temps à produire d'innombrables rayons pour en remplir sans arrêt tout l'espace, il faut pour la même raison que les corps émettent en un instant et de toutes parts une foule de simulacres, puisque partout où nous tournons le miroir, nous les voyons y refléter leur forme et leur couleur.

Autre preuve. Dans le ciel le plus pur soudain éclate un affreux trouble; on dirait que toutes les ténèbres ont quitté l'Achéron pour remplir l'immense voûte du ciel : tant une lourde nuit tombe des nuages, tant nous menace au-dessus de nos têtes la face de la noire épouvante; combien les images qui nous apparaissent là sont petites, comparées aux corps dont elles émanent, c'est ce qu'il est impossible de dire, ce dont il est impossible de rendre compte.

Sache maintenant quelle est la vitesse de ces simulacres, avec quelle agilité ils traversent les airs, capables de franchir en un court instant de longues distances, quel que soit le but où les portent leurs tendances diverses. Harmonieux plutôt qu'abondants seront les vers de mon exposé : ainsi le chant bref du cygne surpasse en beauté les cris jetés par les grues à travers les nuages éthérés que pousse le vent du sud.

Tout d'abord les corps légers et composés d'atomes menus ont presque toujours la rapidité, comme il est aisé de le voir. Entre autres : la lumière du soleil et sa chaleur, puisqu'elles résultent d'éléments subtils qui se poussant les uns les autres n'hésitent pas à traverser les régions de l'air sous l'impulsion de chocs successifs. Car la lumière suit sans relâche la lumière et le rayon se précipite, aiguillonné pour ainsi dire par le rayon qui le suit. Les simulacres également doivent pouvoir parcourir en un instant des distances inouïes, d'abord parce qu'ils ont derrière eux une minuscule cause qui les pousse et les projette en avant, ensuite parce que leur tissu est de si faible densité qu'ils peuvent pénétrer sans peine tous les corps et s'infiltrer pour ainsi dire dans les vides de l'air.

D'ailleurs si des corpuscules émanés du plus profond des corps, par exemple la lumière du soleil et sa chaleur, peuvent se répandre en un instant dans tout l'espace des terres, voler à travers la mer et les continents, inonder le ciel, se porter de toutes parts avec une promptitude légère, que dirons-nous de ceux qui effectuent leur départ au premier rang et dont aucun obstacle n'arrête l'essor ? Ne vois-tu pas combien plus vite et plus loin ils doivent s'élancer et qu'à temps égal ils franchiront des distances bien supérieures à celles que parcourent dans le ciel les rayons du soleil ?

Et voici encore une preuve de la vitesse qui emporte les simulacres : expose à l'air de la nuit une onde transparente; si le ciel a des étoiles, tout aussitôt les feux qui illuminent le monde viennent s'y refléter. Tu vois par là combien peu de temps il faut à l'image pour tomber des extrémités du ciel à la surface du globe.

C'est pourquoi, je le répète, il faut reconnaître que des émanations des corps frappent nos yeux et provoquent la vue. Des odeurs aussi se dégagent de certains corps, comme la fraîcheur des fleuves, la chaleur du soleil, l'embrun qui mine les murs élevés sur le rivage. Et mille sons de toute espèce courent sans cesse dans l'air; enfin une humidité salée se dépose sur nos lèvres quand nous marchons le long de la mer, et si nous voyons qu'on prépare devant nous une infusion d'absinthe, nous avons dans la bouche le goût de son amertume. Tant il est vrai que de tous les corps rayonnent sans cesse en tous sens des émanations variées. Ni trêve ni repos ne leur sont accordés, puisque nos sens ne cessent d'en être affectés et que nous avons en permanence la faculté de voir, de sentir et d'entendre.

Au reste, quand nos mains prennent dans les ténèbres un certain objet, nous le reconnaissons pour le même que nous avons vu à la claire lumière du jour; c'est donc qu'une même cause émeut le toucher et la vue. Et maintenant si c'est un carré, par exemple, que nous manions dans l'obscurité, qu'est-ce d'autre que son image carrée qu'il nous sera donné de voir dans le jour ? Il est donc évident que les images recèlent le principe de la vision et que sans elles nous ne pouvons voir aucun corps.

Ces simulacres dont je parle se portent de tous côtés et s'élancent dans toutes les directions; mais comme les yeux sont seuls à voir, c'est où nous portons nos regards que tous les objets les arrêtent de leur forme et de leur couleur. C'est l'image encore qui nous fait connaître et apprécier les distances, car l'image émise pousse et chasse en avant l'air interposé entre elle et les yeux; et l'air ainsi chassé se répand dans nos yeux, baigne de son flot nos pupilles et s'en va. Voilà comment nous sommes instruits des distances; et plus la colonne d'air agitée devant nous a de la longueur, plus le souffle qui baigne nos yeux vient de loin, et plus l'objet paraît éloigné. Sans doute tout cela s'accomplit-il avec une rapidité prodigieuse; et c'est pourquoi nous jugeons de l'éloignement des objets dans le temps même où nos yeux les rencontrent.

Il n'est pas étonnant que les simulacres qui frappent nos yeux restent invisibles, alors qu'ils nous font voir les objets. Car lorsque le vent nous frappe à coups progressivement renforcés, quand l'âpre froid nous pique, nous ne sentons pas une à une chaque particule du vent et du froid, mais nous avons une sensation d'ensemble; et notre corps se voit blessé comme si une force extérieure s'attaquait à lui. Frappe du doigt une pierre, c'est sa surface que tu touches, c'est sa couleur extérieure, et cependant ce n'est pas cela que le toucher nous fait sentir, mais la dureté qui réside dans les profondeurs de la pierre.

Et maintenant pourquoi l'image apparaît-elle au-delà du miroir, apprends-le : car il est certain que nous la voyons dans un fond reculé. C'est pour la même raison que nous apercevons réellement les objets placés hors de chez nous, lorsqu'une porte ouverte laisse à la vue un champ libre et nous fait distinguer du dedans les choses du dehors. C'est qu'alors aussi il y a double colonne d'air pour produire la vision : la première colonne entre l'œil et la porte; puis les montants de la porte à droite et à gauche; ensuite la lumière extérieure qui vient baigner nos yeux; enfin la seconde colonne d'air, suivie des objets qui s'aperçoivent réellement au dehors. Ainsi en est-il du miroir; l'image une fois projetée chasse et pousse devant elle dans la direction de notre vue la colonne d'air interposée entre elle et nos yeux, et nous en donne l'impression avant celle du miroir. Mais dès que nous percevons le miroir même, immédiatement une image venue de nous court à lui et revient en reflet à nos yeux; or sa marche déplace une autre colonne d'air qu'elle nous fait voir tout d'abord, c'est ainsi qu'elle nous semble reculer au-delà du miroir à sa distance exacte. Aussi, je le répète, n'est-il pas étonnant que l'image nous apparaisse avec son recul dans le miroir, puisque dans ce cas comme dans le précédent, le phénomène résulte d'une double colonne d'air.

Et si le côté droit de notre corps apparaît à gauche dans le miroir, c'est que l'image après avoir frappé la surface plane ne nous revient pas telle quelle; mais en rebondissant elle se retourne, comme un masque de plâtre appliqué tout humide encore contre un pilier ou une poutre : s'il pouvait garder sa forme primitive et qu'il rebondît en arrière après le choc, il arriverait que l'œil droit deviendrait le gauche et que l'œil gauche passerait à droite.

Parfois l'image renvoyée de miroir en miroir présente d'un même objet cinq ou six simulacres. Ainsi les objets cachés derrière un miroir et dans les recoins d'une pièce qui leur font une retraite détournée et profonde en seront néanmoins tirés grâce à ces réflexions répétées; c'est le jeu des miroirs qui nous les aura révélés. Tant il est vrai que l'image se reflète de miroir en miroir : à gauche dans le premier, elle passe à droite dans le second, puis le troisième reflet lui rend sa première position.

Il existe des miroirs à facettes dont la forme reproduit celle de nos flancs; ceux-là renvoient les simulacres sans les retourner, soit que l'image transmise de miroir en miroir ne nous revienne qu'après double réflexion, soit qu'en chemin elle fasse un tour sur elle-même, ainsi docile à l'impulsion que lui donne la courbure des facettes.

Les simulacres, croirait-on, entrent avec nous, posent le pied en même temps que nous, imitent nos gestes. C'est que la partie du miroir dont tu disparais ne peut plus te renvoyer de simulacre, la nature ayant voulu que l'angle de réflexion fût toujours égal à l'angle d'incidence.

Il est certain que les yeux se détournent d'un éclat trop vif et le fuient. Le soleil aveugle, si l'on veut le regarder en face, car outre que sa violence propre est grande, ses simulacres, projetés du haut du ciel à travers l'air pur, blessent nos yeux et en troublent les orages. D'ailleurs un éclat trop vif brûle souvent les yeux, parce qu'il comporte une foule d'éléments de feu dont l'irruption provoque la douleur. Tout paraît jaune à ceux qui ont la jaunisse, parce que leur corps rayonne de nombreux éléments de cette couleur; ces éléments s'élancent à la rencontre des simulacres et enfin les yeux sont remplis de particules qui déteignent sur toutes choses.

D'un endroit obscur, nous apercevons ce qui est à la lumière, parce que la colonne d'air obscur, plus voisine des yeux, s'introduisant la première et s'emparant des conduits restés ouverts, est aussitôt suivie de l'air embrasé et lumineux, qui nettoie pour ainsi dire nos regards et dissipe ces ombres, ayant plus de rapidité qu'elles, plus de subtilité et de puissance. Quand les conduits comblés auparavant par les ténèbres se trouvent ainsi remplis de lumière, les simulacres des corps en pleine clarté s'y introduisent aussitôt pour solliciter notre vue. Au contraire, d'un lieu éclairé, nous ne pouvons voir dans les ténèbres, parce que l'air obscur, arrivant le second, bouche toutes les ouvertures, obstrue toutes les voies et ne laisse aucun simulacre mettre la vue en action.

Si les tours carrées des villes, vues de loin, semblent rondes, c'est que tout angle dans l'éloignement apparaît obtus; ou plutôt même on ne le voit pas : son action s'éteint, ses chocs ne peuvent arriver jusqu'à l'œil, parce que les simulacres dans leur long trajet, à force d'être repoussés par la résistance de l'air, perdent peu à peu leur vigueur. A cette distance donc, tout angle échappe à nos sens et l'édifice de pierre semble passé au tour : non pas comme les corps vraiment ronds que nous avons à notre portée, mais avec des contours imprécis et comme noyés.

Au soleil notre ombre semble se mouvoir avec nous, s'attacher à nos traces, imiter nos gestes. Mais peut-on se persuader qu'un air privé de lumière ait la faculté de marcher, de reproduire des mouvements humains et d'imiter des gestes ? Car ce que nous appelons une ombre, qu'est-ce que cela peut être, sinon de l'air dépourvu de lumière ? Certains endroits du sol se trouvent successivement privés de la lumière du soleil par notre marche qui l'intercepte, puis ils la retrouvent à mesure que nous passons; cela explique que l'ombre projetée par notre corps paraisse nous suivre. En effet, les rayons lumineux ne cessent de se renouveler et de s'évanouir tour à tour, comme de la laine qu'on déviderait dans le feu. C'est avec la même facilité que la terre se voit sans cesse alternativement dépouillée et revêtue de lumière, emplie et purgée d'ombres.

Ce n'est pas une raison pour croire que nos yeux se trompent; car voir de l'ombre et de la lumière où il y en a, c'est leur fonction. Mais la lumière est-elle toujours la même ou non ? Est-ce la même ombre qui passe d'un endroit à un autre ? ou bien tout arrive-t-il comme nous venons de le dire ? C'est à la raison de répondre et les yeux n'ont pas le pouvoir de connaître les lois de la nature. Aussi ne faut-il pas mettre à leur compte une erreur de l'esprit.

Le navire qui nous porte avance et paraît immobile, le navire immobile dans la rade paraît se déplacer; campagnes et collines ont l'air de fuir le long de la poupe, quand toutes voiles dehors le navire les dépasse de son vol. Tous les astres semblent être attachés à la voûte céleste; or leurs mouvements n'arrêtent pas; de leur orient à leur couchant, c'est l'immensité du ciel qu'ils parcourent en l'illuminant. Le soleil et la lune ont la même apparence d'immobilité, eux dont le mouvement est une évidence. Des montagnes dressées au milieu des flots, entre lesquelles des flottes trouveraient libre et large passage, composent l'image d'une grande île unique. L'atrium semble tourner et les colonnes danser une ronde aux yeux des enfants, au moment qu'ils s'arrêtent de tourbillonner, et c'est tout juste s'ils ne vont pas croire que la maison tout entière menace de s'écrouler sur eux.

Au lever du jour, quand la nature élève dans les airs les feux tremblants du soleil, les montagnes que le soleil semble gravir et qu'il possède bientôt de sa flamme ardente ont l'air à peine éloignées de deux mille portées de flèche ou même de cinq cents portées de traits : entre elles et lui pourtant des mers étendent leur immensité sous le ciel et par-delà s'interposent encore des milliers de terres que peuplent une multitude d'hommes et d'animaux.

Une simple flaque d'eau au contraire qui ne s'enfonce pas plus que d'un pouce entre deux pavés de nos routes paraît creuser dans le sol des profondeurs égales à l'abîme qui sépare au-dessus de nous le ciel et la terre; au point qu'on croirait voir sous ses pieds les nuages aériens et, enfoncés sous la terre comme par miracle, les corps mystérieux du ciel.

Notre cheval ardent s'arrête-t-il au milieu d'un fleuve : si nous regardons fixement les ondes rapides, le corps du cheval quoique immobile paraît entraîné par une force qui lui fait remonter irrésistiblement le courant; et de quelque côté que nous promenions les yeux, nous voyons toutes choses entraînées de la même manière et voguant dans le même sens.

Regarde un portique soutenu par des colonnes parallèles et toutes de même hauteur; s'il est long et que d'une extrémité nous le regardions jusqu'à l'autre, il se resserre peu à peu et prend la forme d'un cône allongé; le toit rejoint le sol, le côté droit touche au gauche, jusqu'à ce que l'œil confonde tout dans la pointe obscure du cône.

Sur l'horizon de la mer, les matelots croient voir le soleil sortir des eaux puis plonger dans les eaux et y engloutir sa lumière; c'est qu'ils ne voient rien que l'eau et le ciel; mais ne va pas croire étourdiment que nos sens soient partout sujets à l'erreur. Pour ceux qui ne connaissent point la mer, les navires au port semblent, poupe brisée, s'affaisser par-derrière dans l'eau; toute la partie des rames qui reste au-dessus des vagues est droite; droite aussi, la partie supérieure du gouvernail; tandis que ce qui plonge dans l'élément liquide semble par la réfraction se courber, remonter horizontalement et venir presque flotter à la surface.

Lorsque dans le ciel nocturne les vents portent quelques nuages épars, on a l'impression que les astres courent à l'encontre des nuées qu'ils dominent, dans un sens tout différent de celui que leur impose la nature.

S'il arrive que nous pressions de la main la partie inférieure d'un de nos yeux, toutes choses nous apparaissent dédoublées : double flamme dresse sa fleur au sommet des flambeaux, double mobilier garnit l'appartement, double visage ont les gens ainsi que double corps.

Enfin quand le sommeil prend nos membres dans ses douces chaînes et que notre corps est étendu dans le plus profond repos, nous croyons quelquefois être éveillés et remuer; nous croyons dans les ténèbres aveugles de la nuit voir le soleil et la lumière du jour; nous croyons dans notre chambre fermée changer de ciel, de mer, de fleuve, de montagne et franchir des plaines à pied, entendre des bruits, alors que règne le grave silence de la nuit sur toutes choses, et enfin parler à notre tour, nous qui n'ouvrons pas la bouche.

Bien d'autres faits de même genre causent notre étonnement; ils semblent se liguer pour ruiner le crédit de nos sens; mais en vain, car la plupart de telles erreurs sont imputables aux jugements de notre esprit, qui nous donne l'illusion de voir ce que nos sens n'ont pas vu. Rien n'est plus difficile en effet que de faire le départ entre la vérité des choses et les conjectures que l'esprit y ajoute de son propre fonds.

Certains penseurs estiment que toute science est impossible; or ceux-là ignorent également si toute science est possible, puisqu'ils proclament ne rien savoir. Je n'accepte point de débat avec quiconque prétend marcher la tête en bas. Et quand bien même j'accorderais à ces gens qu'assurément l'on ne sait rien, je leur demanderais comment, n'ayant jamais trouvé la vérité, ils savent ce qu'est savoir et ne pas savoir, d'où ils tirent la notion du vrai et du faux et par quelle méthode ils distinguent le certain de l'incertain.

Tu verras que les sens sont les premiers à nous avoir donné la notion du vrai et qu'ils ne peuvent être convaincus d'erreur. Car le plus haut degré de confiance doit aller à ce qui a le pouvoir de faire triompher le vrai du faux. Or quel témoignage a plus de valeur que celui des sens ? Dira-t-on que s'ils nous trompent, c'est la raison qui aura mission de les contredire, elle qui est sortie d'eux tout entière ? Nous trompent-ils, alors la raison tout entière est mensonge. Dira-t-on que les oreilles peuvent corriger les yeux, et être corrigées elles-mêmes par le toucher ? et le toucher, sera-t-il sous le contrôle du goût ? Est-ce l'odorat qui confondra les autres sens ? Est-ce la vue ? Rien de tout cela selon moi, car chaque sens a son pouvoir propre et ses fonctions à part. Que la mollesse ou la dureté, le froid ou le chaud intéressent un sens spécial, ainsi que les couleurs et les qualités relatives aux couleurs ; qu'à des sens spéciaux correspondent aussi les saveurs, les odeurs et les sons : voilà qui est nécessaire. Par conséquent les sens n'ont pas le moyen de se contrôler mutuellement. Ils ne peuvent davantage se corriger eux-mêmes, puisqu'ils réclameront toujours le même degré de confiance. J'en conclus que leurs témoignages en tout temps sont vrais.

La raison ne peut-elle expliquer pourquoi des objets carrés de près semblent ronds de loin ? Il vaut mieux, dans cette carence de la raison, donner une explication fausse de la double apparence, que laisser échapper des vérités manifestes, rejeter la première des certitudes et ruiner les bases mêmes sur lesquelles reposent notre vie et notre salut. Car ce n'est pas seulement la raison qui risquerait de s'écrouler tout entière, mais la vie elle-même périrait, si perdant confiance en nos sens nous renoncions à éviter les précipices et tous les autres périls, ou à suivre ce qu'il est bon de suivre. Ainsi donc, il n'y a qu'un flot de vaines paroles dans tout ce qu'on reproche aux sens.

Enfin si dans une construction le plan fondamental est faux, si l'équerre trompe en s'écartant de la verticale, si le niveau a des malfaçons, il sera fatal que tout le bâtiment n'ait que vices : difforme, affaissé, penchant en avant ou en arrière, sans aplomb ni proportions, il menacera de tomber, et tombera en effet par parties ; or toute la faute sera aux premiers calculs. De même le jugement des faits ne peut qu'être vicieux et faux, du moment qu'il s'appuie sur des sens trompeurs.

Maintenant, de quelle manière chacun des autres sens est-il affecté par les objets qui le concernent ? Il n'est plus difficile de te répondre. Tout d'abord le son et la voix s'entendent quand leurs éléments, en se glissant dans l'oreille, ont frappé l'organe; car la voix et le son ont une nature corporelle, il faut le reconnaître, puisqu'ils agissent sur nos sens. La voix souvent blesse la gorge et les cris irritent les canaux qu'ils parcourent. C'est qu'alors les atomes des sons, pressés trop nombreux dans un canal trop étroit, ne se ruent pas à l'extérieur sans déchirer l'orifice et sans endommager le conduit par où la voix gagne l'air. Il est donc impossible de douter que la voix et les paroles ne soient faites d'éléments corporels, puisqu'elles sont capables de blesser.

Tu n'ignores pas d'ailleurs quelles forces nous perdons et à quel point nos nerfs défaillent, lorsqu'il a fallu soutenir une conversation depuis la brillante naissance de l'aurore jusqu'aux ombres de la nuit noire, surtout si l'on s'est répandu en éclats de voix. La voix est donc nécessairement de nature corporelle, puisque parler beaucoup nous cause une perte de substance.

La rudesse de la voix vient de la rudesse des éléments et sa douceur vient de leur douceur. Car ce ne sont pas des atomes de même forme qui pénètrent dans les oreilles quand la trompette barbare fait entendre son grave et profond appel et que l'écho en renvoie le rauque gémissement, ou quand les cygnes nés dans les fraîches vallées de l'Hélicon jettent leur cri perçant et mélancolique.

Lorsque les sons tirés du fond de la poitrine arrivent au palais, la langue, agile ouvrière, les articule et avec l'aide des lèvres en fait des mots. Alors, si le son n'a pas une longue distance à franchir pour parvenir au but, clairement s'entendent tous les mots et se distinguent les articulations; car la voix conserve ses inflexions et sa forme. Mais si la distance à franchir est trop grande, les mots se confondent et la voix se trouble en volant dans les airs. C'est alors qu'on entend des sons sans distinguer le sens des mots, tant la voix nous parvient confuse et embarrassée.

Il arrive souvent qu'un mot lancé par la bouche du crieur public frappe les oreilles de tout un peuple. En ce cas, une seule voix se divise sur-le-champ en une multitude de voix, puisqu'elle se répand dans un grand nombre d'oreilles et imprime à chacune la forme et le son distincts de chaque mot.

Une partie des voix qui ne frappent point nos oreilles va au-delà et se dissipe dans les airs; une autre partie, qui se heurte à des corps durs qui la rejettent, revient sur nous et nous pouvons être trompés par ce phénomène de l'écho. Grâce aux vérités que je t'enseigne, tu pourras t'expliquer à toi-même comme à autrui ce qui se passe dans les lieux déserts lorsque les rochers nous renvoient les mots exactement dans leur ordre, tandis que nous cherchons des compagnons égarés dans les ténèbres de la montagne et que nous appelons à grands cris leur bande éparse.

J'ai même entendu jusqu'à six ou sept échos redire une seule parole; car la voix, réfléchie de colline en colline, était fidèlement renvoyée. Cela se passe aux régions qui sont, au dire du voisinage, la demeure des satyres aux pieds de chèvre, des nymphes et des faunes; par leurs courses et leurs bruyants ébats nocturnes, ces dieux troublent le silence profond de ces déserts; ils font entendre le son des harpes et les douces plaintes que répand la flûte sous les doigts des joueurs. Les villageois entendent de loin venir le dieu Pan, lorsque secouant sa tête bestiale couronnée de branches de pin, il promène ses lèvres recourbées sur les roseaux de sa flûte et ne cesse de faire briller toutes les grâces de la muse champêtre. Bien d'autres prodiges de cette sorte alimentent les propos des campagnards, car ils ne veulent pas que leurs solitudes aient l'air désertées par les dieux. De là ces miracles dont ils nous rebattent les oreilles; mais peut-être aussi un autre motif les guide-t-il, car le genre humain est avide de fables captivantes.

Il n'y a pas à s'étonner que des obstacles qui dissimulent les objets à nos yeux laissent cependant les sons passer et frapper nos oreilles. Il est possible d'avoir une conversation à travers des portes fermées, nous le constatons tous les jours. C'est que la voix peut sans risque traverser les canaux les plus sinueux des corps, au lieu que les simulacres s'y refusent et se déchirent, si les conduits ne sont pas rectilignes, comme le sont ceux du verre, à travers lequel vole toute image.

La voix d'ailleurs se disperse en tous sens, car les sons s'engendrent les uns les autres; un son se multiplie amplement, comme l'étincelle éclate en gerbe de feu. Aussi les sons s'emparent-ils des espaces les plus cachés et tous les lieux d'alentour les renvoient en échos. Les simulacres au contraire se meuvent en droite ligne, tels qu'ils sont émis : c'est pourquoi l'on ne peut voir à l'intérieur, par-dessus une clôture, tandis qu'on entend audelà. Et cependant la voix s'émousse en traversant les murs des maisons, arrive confuse aux oreilles et laisse alors percevoir des sons plutôt qu'entendre des mots.

La manière dont nous goûtons les saveurs, par la langue et le palais, n'est pas d'une explication moins aisée. Tout d'abord, les saveurs se font sentir à la bouche, quand nous mastiquons les aliments pour en exprimer le suc, comme une éponge se vide d'eau en la pressant de la main. Les sucs ainsi exprimés pénètrent dans les canaux du palais et dans les conduits compliqués du tissu poreux de la langue. Si leurs éléments sont lisses, si leur contact est agréable, ils chatouillent agréablement l'organe et répandent le plaisir dans l'humide séjour de la bouche. Au contraire, ils piquent et déchirent d'autant plus âprement que leurs atomes ont plus d'aspérités.

Le plaisir du goût s'arrête au palais : une fois que les sucs sont tombés dans le gosier, ils ne procurent plus nul plaisir en se distribuant dans l'organisme; peu importe dès lors la qualité des mets, pourvu que tu puisses par la digestion les répandre dans le corps et entretenir l'humidité de l'estomac.

Maintenant, pourquoi n'est-ce pas les mêmes aliments qui conviennent aux uns et aux autres ? Pourquoi ce qui est déplaisant et amer aux uns fait-il les délices des autres ? Il y a tant de variétés et de différences dans les régimes que celui qui convient aux uns est pour les autres violent poison. Le serpent, par exemple, au contact de la salive humaine, meurt en se déchirant de ses propres morsures. L'ellébore, poison pour l'homme, engraisse chèvres et cailles.

Pour connaître les raisons de ces faits, rappelle-toi tout d'abord ce que nous avons dit plus haut de la diversité des atomes qui se combinent dans tous les corps. Tous les êtres qui se nourrissent diffèrent d'aspect, ont des formes et contours qui varient avec les espèces, parce que des atomes de formes diverses les constituent. Et puisque les atomes diffèrent, une différence s'ensuit nécessairement dans les interstices et conduits appelés pores, qui existent dans tout le corps, mais notamment dans la bouche et le palais. Ils doivent être plus petits dans l'un et plus grands dans l'autre, triangulaires ici et carrés, souvent ronds, quelquefois polygones. Car la forme et le mouvement des atomes l'exige, pores et conduits doivent présenter des formes qui varient avec la nature du tissu qui les contient. Dès lors, si tel aliment est doux aux uns et amer aux autres, c'est que des atomes extrêmement lisses s'insinuent en douceur dans le palais des premiers, tandis que des éléments rugueux et piquants forcent le gosier des autres.

Mes principes d'explication te livrent maintenant tout le reste. Ainsi, quand une fièvre se déclare, provoquée par un excès de bile ou par toute autre cause, l'harmonie de tout le corps se trouble profondément et l'ordre des atomes se trouve bouleversé; il en résulte que les substances accordées jusque-là à nos sens perdent alors leur convenance, tandis que s'adaptent parfaitement celles qui d'ordinaire provoquaient un désagrément. Les deux effets se trouvent réunis dans la saveur du miel, comme je te l'ai déjà fait voir bien des fois.

Aux odeurs maintenant; voici comment elles viennent frapper nos narines. Tout d'abord il faut qu'il y ait une foule de corps d'où s'échappe en tourbillon le flot des odeurs variées. Évidemment, cela s'écoule, s'émet et se répand de tous côtés, mais telle odeur convient mieux à telle créature, et telle à telle autre, suivant leur différence d'espèce : ainsi les abeilles sont attirées à de grandes distances par l'odeur de miel, les vautours par celle de cadavre; là où une bête fauve a laissé sa trace, les chiens lâchés vous y conduisent; et l'odeur humaine excite de loin le flair de l'oiseau qui sauva la citadelle des fils de Romulus, l'oie au blanc plumage. C'est ainsi que les effluves propres à chaque être guident l'animal à sa pâture; c'est ainsi encore que le noir poison est évité et que les espèces assurent leur conservation.

De ces odeurs qui frappent nos narines, certaines portent plus loin que d'autres. Mais cependant aucune ne va aussi loin que le son, la voix, où surtout, ai-je besoin de le dire, les images qui frappent les yeux et provoquent la vue. L'odeur chemine lentement en vagabonde, elle meurt en route peu à peu, se dissipant dans l'air qui l'absorbe; car c'est avec peine qu'elle sort des profondeurs du corps où elle s'est formée. Toute émanation de cette sorte vient en effet de l'intérieur des substances, comme on en a la certitude en voyant les corps brisés, broyés ou consumés dans le feu, exhaler un parfum plus fort. Ensuite les odeurs, il est aisé de s'en rendre compte, sont formées de principes plus grands que ceux de la voix, puisque des murailles les arrêtent, qui laissent passer sans peine la voix et le son. Voilà pourquoi d'ailleurs, quand un objet odorant est à rechercher, on ne découvre pas aisément sa place. En effet, les émanations se refroidissent en s'attardant dans les airs, elles ne courent pas toutes chaudes faire leur rapport à l'odorat. Aussi arrive-t-il souvent que les chiens se trompent et doivent chercher la piste.

Ce ne sont pas seulement les odeurs et les saveurs qui manifestent de tels effets, les images aussi et les couleurs impressionnent différemment, et certaines sont douloureuses à certains yeux. Ainsi le coq, qui applaudit de ses ailes au départ de la nuit et qui appelle l'aurore de sa voix éclatante, est le cauchemar des lions dont la rage abdique et qui ne songent plus qu'à s'enfuir. Sans doute le coq a-t-il en lui des éléments qui, lorsqu'ils frappent les yeux du lion, en blessent les pupilles et lui causent une si vive douleur qu'en dépit de son courage il ne peut résister. Or les mêmes éléments sont incapables de blesser les yeux de l'homme, soit qu'ils n'y pénètrent pas, soit qu'y ayant pénétré ils trouvent une libre issue qui ne leur laisse pas le temps de provoquer la moindre plaie.

Maintenant quels sont les objets qui émeuvent l'âme et d'où l'esprit tire-t-il ses idées ? Apprends-le en peu de mots. Tout d'abord il existe une foule errante de simulacres de toute espèce qui voltigent dans l'air, subtils, et qui, se rencontrant, forment sans peine les uns avec les autres des tissus comparables à des toiles d'araignée ou à des feuilles d'or. Ils sont en effet plus déliés encore que les atomes qui frappent nos yeux et provoquent la vue, puisqu'ils pénètrent par tous nos pores et vont jusqu'aux profondeurs de l'âme subtile éveiller la sensibilité.

C'est pourquoi nous croyons voir des Centaures, des monstres marins, des Cerbères et les fantômes des morts dont la terre tient les os embrassés ; c'est que l'espace contient des simulacres de toute sorte, les uns formés d'eux-mêmes au milieu des airs, les autres émanés de corps variés, d'autres enfin produits par ces deux espèces. Un Centaure, ce n'est certes pas l'image d'un être vivant, puisqu'un tel animal n'est jamais né de la nature ; mais un hasard a rapproché l'image d'un cheval de celle d'un homme, aussitôt les deux images ont fait corps avec facilité, comme je l'ai dit plus haut, grâce à leur nature subtile et à la ténuité de leur tissu. Et toute image de ce genre a semblable origine. Mobile et légère à l'extrême, je l'ai déjà montré, une telle image, dès le premier choc, émeut facilement notre âme, car l'esprit est lui-même une merveille de ténuité mobile.

Ce qui me confirme dans mon explication, c'est que, la vision de l'esprit coïncidant avec celle des yeux, il faut bien que tout se passe de la même façon pour les deux visions. Puisque donc j'ai exposé que je vois un lion par le moyen des simulacres qui viennent frapper mes yeux, il s'ensuit que la même cause émeut l'esprit et que s'il voit cet animal ou quelque autre, c'est, comme les yeux, grâce aux simulacres ; mais la vision de l'esprit est toutefois plus aiguë. De même, si le sommeil qui détend notre corps laisse notre esprit éveillé, c'est que les simulacres en action pendant la veille le poursuivent encore au point que nous croyons réellement voir les êtres que la vie a quittés, et celui-là que la mort et la terre tiennent en leur pouvoir. La nature veut ces apparitions, parce que tous les sens, alors plongés dans le sommeil, se trouvent alanguis et incapables d'assurer la victoire de la vérité sur l'erreur ; sans compter que la mémoire assoupie et inerte ne peut donner son démenti en rappelant à l'esprit que la mort s'est emparée depuis longtemps de celui qu'il imagine vivant.

Au surplus, il n'est pas étonnant que les simulacres se meuvent, agitent en cadence leurs bras et les autres membres : ce sont en effet là des gestes que le sommeil prête aux apparitions. Car à peine une image s'est-elle évanouie qu'une autre est déjà née dans une autre attitude, mais semble n'être que la première avec un geste modifié. Cette substitution, tu le penses bien, se fait avec rapidité.

Combien d'autres questions nous aurions à examiner si nous voulions aller au fond du sujet! Mais ce qu'on demande surtout c'est de savoir pourquoi, dès qu'un objet suscite notre caprice, l'esprit aussitôt en réalise l'idée. Est-ce que les simulacres épient notre volonté ? l'image accourt-elle à notre désir ? Si la mer, la terre, enfin le ciel nous occupent le cœur, ou s'il s'agit d'assemblées, de cortèges, de festins, de combats, est-ce au signal d'un mot que la nature en crée les effigies pour nous les présenter ? Il est merveilleux surtout qu'un même lieu puisse rassembler des hommes, tandis que les objets les plus différents occupent l'esprit d'un chacun.

Mais quoi! lorsqu'en songe nous voyons les simulacres s'avancer en cadence et faire des gestes souples, d'une souplesse qui donne à leurs bras tant d'inflexions, et puis dessiner à nos yeux des pas harmonieux, est-ce donc que les simulacres connaissent l'art de la danse et qu'images errantes ils ont pris des leçons pour nous offrir ces jeux nocturnes ? Ou bien n'est-il pas vrai plutôt que dans notre perception apparemment unique, qui prend le temps d'une émission de voix, de nombreux temps se succèdent secrètement, que la raison découvre ? Ainsi s'expliquerait qu'à tout moment, en tout lieu, une foule de simulacres variés nous attendent. Tant ils ont de mobilité, tant leur nombre est grand! Et comme ils sont ténus, l'esprit doit tendre son attention pour les voir clairement; aussi tous passent et se perdent, sauf précisément ceux que l'esprit a voulu se réserver. C'est donc lui-même qui les distingue, dans le désir et l'espérance que les choses se passeront de manière à lui faire voir l'objet qu'il poursuit : ce qui lui réussit.

Ne remarques-tu pas que nos yeux, lorsqu'ils se portent sur des objets minuscules, se fixent avec effort et attention, sans quoi ils ne pourraient assez les saisir ? Et même les corps les plus manifestes, si l'esprit ne s'y applique, restent pour lui comme dans un recul fort lointain. Faut-il donc s'étonner que l'esprit laisse échapper tous les simulacres auxquels son attention ne s'est pas donnée tout entière ?

Il nous arrive d'avoir sur de faibles indices les visions les plus vastes et c'est nous-mêmes qui nous induisons en erreur. Il arrive aussi que des images différentes se succèdent ; par exemple une femme apparaît, nous la prenons dans nos bras et ne voyons plus qu'un homme ; ou bien c'est une métamorphose continue de visages jeunes et vieux : mais le sommeil et ses oublis nous dispensent d'étonnement.

Il existe en ces matières un grave vice de pensée, une erreur qu'il faut absolument éviter. Le pouvoir des yeux ne nous a pas été donné, comme nous pourrions croire, pour nous permettre de voir au loin, de même ce n'est pas pour la marche à grands pas que jambes et cuisses s'appuient à leur extrémité sur la base des pieds et savent fléchir leurs articulations ; les bras n'ont pas été attachés à de solides épaules, les mains ne sont pas de dociles servantes à nos côtés, pour que nous en fassions usage dans les besoins de la vie.

Toute explication de ce genre est à contresens et prend le contre-pied de la vérité. Rien en effet ne s'est formé dans le corps pour notre usage ; mais ce qui s'est formé, on en use. Aucune faculté de voir n'exista avant la constitution des yeux, aucune parole avant la création de la langue : c'est au contraire la langue qui a précédé de beaucoup la parole, et les oreilles ont existé bien avant l'audition des sons ; enfin tous nos organes existaient, à mon sens, avant qu'on en fît usage, ce n'est donc pas en vue de nos besoins qu'ils ont été créés.

Mais, par contre, on en est venu aux mains, on s'est déchiré mutuellement les chairs, on s'est souillé de sang avant que ne volât dans l'air le fer brillant des flèches. On savait se garder des blessures avant d'avoir appris à se mettre du bras gauche à l'abri d'un bouclier. Et reposer son corps las est une habitude bien antérieure aux lits moelleux, apaiser sa soif un plaisir beaucoup plus ancien que les coupes. Toutes ces découvertes, conséquence du besoin et fruit de l'expérience, peuvent avoir l'air destinées à nous servir. Mais il faut faire une distinction pour tout ce qui fut de création spontanée et ne nous a donné qu'ensuite l'idée de l'utiliser : dans cet ordre s'inscrivent en première ligne les sens et les membres. Il s'en faut donc beaucoup, je le répète, qu'ils aient été créés pour notre usage.

Qu'on ne s'étonne pas non plus que tout être vivant soit porté par la nature à chercher de quoi se nourrir. J'ai enseigné que de tous les corps émanent et se détachent maints éléments divers; mais c'est les animaux qui en fournissent le plus, agités d'un mouvement incessant; beaucoup de ces éléments venus des profondeurs, la sueur les exprime; beaucoup s'exhalent par la bouche, quand les animaux halètent de fatigue : en ce cas, leur substance se raréfie, tout l'être se ruine et il y a douleur. C'est pourquoi l'animal prend nourriture; il s'agit de remonter la machine, de réparer les forces et, par une distribution générale à travers les veines, de satisfaire la passion de manger.

Les liquides de la même manière pénètrent dans toutes les parties du corps qui les réclament; des éléments de chaleur s'amassent dans l'estomac et y allument un incendie : c'est eux que le liquide dissipe et éteint comme du feu; il apaise les brûlures de la sécheresse qui nous consumait. Voilà de quelle manière s'étanche la soif ardente, comment l'avidité de la faim s'assouvit.

Maintenant d'où recevons-nous la faculté de faire des pas à notre volonté et d'effectuer tous les mouvements qu'il nous plaît ? Quelle force peut déplacer la masse énorme de notre corps ? C'est ce que je vais expliquer, écoute. Souviens-toi de ce que j'ai dit antérieurement : les simulacres de mouvement viennent nous frapper l'esprit. De là naît une volonté; car on ne commence à agir que lorsque l'esprit a fixé un but et ce but n'apparaît que lorsque l'image de l'acte se présente. Quand donc l'esprit éprouve l'intention d'un mouvement de marche, il heurte aussitôt la substance de l'âme éparse dans tout le corps à travers membres et organes : rien de plus aisé, grâce à l'union intime des deux substances. L'âme à son tour heurte le corps et toute la masse ainsi gagnée par degrés se met en mouvement. Et puis le corps relâche ses tissus et l'air, substance éternellement mobile, arrive aux pores, y pénètre à grands flots pour se communiquer de toutes parts jusqu'aux plus infimes parties de l'organisme. Ainsi l'âme et l'air mettent le corps en mouvement, ce sont les voiles et le vent du navire. Il n'y a pas à s'étonner que de si menus corpuscules puissent faire avancer et manier une masse aussi pesante que notre corps. Car le vent, fluide subtil, pousse le grand corps d'un grand navire, et c'est une seule main qui dirige, si rapide que soit l'élan; c'est un seul gouvernail qui manœuvre; et n'est-ce pas à l'aide de poulies et de grues qu'une machine soulève presque sans effort les plus lourds fardeaux ?

Maintenant comment le sommeil verse-t-il le repos dans le corps en allégeant le cœur des soucis qui troublent l'esprit ? C'est ce qu'en vers plus harmonieux qu'abondants je vais t'apprendre : ainsi le bref chant du cygne est plus beau que les cris lancés par les grues à travers les nuages éthérés que pousse le vent du sud. Et toi, prête-moi une oreille attentive et la sagesse de ton esprit; ne va pas nier la vraisemblance de mes thèses, ne te refuse pas à la vérité, ne chasse pas de ton cœur ce que tu serais alors seul coupable de n'avoir pas su voir.

Tout d'abord le sommeil vient quand l'âme se relâche en nous et qu'une partie de ses éléments a été chassée au dehors, tandis que l'autre épuisée se ramasse au plus profond de l'organisme [30]. Alors le corps s'amollit, éprouve la sensation de s'écrouler. Car il est certain que le sentiment est l'œuvre de l'âme; si le sommeil le paralyse, c'est que l'âme a souffert trouble et exil; mais non pas tout entière, car le corps serait alors gisant et pour toujours la proie de la mort glacée. En effet, s'il ne restait aucune partie de l'âme cachée dans l'organisme, pareille à un feu qui couve sous la cendre, à quoi le sentiment pourrait-il se rallumer soudain, comme la flamme surgit du feu invisible ?

Mais comment se produit cet état nouveau ? D'où proviennent le bouleversement de l'âme et la langueur du corps ? Je vais t'expliquer; toi, ne laisse pas mes paroles se perdre dans le vent.

En premier lieu, la surface du corps, toujours en contact immédiat avec l'air, se trouve fatalement frappée de ses coups. C'est pourquoi la plupart des êtres ont une enveloppe de cuir, de coquilles, de membranes calleuses ou d'écorce. Quant à l'intérieur des corps, l'air le frappe de même, lorsque, notre respiration l'aspire et l'expire tour à tour. Ainsi le corps se trouve frappé de deux côtés, et les chocs se communiquent à travers les petits vaisseaux jusqu'aux éléments premiers et aux premiers atomes : et c'est ainsi comme une lente ruine en nous. En effet, le désordre se met dans les principes du corps et de l'esprit; une partie de l'âme est expulsée, une autre se cache à l'intérieur, une troisième éparse dans les membres ne peut maintenir sa cohésion, ni recevoir ou transmettre les mouvements de la vie, car la nature empêche les contacts et intercepte les voies. En conséquence, le sentiment se retire dans les profondeurs de l'être; et comme alors il ne reste plus rien pour soutenir l'organisme, le corps se débilite, tous les membres sont frappés de langueur, bras et paupières tombent et, même si l'on est couché, les jambes se dérobent sans forces.

Les repas sont suivis de sommeil, parce que les aliments produisent les mêmes effets que l'air, quand ils se répandent dans les veines; et l'assoupissement est beaucoup plus profond quand il s'empare de l'estomac rassassié ou du corps très las, parce qu'alors le trouble a gagné plus d'atomes meurtris par le travail. En même temps une partie de l'âme est plus profondément renfoncée, les éléments sont expulsés en plus grand nombre, et ceux de l'intérieur plus divisés et en état plus grave de dispersion.

Et quels que soient nos goûts et nos occupations habituelles, ceux qui nous ont retenus le plus longtemps ou ceux qui ont exigé de notre esprit le plus d'efforts, voilà qu'ils nous présentent leurs objets dans les songes; avocats, nous rêvons de plaidoiries et de procès; généraux, nous livrons des batailles et affrontons le combat; marins, nous soutenons la lutte accoutumée contre les vents; et moi-même je poursuis toujours mon ouvrage, je cherche toujours les secrets de la nature et ce que j'ai découvert, je l'expose dans la langue de mes pères. C'est ainsi que tous les goûts et tous les sujets d'étude remplissent de leurs vaines images les rêves de l'homme.

Ceux qui pendant de longs jours ont assisté assidûment aux jeux du cirque, lors même qu'ils ont cessé d'en jouir par les sens, conservent le plus souvent dans l'esprit des voies ouvertes par où peuvent encore s'introduire les simulacres de ce qu'ils ont vu; et les mêmes images plusieurs jours durant hantent leurs yeux; ils voient, même éveillés, les danseurs et leurs gracieux mouvements, ils entendent les purs accents de la cithare et le doux langage des instruments à corde, ils ont sous les yeux le même public et les diverses merveilles de la décoration scénique. Tant ont de pouvoir le penchant, le goût et l'habitude, non seulement sur les hommes mais sur les animaux eux-mêmes.

Tu verras en effet des chevaux ardents, même étendus et endormis, suer pendant un rêve, souffler sans arrêt, tendre tous leurs muscles, comme s'il s'agissait de vaincre et comme s'ils s'élançaient déjà par les barrières ouvertes.

Souvent les chiens de chasse, dans le repos du sommeil, jettent tout à coup leurs pattes en avant, poussent de brusques jappements et respirent avec précipitation, comme s'ils avaient découvert une piste et suivaient déjà la trace de la proie. Souvent même ils s'éveillent et continuent de poursuivre les vains simulacres des cerfs qu'ils voient en fuite, jusqu'à ce que leur illusion se dissipe et les rende à eux-mêmes.

Et l'espèce caressante des petits chiens de maison en fait autant; ils secouent en un instant leur sommeil léger, se dressent hâtivement sur leurs pattes, comme à l'apparition de visages inconnus. Mais plus l'espèce est sauvage, plus les mouvements du sommeil doivent avoir d'emportement.

Les oiseaux de toute espèce au contraire s'enfuient et agitent de leur bruit d'ailes le silence nocturne des bois sacrés, si dans la douceur du sommeil ils ont cru voir des éperviers les menacer de combat et précipiter le vol à leur poursuite.

Et les hommes aussi, de quels mouvements ne sont-ils pas agités dans le sommeil! Que de vastes projets formés et exécutés dans les rêves! Ils s'emparent des rois ou deviennent leurs prisonniers, ils se jettent dans la mêlée, crient comme des gens qu'on égorge. Beaucoup se débattent, gémissent de douleur et comme sous les dents cruelles d'une panthère ou d'un lion, ils emplissent l'air de leurs cris. D'autres s'entretiennent en songe d'importantes affaires et dénoncent souvent leurs propres crimes. Il en est qui marchent à la mort, certains croient, épouvantés, tomber du haut des montagnes et, de tout leur poids, s'écraser à terre; tirés du sommeil, ils reprennent avec peine leurs esprits, tant l'émotion les a bouleversés. Tel s'imagine pris de soif, arrêté au bord d'une rivière ou d'une source délicieuse : il se sent capable d'engloutir un fleuve.

Les enfants endormis, se croyant devant un bassin ou un vase, relèvent leur vêtement, répandent le liquide filtré par les reins et inondent les riches tapis de Babylone.

L'adolescent à qui le fluide fécond de la jeunesse se fait sentir, dès que la semence créatrice a mûri dans son organisme, voit s'avancer vers lui les simulacres qui lui annoncent un beau visage et de brillantes couleurs; cette apparition sollicite les parties gonflées de liquide générateur; et soudain, dans l'illusion de consommer l'acte, il répand un flot qui souille sa tunique.

Elle est sollicitée, cette semence, dès que l'adolescence met en nous sa première vigueur. Et comme il existe pour chaque être une cause particulière d'émotion, l'influence de l'être humain est seule à émouvoir dans l'être humain la semence humaine. Or celle-ci, sortie de ses retraites, traverse le corps et, se rassemblant dans les régions nerveuses spéciales, éveille aussitôt l'organe de la reproduction, lequel s'irrite, se gonfle; et alors la volonté surgit de répandre la semence là où tend la violence du désir; ainsi la passion vise l'objet qui a fait la blessure d'amour. Car c'est une loi que le blessé tombe du côté de sa plaie ; le sang jaillit dans la direction de qui a frappé et l'ennemi, s'il s'offre, est couvert de sang.

Ainsi en est-il de celui que les traits de Vénus ont blessé, soit que les lui lance un jeune garçon aux membres féminins, ou bien une femme dont tout le corps darde l'amour; il court à qui l'a frappé, impatient de posséder et de laisser dans le corps convoité la liqueur jaillie du sien, car son muet désir lui présage la volupté. Telle est pour nous Vénus, telle est la réalité qui se nomme amour; voilà la source de la douce rosée qui s'insinue goutte à goutte dans nos cœurs et qui plus tard nous glace de souci. Car si l'être aimé est absent, toujours son image est près de nous et la douceur de son nom assiège nos oreilles.

Ces simulacres d'amour sont à fuir, il faut repousser tout ce qui peut nourrir la passion; il faut distraire notre esprit, il vaut mieux jeter la sève amassée en nous dans les premiers corps venus que de la réserver à un seul par une passion exclusive qui nous promet soucis et tourments. L'amour est un abcès qui, à le nourrir, s'avive et s'envenime; c'est une frénésie que chaque jour accroît, et le mal s'aggrave si de nouvelles blessures ne font pas diversion à la première, si tu ne te confies pas encore sanglant aux soins de la Vénus vagabonde et n'imprimes pas un nouveau cours aux transports de ta passion.

En se gardant de l'amour, on ne se prive pas des plaisirs de Vénus; au contraire, on les prend sans risquer d'en payer la rançon. La volupté véritable et pure est le privilège des âmes raisonnables plutôt que des malheureux égarés. Car dans l'ivresse même de la possession l'ardeur amoureuse flotte incertaine et se trompe; les amants ne savent de quoi jouir d'abord, par les yeux, par les mains. Ils étreignent à lui faire mal l'objet de leur désir, ils le blessent, ils impriment leurs dents sur des lèvres qu'ils meurtrissent de baisers. C'est que leur plaisir n'est pas pur; des aiguillons secrets les animent contre l'être, quel qu'il soit, qui a mis en eux cette frénésie. Mais Vénus tempère la souffrance au sein de la passion et la douce volupté apaise la fureur de mordre.

Car l'amour espère que l'ardeur peut être éteinte par le corps qui l'a allumée : il n'en est rien, la nature s'y oppose. Voilà en effet le seul cas où plus nous possédons, plus notre cœur brûle de désirs furieux. Nourriture, boisson, s'incorporent à notre organisme, ils y prennent leur place déterminée, ils satisfont aisément le désir de boire et de manger. Mais un beau visage, un teint éclatant, ne livrent aux joies du corps que de vains simulacres, et le vent emporte bientôt l'espoir des malheureux. Ainsi pendant le sommeil un homme que la soif dévore mais qui n'a pas d'eau pour en éteindre l'ardeur s'élance vers des simulacres de sources, peine en vain et demeure altéré au milieu même du torrent où il s'imagine boire. En amour aussi, Vénus fait de ses amants les jouets des simulacres : ils ne peuvent rassasier leurs yeux du corps qu'ils contemplent, leurs mains n'ont pas le pouvoir de détacher une parcelle des membres délicats et elles errent incertaines sur tout le corps.

Enfin voilà deux jeunes corps enlacés qui jouissent de leur jeunesse en fleur; déjà ils pressentent les joies de la volupté et Vénus va ensemencer le champ de la jeune femme. Les amants se pressent avidement, mêlent leur salive et confondent leur souffle en entrechoquant leurs dents. Vains efforts, puisque aucun des deux ne peut rien détacher du corps de l'autre, non plus qu'y pénétrer et s'y fondre tout entier. Car tel est quelquefois le but de leur lutte, on le voit à la passion qu'ils mettent à serrer étroitement les liens de Vénus, quand tout l'être se pâme de volupté. Enfin quand le désir concentré dans les veines a fait irruption, un court moment d'apaisement succède à l'ardeur violente; puis c'est un nouvel accès de rage, une nouvelle frénésie. Car savent-ils ce qu'ils désirent, ces insensés ? Ils ne peuvent trouver le remède capable de vaincre leur mal, ils souffrent d'une blessure secrète et inconnaissable.

Ce n'est pas tout : les forces s'épuisent et succombent à la peine. Ce n'est pas tout encore : la vie de l'amant est vouée à l'esclavage. Il voit son bien se fondre, s'en aller en tapis de Babylone, il néglige ses devoirs; sa réputation s'altère et chancelle. Tout cela pour des parfums, pour de belles chaussures de Sicyone qui rient aux pieds d'une maîtresse, pour d'énormes émeraudes dont la transparence s'enchâsse dans l'or; pour de la pourpre sans cesse pressée et qui boit sans répit la sueur de Vénus. L'héritage des pères se convertit en bandeaux, en diadèmes, en robes, en tissus d'Alindes et de Céos. Tout s'en va en étoffes rares, en festins, en jeux; ce ne sont que coupes pleines, parfums, couronnes, guirlandes... mais à quoi bon tout cela ? De la source même du plaisir on ne sait quelle amertume jaillit qui verse l'angoisse à l'amant jusque dans les fleurs. Tantôt c'est la conscience qui inspire le remords d'une oisiveté traînée dans la débauche; tantôt c'est un mot équivoque laissé par la maîtresse à la minute du départ et qui s'enfonce dans un cœur comme un feu qui le consumera; tantôt encore c'est le jeu des regards qui fait soupçonner un rival ou bien c'est sur le visage aimé une trace de sourire.

Encore est-ce là le triste spectacle d'un amour heureux; mais les maux d'un amour malheureux et sans espoir apparaîtraient aux yeux fermés; ils sont innombrables. La sagesse est donc de se tenir sur ses gardes, comme je l'ai enseigné, pour échapper au piège. Car éviter les filets de l'amour est plus aisé que d'en sortir une fois pris : les nœuds puissants de Vénus tiennent bien leur proie.

Et cependant, même prisonnier de ce piège et embarrassé dans ses liens, on peut encore échapper au malheur si l'on ne se perd soi-même en s'aveuglant sur les défauts moraux et physiques de celle que l'on désire et que l'on veut. La passion trop souvent ferme les yeux aux hommes et ils attribuent à la femme aimée des mérites qu'elle n'a pas. En est-il assez de contrefaites et de laides, dont on les voit faire leurs délices et dont ils ont le culte! Les jeunes gens se raillent les uns les autres et se donnent mutuellement le conseil d'apaiser Vénus pour qu'elle les délivre d'une passion honteuse et affligeante : ils ne se voient pas eux-mêmes, les malheureux, victimes souvent d'une plus grande misère. La noire a la couleur du miel, la malpropre qui sent mauvais est une beauté négligée. Des yeux verts font une Pallas; la sèche et nerveuse devient une gazelle; la naine, la pygmée, l'une des grâces, un pur grain de sel; la géante est une merveille, un être plein de majesté; la bègue, incapable de parler, gazouille; la muette est pudique. Mais la furie échauffée, insupportable, bavarde, a un tempérament de feu; c'est une frêle mignonne que la malheureuse qui dépérit; elle est délicate, quand elle se meurt de tousser; quant à la grosse matrone enflée, toute en mamelles, c'est Cérès en personne qui vient d'enfanter Bacchus. Un nez camus fait une tête de Silène, de Satyre; de grosses lèvres appellent le baiser; mais en cette matière, il serait trop long de tout dire [31].

J'accorde cependant que l'objet aimé ait toutes les beautés du visage et que tout son corps rayonne du charme de Vénus : mais il y a d'autres maîtresses possibles, nous avons vécu naguère sans celle-là; elle est sujette, nous le savons, aux mêmes incommodités que les plus laides; la malheureuse s'empoisonne elle-même d'odeurs repoussantes qui mettent en fuite ses servantes et les font rire en cachette.

Et cependant souvent l'amant en larmes à qui elle a fermé sa porte couvre son seuil de fleurs et de guirlandes, parfume de marjolaine le portail altier et dans sa douleur en couvre les panneaux de baisers. S'il était reçu, sans doute quelque relent l'indisposerait, il chercherait alors un prétexte pour s'en aller, il oublierait des plaintes longuement méditées, il s'accuserait de sottise en comprenant qu'il a fait de sa belle quelque chose de plus qu'une mortelle. C'est ce que n'ignorent pas nos Vénus, aussi mettent-elles grand soin à cacher ces *arrière-scènes* de leur vie aux amants qu'elles veulent retenir dans leurs chaînes. A quoi bon, si l'esprit sait dévoiler de tels mystères et percer tous ces ridicules ? Et d'ailleurs si la maîtresse a belle âme et aimable commerce, on peut en retour passer outre et faire une concession à l'humaine imperfection.

Ce n'est pas toujours un amour menteur qui fait soupirer la femme, quand elle tient son amant embrassé corps à corps et que ses lèvres humides goûtent et distillent la volupté. Souvent elle est sincère, et recherchant des plaisirs partagés, elle provoque son amant à la course d'amour. Pareillement chez les oiseaux, dans les troupeaux, chez les bêtes sauvages et dans le bétail, la femelle ne céderait point au mâle si l'ardeur de la nature ne mettait en elle cette plénitude qui la rend joyeusement docile aux assauts de l'amour.

Et ne connais-tu pas des couples qu'une chaîne de volupté fait vivre dans la torture ? Aux carrefours souvent deux chiens impatients de se séparer tirent de toutes leurs forces en sens contraire sans pouvoir briser les liens trop solides de Vénus. Jamais ils n'affronteraient ce supplice sans l'appât de joies communes capables de les attirer au piège et de les y enchaîner. Ah, oui! je le redis, il existe une volupté partagée.

Lorsque dans la commune volupté la femme avec une violence soudaine a su arracher à l'homme sa semence, elle conçoit des enfants qui lui ressembleront; ils ressembleront dans le cas contraire à leur père. Il en est que tu vois tenir du père et de la mère dont ils ont fondu les traits; ceux-là sont formés à la fois de la substance du père et du sang de la mère; les germes excités par les aiguillons de Vénus se sont rencontrés et mêlés avec une égale ardeur; il n'y a eu ni vainqueur ni vaincu. Parfois aussi les enfants ressemblent à un aïeul, ou même font revivre les traits d'un bisaïeul, parce que le corps de chacun des deux époux renfermait un grand nombre de principes divers remontant de père en père à la souche primitive. C'est ainsi que Vénus varie la production des visages en imitant les traits des ancêtres, avec leur voix et leurs cheveux; car voix et cheveux proviennent de semences déterminées comme les traits du visage et les membres du corps. Au reste, une fille peut naître de la semence paternelle, un fils de la substance de sa mère. Toujours en effet l'enfant naît d'un double germe; mais celui des deux époux auquel il ressemble le plus est celui qui a fourni le plus grand nombre de principes. C'est ce qu'il est aisé d'observer pour les garçons comme pour les filles.

Ce ne sont pas les puissances divines qui refusent à un être humain la semence créatrice, le privent de ce qu'il y a de douceur dans le nom de père et le condamnent à passer tout son âge en amours stériles. C'est pourtant ce qu'on croit trop souvent, et c'est pourquoi des malheureux arrosent de sang les autels et les couronnent de la fumée de leurs sacrifices pour obtenir des dieux l'abondance virile qui féconde les épouses. Mais ils fatiguent en vain les dieux et les oracles, car s'ils sont stériles, c'est que leur semence est trop épaisse ou bien trop fluide et trop claire. Trop fluide, elle ne se fixe pas à ses places assignées et s'écoule aussitôt sans avoir fécondé; trop épaisse, son jet alourdi ne la porte pas assez vite ni assez loin, partout où il faudrait pénétrer, ou bien si elle y arrive, c'est pour se mêler dans de mauvaises conditions à la semence de la femme.

Les accords formés par Vénus offrent une grande diversité; tel homme est fait pour féconder telle femme; de tel autre, c'est telle autre femme qui recevra le mieux le fardeau de la grossesse. Maintes femmes restées stériles au cours de plusieurs hyménées ont fini par trouver un homme capable de les rendre mères et de les enrichir d'une douce famille. Et des hommes dont plusieurs épouses quoique fécondes avaient laissé la maison sans enfant ont rencontré une compagne assez bien accordée à eux pour assurer à leur vieillesse des soutiens. Tant il importe, pour les époux, que leurs semences s'accordent en un mélange fécond, l'épaisse avec la fluide, la fluide avec l'épaisse.

Et ce qui importe encore, c'est le choix du régime. Car il y a des aliments qui épaississent la semence et il y en a d'autres qui l'appauvrissent et la raréfient. Il ne faut pas non plus négliger le mode même du doux acte de la volupté : c'est dans la position des femelles quadrupèdes, semble-t-il bien, que la femme conçoit le plus sûrement, car les germes atteignent mieux leur but dans cette position qui abaisse la poitrine et élève les reins.

Nul besoin n'est aux épouses de mouvements lascifs. Au contraire la femme se gêne elle-même et contrarie la conception, si par des déhanchements voluptueux elle stimule le désir de l'homme et sollicite un épanchement immodéré et épuisant. C'est rejeter le soc du sillon, c'est détourner le jet de la semence. Bonne pour les courtisanes, cette agitation! Elles évitent ainsi l'embarras des grossesses fréquentes tout en donnant à leurs amants un raffinement de plaisir. Mais nos épouses n'ont pas besoin de cet artifice.

Et parfois, sans influence divine, sans atteinte des flèches de Vénus, une femmelette sans beauté sait se faire aimer. Elle-même, par sa conduite, ses aimables manières, par le soin de sa personne, elle accoutume un homme à partager son existence; et puis l'habitude fait naître l'amour. Car de légers coups fréquemment répétés finissent par venir à bout de toutes choses : ne vois-tu pas que de pauvres gouttes d'eau, à force de tomber sur une roche, la percent à la longue ?

LIVRE CINQUIÈME

ARGUMENT

Après l'apothéose d'Épicure, le poète énonce le sujet de ce chant, qu'il consacre à expliquer la formation de notre monde par le concours fortuit des atomes. Mais, avant d'entrer en matière, il est obligé d'établir, contre certains philosophes, que le monde a eu un commencement, et qu'il aura une fin. Pour prouver cette vérité, il combat trois opinions contraires à sa doctrine : la première, que les corps célestes et la terre elle-même sont autant de divinités; la seconde, que notre monde, étant la demeure des dieux, doit être indestructible; la troisième, que ce même monde doit subsister éternellement, parce qu'il est l'ouvrage de la Divinité même. Notre monde a eu un commencement et aura une fin : d'abord, parce que la terre, l'eau, le feu et l'air, qu'on appelle communément du nom d'*éléments*, sont sujets à des altérations et des vicissitudes continuelles; secondement, parce que les corps mêmes qui nous paraissent les plus solides s'épuisent à la longue, et tombent en ruine; troisièmement, parce qu'il y a un grand nombre de causes, soit intérieures, soit extérieures, qui travaillent sans cesse à la destruction du monde; quatrièmement, parce que l'origine des arts et des sciences ne date pas de fort loin; cinquièmement enfin, parce que la discorde qui règne entre les éléments ennemis, tels que le feu et l'eau, ne peut finir que par la ruine totale du monde : les embrasements, les inondations, les déluges, les tremblements de terre, sont des espèces de maladies du globe qui nous avertissent de sa mortalité.

Ces préliminaires ainsi établis, le poète explique la formation du monde par le concours fortuit des atomes. Au commencement, les principes de tous les corps étaient confondus en une seule masse. Le chaos se débrouilla insensiblement : les molécules hétérogènes se dégagèrent les unes des autres; les molécules homogènes se rapprochèrent, se réunirent, s'élevèrent ou s'abaissèrent selon leurs différentes pesanteurs. La terre se plaça au centre de notre système, l'air au-dessus de la terre, et la matière éthérée, avec ses feux, déploya sa vaste enceinte autour du monde : la formation de la mer, des montagnes et des fleuves, suivit de près ce premier développement. Les astres commencèrent à se mouvoir, et Lucrèce donne plusieurs causes à leurs mouvements, selon la méthode d'Épicure, son maître, qui n'adopte et ne rejette aucun système: mais il se prononce plus hardiment sur la cause qui tient la terre suspendue au milieu des airs, et sur la grandeur réelle du soleil, de la lune et des étoiles, qu'il prétend être la même que leur grandeur apparente, quoique cette petitesse n'empêche point, selon lui, le soleil d'éclairer et d'échauffer le monde. Il reprend ensuite sa marche sceptique, et expose historiquement toutes les opinions des anciens philosophes sur les révolutions annuelle et journalière du soleil, sur l'accroissement et le décroissement successif et périodique des jours et des nuits, sur les différentes phases de la lune, et sur les éclipses de soleil et de lune.

Revenant à la terre, il suit ses diverses productions dès le premier instant de son origine : elle fit croître d'abord les plantes, les fleurs et les arbres; ensuite elle enfanta les animaux et les hommes eux-mêmes. Il y eut dans ces premiers temps des animaux monstrueux qui périrent, il y eut des races entières qui s'éteignirent aussi, parce qu'elles n'avaient pas les qualités nécessaires pour vivre indépendantes ni pour mériter notre protection. Mais jamais la terre n'a produit de Centaures, ni d'animaux pareils, composés de deux natures incompatibles : après avoir enfanté les premières générations de chaque espèce, et avoir pourvu les animaux d'organes propres à la propagation, la terre, épuisée, se reposa, et abandonna aux individus le soin de se reproduire eux-mêmes, et de suivre la première impulsion donnée.

Cependant les hommes, enfants de la terre, habitants des forêts, se nourrissaient de glands et d'autres fruits sauvages, se désaltéraient au bord des fontaines et des fleuves, faisaient la guerre aux bêtes féroces, et, quoique souvent ils leur servissent de pâture, ils ne mouraient pas en plus grand nombre qu'aujourd'hui. Les mariages s'introduisirent bientôt : il se forma de petites sociétés particulières, dont l'union fut encore resserrée par la naissance du langage, que Lucrèce prétend être dû à la nature et au besoin, et non pas au caprice d'un législateur qui de son propre mouvement aurait distribué des noms aux objets. Mais la découverte du feu, qui fut ou apporté sur la terre par la foudre, ou allumé dans les forêts par le frottement des arbres que les vents agitaient, acheva de dissiper la barbarie. Les besoins naturels satisfaits, les besoins factices s'introduisirent : il y eut des ambitieux qui se firent rois, et partagèrent les champs. Mais les hommes, qui se rappelaient être tous frères, tous enfants de la même mère, tuèrent leurs tyrans, et vécurent longtemps dans l'anarchie, dont ils sentirent enfin les désavantages : on créa donc alors des magistrats, on fit des lois auxquelles on convint de se soumettre. Bientôt la religion vint prêter un nouvel appui à l'autorité : l'idée des dieux est due, selon Lucrèce, à des simulacres illusoires qui se présentaient la nuit, et que la peur réalisa. Le bruit du tonnerre, les effets de la foudre, les tremblements de terre, les inondations, glacèrent d'effroi tous les cœurs, on éleva des autels, on se prosterna contre terre; on institua ces cérémonies religieuses qui subsistent encore aujourd'hui, et qui subsisteront toujours.

Cependant les arts s'enrichissaient tous les jours par de nouvelles découvertes. De grands incendies, excités dans les forêts, occasionnèrent la fonte des métaux, que l'homme trouva dans le sein de la terre, et dont il se fit des instruments et des armes : les guerres devinrent alors plus sanglantes, et, pour surcroît d'horreur, on fit combattre dans les armées les animaux les plus féroces. L'homme se perfectionnait dans les arts utiles comme dans les arts destructeurs. Les étoffes succédèrent à la dépouille des bêtes; l'agriculture devint une science, enfin la musique, l'astronomie, la navigation, l'architecture, la jurisprudence, la poésie, la peinture, la sculpture, furent les fruits d'un travail opiniâtre suggéré par le besoin et dirigé par l'expérience.

LIVRE CINQUIÈME

Quel génie serait assez puissant pour chanter dignement la majesté du monde et nos découvertes ? Quelle voix serait assez éloquente pour célébrer selon ses mérites le sage dont l'esprit créateur a pu acquérir et nous transmettre un si beau patrimoine ? Personne, je pense, de tous ceux qui sont nés de mortels. Car s'il faut en parler comme le demande la majesté enfin connue de la nature, celui-là fut un dieu, oui un dieu, glorieux Memmius, qui le premier trouva cette doctrine à laquelle nous donnons aujourd'hui le nom de Sagesse et qui sut délivrer notre vie de terribles tempêtes et de profondes ténèbres pour lui assurer le port le plus tranquille dans la plus claire lumière.

Compare en effet les découvertes antiques des autres divinités. On dit que Cérès fit connaître le blé aux mortels et Bacchus le jus de la vigne. Ces deux présents n'étaient pas essentiels à la vie et restent encore ignorés, paraît-il, de plusieurs nations. Mais on ne pouvait vivre heureux sans un cœur purifié. Aussi avons-nous raison d'honorer comme un dieu l'homme dont la doctrine répandue dans toutes les grandes nations apaise les cœurs en leur apportant les douces consolations de la vie.

Hercule avec ses travaux aurait-il ta préférence ? Tu ne l'accorderais pas sans t'égarer infiniment loin de la vérité. Qu'aurions-nous à craindre aujourd'hui de la gueule béante du lion de Némée ? ou des soies hérissées du sanglier d'Arcadie ? Que pourraient contre nous le taureau de Crète et le fléau de Lerne, cette hydre fortifiée d'un rempart de serpents venimeux ? Et les trois corps du gigantesque Géryon, et les chevaux de Diomède aux naseaux qui soufflaient le feu en Thrace, aux champs Bistoniens, à l'ombre de l'Ismare, ou la griffe recourbée des redoutables hôtes du lac Stymphale, quel mal nous feraient-ils ? Et le gardien des Hespérides aux pommes d'or, ce dragon furieux au regard menaçant, qui de son énorme corps aux amples replis embrassait le tronc de l'arbre, de quel danger nous menacerait-il aux rives atlantiques [32] d'un océan inaccessible, et que n'ose jamais affronter ni Romain ni Barbare ? Tous les autres monstres de même sorte dont nous sommes délivrés, s'ils n'avaient pas été vaincus, en quoi pourraient-ils nous nuire ? En rien, je pense; la terre abonde jusqu'à satiété de bêtes sauvages; la terreur et l'effroi remplissent les taillis, les montagnes et la profondeur des forêts : lieux terribles, mais qu'il est presque toujours en notre pouvoir d'éviter.

Mais si notre cœur n'est purgé, à quels combats, à quels périls ne faut-il pas nous préparer! Combien alors d'âcres désirs déchirent l'homme, et combien de craintes! Et que dire de l'orgueil, de la luxure et de la colère ? Quelles pestes n'apportent-ils pas! Et le faste, et la paresse ? Celui donc qui a dompté tous ces ennemis et qui les a chassés de nos cœurs par la vertu de sa parole et sans armes, un tel homme ne sera-t-il pas jugé digne d'être mis au nombre des dieux ? Sans compter qu'il a souvent et divinement parlé des dieux immortels eux-mêmes et développé dans ses traités l'ordre entier de la nature.

C'est donc sur ses traces que je marche pour saisir les raisons des choses et pour enseigner après lui le pacte selon lequel chaque être a été créé et auquel il lui faut demeurer fidèle, car il y a des lois du temps que rien ne peut rompre. Ainsi tout d'abord nous est apparue la nature de l'âme, formée d'un assemblage corporel et qui ne peut perpétuer éternellement une existence intacte : car ce sont de simples simulacres qui trompent l'esprit dans les songes, lorsqu'on croit voir un être que la vie a quitté. Maintenant l'ordre de mon traité m'amène à expliquer comment le monde lui-même est de substance mortelle et soumis à la nécessité de la naissance; de quelles façons les combinaisons de la matière ont formé la terre, le ciel, la mer, les astres, le soleil et le globe de la lune; quels êtres vivants ont pu naître de la terre et quels autres n'ont jamais pu obtenir l'existence; comment les hommes, usant d'un système de sons, ont commencé à s'entretenir entre eux par le moyen des noms qu'ils ont donnés aux choses; et comment s'est glissée dans les cœurs cette crainte des dieux qui sur toute la surface de la terre protège les temples, les bois sacrés, les autels et les images des dieux.

Je dirai encore comment le soleil dans son cours et la lune dans ses phases sont gouvernés par la puissance de la nature, car ne croyons pas qu'entre le ciel et la terre ces astres fournissent une libre carrière sans fin pour faire croître les moissons et les êtres vivants, ou encore qu'ils roulent dans l'espace par la volonté des dieux. Ceux-là mêmes en effet qui savent bien que les dieux mènent une vie sans soucis s'interrogent quelquefois, étonnés, sur l'accomplissement des phénomènes naturels, surtout sur ce qu'ils contemplent au-dessus de leurs têtes, dans les régions éthérées; alors ils retombent aux antiques superstitions, ils reprennent le joug des durs maîtres auxquels leur misère leur fait attribuer un pouvoir souverain, car ils ignorent ce qui peut être et ce qui ne le peut pas, l'énergie départie à chaque existence, enfin le terme inflexible qui la borne.

Mais pour ne pas t'arrêter plus longtemps par de simples promesses, commence par considérer la mer, et les terres et le ciel : cette triple substance, ces trois corps, Memmius, cette trinité de si dissemblables mais solides tissus, un seul jour les livrera à la ruine et, après tant d'années, soudain s'écroulera la masse et la machine du monde.

Je ne me dissimule pas de quelle surprise c'est frapper ton esprit que de t'annoncer la destruction fatale du ciel et de la terre : qu'il me sera difficile de t'en convaincre par mes discours! Il en est ainsi dès qu'on fait entendre aux oreilles une vérité inconnue jusque-là qui ne peut être éprouvée par les yeux ni par les mains, moyens les plus sûrs et les plus rapides de faire pénétrer l'évidence dans le cœur de l'homme et dans le sanctuaire de son esprit. Je parlerai cependant, et peut-être l'événement confirmera-t-il mes paroles; peut-être verras-tu, en peu de temps, de terribles tremblements de terre faire écrouler l'univers. Puisse cette catastrophe être détournée loin de nous par la fortune, souveraine du monde, et le raisonnement plutôt que l'événement apporter la preuve que le monde vaincu peut tomber dans l'abîme avec un horrible fracas.

Mais avant de révéler les arrêts du destin, plus saints et plus sûrs que les oracles rendus par la Pythie du haut du trépied et sous le laurier de Phébus, mon savant discours t'apportera bien des consolations; car il ne faut pas que tu croies, intimidé par la superstition, que la terre et le soleil, le ciel et la mer, les astres, la lune, soient promis par une origine divine à une durée éternelle, et qu'ainsi il soit juste de punir, comme furent punis les Géants, ceux qui commettent l'effroyable crime de vouloir par leur doctrine ébranler les remparts du monde, éteindre dans le ciel l'éclat du soleil, flétrir d'un langage mortel des êtres immortels.

Les êtres dont j'ai parlé se trouvent si éloignés de la puissance divine et si indignes d'être comptés au nombre des dieux qu'ils semblent bien plus propres à donner l'idée de ce qui est étranger au mouvement et au sentiment de la vie. En effet il n'y a pas lieu de croire que n'importe quel corps puisse posséder âme et pensée. Il ne peut y avoir d'arbres dans l'éther, de nuages dans les flots salés, de poissons dans les champs, de sang dans le bois ni de sève dans la roche. Un ordre fixe a désigné le lieu où doit naître et demeurer chaque être. De même l'esprit ne saurait avoir de naissance isolée hors d'un corps, ni vivre séparé des nerfs et du sang. Car s'il en était ainsi, l'esprit pourrait se tenir dans la tête, dans les épaules, dans les talons, dans n'importe quel membre, puisque enfin il resterait toujours dans le même homme et dans la même enveloppe. Mais puisque dans notre corps même un ordre naturel a fixé le lieu spécial de résidence et de croissance pour l'âme et l'esprit, on n'en est que plus fondé à nier qu'ils puissent subsister hors d'un corps, sans une forme animale, et durer dans la glèbe friable, dans le feu du soleil, dans l'eau, dans les hautes régions éthérées... Impossible par conséquent d'attribuer une essence divine à ce qui ne peut même être animé du mouvement de la vie.

Tu n'as pas lieu de croire non plus que les dieux aient leur sainte demeure dans quelque partie du monde : leur nature est subtile, inaccessible à nos sens, à peine concevable à l'esprit; et comme elle se dérobe au contact et à la prise de nos mains, elle ne peut toucher rien de ce qui nous est tangible, car le toucher est interdit à tout ce qui est intangible de nature. C'est pourquoi les demeures des dieux doivent différer des nôtres; elles ont nécessairement même subtilité que leur corps. Plus tard je te le démontrerai amplement.

Dire que pour le bien des hommes les dieux ont voulu préparer les merveilles du monde [33] et qu'il convient donc de louer leur œuvre si digne de louange, de la regarder comme éternelle et vouée à l'immortalité; prétendre qu'en présence d'un édifice offert aux races humaines pour toujours et par l'antique sagesse des dieux, il est sacrilège de travailler à l'ébranler par des discours téméraires pour le ruiner dans ses fondements; cette thèse et d'autres de même sorte, Memmius, c'est pure folie! Car ces êtres immortellement bienheureux, quels si grands avantages pourraient-ils espérer de notre reconnaissance qu'ils en prennent envie de tenter quoi que ce soit en notre faveur? Quel attrait nouveau a pu, après tant d'années de repos, leur inspirer le désir de changer leur vie? Il faut, semble-t-il, pour se plaire au changement, souffrir de son état. Mais pour qui n'a pas eu de malheurs, pour qui le passé n'a été qu'un courant de beaux jours, quelle raison de s'enflammer d'amour pour la nouveauté! Croirons-nous donc que la vie se traînait dans la nuit et dans la tristesse, avant qu'ait lui l'aurore des choses? Et pour nous, quel si grand mal était-ce de n'avoir pas été créés? Quiconque est né peut vouloir demeurer dans la vie tant que l'y retiendra la douce volupté; mais celui qui n'a jamais goûté l'amour de la vie et qui jamais n'a figuré au nombre des êtres, celui-là, en quoi serait-il lésé de n'être pas venu au monde?

Et le modèle des choses à créer, et l'idée même de l'homme, où l'esprit des dieux les a-t-il trouvés? D'où est venue à leur esprit la vision distincte de ce qu'ils voulaient faire? Comment ont-ils pu connaître la vertu des atomes et les résultats possibles de leurs combinaisons, si la nature elle-même ne leur a pas fourni l'exemple de la création? Comme les atomes sont innombrables et que soumis de toute éternité à des chocs variés, emportés avec rapidité par leur poids, ils se meuvent et s'unissent de toutes façons en essayant sans cesse toutes les créations que de multiples combinaisons permettent, il n'est pas étonnant qu'ils aient enfin abouti à des unions et mouvements capables de donner au grand Tout l'existence par le renouvellement perpétuel.

Et quand j'ignorerais la nature des atomes, j'oserais encore, après l'examen des phénomènes célestes et bien d'autres d'ailleurs, affirmer que la nature n'a pas été faite pour nous et qu'elle n'est pas l'œuvre des dieux : tant l'ouvrage laisse à désirer!

Tout d'abord, de tout ce que domine l'immense mouvement du ciel, les montagnes et les forêts qu'habitent les bêtes sauvages ont conquis leur part avec avidité; elles la partagent avec les rochers et les vastes marécages, avec la mer qui fait large séparation entre les rivages des divers continents. En outre, deux tiers à peu près du globe sont ravis aux mortels par des chaleurs torrides et par des glaces sans fin. Le reste du sol, la nature, par sa force propre, le remplirait de broussailles, si la force humaine ne luttait pour vivre, et gémissant sans relâche sous le poids du hoyau, pesant sur la charrue, ne déchirait le sein de la terre. C'est parce que nous retournons avec le soc la glèbe féconde, c'est parce que nous domptons le sol et appelons ses germes à la naissance, que tout peut de soi-même éclore et s'élever dans les airs limpides. Hélas, trop souvent ces fruits de tant de travaux, quand déjà sur terre tout verdit, tout fleurit, voilà que le soleil, du haut des airs, les brûle de ses ardeurs excessives, ou bien des orages subits, des gelées, les font périr, des vents impétueux les ravagent de leurs tourbillons. Et ces espèces sauvages et cruelles, ennemies de la race humaine, pourquoi la nature sur la terre et dans la mer veut-elle les nourrir et les multiplier ? Pourquoi chaque saison apporte-t-elle ses maladies ? Pourquoi rôde la mort prématurée ?

L'enfant ressemble au matelot qu'ont rejeté des flots cruels; il gît à terre, nu, incapable de parole, dépourvu de tout ce qui aide à la vie, depuis le moment où la nature l'a jeté sur les rivages de la lumière, après l'avoir péniblement arraché au ventre de sa mère. Il remplit l'espace de ses vagissements plaintifs, comme il est naturel à l'être qui a encore tant de maux à traverser. Pendant ce temps croissent heureusement les troupeaux de gros et petit bétail et les animaux sauvages, qui n'ont besoin ni du jeu de hochet ni d'entendre le doux et chuchotant babil d'une tendre nourrice; il ne leur faut point de vêtements qui changent avec les saisons, point d'armes pour protéger leurs biens, points de hauts remparts, puisque à tous fournissent toutes choses abondamment la terre féconde et l'industrieuse nature.

Puisque la masse terrestre, l'eau, les souffles légers des vents et les brûlantes vapeurs du feu, dont se compose l'ensemble des choses, puisque tous ces corps connaissent la nécessité de naître et de mourir, pensons qu'il en est de même pour le monde entier. Car les êtres dont nous voyons les membres formés d'une substance née et d'un corps mortel, ces êtres-là apparaissent contraints à naître et à mourir. C'est pourquoi voyant les vastes membres, les parties gigantesques du monde se consumer et ensuite renaître, je conclus que pour le ciel et la terre pareillement il y a eu un premier instant et il y aura une ruine fatale.

Et ne m'accuse pas, Memmius, d'avoir adopté au hasard l'opinion que la terre et le feu sont de nature mortelle, quand je n'ai pas douté que l'eau et l'air ne périssent pour renaître et s'accroître à nouveau. D'abord, une certaine portion de la terre, brûlée par d'éternels soleils ou sans relâche foulée par les pieds de la multitude, s'évade en nuées de poussière, en nuages légers que la violence des vents disperse dans toute l'étendue de l'air; une autre portion de la glèbe est liquéfiée par les pluies, et les fleuves rongent sans fin les rives de leurs cours. En outre, tout corps que la terre nourrit et fait croître lui est restitué pour la part qu'il a reçue; et puisque la terre est sans aucun doute la mère de toutes choses et leur commun tombeau, il est certain qu'elle s'épuise et puis que, recevant à son tour, elle se refait.

Ajoute que dans la mer, dans les fleuves, dans les sources, des ondes toujours nouvelles ne cessent d'affluer et se répandent sans fin. Point n'est besoin de l'exposer, le concours universel des eaux en fait une évidence. Mais une perte constante les garde d'un excès d'abondance. D'une part, leur masse diminue, balayée par le souffle des vents, dissoute du haut du ciel par les rayons du soleil; d'autre part, elles s'écoulent souterraines à travers le sol qui les divise : elles s'y filtrent, s'y dépouillent de leur sel, puis elles se replient sur elles-mêmes et remontent vers les sources où elles se rassemblent pour couler ensuite à la surface de la terre en douces eaux, partout où la terre creusée les invite à courir.

Je parlerai maintenant de l'air, qui subit des changements innombrables dans toute sa masse à tout moment; toujours, en effet, ce qui émane des corps se rend dans cette vaste mer aérienne; et si elle ne leur restituait à son tour ce qu'elle a reçu d'eux et ne réparait ainsi leur épuisement, tous se trouveraient déjà dissous et convertis en air. L'air donc ne cesse de se former aux dépens des corps, et puis de leur faire retour, puisque toutes choses, nous le savons, sont dans un perpétuel écoulement.

De même encore, cette riche source de fluide lumineux, le soleil éthéré, baigne le ciel d'un éclat toujours frais, ne s'arrêtant point de remplacer la lumière par la lumière. Chacun de ses rayons ne périt-il pas, quelque objet qu'il ait été frapper ? Tu le peux bien voir par les effets d'un nuage, quand il passe sous le soleil et semble briser ses rayons, aussitôt leur partie inférieure s'efface tout entière et l'ombre court sur la terre partout où le nuage s'avance : à quoi l'on peut reconnaître que les objets ont besoin d'une lumière toujours nouvelle, que chaque jet lumineux s'évanouit aussitôt né et que rien ne pourrait s'apercevoir à la clarté du soleil, si cette clarté cessait de se renouveler par sa source même.

Nos lumières nocturnes, ces flambeaux terrestres, ces lustres suspendus, ces torches lumineuses, qui mêlent à leurs éclats des tourbillons de fumée, se hâtent aussi de produire, avec les ressources de leur flamme, une lumière toujours nouvelle : leurs feux tremblants, comme ils se pressent! Aussi malgré leur intermittence, la lumière ne cesse de se répandre alentour, si rapides sont tous les feux à remplacer la vieille flamme morte par une autre qui naît! Il en est ainsi du soleil, de la lune, des étoiles, croyons-le : la lumière que ces astres nous envoient, ils la produisent par des émissions sans cesse renouvelées et ils perdent leurs flammes à mesure qu'elles se produisent. Ne va donc pas les regarder comme doués d'une indestructible vigueur.

Enfin, ne vois-tu pas que les pierres elles-mêmes subissent le triomphe du temps ? Les hautes tours s'écroulent, les rochers volent en poussière; les temples, les statues des dieux, s'affaissent trahis par l'âge; ils se dégradent sans que la divinité puisse reculer l'instant fatal de la destruction et faire obstacle aux lois de la nature. Ne voyons-nous pas les monuments élevés aux héros se délabrer, tomber à terre minés par la vieillesse et des quartiers de roche se détacher du sommet des monts et rouler sans avoir pu résister plus longtemps à l'effort des temps même limités ? En effet ils ne se détachent pas pour tomber soudainement, s'ils avaient pu soutenir indéfiniment, sans en être ébranlés, tous les assauts de l'âge.

Contemple maintenant la vaste enceinte qui nous entoure, qui nous domine, qui tient la terre embrassée; si, comme le disent certains sages [34], c'est de là que sortent tous les êtres pour y rentrer une fois dissous, il faut bien que ce tout soit tout entier d'une matière contrainte à la naissance et à la mort. Car toute substance qui nourrit et accroît d'autres corps éprouve nécessairement des pertes, qu'elle répare à mesure que les corps lui font retour.

En outre, s'il n'y a pas eu de commencement pour la terre et le ciel, s'ils ont existé de toute éternité, d'où vient qu'au-delà de la guerre des Sept Chefs contre Thèbes et de la mort de Troie on ne connaisse point d'autres événements chantés par d'autres poètes ? Où se sont donc engloutis tant de fois les exploits de tant de héros, et pourquoi les monuments éternels de la renommée n'ont-ils pas recueilli et fait fleurir leur gloire ? Mais, je le pense, l'ensemble du monde est dans sa fraîche nouveauté, il ne fait guère que de naître. C'est pourquoi certains arts se polissent encore aujourd'hui, vont encore progressant : que n'a-t-on pas, de nos jours, ajouté à la navigation! que de nouveaux accords ont inventés les musiciens! Enfin ce système de la nature que j'expose, c'est aussi une découverte récente, et personne avant moi ne s'était rencontré pour le faire passer dans la langue de notre patrie.

Peut-être penses-tu que les âges antérieurs ont connu toutes ces mêmes choses, mais que des générations humaines ont péri consumées par des feux dévorants, que des villes tombèrent renversées par quelque gigantesque ébranlement du monde, ou bien qu'à la suite de pluies continuelles les fleuves déchaînés à travers les terres ont submergé les cités. Ce serait une raison de plus pour que tu nous avoues ta défaite et reconnaisses que la terre et le ciel sont eux-mêmes destinés à périr. En effet, quand le monde souffrait de tant de maux et supportait l'épreuve de si graves périls, il n'eût fallu que l'invasion d'un fléau plus funeste encore pour lui infliger un désastre décisif et n'y laisser que ruines. Nous-mêmes, comment nous reconnaissons-nous tous mortels, si ce n'est parce que nous sommes sujets aux mêmes maladies qui ont retranché nos semblables du nombre des vivants ?

Poursuivons : tout corps qui dure éternellement doit posséder le pouvoir de repousser par la plénitude d'une solide substance les chocs extérieurs, sans se laisser entamer par d'autres corps qui risqueraient de rompre l'étroite cohésion de ses parties (tels sont les éléments premiers de la matière dont j'ai précédemment exposé la nature); ou bien il est capable de se perpétuer dans l'infini des âges parce qu'il se rit des coups (tel le vide intangible et qui ne redoute aucun choc) ou encore parce qu'il n'a autour de lui aucun espace où les choses puissent en quelque sorte aller s'égarer et se dissoudre : tel cet éternel ensemble des ensembles hors duquel il n'y a ni lieu ouvert à la dissipation des parties ni corps pour les heurter et les briser par violence. Mais, comme je l'ai enseigné, le monde n'est point un corps d'une solide plénitude, puisque le vide se mêle aux choses; le monde n'est pas non plus comme le vide, et il ne manque pas de corps qui puissent, arrivant en masse des profondeurs de l'infini, renverser dans leur violent tourbillon son assemblage ou lui infliger quelque autre destruction; et pas davantage ne manque un espace, une immensité où les remparts du monde puissent s'abîmer, ou quelque force les faire tomber sous ses coups [35]. La porte de la mort n'est donc fermée ni au ciel, ni au soleil, ni à la terre, ni aux profondes eaux de la mer; elle s'ouvre toute grande sur le gouffre immense et béant qui doit les engloutir. C'est pourquoi le monde a eu lui aussi sa naissance, avouons-le : car étant de substance mortelle, il n'eût pu, pendant des siècles et jusqu'à ce jour, braver les redoutables assauts d'une durée sans fin.

Enfin, puisque les membres de ce grand corps qu'est le monde se livrent sans relâche une guerre impie, ne vois-tu pas que leur longue lutte pourra un jour avoir son terme ? Ce sera par exemple quand le soleil et les autres feux, ayant bu toutes les eaux, seront vainqueurs, comme ils s'y efforcent sans avoir pu encore y réussir; car les fleuves leur opposent des forces égales, eux qui, venus du fond de l'océan, menacent même de tout engloutir. Menace vaine! la masse des eaux sans cesse diminue, balayée à sa surface par le souffle des vents, dissoute par les rayons du soleil éthéré : les deux forces se flattent d'avoir tout desséché, avant que le liquide élément ait accompli son entreprise. Ainsi l'esprit de guerre anime les éléments, qui luttent pour la possession du monde, sans que la victoire se fixe jamais. Et cependant il y eut un jour où le feu l'emporta, un autre jour où, selon la légende, l'eau régna sur les terres.

Le feu fut victorieux, en effet, et consuma une partie du monde dans ses flammes, lorsque les ardents chevaux du soleil, détournant Phaéton de la bonne route, l'emportèrent à travers toute l'étendue aérienne et terrestre. Mais le père tout-puissant, saisi d'une violente colère, frappa soudain de sa foudre l'orgueilleux Phaéton et, de son char, le précipita sur la terre. Le soleil, qui vint le recueillir dans sa chute, reprit l'éternel flambeau du monde, ramena les chevaux épars, les attela de nouveau encore tout frémissants, puis leur faisant reprendre la route accoutumée, rétablit l'ordre universel. Voilà ce qu'ont chanté les anciens poètes de la Grèce, mais une telle fable s'égare trop loin de la raison. Le feu peut triompher sans doute, mais c'est quand l'infini en a fourni une trop grande masse de principes. Puis sa force tombe, si quelque autre cause la surmonte; ou bien tout périt, consumé par le souffle brûlant. Le liquide élément, massé un jour lui aussi, menaça de l'emporter, dit la fable, quand il submergea une multitude de villes des hommes [36]. Puis, quand une autre cause eut fait céder cette force dont l'infini avait assemblé tant de principes, alors s'arrêtèrent les pluies et se calma la violence des fleuves.

Mais comment l'immense concours de matière a-t-il assuré les fondements de la terre et du ciel, creusé les abîmes de la mer, réglé les révolutions du soleil et de la lune : c'est ce que je vais exposer. Car ce n'est certes point par réflexion, ni sous l'empire d'une pensée intelligente, que les atomes ont su occuper leur place; ils n'ont pas concerté entre eux leurs mouvements. Mais comme ils sont innombrables et mus de mille manières, soumis pendant l'éternité à des impulsions étrangères, et qu'emportés par leur propre poids ils s'abordent et s'unissent de toutes façons, pour faire incessamment l'essai de tout ce que peuvent engendrer leurs combinaisons, il est arrivé qu'après avoir erré durant des siècles, tenté unions et mouvements à l'infini, ils ont abouti enfin aux soudaines formations massives d'où tirèrent leur origine ces grands aspects de la vie : la terre, la mer, le ciel, les espèces animales.

Un temps fut où ne se voyaient encore ici-bas ni le char du soleil dans son vol sublime, haute source de lumière, ni les astres du vaste monde, ni la mer, ni le ciel, ni même la terre, ni l'air, rien enfin de pareil aux spectacles d'aujourd'hui, mais une sorte d'assemblage tumultueux d'éléments confondus. Puis commencèrent à se dégager quelques parties, les semblables s'associèrent aux semblables, l'univers prit ses contours et forma ses membres, de vastes ensembles s'ordonnèrent. Jusque-là, en effet, la discorde des éléments avait tout mêlé : distances, directions, liens, pesanteurs, forces de choc, rencontres et mouvements; ce n'était entre eux qu'une mêlée générale, à cause de la dissemblance de leurs formes et de la variété de leurs figures; car s'ils se joignaient, tous ne pouvaient rester unis ou bien accomplir ensemble les mouvements convenables. Mais alors de la terre se distingua la voûte du ciel; à part, la mer s'étendit dans son lit; à part aussi brillèrent les feux purs de l'éther.

D'abord, tous les éléments de la terre, en vertu de leur poids et de leur enchevêtrement, se rassemblaient au centre et occupaient les régions inférieures; et plus ils se resserraient et s'enchevêtraient, plus fort ils libéraient les principes dont se devaient composer la mer, les astres, le soleil, la lune et l'enceinte du vaste monde. Tous ces corps en effet sont formés d'atomes plus lisses et plus ronds, d'éléments beaucoup plus petits que ceux de la terre. S'échappant donc par les pores d'une terre encore peu dense, le premier s'éleva l'éther constellé, entraînant avec lui dans son vol un grand nombre de feux. C'est à peu près ce que nous voyons souvent aux premiers moments du matin, quand sur l'herbe des prairies, toute perlée de rosée, le soleil levant jette la pourpre de ses rayons : une vapeur s'exhale des lacs et des fleuves inépuisables, la terre elle-même quelquefois semble fumante; et tout cela qui s'élève et s'assemble dans l'air supérieur forme en se condensant le tissu des nuages qui voilent le ciel. De même, aux premiers temps du monde, le fluide léger de l'éther se rassembla de toutes parts pour former la voûte de notre univers et, répandu par-delà dans toutes les directions, embrassa le reste des choses dans son avide étreinte et leur servit de rempart.

A sa suite naquirent le soleil et la lune; leurs globes roulent entre le ciel et la terre dans les airs : ni la terre ne se les adjoignit, ni l'immense éther; ils n'avaient ni assez de poids pour se fixer au fond de l'univers, ni assez de légèreté pour monter dans les régions supérieures. Ils ont leur place dans l'intervalle; là, ils tournent, corps pleins de vie, pièces de la machine mondiale. C'est ainsi qu'en nous certains membres demeurent en repos pendant que d'autres sont en mouvement.

Cette disjonction accomplie, tout à coup la terre, là où maintenant s'étend le vaste azur de la mer, s'affaissa, creusant des abîmes à l'élément salé. Et de jour en jour, à mesure que l'ardeur de l'éther et que les rayons du soleil à coups répétés resserraient la masse terrestre, réduite à la surface et condensée au centre, plus de ce corps pressé s'exprimait une abondante sueur salée, dont l'écoulement allait accroître la mer et ses plaines flottantes, plus aussi s'échappaient, s'envolaient des particules sans nombre de feu et d'air, qui allaient peupler dans les hauteurs du ciel, loin de la terre, les temples de la lumière. Les plaines s'abaissaient, les montagnes s'élevaient, car les rochers ne pouvaient s'affaisser, ni le sol terrestre s'aplanir en surface égale.

C'est ainsi que se constitua la terre en un corps compact et pesant; tout le limon du monde, pour ainsi parler, se précipita dans les profondeurs et s'y déposa. Au-dessus se formèrent la mer, puis l'air, enfin l'éther et ses feux. Tous ces corps se composèrent d'atomes fluides, et sont restés purs de tout mélange, d'ailleurs inégaux en légèreté; le plus fluide et tout ensemble le plus léger, l'éther, surmonta les régions aériennes et il ne saurait mêler son impalpable substance aux orages de l'espace; il laisse les autres éléments s'emporter en violents tourbillons, subir l'inconstance des tempêtes; et lui, il entraîne ses feux d'un essor égal et sûr. Qu'en effet il soit capable de couler avec mesure et continuité, c'est ce que montre la mer, dont les ondes ont une marche immuable et soumise à des lois constantes.

La cause du mouvement des astres, c'est ce que je vais maintenant chanter. D'abord, si c'est la grande voûte du ciel qui tourne, il faut supposer qu'elle reçoit à ses deux pôles une double pression de l'air qui la maintient et l'enferme de chaque côté, qu'ensuite un courant supérieur l'entraîne dans le sens où roulent les astres éclatants de l'éternel univers; ou encore qu'un courant inférieur, soufflant en sens contraire, meut la sphère à la manière de ces roues à auges que font tourner les fleuves.

Il se peut encore que le ciel entier demeure immobile, tandis que les astres lumineux poursuivent leur course; en ce cas, ce sont les vapeurs brûlantes de l'éther qui, trop à l'étroit dans l'enceinte céleste et cherchant tout à l'entour une issue, déterminent l'orbite des constellations dans le ciel nocturne; ou bien un fleuve d'air venu de l'extérieur s'empare des astres et les fait tourner; ou encore ils glissent d'eux-mêmes, allant là où les appelle l'aliment qui oriente leur marche et cherchant çà et là dans les champs du ciel la matière de feu dont ils se repaissent. Les causes exactes de ce qui se passe en ce monde sont difficiles à établir avec certitude. Mais ce qui est possible, et ce que nous montre le grand Tout, dans la diversité de ses mondes diversement constitués, voilà ce que j'enseigne. Je propose pour expliquer la genèse du mouvement astral plusieurs causes capables d'agir à travers le grand Tout. Une seule cependant doit régler le mouvement des étoiles : mais laquelle ? En décider n'est pas permis à celui dont la pensée ne progresse que pas à pas.

Pour que la terre reste en repos au centre du monde [37], il faut que peu à peu décroisse et s'annihile sa pesanteur, et qu'elle ait pris dans sa partie inférieure une nouvelle nature fondue originellement dans une étroite unité avec les parties aériennes du monde auxquelles elle est incorporée. C'est pourquoi elle n'est pas pour l'air un fardeau trop pesant : ainsi à l'homme ses propres membres ne pèsent nullement, la tête n'est pas une charge pour le cou, le poids de tout le corps n'est pas sensible aux pieds. Au contraire, le moindre fardeau qui nous vient de l'extérieur nous est d'un poids incommode, quoique souvent beaucoup moins lourd : tant importe ce qui est possible dans chaque cas. La terre n'est pas une étrangère adjointe soudainement à une atmosphère étrangère; elle a été conçue en même temps que l'air, dès la première origine du monde, dont elle apparaît partie bien distincte, comme nos membres dans notre personne.

La terre, quand un violent coup de tonnerre l'ébranle tout à coup, communique la secousse à tout ce qui est à sa surface. Elle ne le pourrait en aucune façon si des liens ne la rattachaient aux parties aériennes du monde et à la matière céleste. Elle y tient par des racines communes, elle leur est unie dès le commencement des âges, les trois substances enlacées n'en font qu'une. En nous-mêmes, malgré le grand poids du corps, ne vois-tu pas l'âme, la tant subtile âme, le soutenir, parce qu'elle lui est unie intimement et ne fait qu'un avec lui ? Enfin quelle force pourrait le soulever dans ses bonds agiles, sinon celle de l'âme, par qui nos membres sont gouvernés ? Tu dois concevoir maintenant quelle puissance acquiert une substance, si légère soit-elle, dès qu'elle est unie à une substance pesante, comme l'air à la terre et comme, en nous, l'âme au corps.

Le disque ardent du soleil ne peut être ni plus grand ni moindre qu'il n'apparaît à nos sens. Car de quelque distance qu'un feu nous envoie sa lumière et fasse sentir à nos membres sa chaleur, l'intervalle n'enlève rien à sa masse enflammée et n'en réduit aucunement l'apparence. Or la chaleur du soleil et la lumière qu'il répand arrivent jusqu'à nos sens et caressent notre séjour; il faut donc bien que sa forme et ses couleurs nous apparaissent tels que rien ne puisse y être ajouté ou en être retranché, dans leur juste réalité.

Et la lune, soit que dans sa course elle éclaire ce globe d'une lumière empruntée, soit qu'elle la tire d'elle-même, n'a pas en tout cas plus de volume que ne lui en voient nos yeux. Tout objet aperçu de loin par-delà une épaisse couche d'air prend un aspect confus avant de nous paraître diminué; ou puisque la lune présente une face claire et de contour net, il faut que d'ici-bas nous la voyions avec sa forme réelle et sa véritable grandeur, telle qu'elle est dans le ciel.

Enfin il en est ainsi de tous les feux de l'éther que l'homme voit briller. Ceux qu'il allume sur la terre, tant que l'œil en distingue le scintillement et en perçoit l'éclat, ne semblent pas sensiblement changer soit en moins soit en plus, quelle que soit la distance. Il faut en conclure que les feux de l'éther eux-mêmes ne sont que très légèrement plus petits ou plus grands que leur apparence.

On ne doit pas s'étonner davantage que le soleil, si petit qu'il soit, émette assez de lumière pour en inonder les mers, les terres et tout le ciel, pour envelopper toutes choses de sa chaude vapeur. Il se peut que notre univers n'ait que cette source d'où puisse jaillir abondamment la lumière, parce que c'est le foyer où les atomes de chaleur viennent de partout se rassembler dans un élan unanime, pour se répandre ensuite de là dans l'univers entier. Ne vois-tu pas de même qu'un simple filet d'eau est capable d'irriguer les prairies, quelquefois d'inonder les champs ? Il se peut aussi que le soleil, sans avoir des feux très abondants, échauffe l'air voisin et l'enflamme, en supposant l'air milieu favorable et enflammable à la moindre ardeur; ainsi parfois les moissons et le chaume s'embrasent au contact d'une seule étincelle. Peut-être encore le soleil est-il un rouge flambeau qu'environnent dans les hauteurs du ciel une multitude de feux invisibles, dépourvus de tout éclat et dont la chaleur est destinée à accroître la force de ses rayons.

Mais la marche du soleil, comment en donner une explication simple et nette ? Comment, sorti de ses quartiers d'été, prolonge-t-il sa courbe vers l'hivernal Capricorne et revient-il ensuite dans la direction du solstice d'été qui est son terme ? Et comment la lune peut-elle sembler franchir en un mois l'espace que le soleil met une année à parcourir ? Une seule cause, dis-je, ne peut rendre compte de ces phénomènes. Il se peut tout d'abord que le divin Démocrite ait raison, lui qui prétend que plus les astres approchent de la terre, moins vite les emporte le tourbillon du ciel. La vitesse et la force du tourbillon faiblissent en effet à mesure qu'il s'abaisse et pour cette raison le soleil, placé au-dessous des constellations ardentes, se trouve distancé peu à peu avec les feux qui le suivent. Et la lune mieux encore : elle reste bien plus en arrière, étant plus éloignée du ciel et plus voisine de la terre; elle n'en a que plus de peine à suivre la marche des étoiles. Plus le tourbillon qui l'emporte le cède en vitesse à celui du soleil, plus les astres ont d'aisance à l'atteindre et à la dépasser. Voilà pourquoi elle paraît revenir si rapidement à chacun d'eux : c'est eux en réalité qui reviennent à elle.

Il se peut aussi que des deux extrémités du monde s'élancent avec une alternance régulière deux courants d'air : l'un pousserait le soleil des signes de l'été jusqu'au tropique et aux glaces de l'hiver; l'autre le rejetterait des ombres glacées jusqu'à ses quartiers d'été parmi les signes ardents. On peut de même penser que la lune et les étoiles, dont les grandes révolutions s'accomplissent en de grandes années, sont poussées elles aussi par un souffle alterné dans leur double course. Ne vois-tu pas les nuages, sous le souffle de vents opposés, aller dans des directions contraires, ceux d'en bas croisant ceux d'en haut ? Pourquoi les astres ne décriraient-ils pas dans l'éther leurs immenses cercles sous l'action de courants opposés ?

La nuit enveloppe la terre d'épaisses ténèbres parce que le soleil au terme de sa longue course, à l'extrémité du ciel, y exhale ses derniers feux épuisés par le voyage, affaiblis par les couches d'air traversées; ou bien la même force qui a conduit sa course au-dessus des terres l'oblige à rouler son disque sous nos pieds.

Il y a une heure marquée où la déesse de l'Aube introduit dans les airs l'Aurore aux doigts de rose et ouvre les portes à la lumière : c'est que le même soleil revenant de dessous la terre annonce son retour par les rayons qu'il lance en avant pour enflammer le ciel; ou bien, à cette heure précise, des feux se rassemblent, des atomes ignés affluent pour donner chaque jour naissance à un soleil nouveau. C'est ainsi, dit-on, qu'on voit des sommets de l'Ida, au lever du jour, des feux épars qui se réunissent en un seul globe et composent un disque parfait.

Et qu'on n'aille pas ici s'étonner que les atomes du feu puissent se rassembler à des heures marquées pour réparer l'éclat du soleil. Que de phénomènes ne voyons-nous pas dans la nature se produire à date fixe! C'est à date fixe que les arbres prennent leurs fleurs, à date fixe qu'ils les laissent tomber. Ce n'est pas en des temps moins certains que l'exigence de l'âge fait tomber les dents des vieillards et donne un tendre duvet au corps des adolescents, auxquels elle fait descendre le long de chaque joue une barbe naissante. Enfin la foudre, la neige, les pluies, les nuages, les vents, rien de tout cela n'arrive à des saisons imprécises. C'est que les causes premières mises en branle lors de la constitution du monde produisent toujours les mêmes effets dans un ordre invariable.

Nous voyons s'allonger les jours et les nuits raccourcir, nous voyons les jours diminuer tandis que les nuits deviennent plus longues; c'est peut-être que le soleil, toujours le même dans l'éther, fournit au-dessus et au-dessous de la terre des carrières de longueur différente et partage ainsi son orbite en arcs inégaux; ce qu'il retranche à un hémisphère, il le restitue à l'autre, dans lequel la courbe décrite sera d'autant plus grande, jusqu'à ce qu'il rencontre ce signe céleste sous lequel le nœud de l'année met à égalité de durée la lumière du jour et les ombres de la nuit. Car là où se joignent le souffle de l'Aquilon et celui de l'Auster, la partie du ciel que le soleil décrit se trouve à une égale distance de ses bornes tropicales, par suite de la position du cercle des douze signes [38] dans lequel il accomplit sa révolution annuelle en frappant de sa lumière oblique la terre et le ciel : tel est l'enseignement de ces sages qui ont reproduit les régions célestes en des cartes décorées de l'image des constellations.

Peut-être encore un air plus épais par endroits retarde-t-il sous la terre les feux tremblants qui ont alors peine à le traverser pour émerger à l'orient. De là viendrait la lenteur paresseuse des nuits d'hiver, pendant lesquelles on languit après le brillant diadème du jour. Il se peut aussi que selon l'alternance des saisons, plus lentement ou plus vite se rassemblent les feux dont le concours fait lever le soleil à des points fixes de l'horizon.

La lune, frappée peut-être des rayons du soleil dont elle tire sa clarté, découvre à nos regards un disque plus grand de jour en jour à mesure qu'elle s'éloigne du disque solaire, jusqu'à ce que, lui faisant face, elle brille enfin dans son plein et en regarde la chute quand elle se lève sur l'horizon. Puis elle doit insensiblement cacher, pour ainsi dire, sa lumière sur l'autre face de son globe, à mesure qu'elle se rapproche du soleil en parcourant l'autre moitié du Zodiaque. Telle est l'interprétation de ceux qui se la figurent comme une boule dont la course se déroule au-dessous du soleil, en quoi ils semblent dire vrai.

Mais on est aussi fondé à croire la lune douée d'une lumière propre et déroulant dans le ciel les différentes figures de son éclat. Il se peut alors qu'un autre corps emporté avec elle parallèlement dans l'espace s'interpose entre elle et nous de diverses manières, lui-même invisible parce qu'il glisse sans lumière. Peut-être encore la lune tourne-t-elle sur elle-même, comme un globe dont une moitié serait teinte de lumière blanche, et présente-t-elle ainsi ses différentes phases, tantôt tournant entièrement vers nous sa partie éclairée et montrant toute sa face à nos yeux, tantôt ramenant en arrière par degrés cette moitié lumineuse, et puis nous la dérobant tout à fait. Telle est la doctrine babylonienne des Chaldéens, qu'ils opposent aux astronomes grecs et s'efforcent de faire prévaloir contre eux, comme si les deux systèmes en lutte n'étaient pas tous deux admissibles, comme s'il y avait une raison pour embrasser l'un plutôt que l'autre.

Enfin, pourquoi n'y aurait-il pas une succession de lunes toujours nouvelles, produisant régulièrement dans un ordre fixe des figures déterminées et dont chacune née un jour s'évanouirait le lendemain, faisant place à une autre ? Il serait difficile de démontrer victorieusement le contraire, quand on voit tant de productions diverses se succéder dans un ordre aussi régulier. Le Printemps vient et Vénus avec lui; en avant le héraut ailé de la déesse, Zéphir; sur les pas de Zéphir, Flore sa mère leur prépare une route fleurie de couleurs et de parfums. A leur suite, voici l'Été aride avec sa compagne, la poudreuse Cérès, et le souffle des vents étésiens. Puis c'est l'Automne; avec lui marche Bacchus et son cortège. C'est ensuite le tour d'autres temps : les vents soufflent, le Vulturne gronde, l'Auster menace de sa foudre. Enfin la saison froide amène les neiges et l'engourdissement, c'est l'Hiver qui frissonne et qui claque des dents. S'étonnera-t-on maintenant qu'à date fixe la lune naisse et qu'à date fixe elle soit détruite, alors que tant de choses se manifestent à époques si marquées ?

Aux éclipses du soleil et de la lune on peut de même attribuer plusieurs causes. Pourquoi prétendre que la lune intercepte à nos yeux la lumière du soleil et, s'interposant entre la terre et lui dans les hauteurs du ciel, dresse l'obstacle de son disque opaque devant les ardents rayons ? Pourquoi dans ce phénomène l'effet ne serait-il pas mis au compte d'un autre corps dont aucune lumière ne révélerait la course ? Mais le soleil lui-même ne pourrait-il à un certain moment défaillir, laisser tomber ses feux et puis les ranimer, une fois franchies les régions hostiles à ses flammes et dans lesquelles ses feux s'éteignent et périssent ? Et si la terre à son tour peut priver la lune de lumière et, placée au-dessous du soleil, tenir ses rayons captifs, tandis que l'astre mensuel traverserait l'épaisseur du cône d'ombre, pourquoi aussi, dans le même temps, un autre corps ne passerait-il pas sous la lune ou ne glisserait-il pas devant le disque solaire, interceptant ainsi ses rayons et la diffusion de sa lumière ? Mais d'ailleurs, si la lune brillait d'un éclat propre, pourquoi ne pourrait-elle pas s'alanguir dans une région déterminée du monde, en traversant des zones ennemies de ses feux ?

J'ai donc expliqué comment à travers l'azur du vaste monde chaque phénomène peut s'accomplir; j'ai donné les moyens de connaître les révolutions du soleil et de la lune, et quelle force en est la cause; nous savons également pour quelle raison de lumière interceptée ces astres paraissent s'éteindre et, semblables à de grands yeux qui se ferment et se rouvrent tour à tour, répandent sur la terre une nuit inattendue ou la parcourent d'un éclat qui l'illumine. Maintenant je reviens au monde dans sa nouveauté, quand la terre était encore molle, et je dirai quelles productions elle hasarda pour la première fois aux rivages de la lumière en les abandonnant aux caprices des vents.

D'abord ce furent toutes sortes d'herbes et un éclat verdoyant; la terre les donna aux collines ainsi qu'à toutes les plaines; des fleurs brillèrent parmi l'herbe des vertes prairies, puis toute une variété d'arbres s'éleva dans les airs, à l'envi et sans limite de croissance. De même que la plume, le poil, les crins et les soies sont les premiers à se former sur les membres des quadrupèdes et sur le corps des oiseaux, ainsi la jeune terre commença par produire les herbes et les arbrisseaux et ne créa qu'ensuite les êtres vivants, mais en grand nombre et par espèces diverses. Les animaux en effet ne sont pas tombés du ciel et les êtres terrestres n'ont pas surgi de l'onde salée. Il faut donc reconnaître qu'à juste titre la terre a reçu le nom de mère, puisque c'est de la terre que toutes créatures sont nées. Combien d'êtres vivants aujourd'hui encore se forment au sein de la terre, engendrés par l'eau des pluies unie à la chaleur du soleil! Il n'est donc pas étonnant qu'il en soit né de plus nombreux et de plus grands alors qu'ils pouvaient se développer dans toute la nouveauté de la terre et de l'air.

Les espèces ailées les premières, toutes les variétés des oiseaux quittèrent leurs œufs d'où les faisait éclore la saison du printemps [39]; c'est ainsi que de nos jours l'été voit les cigales abandonner d'elles-mêmes leur ronde tunique pour chercher nourriture et vie. C'est en ces temps, sache-le, que la terre fit naître la première génération des hommes. Chaleur et humidité abondaient dans les campagnes. Aussi, partout où la disposition des lieux s'y prêtait, des matrices croissaient-elles enracinées dans le sol, et le terme venu, l'âge libérait les nouveau-nés fuyant l'humidité et aspirant à l'air libre : la nature alors dirigeait vers eux les pores de la terre qu'elle obligeait à leur verser un suc semblable au lait : ainsi maintenant toute femme qui a enfanté se remplit d'un doux lait, parce qu'un élan porte tous les aliments aux mamelles. La terre alors donnait leur nourriture aux enfants, la chaleur leur tenait lieu de vêtement, l'herbe leur offrait pour berceau son épaisse et molle toison.

L'enfance du monde ne produisait ni durs froids, ni chaleurs excessives, ni violences de vent : car toutes choses croissent d'un cours égal et prennent force. Aussi le répéterai-je, le nom de mère appartient à la terre qui le mérite, puisqu'elle a créé la race humaine et produit pour ainsi dire au temps marqué toutes les espèces animales, celles qui errent en s'ébattant sur les hautes montanges et celles qui volent dans les airs sous les formes les plus variées.

Mais il y a un terme à la fécondité, et la terre cessa d'enfanter, telle une femme épuisée par l'âge. L'évolution du monde entier est le fruit du temps, les choses passent nécessairement d'un état à un autre, aucune ne reste semblable à soi, tout s'en va, tout change, tout se métamorphose par la volonté de la nature. Telle existence tombe en poussière ou languit de vieillesse, tandis qu'une autre croît à sa place, sortie de la fange. C'est donc ainsi que le monde entier évolue dans le temps et que d'état en état passe la terre : ce dont elle était capable, elle ne l'est plus, mais elle peut ce qui lui fut impossible.

Que de monstres la terre en travail s'efforça de créer, étranges de traits et de structure! On vit l'androgyne, qui tient des deux sexes mais n'appartient à aucun, et n'est ni l'un ni l'autre; on vit des êtres sans pieds et sans mains, ou muets et sans bouche, ou sans regard, aveugles, ou bien dont les membres adhéraient tous au tronc et qui ne pouvaient ni agir, ni marcher, ni éviter un péril, ni pourvoir à leurs besoins. Tous ces monstres et combien d'autres de même sorte furent créés en vain, la nature paralysa leur croissance et ils ne purent toucher à la fleur tant désirée de l'âge, ni trouver de nourriture, ni s'unir par les liens de Vénus. Il faut en effet, nous le voyons, tout un concours de circonstances pour que les espèces puissent durer en se reproduisant : des aliments d'abord, puis des germes féconds distribués dans l'organisme avec une issue par où ils puissent s'écouler hors du corps alangui, et enfin, pour que la femelle puisse se joindre au mâle, des organes qui leur permettent d'échanger des joies partagées.

Beaucoup d'espèces durent périr sans avoir pu se reproduire et laisser une descendance. Toutes celles que tu vois respirer l'air vivifiant, c'est la ruse ou la force, ou enfin la vitesse qui dès l'origine les a défendues et conservées. Il en est un bon nombre en outre qui se sont recommandées à nous par leur utilité et remises à notre garde. L'espèce cruelle des lions et autres bêtes féroces, c'est dans la force et le courage qu'elle a trouvé sa sûreté; les renards ont trouvé la leur dans la ruse, les cerfs dans la fuite. Mais les chiens au sommeil léger et au cœur fidèle, les bêtes de somme et de trait, les troupeaux porte-laine et les animaux à cornes, toutes ces espèces se trouvent confiées à la garde de l'homme, Memmius. Portées à fuir les bêtes sauvages, à chercher la paix et une abondante pâture acquise sans péril, elles ont reçu de nous ces biens pour prix de leurs services. Quant aux animaux qui ne furent doués ni pour vivre indépendants par leurs propres moyens, ni pour gagner en bons serviteurs nourriture et sécurité sous notre protection, tous ceux-là furent pour les autres proie et butin et restèrent enchaînés au malheur de leur destin jusqu'au jour où leur espèce fut complètement détruite par la nature.

Les Centaures n'ont jamais existé; en aucun temps n'a pu vivre un être à double nature, combinaison de deux corps, fait de membres hétérogènes, sans harmonie possible dans les facultés. L'esprit le plus obtus en sera convaincu aisément.

Tout d'abord le cheval après trois ans révolus est dans le meilleur de son âge, l'enfant en reste loin, car souvent encore après trois ans il cherchera en songe le sein qui lui a donné le lait; plus tard, quand le cheval vieillissant perd ses forces et que de ses membres languissants la vie s'apprête à s'enfuir, c'est le moment où l'enfant s'épanouit dans la jeunesse florissante, qui revêt ses joues d'un tendre duvet. Ne va donc pas croire que du croisement de l'homme avec la race des bêtes de somme, puissent se former et vivre des Centaures, non plus que ces monstres à ceinture de chiens furieux, les Scylles au corps demi-marin, ni enfin tous ces monstrueux assemblages de membres discordants qui n'atteignent pas en même temps dans toutes leurs parties la fleur de l'âge, l'épanouissement des forces, le déclin de la vieillesse, et qui tout entiers ne peuvent brûler du même feu d'amour, ni s'accorder dans leurs mœurs ni se plaire aux mêmes aliments. Ne voit-on pas en effet l'animal porte-barbe, la chèvre, s'engraisser avec la ciguë, qui est pour l'homme violent poison ?

La flamme brûle et consume le corps fauve des lions ainsi que toute chair et tout sang d'animal existant sur terre. Comment donc un être à triple forme, lion par la tête, dragon par la queue et par le corps Chimère, — tel est le nom de cet être fabuleux, — aurait-il pu souffler par la gueule une ardente flamme issue de sa poitrine ?

S'imaginer que dans la nouveauté naissante de la terre et du ciel aient pu naître semblables êtres et ne soutenir cette croyance que du vain mot de nouveauté, c'est s'entraîner à débiter mainte fable de même valeur : on dira qu'en ces temps des fleuves d'or traversaient les terres, qu'aux arbres les fleurs étaient des pierres précieuses ou qu'il y eut un homme à taille de géant, capable d'enjamber un océan et de faire tourner de ses mains autour de lui la voûte entière du ciel [40]. Certes, la terre contenait un grand nombre de germes différents à l'époque où elle produisit les premiers êtres animés, mais ce n'est pas une raison pour qu'elle ait pu créer des espèces hybrides, des corps aux membres disparates. Tant de productions maintenant encore jaillies du sol, herbes multiples, céréales, arbres vigoureux, n'ont pas possibilité de naître pêle-mêle; mais chacune a son développement, toutes conservent leurs différences que la nature a décrétées.

Une race d'hommes vécut alors, race des plus dures, et digne de la dure terre qui l'avait créée. Des os plus grands et plus forts que les nôtres formaient la charpente de ces premiers hommes, leur chair avait une armature de muscles puissants, ils résistaient aisément aux atteintes du froid et du chaud, aux changements de nourriture, aux attaques de la maladie. Que de révolutions le soleil accomplit à travers le ciel, tandis qu'ils menaient leur vie errante de bêtes sauvages! Nul ne mettait sa force à conduire la charrue recourbée, nul ne savait retourner la terre avec le fer, ni planter de tendres rejetons, ni couper aux grands arbres, avec la faux, leurs rameaux vieillis. Ce que le soleil et la pluie donnaient, ce que la terre offrait d'elle-même, voilà les présents qui contentaient leurs cœurs. C'est parmi les chênes, avec leurs glands, qu'ils se nourrissaient le plus souvent; et ces fruits que tu vois de nos jours à la saison d'hiver annoncer leur maturité en se colorant de pourpre, les arbouses, la terre les portait alors plus nombreux et plus gros. Enfin, dans sa fleur, la nouveauté du monde abondait en grossières pâtures qui suffisaient aux misérables mortels.

Pour apaiser leur soif, les cours d'eau et les sources les appelaient, comme aujourd'hui la voix claire des torrents qui tombent du haut des montagnes invite de loin les fauves altérés. Enfin leurs courses nocturnes les entraînaient aux demeures sylvestres des nymphes, certains d'y voir sourdre des eaux vives qui lavaient de leurs ondes abondantes les humides rochers, humides rochers couverts d'une verte mousse à travers laquelle elles perlaient, ou bien qui, jaillissant en ruisseaux, s'élançaient dans la plaine.

Ils ne savaient encore quel instrument est le feu, ni se servir de la peau des bêtes sauvages, ni se vêtir de leurs dépouilles. Les bois, les cavernes des montagnes, les forêts étaient leur demeure; c'est dans les broussailles qu'ils cherchaient pour leur corps malpropre un abri contre le fouet des vents et des pluies. Le bien commun ne pouvait les préoccuper, ni coutumes ni lois ne réglaient leurs rapports. La proie offerte par le hasard, chacun s'en emparait; être fort, vivre à sa guise et pour soi, c'était la seule science. Et Vénus dans les bois accouplait les amants. Ce qui donnait la femme à l'homme, c'était soit un mutuel désir, soit la violence du mâle ou bien sa passion effrenée, ou encore l'appât d'une récompense, glands, arbouses ou poires choisies.

Confiants dans l'étonnante vigueur de leurs mains et de leurs pieds, ils poursuivaient les bêtes des forêts en leur lançant des pierres à la fronde, en les écrasant de leurs massues; ils triomphaient de la plupart, quelques-unes seulement les faisaient regagner leurs retraites; et pareils aux sangliers couverts de soies, ils étendaient nus sur la terre leurs membres sauvages, quand la nuit les surprenait, se faisant une couverture de feuilles et de broussailles. Le jour, le soleil disparus, ils n'allaient pas par les campagnes les chercher à grands cris, errant pleins d'épouvante à travers les ombres de la nuit; mais silencieux ils attendaient, ensevelis dans le sommeil, que le soleil de sa torche rouge rendît au ciel la lumière. Dès l'enfance accoutumés à voir les ténèbres et le jour renaître alternativement, il ne pouvait leur arriver de s'en étonner, ni de redouter pour la terre une nuit éternelle qui leur dérobât à jamais la lumière du soleil.

Mais leur plus grande inquiétude, c'était l'attaque des bêtes sauvages qui souvent faisaient du sommeil un péril pour ces malheureux; chassés de leur gîte, ils fuyaient leur abri de pierre à l'approche d'un sanglier écumant ou d'un lion puissant, et en pleine nuit, glacés d'effroi, ils cédaient à ces hôtes cruels leur couche de feuillage.

Ne crois pas qu'à cette époque plus qu'aujourd'hui la race des mortels avait à quitter dans les gémissements la douce lumière de la vie. Il arrivait sans doute plus souvent que l'un d'eux, surpris par les bêtes, leur offrait une proie vivante pour leurs dents cruelles et remplissait de ses cris les bois, les monts et les forêts en voyant sa chair ensevelie vivante dans un tombeau vivant. Certains, sauvés par la fuite mais le corps mutilé, tenant leurs mains tremblantes appliquées sur d'horribles plaies, appelaient par de terribles cris Orcus, puis mouraient dans d'affreuses convulsions, sans le moindre secours, ignorant quels soins réclamaient leurs blessures. Mais en revanche, il n'y avait pas des milliers d'hommes à périr sous les drapeaux en un jour de bataille, la mer démontée ne broyait pas sur les rochers des navires avec leur équipage. C'est pour rien, vainement et en pure perte que les flots soulevés déchaînaient leur colère, et sans plus de raison qu'ils laissaient tomber leur menace inutile. Et la mer apaisée avait beau multiplier ses sourires, les hommes ne se laissaient pas prendre au piège. L'art funeste de la navigation appartenait encore au néant. Alors c'était la disette qui livrait le corps épuisé à la mort, tandis que maintenant c'est l'abondance qui nous y plonge. Souvent par ignorance les hommes s'administraient eux-mêmes le poison, aujourd'hui à force d'art nous le donnons aux autres.

Dans la suite, les hommes connurent les huttes, les peaux de bêtes et le feu; la femme unie à l'homme devint le bien d'un seul, les plaisirs de Vénus furent restreints aux chastes douceurs de la vie conjugale, les parents virent autour d'eux une famille née de leur sang : alors le genre humain commença à perdre peu à peu sa rudesse. En effet le feu rendit les corps plus délicats et moins capables d'endurer le froid sous le seul abri du ciel; et Vénus énerva leur vigueur, et les enfants par leurs caresses n'eurent pas de peine à fléchir le caractère farouche des parents. Alors aussi l'amitié unit pour la première fois des voisins, qui cessèrent de s'insulter et de se battre; et ils se recommandèrent mutuellement les enfants ainsi que les femmes, faisant entendre confusément de la voix et du geste qu'il était juste d'avoir pitié des faibles. Assurément la concorde ne pouvait pas s'établir entre tous, mais les plus nombreux et les meilleurs restaient fidèles aux pactes; autrement le genre humain eût dès lors péri tout entier et n'aurait pu conduire jusqu'à nous ses générations.

Ce sont ensuite les sons variés du langage que la nature poussa les hommes à émettre [41], et le besoin assigna un nom à chaque chose; c'est à peu près ainsi que l'enfant est conduit au geste par l'impuissance à s'exprimer avec des mots : il montre du doigt tout ce qui s'offre à ses yeux. Car chaque être a le sentiment des facultés dont il peut user; avant même que la corne commence à poindre sur sa tête, le veau irrité en menace et en frappe déjà. Les petits de la panthère et de la lionne se défendent de leurs griffes, de leurs pattes et de leurs crocs à peine dents et griffes leur sont-elles poussées. Et les oiseaux de toute espèce se confient tous à leurs ailes, et demandent à leurs plumes un appui tremblant.

Ainsi donc penser qu'un homme ait pu alors distribuer des noms aux choses et que de lui tous les autres aient appris les premiers mots du langage, c'est folie; car s'il a pu désigner toutes choses par un terme et émettre les sons variés du langage, comment à la même époque d'autres que lui n'ont-ils pu le faire ?

De plus, si les autres hommes ne s'étaient pas encore servis de la parole, d'où a pu lui venir l'idée de son utilité ? Où a-t-il pris le pouvoir de faire le premier comprendre et voir aux autres ce qu'il voulait faire ? Au reste, un seul homme ne pouvait en contraindre beaucoup, et domptant leur résistance, les obliger à recevoir de lui les noms des choses. Pouvait-il davantage enseigner, persuader à des sourds ce qu'il y avait à faire ? Ils ne l'auraient pas supporté, ils n'auraient pas souffert d'avoir les oreilles fatiguées en vain de sons inconnus.

Enfin, est-il surprenant que le genre humain doué d'une voix et d'une langue ait suivi la variété de ses impressions pour désigner de sa voix la variété des objets ? Les troupeaux muets, les bêtes sauvages elles-mêmes, ont des cris différents et divers accents, selon que la crainte, la douleur ou la joie les possède. L'expérience nous l'apprend.

Quand la grande chienne des Molosses, dans le premier accès de sa fureur, gronde en retroussant ses molles babines sur ses dents dures, elle nous menace de sa rage qui lui fronce le mufle avec des sons tout autres que ceux dont elle fait retentir l'espace quand elle aboie.

Et quand d'une langue caressante elle lèche ses petits ou les caresse de ses pattes, ou que les agaçant de morsures inoffensives elle feint de vouloir les dévorer, le tendre accent de sa voix ne ressemble ni à ses hurlements quand on l'a laissée seule à la maison, ni à ses plaintes quand elle fuit en rampant les coups qui vont la frapper.

Est-ce le même hennissement que pousse le jeune cheval lorsque au milieu des juments il bondit dans la fleur de son âge, étalon fougueux qu'éperonne l'amour, ce cavalier ailé, ou bien lorsque ses larges naseaux frémissent au bruit des armes ou que toute autre émotion l'agite et le fait hennir ?

La gent ailée, les oiseaux de toute espèce, éperviers, orfraies, plongeons, qui dans les flots salés vont chercher nourriture et vie jettent des cris tout différents selon les circonstances : ils en ont de tout à fait particuliers lorsqu'ils luttent pour leur subsistance et que leurs proies se défendent.

Il y en a dont la voix rauque varie avec les saisons : telles sont les corneilles vivaces et les bandes de corbeaux, selon qu'elles semblent réclamer la pluie ou qu'elles appellent les vents et la tempête. Si donc des émotions différentes amènent les animaux, tout muets qu'ils sont, à émettre des sons différents, combien n'est-il pas plus naturel encore que les hommes aient conformé leur voix à la diversité des choses ?

Ici je veux prévenir une question que tu me fais peut-être intérieurement; et je dirai que c'est la foudre qui a fait descendre sur la terre pour les mortels la première flamme, foyer de toutes les autres. Combien de corps voyons-nous embrasés par les flammes célestes, quand un coup de foudre a répandu ses feux! Mais cependant il arrive que sous l'effort des vents un arbre penche ses épais rameaux sur ceux d'un autre arbre et s'échauffe au contact : la violence du frottement fait jaillir le feu qu'ils contiennent et parfois brille une flamme éclatante dans l'entrechoquement des branches. De ces deux causes, l'une et l'autre ont pu donner le feu aux mortels.

Puis les hommes apprirent du soleil à cuire les aliments, à les amollir à la chaleur de la flamme, car ils voyaient les fruits de la terre s'adoucir à ses rayons, s'attendrir à son feu dans les champs. Et de jour en jour ils modifièrent leur nourriture et la vie d'antan par un nouvel emploi du feu qu'enseignaient les plus inventifs et les plus sages.

Bientôt les rois se mirent à fonder des villes et à construire des citadelles pour leur être défense et refuge; ils distribuèrent les troupeaux et les terres, en tenant compte de la beauté et de la force du corps ainsi que des qualités de l'esprit : car la beauté eut alors grande valeur, la force grande vertu. C'est plus tard que fut inventée la richesse et découvert l'or; il n'eut pas de peine à ravir leur prestige à la force et à la beauté. La cour du riche en effet, les hommes courent d'ordinaire la grossir, même s'ils sont forts, même s'ils sont beaux.

Si l'on se conduisait par les conseils de la sagesse, l'homme trouverait la suprême richesse à vivre content de peu : car de ce peu jamais il n'y a disette. Mais les hommes ont voulu se rendre illustres et puissants pour donner une base solide à leur destinée et mener une vie paisible au sein de l'opulence : vaine ambition, car pour arriver au faîte des honneurs ils soutiennent des luttes qui en font la route périlleuse. Y arrivent-ils pourtant ? Une véritable foudre, l'envie, les frappe et les précipite honteusement dans l'horrible Tartare. Qu'il vaut mieux vivre dans l'obéissance et la paix que de vouloir régenter le monde et être roi! Que les hommes donc suent le sang et s'épuisent en vains combats sur le chemin étroit de l'ambition. Tant pis pour eux s'ils ne voient pas que l'envie comme la foudre concentre ses feux sur les hauteurs, sur tout ce qui dépasse le commun niveau! tant pis s'ils ne jugent que sur autorité d'autrui, s'ils règlent leurs goûts sur les opinions reçues plutôt que sur leur sentiment personnel. Hélas, ce que les hommes sont aujourd'hui, ce qu'ils seront demain, ils l'ont toujours été.

Donc quand les rois furent égorgés, il ne resta plus rien de l'antique majesté des trônes ni de l'orgueil des sceptres, et le superbe diadème d'une tête souveraine, tout sanglant sous les pieds du vulgaire, pleura ses anciens honneurs; car ce que l'on a craint, on se passionne à le briser. Aussi les affaires publiques, tombées dans la plus basse lie, retournaient-elles au désordre de la multitude; chacun voulait le pouvoir et le premier rang. Alors quelques hommes apprirent aux autres à créer des magistrats et à fonder la justice, en vue d'un régime légal. Car le genre humain, fatigué de vivre dans l'anarchie, épuisé par la discorde, se plia d'autant mieux à l'autorité des lois et de la stricte justice. Comme chacun dans sa colère était disposé à pousser la vengeance plus loin que ne le permettent aujourd'hui les justes lois, on comprend que les hommes en soient venus à se lasser d'un régime de désordre. Désormais la crainte du châtiment trouble les douceurs coupables de l'existence; le violent, l'injuste, se prend dans ses propres filets et c'est sur son auteur que l'iniquité presque toujours retombe; il n'est pas facile de couler des jours paisibles à qui viole par ses actes le pacte de paix publique. En vain les a-t-il dérobés aux regards des dieux et des hommes, il vit sans cesse dans l'angoisse de les voir découverts : ne dit-on pas que beaucoup, par des paroles échappées dans le sommeil ou le délire de la maladie, ont révélé des fautes longtemps cachées ?

Maintenant quelle cause a répandu parmi les peuples la croyance aux dieux, a rempli les villes d'autels, a institué ces solennités religieuses qu'on voit se déployer aujourd'hui en tant de grandes occasions, en tant de sanctuaires ? Comment les mortels restent-ils pénétrés de la sombre terreur qui leur fait élever de nouveaux temples par toute la terre et les y pousse en foule dans les jours de fête ? Il n'est pas difficile d'en donner la raison dans mes vers.

En ces temps primitifs, les mortels voyaient en imagination, même tout éveillés, d'incomparables figures de dieux, qui prenaient pendant leur sommeil une grandeur plus étonnante. Ils attribuaient à ces apparitions le sentiment, parce qu'elles semblaient se mouvoir et faire entendre un langage superbe en rapport avec leur beauté éclatante et leur force de géants; ils leur accordaient une vie éternelle, parce que leur visage était sans cesse renouvelé, leur forme toujours intacte, et surtout parce qu'ils ne croyaient pas que de leur vigueur prodigieuse aucune puissance fût capable de venir à bout. Ils imaginaient aussi ces êtres les plus heureux de tous, parce que la crainte de la mort ne tourmentait aucun d'eux et aussi parce qu'ils les voyaient en songe exécuter beaucoup de merveilles qui ne leur coûtaient aucune peine.

Et puis, ils observaient le système céleste, son ordre immuable et le retour périodique des saisons, mais sans pouvoir en pénétrer les causes. Leur seul recours était donc de tout abandonner aux dieux et d'admettre que tout est suspendu à un signe de leur tête.

C'est dans le ciel qu'ils situèrent les demeures, les palais des dieux, parce que dans le ciel on voit le soleil et la lune accomplir leur révolution, parce que là sont la lune, le jour et la nuit et les graves astres nocturnes et les feux errants du ciel et les flammes volantes, les nuages, la rosée, les pluies, la neige, les vents, la foudre, la grêle et les grondements soudains et les menaçants murmures du tonnerre. O race malheureuse des hommes, qui attribuèrent aux dieux ces phénomènes et qui leur prêtaient des colères cruelles! Que de gémissements il leur en a coûté, que de blessures pour nous, quelle source de larmes pour nos descendants!

La piété, ce n'est pas se montrer à tout instant la tête voilée devant une pierre, ce n'est pas s'approcher de tous les autels, ce n'est pas se prosterner sur le sol la paume ouverte en face des statues divines, ce n'est pas arroser les autels du sang des animaux, ni ajouter les prières aux prières; mais c'est bien plutôt regarder toutes choses de ce monde avec sérénité. Car lorsque nous élevons les yeux pour contempler la voûte céleste, cette voûte de l'éther où scintillent les étoiles, et qu'il nous vient à l'esprit de penser aux cours du soleil et de la lune, alors parmi les maux qui nous oppressent, il est une inquiétude qui s'éveille et se dresse dans notre âme : ne seraient-ce pas les dieux qui dans leur infinie puissance entraîneraient en courbes variées les astres à la blanche lumière? L'ignorance des causes livre l'esprit au doute, on se demande si le monde a eu un commencement et par suite s'il doit avoir une fin et combien de temps encore ses remparts pourront supporter la fatigue de son mouvement; ou bien si le monde, doué de durée éternelle par les dieux, pourra braver pendant l'infinité des âges leurs redoutables assauts.

Au reste, quel est l'homme à qui la crainte des dieux n'étreint pas le cœur? dont le corps ne se contracte d'effroi quand sous les terribles traits de la foudre, la terre embrasée se met à trembler et que d'épouvantables grondements courent à travers le ciel ? Peuples et nations ne sont-ils pas alors consternés ? Les rois superbes ne se pelotonnent-ils pas, frappés par la crainte des dieux, à la pensée que pour quelque action coupable, pour quelque tyrannique décret, l'heure lourde du châtiment a peut-être sonné ? Et quand la suprême fureur du vent déchaînée sur la mer balaye à travers les flots le chef de la flotte avec ses puissantes légions et ses éléphants, ne tente-t-il pas d'apaiser la divinité par ses vœux, n'implore-t-il pas dans son effroi la pitié des vents et des souffles favorables ? Mais c'est en vain, puisque souvent un violent tourbillon l'enveloppe et que ses prières ne l'empêchent pas d'être emporté aux abîmes de la mort : tant il est vrai qu'on ne sait quelle puissance secrète semble broyer les destinées humaines et fouler aux pieds les glorieux faisceaux des haches redoutables, dont on dirait qu'ils sont ses jouets. Enfin quand la terre entière chancelle sous nos pas, que les villes ébranlées s'écroulent ou nous menacent de leur chute, est-il étonnant que les mortels s'humilient en acceptant l'idée de puissances supérieures, forces surnaturelles mêlées à la nature et qui gouverneraient toutes choses ?

Poursuivons : l'airain et l'or et le fer furent découverts ainsi que l'argent en masse et les propriétés du plomb, quand l'incendie eut consumé de grandes forêts sur les hautes montagnes, soit que le feu du ciel fût tombé, soit que les hommes se faisant la guerre dans les bois se fussent armés de la flamme pour jeter la terreur parmi leurs ennemis, soit encore qu'invités par la bonté du sort ils voulussent défricher pour avoir champs fertiles et pâturages, ou bien pour faire périr les bêtes sauvages et s'enrichir de leurs dépouilles : car c'est de fosses et de feux que se servit d'abord la chasse, avant d'investir les bois de filets et de les battre avec une meute. Quoi qu'il en soit, par quelque cause qu'aient éclaté ces incendies, leur ardeur avec un horrible fracas avait dévoré les forêts jusqu'au plus profond des racines et calciné les entrailles mêmes de la terre; alors coulèrent dans ses veines brûlantes et se rassemblèrent dans ses cavités des ruisseaux d'argent et d'or, d'autres d'airain et de plomb; or ces métaux bientôt durcis, les hommes les voyaient répandre sur la terre l'éclat de leurs vives couleurs; ils les recueillirent, séduits par leur aspect brillant et poli; ils remarquèrent en outre qu'ils avaient pris la forme et conservaient l'empreinte des cavités où ils les avaient trouvés. Alors l'idée leur vint que ces métaux liquéfiés au feu pourraient prendre toutes sortes de figures et de formes, qu'il y aurait moyen en les forgeant de les effiler en lames aussi minces et aiguës que l'on voudrait, qu'on se ferait ainsi des armes et des instruments à couper les arbres des forêts, à équarrir et polir le bois, à raboter ainsi qu'à percer, creuser, perforer. Et tout d'abord ils pensèrent employer à ces usages l'argent et l'or non moins que la dureté puissante de l'airain; mais en vain, car la force de ces deux métaux pliait, bientôt vaincue, incapable de résister comme l'autre aux durs travaux. L'airain dès lors fut le métal le plus apprécié et l'on négligea l'or comme inutile, on jugea que sa faible pointe était trop prompte à s'émousser. Maintenant c'est l'airain qui se voit dédaigné, l'or est monté au comble des honneurs. Ainsi le temps dans son cours change la vogue des choses : celle qu'on estima est abandonnée sans honneur. Une autre lui succède, qu'on avait méprisée et qu'on recherche chaque jour davantage, dont la découverte est toute fleurie de louanges et qui jouit d'un culte surprenant parmi les mortels.

Maintenant, de quelle façon on découvrit le fer, il t'est facile de t'en rendre compte, Memmius. Les antiques armes des hommes furent leurs mains, leurs ongles et leurs dents, ce furent aussi les pierres et encore les branches arrachées aux arbres des forêts, puis la flamme et le feu dès qu'ils furent connus. Plus tard ils découvrirent le fer et l'airain : mais ils connurent l'usage de l'airain avant celui du fer, parce qu'il est plus facile à travailler et qu'il existe en plus grande abondance. C'est avec l'airain qu'on labourait la terre, avec l'airain qu'on se jetait dans la mêlée et qu'on semait largement les blessures, qu'on s'emparait des troupeaux et des champs : car à des armés, cédait rapidement tout ce qui était nu et sans armes. Puis insensiblement le fer devint l'épée, l'opprobre se jeta sur la faux d'airain [42]; ce fut avec le fer qu'on se mit à déchirer le sol et que les chances s'égalisèrent dans les hasards de la guerre.

On sut monter tout armé un cheval et le conduire des rênes tout en combattant de la main droite, avant que de savoir, sur un char à deux chevaux, affronter les périls du combat; et l'on attela deux chevaux au char avant d'y atteler deux couples et de monter en armes sur des chars garnis de faux. Plus tard les bœufs de Lucanie [43] au dos garni de tours, monstrueux quadrupèdes dont la trompe est une main qui a la souplesse du serpent, furent dressés par les Carthaginois à supporter les blessures de la guerre et à jeter le désordre dans les gros bataillons de Mars. C'est ainsi que la triste discorde inventa l'un après l'autre de nouveaux moyens de rendre la guerre plus effrayante aux hommes; chaque jour elle ajouta quelque chose aux terreurs des armes. On essaya même d'employer les taureaux, on voulut lancer des sangliers furieux sur l'ennemi; il y en eut qui firent précéder leurs rangs de lions vigoureux avec un dompteur armé, maître sévère qui devait modérer leur ardeur et les tenir dans les chaînes. Mais en vain : échauffés par le carnage, les bêtes furieuses troublaient indistinctement tous les escadrons, agitant de tous côtés leur terrifiante crinière; les cavaliers ne pouvaient plus rassurer leurs chevaux épouvantés par les rugissements ni des rênes les ramener sur l'ennemi. Les lionnes irritées bondissaient de toutes parts, couraient aux soldats pour les mordre au visage, ou bien, surprenant leur proie par-derrière, s'y accrochaient et, la jetant à terre vaincue par la blessure, enfonçaient en elle leurs crocs puissants et leurs griffes. Quant aux taureaux, ils enlevaient leurs propres guides, les foulaient aux pieds, plongeaient leurs cornes dans les flancs et dans le ventre des chevaux et, l'âme menaçante, faisaient voler la terre autour d'eux. Les sangliers de leurs défenses robustes déchiraient leurs propres alliés, teignant de leur sang les traits brisés dans leur corps et confondaient sous les coups de leur rage cavaliers et fantassins. Les chevaux, pour échapper à leurs dents cruelles, faisaient de violents écarts ou se cabraient dans le vent : mais en vain, car on les voyait bientôt, les jarrets tranchés, s'abattre et d'une lourde chute couvrir le sol de leur corps. Ainsi ces animaux que l'on croyait avoir domptés et domestiqués s'échauffaient dans l'action par l'effet des blessures, des cris, de la fuite, de la terreur, du tumulte, et l'on ne pouvait en ramener aucun; car ils se dispersaient en tous sens et chaque espèce de son côté; c'est ainsi qu'encore de nos jours les bœufs de Lucanie blessés par le fer s'enfuient de toutes parts après avoir porté les coups les plus furieux à leurs maîtres. Certes les choses ont pu se passer ainsi : mais j'ai peine à croire que les hommes n'aient pas su prévoir tant de maux avant d'en avoir été les victimes. Et je crois plus juste d'attribuer de tels usages à tout l'univers, aux divers mondes créés diversement par la nature, que d'en accuser un seul monde particulier, quel qu'il soit. Mais l'espoir de vaincre les inspira aux hommes moins que le désir de faire gémir l'ennemi même au prix de leur propre vie, quand ils se défiaient de leur nombre et qu'ils manquaient d'armes.

Des peaux cousues servirent de vêtement avant l'étoffe tissée : et celle-ci ne vint qu'après la découverte du fer, parce que c'est à l'aide du fer que la toile est faite : sans lui, comment fabriquer des outils aussi délicats que baguettes et fuseaux, navettes et ensouples chantantes ?

C'est aux hommes d'abord que la nature imposa le travail de la laine avant de le livrer aux femmes; car le sexe mâle est de beaucoup le plus habile et le plus industrieux. Mais un jour vint où les rudes laboureurs ayant fait de cette occupation un crime, les hommes durent l'abandonner aux mains des femmes, prendre leur part du pénible travail de la terre, y endurcir leur corps et leurs mains.

La première idée de l'ensemencement et le principe de la greffe, c'est la nature elle-même qui les donna, elle, la créatrice de toutes choses. En effet, les baies et les glands tombés des arbres produisaient à leur pied, dans la saison, un essaim de jeunes pousses. De là vint l'idée de confier aux branches des rejetons et de faire des boutures dans les champs; puis chacun alla d'essai en essai dans son petit domaine; on vit les fruits sauvages s'adoucir par la vertu d'une terre bien soignée et cultivée avec tendresse. De jour en jour les hommes forçaient les forêts à se retirer sur les montagnes et à céder les plaines à la culture. Près, lacs, ruisseaux, moissons, riants vignobles, s'étagèrent sur les collines et les plaines, et tout à travers coururent les lignes vert pâle des oliviers qui se multipliaient sur les tertres, le long des vallons et dans les champs : c'est un agrément du même genre qu'offre aujourd'hui la variété des campagnes où les hommes disposent tant d'arbres aux doux fruits, ornement des champs, tant d'arbres féconds qui leur servent de clôture.

Le ramage facile des oiseaux fut imité avec la bouche bien avant qu'on sût unir à l'harmonie des vers celle des chants, et par leur accord charmer les oreilles. Et le sifflement du zéphir dans les tiges des roseaux apprit aux hommes des champs à enfler un chalumeau. Puis insensiblement s'exprimèrent les douces plaintes que fait entendre la flûte animée par les doigts des joueurs, cette flûte découverte dans la profondeur des bois et des forêts, dans les pâturages, parmi les solitudes chères aux pâtres, pendant les loisirs de la vie au grand air. C'est ainsi que le temps donne naissance pas à pas aux différentes découvertes, qu'ensuite l'industrie humaine porte en pleine lumière. Tels étaient les plaisirs qui charmaient les âmes quand la faim était apaisée : car c'est alors que tout plaît à l'homme. C'est pourquoi nos lointains aïeux, souvent étendus en groupes sur un tendre gazon au bord d'un ruisseau, à l'ombre d'un grand arbre, prenaient à peu de frais leur plaisir, surtout quand la saison souriait et que le printemps émaillait de fleurs les herbes verdoyantes. C'était le temps des jeux, des causeries, des doux éclats de joie : alors la muse agreste s'éveillait. La tête et les épaules enguirlandées de fleurs et de feuillage entrelacé, inspirés d'une riante gaieté, ils s'avançaient sans mesure et avec de gauches mouvements et frappaient d'un pied lourd la terre maternelle : de là des rires et de doux éclats de joie, parce que tout était nouveau, tout était donc merveille. Et ceux qui ne pouvaient dormir s'en consolaient en pliant leur voix aux modulations multiples du chant ou en promenant leur lèvre froncée sur les roseaux de la flûte. Ce sont les mêmes distractions encore que nous conservons dans nos veillées; mais on a depuis lors appris les règles de la cadence. Hélas! ce surcroît de ressources ne nous fait pas goûter plus de plaisir que n'en prit alors dans les forêts la race des fils de la terre.

C'est que le bien que nous avons sous la main, tant que nous n'en connaissons pas de plus doux, nous l'aimons entre tous, il est roi; mais une nouvelle et meilleure découverte détrône les anciennes et renverse nos sentiments. Ainsi l'homme méprisa le gland, de même il renonça aux couches d'herbe garnies de feuillage. Les vêtements faits de peaux de bêtes un jour n'eurent plus de valeur : et pourtant leur découverte avait excité tant d'envie qu'un guet-apens mortel avait attiré, j'en suis sûr, le premier qui les porta; et cette dépouille disputée entre les meurtriers, toute sanglante, fut déchirée, et aucun d'eux ne put en jouir.

Alors, c'étaient donc les peaux de bêtes, aujourd'hui c'est l'or et la pourpre qui préoccupent les hommes et les fait se battre entre eux : ah! c'est bien sur nous, je le pense, que retombe la faute. Car le froid torturait ces hommes nus, ces enfants de la terre, quand les peaux leur manquaient : mais pour nous, quelle souffrance est-ce donc de n'avoir pas un vêtement de pourpre et d'or rehaussé de riches broderies ? Une étoffe plébéienne ne suffit-elle pas à nous protéger ? Ainsi donc le genre humain se donne de la peine sans profit et toujours consume ses jours en vains soucis. Faut-il s'en étonner ? il ne connaît pas la borne légitime du désir, il ne sait les limites où s'arrête le véritable plaisir. Voilà ce qui peu à peu a jeté la vie humaine en pleine mer orageuse et déchaîné les pires orages de la guerre.

Cependant ces astres vigilants, le soleil et la lune, dont la lumière parcourt la vaste et tournante voûte du ciel, enseignèrent aux hommes la révolution annuelle des saisons et quel ordre immuable, selon quelles lois immuables, gouverne la nature.

Déjà l'homme avait mis son existence à l'abri de tours solides, et déjà il cultivait une terre divisée et mise en partage. La mer était fleurie de navires dont le vent gonflait les voiles; des secours et des alliances déjà étaient assurés par traités, quand les poètes confièrent pour la première fois à leurs chants le souvenir des exploits humains : et l'on ne peut faire remonter guère plus haut l'invention de l'écriture. C'est pourquoi les anciens temps échappent aujourd'hui à nos regards, et la raison ne nous en fait entrevoir que quelques vestiges.

Navigation, culture des champs, architecture, lois, armes, routes, vêtements et toutes les autres inventions de ce genre, et celles mêmes qui donnent à la vie du prix et des plaisirs délicats, poèmes, peintures, statues parfaites, tout cela a été le fruit du besoin, de l'effort et de l'expérience; l'esprit l'a peu à peu enseigné aux hommes dans une lente marche du progrès. C'est ainsi que le temps donne naissance pas à pas aux différentes découvertes qu'ensuite l'industrie humaine porte en pleine lumière. Les hommes voyaient en effet les arts éclairés d'âge en âge par des génies nouveaux, puis atteindre un jour leur plus haute perfection.

LIVRE SIXIÈME

ARGUMENT

Ce chant, qui est consacré tout entier à l'explication des météores, commence par les louanges d'Épicure et l'exposition du sujet que le poète va traiter, sujet d'autant plus important qu'il est, selon lui, la principale source de la superstition parmi les hommes. Il entre donc en matière, développe au long les causes du *tonnerre*, des *éclairs*, de la *foudre*, et conclut de ces explications que ce n'est pas Jupiter qui lance les feux du ciel au milieu des nuages, mais que ce phénomène est produit par des vapeurs inflammables qui s'allument naturellement dans l'atmosphère. De la foudre il passe aux *trombes*, qui sont occasionnées à peu près par les mêmes causes, et dont il distingue deux espèces : des trombes de mer, fléau terrible pour les navigateurs, et des trombes de terre, ouragan non moins dangereux, mais plus rare. Ensuite, après avoir traité de la formation des *nuages*, de la *pluie* et de l'*arc-en-ciel*, il descend aux phénomènes terrestres, recherche les causes des *tremblements de terre*, explique pourquoi la mer ne déborde jamais, d'où viennent les éruptions de l'Etna, les crues périodiques du Nil, et ces exhalaisons minérales dont la vapeur donne la mort aux hommes, aux quadrupèdes et aux oiseaux; de là il entre dans des détails curieux sur la cause qui rend les puits plus froids en été qu'en hiver, sur les propriétés singulières de quelques fontaines, et sur la vertu attractive et communicative de l'*aimant ;* il traite enfin des maladies contagieuses et pestilentielles, et termine ce morceau par une description de la peste qui ravagea l'Attique du temps de la guerre du Péloponnèse.

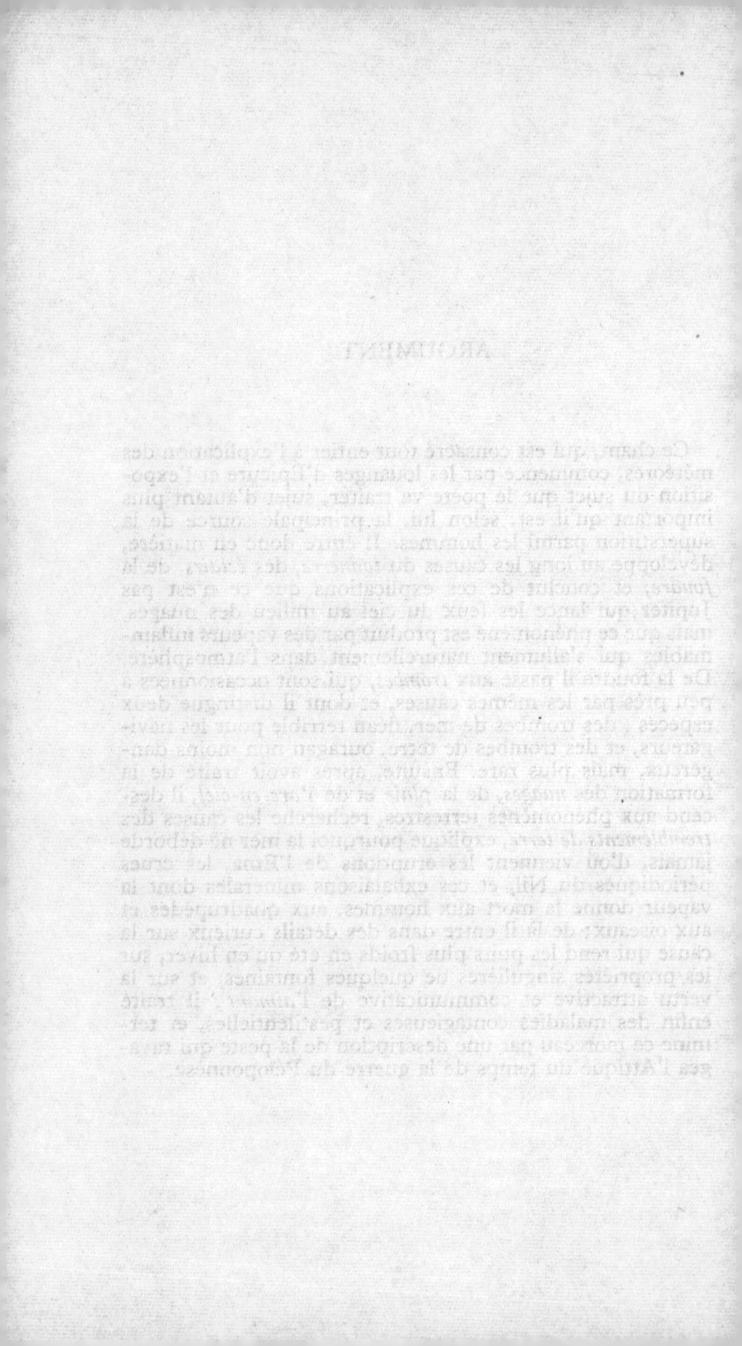

LIVRE SIXIÈME

Athènes la première, Athènes au nom illustre a distribué aux malheureux mortels les moissons de la terre, renouvelé notre condition, institué les lois : la première aussi, elle leur a donné les douces consolations de la vie, quand elle a fait naître l'homme au vaste génie qui de sa bouche inspirée répandit tant de vérités et dont malgré sa mort, mais pour prix de ses divines découvertes, la gloire partout répandue et victorieuse du temps monte désormais jusqu'au ciel.

Il vit que rien, ou presque, de ce que réclament les besoins de la vie ne manquait aux hommes, rien de ce qui, autant que possible, assure leur sécurité; il vit que les puissants avaient en abondance richesses, honneurs, gloire et s'enorgueillissaient encore de la renommée de leurs enfants; mais il vit que néanmoins dans leur for intérieur ils gardaient l'angoisse au cœur et que de vaines plaintes infestaient leur esprit : alors il comprit que tout le mal venait du vase lui-même, dont les défauts laissaient perdre en dedans tout ce qui y était versé du dehors et même le plus précieux, soit que le vase perméable et sans fond ne lui parût pas capable de se remplir, soit qu'il fût imprégné d'une infecte saveur, poison pour tout ce qu'on y versait.

Par ses paroles de vérité il purifia les cœurs, il mit des bornes au désir et à la crainte; il enseigna ce souverain bien que nous désirons tous et par quelle route courte et droite on a chance d'y atteindre; il fit voir le mal inhérent aux destinées mortelles, comment il assaille l'homme et puis s'envole, soit par accident, soit par nécessité et parce qu'ainsi l'a voulu la nature; il dit encore par quelles portes s'élancer pour repousser tant d'assauts et combien vains d'ordinaire sont les sombres flots de soucis qui roulent dans nos cœurs. Car pareils aux enfants qui tremblent et s'effraient de tout dans les ténèbres aveugles, c'est en pleine lumière que nous-mêmes, parfois, nous craignons des périls aussi peu redoutables que ceux dont s'épouvantent les enfants dans les ténèbres et qu'ils imaginent tout près d'eux. Ces terreurs, ces ténèbres de l'esprit, il faut donc pour les dissiper, non les rayons du soleil ni les traits lumineux du jour, mais l'étude rationnelle de la nature [44]. Je n'en reprends qu'avec plus d'ardeur le cours de mes leçons.

J'ai montré que l'édifice du monde est mortel, que le ciel a été soumis aux lois de la naissance et que de tout ce qui s'accomplit et s'accomplira sous sa voûte j'ai expliqué la plus grande partie; ce qui me reste à t'apprendre, écoute-le maintenant. Quand je suis monté sur le char éclatant de la gloire, l'espoir de vaincre m'encourageait; des obstacles surgirent devant ma course, mais je les ai renversés dans un délire d'inspiration maintenant apaisé.

Tous les autres phénomènes que les mortels voient s'accomplir sur terre et dans le ciel tiennent leurs esprits suspendus d'effroi, les livrent humiliés à la terreur des dieux, les courbent, les écrasent contre terre : c'est que l'ignorance des causes les oblige à abandonner toutes choses à l'autorité divine, reine du monde; et tout ce qui leur dérobe ces causes, ils le mettent au compte d'une puissance surnaturelle. Ceux-là mêmes en effet qui savent bien que les dieux mènent une vie sans soucis, s'interrogent quelquefois, étonnés, sur l'accomplissement des phénomènes naturels, surtout sur ce qu'ils contemplent au-dessus de leur tête, dans les régions éthérées; alors ils retombent aux antiques superstitions, ils reprennent le joug des durs maîtres auxquels leur misère leur fait attribuer un pouvoir souverain, car ils ignorent ce qui peut être et ce qui ne le peut pas, l'énergie départie à chaque existence, enfin le terme inflexible qui la borne [45]. Leur raison aveugle les égare encore davantage.

Si tu ne rejettes pas loin de ton esprit de tels préjugés, si tu persistes à charger les dieux de soucis indignes d'eux et incompatibles avec leur paix profonde, ces saintes puissances outragées ne cesseront de se présenter à ta vue : non que leur souveraineté soit sensible aux offenses et veuille se venger par un châtiment terrible; mais tu t'imagineras que dans la paix où ils goûtent le repos, ils roulent dans leur cœur des flots de ressentiment; alors tu n'oseras plus entrer dans leurs temples et les simulacres de leurs corps sacrés qui apportent aux hommes l'annonciation de la beauté divine, tu ne les recevras plus d'une âme calme et apaisée. Quelle promesse de malheurs pour le reste de ta vie!

Seule ma doctrine, qui est la vraie, peut nous préserver de ces maux; et bien que j'aie donné maintes leçons, beaucoup d'autres encore attendent la parure de mes vers; j'ai à exposer le système du ciel, j'ai à chanter les tempêtes et l'éclat des éclairs, leurs effets et leurs causes; car il ne faut plus que tu ailles en tremblant, comme un dément, diviser le ciel en régions pour observer d'où est venu le feu des airs, quelle direction il a pris, comment il s'est glissé entre des murs, comment en maître il en est sorti. Voilà tout ce que les hommes, qui en ignorent les causes, attribuent à la volonté divine. Mais toi, dirige ma course vers le terme de la carrière, Muse ingénieuse, ô Calliope, repos des hommes et plaisirs des dieux. Puissé-je, guidé par toi, obtenir la couronne de gloire!

Pourquoi le tonnerre ébranle-t-il l'azur du ciel ? C'est que dans leur vol élevé les nuages aériens subissent la poussée de vents contraires et s'entrechoquent. Car le bruit ne provient pas de la région sereine du ciel; c'est là où les nuages marchent en troupe plus dense que se produisent frémissements et grondements les plus forts.

En outre, la densité des nuages ne peut égaler celle des pierres, du bois, ni leur subtilité celle des brouillards et des fumées aériennes. Dans le premier cas, entraînés par leur poids, ils tomberaient comme les pierres; dans le second, ils n'auraient pas plus de consistance que la fumée et ne sauraient retenir les neiges glacées ni les averses de grêle.

Les nuages quelquefois font éclater dans les plaines de l'air un bruit semblable au claquement de ces vastes toiles qui flottent dans nos grands théâtres entre les mâts et les poutres. D'autres fois le nuage déchiqueté par la violence des vents veut imiter dans sa fureur le bruit du papier qu'on déchire. Car c'est là un des bruits qui se peuvent reconnaître dans le tonnerre; il y a encore celui des étoffes flottantes, des feuilles de papier fouettées par le vent, qu'il roule et froisse dans les airs.

Il se trouve en effet parfois que les nuages ne s'affrontent point, mais se prennent de flanc et dans leur marche contraire s'effleurent l'un l'autre : d'où le bruit sec qui blesse les oreilles et se répercute jusqu'à leur sortie de cette sorte de défilé.

Il arrive aussi que le tonnerre ébranle rudement la nature et la fait trembler de toutes parts : on croirait que les puissants remparts du vaste monde, brusquement arrachés, volent en éclats. En ce cas, un ouragan terrible soudainement formé s'est engouffré dans un nuage, puis une fois dans ses flancs, tournant sur lui-même en tourbillon, a forcé le nuage à se creuser en son centre tout en se condensant à la périphérie; enfin, dès que l'ouragan peut briser cette paroi sous sa violence impétueuse, il s'échappe avec un épouvantable fracas. Faut-il s'en étonner ? Une simple vessie pleine d'air fait, elle aussi, beaucoup de bruit dans sa brusque explosion.

Une autre explication s'offre encore pour le bruit que dans les nuages fait éclater le souffle des vents. Beaucoup de nuages en effet semblent nous présenter des rameaux aux multiples aspérités et c'est pourquoi nous les entendons pareils à une épaisse forêt que le vent du nord secoue; les feuilles bruissent, les branches craquent à grand bruit.

Il arrive encore que le vent dans sa fureur déchaînée crève le nuage et le déchire en l'attaquant de front. Quelle force peut avoir son souffle dans les hautes régions de l'air, l'expérience nous l'apprend, puisque sur la terre où sa violence se modère, il abat encore de grands arbres après les avoir arrachés de leurs plus profondes racines. Les nuages ont aussi leurs flots qui font retentir en se brisant des grondements, comme les grands fleuves ou la mer immense quand se brisent leurs vagues.

Parfois encore, tombant de nuage en nuage, le feu de la foudre est recueilli par l'un d'eux qui se trouve rempli d'eau et où il meurt aussitôt en jetant un grand cri; c'est ainsi que le fer chauffé à blanc siffle lorsque au sortir de la forge on le plonge immédiatement dans l'eau glacée. Si c'est au contraire un nuage sec qui recueille la foudre, il s'enflamme tout à coup dans un large fracas. Ainsi, dans les montagnes couronnées de laurier, le feu se répand et s'élance avec les vents en tourbillon, porte partout l'embrasement; et qu'y a-t-il à se consumer dans un fracas plus terrible que le laurier delphique de Phébus, quand l'enveloppe le crépitement des flammes ?

Enfin il n'est pas rare que des glaçons en se brisant, et la grêle par sa chute, fassent retentir les grands nuages dans les hauteurs de l'air. Lorsqu'en effet le vent les presse, ils s'entassent à l'étroit; alors ces montagnes de nuages éclatent et tombent mêlées de grêle.

L'éclair luit quand le choc des nuages fait jaillir un grand nombre d'atomes de feu; imagine le frottement de deux morceaux de pierre ou de fer; tu sais qu'une lumière jaillit et que des étincelles brillent. Mais pourquoi nos oreilles reçoivent-elles le bruit du tonnerre après que l'éclair a frappé nos yeux ? Parce que ce qui est destiné à l'oreille se meut plus lentement que ce qui s'adresse à la vue. Tu t'en rendras compte aisément si tu regardes de loin le bûcheron abattre sa hache sur les branches superflues d'un arbre : tu verras le coup porté avant que le bruit n'en arrive à tes oreilles. C'est ainsi que nous voyons l'éclair avant d'entendre le tonnerre, quoique son et lumière partent à la fois, sortent de la même cause et naissent du même choc.

J'expliquerai encore autrement pourquoi les nuages colorent les paysages de leur rapide lueur et pourquoi l'orage brille en brefs traits frémissants. Dès que le vent a envahi un nuage et qu'en tournant sur lui-même il l'a, comme je l'ai enseigné, creusé au centre et condensé à la périphérie, il s'échauffe par la rapidité de ses mouvements, car tout corps en mouvement s'échauffe jusqu'à brûler et la balle de plomb se fond au terme de la longue course qui la fait tourner sur elle-même. Quand le tourbillon embrasé a déchiré le nuage noir, sa violence chasse et disperse de toutes parts les atomes du feu dont est fait le jet fulgurant; puis vient le son qui met plus de temps à frapper notre oreille que la lumière à gagner nos yeux.

Ce sont là évidemment les effets de nuages denses qui se sont amoncelés les uns sur les autres avec une prodigieuse impétuosité.

Il ne faut pas que tu te laisses tromper par l'illusion qui nous fait apercevoir d'en bas l'étendue des nuages plutôt que leur profondeur et leur élévation. Considère en effet ces nuées semblables à des montagnes que les vents emportent à travers les airs; ou bien regarde d'autres nuées au flanc des hautes montagnes, ces nuées qui se superposent, se pressent et demeurent immobiles comme si les vents étaient morts. Alors tu pourras te faire une idée de leurs masses énormes; tu verras des sortes de cavernes taillées dans des rochers suspendus. Or lorsque les vents déchaînés par la tempête ont rempli ces cavernes, ils grondent indignés de cette prison aérienne et, dans leur cage, menacent à la façon des fauves; tantôt ici, tantôt là, ils lancent leurs rugissements à travers la nue, cherchent une issue, et à force de tourner arrachent au nuage des atomes de feu, en amassent un grand nombre qu'ils roulent au creux de leur fournaise jusqu'à ce que du nuage enfin crevé ils les précipitent au loin dans un éblouissement de lumière.

Voici une raison encore pour expliquer la chute des rapides reflets d'or que le feu fluide jette à la terre : c'est qu'il y a dans les nuages eux-mêmes un grand nombre d'éléments ignés; car lorsqu'ils sont sans humidité aucune, ils ont presque toujours la couleur et l'éclat de la flamme. Il leur faut nécessairement emprunter maints principes à la lumière du soleil pour rougir et répandre leurs feux; donc, lorsque le vent les chasse, presse et entasse en un même endroit, c'est leur pression mutuelle qui fait jaillir les germes fulgurants.

Il y a éclair également lorsque les nuages se raréfient au ciel. Car le vent, les éparpillant doucement, ne peut les désagréger sans que tombent malgré eux les atomes dont se forme l'éclair. En ce cas, la foudre ne provoque pas de sinistre terreur et brille sans bruit ni désordre.

Il reste à parler de sa nature : ses coups nous la révèlent, ainsi que les brûlures infligées par ses feux et encore la forte odeur de soufre qu'elle laisse derrière elle. C'est le feu qui se reconnaît à ces signes, non le vent ni la pluie. D'ailleurs la foudre souvent incendie les toits de nos demeures et sa flamme prompte s'empare de ces demeures elles-mêmes. Ce feu-là, la nature l'a fait subtil entre tous, elle l'a formé des éléments les plus menus et les plus rapides, en sorte que rien ne puisse lui être obstacle. La foudre en effet traverse les murs de nos maisons, comme la voix et le son; elle passe à travers les pierres, à travers les métaux; elle fond en un rien de temps l'airain et l'or; elle laisse un vase intact, mais en fait s'évaporer le vin instantanément : c'est que les parois du vase se dilatent, deviennent poreuses par la chaleur; alors le vin se décompose et disperse ses éléments. Voilà ce que la chaleur du soleil, même avec le temps, ne peut faire malgré la force de ses feux. C'est te dire la rapidité et la puissance irrésistible de la foudre.

Maintenant comment naît-elle ? d'où lui vient la force de choc avec laquelle elle lézarde des tours, renverse des maisons, arrache solives et poutres, abat et ruine des monuments humains, tue des hommes, décime des troupeaux ? Ces exploits et tant d'autres du même genre, quelle puissance les lui fait accomplir ? Je vais l'expliquer sans m'arrêter davantage aux promesses.

La foudre naît sans aucun doute dans d'épais nuages dont l'amoncellement s'élève à une grande hauteur, car jamais ce n'est d'un ciel serein qu'elle jaillit, jamais de nuages sans épaisseur. La preuve en est fournie par les faits, puisque, lorsque la foudre menace, les nuages s'épaississent dans toute l'atmosphère et que les ténèbres semblent avoir quitté en masse l'Achéron pour combler la grande voûte du ciel; tant une nuit horrible descend des nuages, tant menace sur nos têtes la noire face de l'épouvante, quand la tempête rassemble les forces de la foudre.

Très souvent aussi un nuage sombre plane sur la mer et pareil à un torrent de poix qui se précipiterait du ciel, se jette soudain sur les eaux avec sa masse de ténèbres, entraînant une noire tempête grosse d'éclairs et d'ouragans; lui-même est gonflé de feux et de vents, au point que jusque sur la terre l'effroi saisit les gens qui courent aux abris. C'est ainsi qu'il faut nous représenter sur nos têtes la hauteur des nuages orageux. Car ils ne pourraient écraser la terre de pareilles ténèbres, si leurs masses ne s'amoncelaient les unes sur les autres de façon à nous séparer du soleil; et les pluies non plus ne pourraient tomber avec assez d'abondance pour faire déborder les fleuves et pour noyer les plaines, si l'édifice des nuages ne s'élevait très haut dans l'éther.

Dans les hautes régions, tout donc s'emplit de vents et de feux; aussi n'est-ce partout que grondements et éclairs. Beaucoup d'atomes de chaleur, je l'ai déjà enseigné, sont contenus au creux des nuages et les nuages eux-mêmes en empruntent beaucoup, il le faut, aux rayons du soleil et à leur chaleur. Dès que le vent, ayant fait le rassemblement rapide des nuages en une région de l'air, en a arraché beaucoup d'atomes de chaleur et puis s'est combiné avec eux, aussitôt se forme un tourbillon qui envahit la nue, y tourne captif et dans cette fournaise ardente aiguise les traits de la foudre. Car il a deux manières de s'enflammer, s'échauffant par son propre mouvement aussi bien qu'au contact du feu. Quand le vent est échauffé à point ou qu'il a reçu l'impulsion de la flamme, la foudre arrivée pour ainsi dire à maturité crève soudain un nuage et sa flamme jaillit, répandant en tous lieux l'éclat de sa lumière. Un sourd grondement la suit, on croirait entendre soudain l'explosion de la voûte céleste prête à écraser la terre. Puis un tremblement ébranle violemment le sol, des grondements courent à travers les hauteurs du ciel, c'est la nuée orageuse qui est secouée presque tout entière et qu'agitent des frémissements. Alors cette secousse déclenche une lourde et abondante pluie; l'éther tout entier semble vouloir se résoudre en eau et, se précipitant sur la terre, la prendre dans un nouveau déluge; tant la nue se déchire, tandis que l'ouragan souffle et que le bruit du tonnerre retentit avec l'éclat de la foudre!

Il arrive aussi qu'une grande violence de vent fond sur une nue épaisse et grosse d'une foudre qui va naître. Elle la déchire et tout aussitôt surgit le jet de feu auquel nous donnons chez nous le nom de foudre. Le même phénomène se renouvelle plus loin, là où porte le vent.

Parfois encore le vent parti sans feu s'enflamme par longue durée de sa course, pendant laquelle il a perdu certains éléments trop lourds qui n'ont pu le suivre dans les airs; en revanche il draine dans l'éther des éléments minuscules qui, mêlés à lui, produisent du feu dans leur vol. C'est à peu près ainsi qu'une balle de plomb s'échauffe de sa course; elle perd nombre d'atomes froids dans les airs et s'y charge de feu.

Il arrive aussi que c'est la force du choc qui fait jaillir le feu, quand l'impulsion provient d'un vent froid qui marche sans atomes ignés. Car sous la violence du coup certains éléments de chaleur peuvent jaillir du vent lui-même ainsi que du corps heurté : c'est ainsi que si l'on bat une pierre avec le fer, une étincelle s'envole; le métal a beau être froid, les éléments de l'étincelle brûlante n'en ont pas moins répondu à l'appel du coup. Il n'est donc pas de corps que le souffle des vents ne doive enflammer, s'il s'y prête, s'il est capable de flammes. Il est d'ailleurs impossible que le vent soit absolument froid, lorsqu'il se précipite de si haut avec tant de force; si la course ne l'a pas enflammé, il arrive du moins attiédi et imprégné de feu.

La mobilité de la foudre, la force de ses coups, la vitesse de sa chute viennent de ce qu'avant de surgir elle a rassemblé toutes ses forces dans les nuages et pris un grand élan pour s'échapper. Aussi suffit-il que le nuage ne puisse plus contenir son impétuosité croissante pour qu'elle jaillisse et prenne un vol d'une rapidité prodigieuse, pareille à ces projectiles que lancent de puissantes machines.

Ajoute qu'elle est formée d'atomes menus et lisses et qu'une substance de cette nature ne se laisse guère arrêter. Car elle se glisse et s'insinue par les moindres fissures. Il n'y a donc pas beaucoup de chocs qui soient capables en la retardant de ralentir son cours. Et c'est pour cette raison qu'elle glisse d'un vol si rapide. De plus, il n'y a pas de corps pesant que la nature ne fasse tomber et quand un choc s'ajoute à la pesanteur, la vitesse double et l'élan croît. Le corps dans ce cas ne met que plus de violence et de rapidité à culbuter tous les obstacles qui le retardent; puis il poursuit sa route.

Enfin la foudre, puisqu'elle prend de loin son élan, acquiert nécessairement une vitesse qui va toujours croissant, augmente d'autant ses forces et intensifie ses coups. Car l'effet de la vitesse est de faire converger tous les éléments de la foudre qui se précipitent en un seul point, tous entraînés dans une course unique.

Peut-être aussi la foudre en marche arrache-t-elle à l'air certains éléments qui augmentent encore la rapidité de ses coups.

Il existe une infinité de corps qu'elle traverse sans leur causer de dommage, parce que son feu est assez fluide pour passer le long de leurs canaux intérieurs. Il en est beaucoup d'autres au contraire qu'elle brise. parce que ses atomes eux-mêmes se sont heurtés à ceux de ces corps. Elle n'a pas de peine à dissoudre l'airain, à mettre l'or en fusion, parce qu'elle est faite d'atomes minuscules et d'éléments lisses qui s'insinuent aisément et qui, une fois dans les corps, y dénouent soudain tous les nœuds, y relâchent tous les liens.

C'est pendant l'automne que la voûte où étincellent les étoiles et la terre tout entière sont le plus souvent ébranlées par la foudre; mais c'est aussi quand s'épanouissent les fleurs du printemps. La saison froide en effet n'a pas de feux, la saison chaude n'a pas de vents ni de nuages assez denses. Aussi est-ce les saisons intermédiaires qui réunissent toutes les conditions nécessaires à la foudre. Ce sont des époques où viennent se rencontrer le froid et la chaleur, tous deux indispensables à produire la foudre, à déchaîner la discorde dans la nature, à mêler dans un combat terrible feux et vents, à soulever de fureur les flots de l'air. Car le printemps apporte les premières chaleurs et les derniers froids; aussi ces deux principes doivent-ils nécessairement entrer en lutte et troubler toutes choses de leur bataille. D'autre part, les dernières chaleurs se mêlent aux premiers froids dans la saison qu'on appelle automne et là aussi l'âpre hiver est aux prises avec les chaleurs de l'été. Voilà pourquoi les deux saisons sont pour ainsi dire les temps critiques de l'année; et il n'est pas étonnant que dans ces temps surgissent les foudres en grand nombre, que la tempête déchaînée bouleverse le ciel, puisque la lutte est engagée des deux parts, ici par le feu et là par l'eau mêlée aux vents. Telle est la théorie qui explique la nature même des feux de la foudre et montre la puissance qui les dirige; mais tu lirais en vain les formules tyrrhéniennes pour y chercher le secret des volontés divines; tu n'apprendrais pas davantage en observant de quel point du ciel le feu s'est envolé, vers quelle région il s'est élancé, par quel moyen il s'est glissé à l'intérieur des murailles, comment en maître il en est sorti et quels malheurs sa chute peut apporter.

Pense-t-on que c'est Jupiter et les autres dieux qui ébranlent la voûte lumineuse du monde avec un bruit terrifiant, pense-t-on qu'ils lancent l'éclair partout où il leur plaît ? Alors pourquoi ne frappent-ils pas les mortels qui osent commettre des crimes odieux ? Pourquoi n'est-ce pas les scélérats qui vomissent le feu de leur poitrine transpercée ? Cela ferait pourtant un exemple redoutable pour les autres hommes. Pourquoi au contraire celui à qui sa conscience ne fait jamais honte se trouve-t-il enveloppé dans les flammes, tout innocent qu'il est, et pourquoi est-ce lui que le tourbillon céleste entraîne tout à coup, lui que le feu dévore ?

Pourquoi encore les dieux visent-ils les lieux déserts, ce qui est perdre leur peine ? Est-ce pour exercer leurs bras et fortifier leurs muscles ? Pourquoi souffrent-ils que les traits du père des dieux viennent s'émousser contre terre ? Et pourquoi le père lui-même dépense-t-il ainsi sa foudre au lieu de la mettre en réserve pour ses ennemis ?

Enfin pourquoi Jupiter ne lance-t-il jamais sa foudre sur la terre, ne répand-il jamais les grondements de son tonnerre, quand le ciel s'étend pur de toutes parts ? Saisit-il le moment où des nuages se forment pour y descendre en personne et de là ajuster de plus près ses traits ? S'il les lance dans la mer, quelle en est la raison ? que reproche-t-il aux ondes, à la masse liquide, aux plaines flottantes ?

D'ailleurs, ou bien il veut que nous nous garions de la foudre, et alors pourquoi hésite-t-il à nous laisser voir le coup partir ? ou bien il veut nous surprendre pour nous accabler de son feu, et alors pourquoi tonne-t-il là d'où il le lance, de telle sorte que nous puissions l'éviter ? Pourquoi l'annoncer par des ténèbres, des bruits sourds, des grondements ?

Et comment concevoir qu'il lance un trait de plusieurs côtés à la fois ? Qui oserait soutenir que jamais plusieurs coups de foudre n'ont éclaté en même temps ? C'est bien souvent que le fait s'est produit et se produit encore : c'est une loi ; et de même que par temps de pluie maintes régions reçoivent l'eau, de même la foudre en un seul moment tombe en multiples traits.

Enfin pourquoi Jupiter renverse-t-il les temples sacrés des dieux, ses propres demeures, monuments superbes qu'un trait de foudre détruit ? Pourquoi brise-t-il les statues des dieux, ces œuvres d'art, infligeant d'horribles blessures au prestige de ses propres images ? et pourquoi est-ce presque toujours les hauts lieux qu'il attaque ? pourquoi est-ce aux sommets des montagnes que ses feux laissent voir le plus de traces ?

Tout cela aide à comprendre ce qui va suivre et notamment comment les trombes, qu'en raison de leurs effets les Grecs ont nommé *prestères*, s'abattent du haut du ciel sur la mer. Il arrive parfois qu'une sorte de colonne semble descendre du ciel sur la mer, tandis qu'autour d'elle les flots bondissent sous les coups du vent tempétueux ; tous les vaisseaux pris alors dans la tourmente se trouvent en face du plus grand péril. Ce phénomène est dû au vent, lorsque sa force prisonnière d'un nuage n'arrive point à le briser ; alors elle l'abaisse, elle lui donne cette forme de colonne descendant du ciel sur la mer, lentement : on dirait une masse cédant à des coups de poing reçus d'en haut et qui s'allongerait jusqu'à toucher les flots ; puis, quand il a déchiré la nue, le vent fait irruption, s'engouffre dans la mer et y excite un prodigieux bouillonnement. En tourbillonnant, la trombe en effet descend et entraîne du même mouvement la nuée au corps souple ; aussitôt que cette masse a touché la surface de la mer, elle s'y plonge tout entière, la soulève en tous ses flots et la fait retentir d'un bruit formidable.

Il arrive aussi qu'un tourbillon de vent draine dans l'air des éléments de nuages, s'en enveloppe lui-même et imite sur terre un *prestère* descendu du ciel sur la mer. Dès qu'il s'est abattu sur le sol et s'y est brisé, il vomit un gigantesque ouragan, une tempête effroyable. Mais un tel phénomène est rare et doit trouver sur terre l'obstacle des montagnes : aussi se produit-il plus souvent au large de la mer, sous une vaste étendue du ciel.

Les nuages se forment quand un grand nombre d'atomes, dans leur vol céleste, se rassemblent soudain grâce à leurs aspérités et se combinent de façon souple mais cohérente. Ils composent ainsi tout d'abord des flocons aériens; puis ceux-ci se réunissent, s'agrègent, se condensent et sont ensuite portés par les vents jusqu'à ce qu'une tempête furieuse s'élève.

Plus les sommets des montagnes approchent du ciel, plus elles semblent dégager sans arrêt une fumée qui est produite par l'épaisseur d'un sombre nuage : c'est qu'au moment où les nuages se forment, avant de pouvoir se rendre visibles, tant ils sont encore légers, les vents qui les portent les rassemblent autour des hauteurs. Là, réunis en plus grand nombre, condensés, ils deviennent visibles et ils semblent alors surgir du sommet humide pour s'élancer dans les airs. En effet, les lieux les plus élevés sont le domaine des vents, l'expérience nous le montre, ainsi que le témoignage des sens lorsque nous faisons l'escalade de hautes montagnes.

Un très grand nombre d'éléments sont ravis par la nature à toute la surface de la mer : la preuve en est dans les vêtements exposés sur le rivage et qui s'imprègnent d'humidité. Il est donc évident que si les nuages grossissent, ils le doivent pour une bonne part aux vapeurs qui s'élèvent des flots salés en mouvement. D'autre part, tous les cours d'eau et la terre elle-même dégagent des brouillards et des vapeurs; on dirait l'haleine de la terre; ils répandent les ténèbres dans le ciel et forment en se rassemblant peu à peu les hautes nuées. En effet, ils supportent la pression des flots de matière éthérée qui, en les condensant, aident les nuages à se former dans l'azur.

Il se peut aussi que des régions étrangères envoient à notre ciel les éléments des nuages et des tempêtes aériennes. Innombrable en effet est le nombre des atomes, infini est l'espace, je te l'ai appris, et à quelle vitesse inouïe s'envolent les éléments, quelles distances indicibles ils ont coutume de franchir en peu de temps. Il n'est donc pas étonnant qu'en un instant la tempête et les ténèbres couvrent souvent les hautes montagnes, ainsi que les mers et les terres auxquelles, du haut des airs, elles font sentir leur poids; puisque de tous côtés, par tous les pores de l'éther et pour ainsi dire par tous les soupiraux ouverts autour du vaste monde, tous les éléments ont sortie libre et libre entrée.

Maintenant écoute : comment les eaux de la pluie s'amassent dans les gros nuages et retombent à terre sous forme d'averses, c'est ce que je vais expliquer. Tout d'abord de nombreux atomes d'eau, je l'établirai, se dégagent de tous corps en même temps que les nuages eux-mêmes; ainsi les nuages et l'eau qu'ils renferment s'accroissent réciproquement : notre corps ne s'accroît-il pas en même temps que le sang et pareillement la sueur et enfin tout ce qu'il y a de liquide dans l'organisme ? Et les nuages aussi se chargent en abondance de l'humidité marine lorsque, semblables à des flocons de laine suspendus, ils sont emportés par les vents au-dessus de la vaste mer. Par un phénomène semblable tous les fleuves envoient aux nuages leur humidité. Une fois que les atomes d'eau multipliés de tant de façons se trouvent rassemblés et que le souffle des vents les a condensés en nuages, alors une double force détermine la chute de la pluie : la furie des vents qui les bat et la masse des nuages accumulés, d'où une pression de haut en bas qui force la pluie à tomber. Quand les vents raréfient les nuages ou que la chaleur du soleil dardée sur eux les dissout, ils laissent tomber une humidité pluvieuse et fondent goutte à goutte comme une cire exposée à l'ardeur du feu se liquéfie et coule.

Mais violente se fait la pluie, lorsque les nuages se trouvent soumis à la double pression de leur propre entassement et du vent furieux. Elle tombe avec persistance lorsqu'il y a afflux considérable d'atomes d'eau, que nuages et nuées pressés les uns par les autres se déversent en torrents et arrivent en masse de partout, qu'enfin la terre fumante leur renvoie toute son humidité.

Le soleil à ce moment vient-il à percer de ses rayons l'obscurité de la tempête et à éclairer de face les nuages de pluie qui lui font vis-à-vis, alors sur leur fond noir l'arc-en-ciel déploie ses couleurs.

Tout ce qu'on voit encore se développer dans les airs et naître au-dessus de nous, tout ce qui se forme dans les nuages, tout enfin, neige, vents, grêle, gelées, et le gel si puissant qui durcit le cours des eaux et ralentit ou arrête çà et là la marche des fleuves, tout cela peut aisément s'expliquer, ton esprit n'éprouvera aucune peine à en comprendre les causes et à en pénétrer le secret, du moment que tu connais bien les propriétés des atomes.

Maintenant apprends comment se produisent les tremblements de terre. Mais auparavant fais en sorte de te persuader que la terre, dans son sein comme à la surface, est toute pleine de cavernes hantées par les vents et qu'elle renferme dans ses profondeurs un grand nombre de lacs, de marais, de rocs et de précipices; son enveloppe recèle en outre, sois-en sûr, maints fleuves roulant des rochers dans leurs ondes puissantes. Car la terre doit être partout semblable à elle-même, l'évidence le veut.

Dans ces conditions, la terre tremble à sa surface, secouée par de grands éboulements, quand d'immenses cavernes s'écroulent en elle sous l'action du temps; ce sont des monts entiers qui tombent et c'est le brusque ébranlement de cette chute qui détermine des tremblements propagés au loin. Rien de plus naturel, puisque nos maisons tremblent tout entières au bord des rues quand passent des chariots même de charge légère; et ne tressaillent-elles pas de même, quand des chevaux fougueux font sonner sur le pavé les roues de char armées de fer?

Il y a tremblement encore, lorsque dans les vastes et profonds lacs souterrains roule une avalanche détachée par le temps : l'agitation de l'eau secoue la terre et la fait vaciller; un vase dérangé de son repos ne reprend l'équilibre que si le liquide qu'il contient a cessé de s'agiter.

En outre, lorsque le vent prisonnier dans les cavernes de la terre se porte tout entier sur un point et exerce de toutes ses forces une pression sur les hautes parois, la terre s'incline du côté où la pousse l'ouragan : alors les édifices construits à la surface du sol, ceux notamment qui s'élèvent le plus haut dans le ciel, penchent et menacent, entraînés dans le sens de l'ouragan intérieur; les poutres mises à nu et disjointes pendent, toutes prêtes à se détacher. Et l'on n'oserait pas croire que le monde lui-même aura son heure de mort et de ruine, quand on voit de telles masses de terre sur le point de s'effondrer ? Si par hasard les vents ne reprenaient haleine, nulle force n'aurait le pouvoir d'arrêter les choses ni de les ramener en arrière dans leur course à la destruction; mais comme ils font alterner des moments de relâche avec ceux de violence, comme tantôt ils rallient leurs forces pour revenir à la charge et tantôt plient devant la résistance, la terre finalement nous menace de ruines plus souvent qu'elle n'en fait; car elle penche, puis se redresse; elle manque de céder à son poids, puis retrouve sa stabilité. C'est pour cette raison que vacillent toutes les constructions, le faîte plus que le corps même, le corps plus que la base et la base à peine.

Voici encore une cause du grand tremblement. Parfois un brusque vent, une énorme masse d'air venue du dehors ou du sein de la terre, se jette dans ses cavernes, gronde, fait rage et tourbillonne dans les vastes grottes, puis, déchirant les profondeurs du sol, ouvre un large abîme. C'est le cataclysme qui renversa Sidon, la ville tyrienne, et Egium dans le Péloponnèse [46], villes détruites par de semblables éruptions de vent et par les commotions qui en résultèrent! Bien d'autres cités avec leurs remparts s'écroulèrent à la suite de tremblements de terre et maintes villes aussi furent englouties au fond de la mer avec leurs habitants.

Si le vent dans sa fureur ne parvient pas à ouvrir la terre, son impétuosité distribuée dans les nombreux pores du sol y provoque comme un frisson et fait tout trembler; ainsi le froid pénétrant dans nos membres les secoue, les fait malgré eux trembler et frémir. Dans les villes alors s'agite une double terreur : on redoute l'effondrement des toits; on craint la destruction des cavernes souterraines : dans la terre déchirée la nature ne va-t-elle pas ouvrir un vaste abîme et le combler d'un amas confus de ruines ? Ainsi donc, regarde tant qu'il te plaira le ciel et la terre comme des réalités inaltérables qui jouissent d'une sauvegarde éternelle; parfois néanmoins la présence immédiate d'un grand danger te fera sentir en quelque endroit de l'âme l'aiguillon de la terreur : pourvu, diras-tu, que la terre n'aille pas, se dérobant tout à coup sous nos pas, disparaître dans un abîme, toutes choses y tomber à sa suite et le monde n'être plus que ruine et chaos!

Maintenant j'ai à expliquer pourquoi la mer ne connaît pas d'accroissement. Tout d'abord, on s'étonne que la nature ne lui en donne point, alors que tant d'eau s'y déverse et que de toutes parts des fleuves viennent s'y jeter. Ajoute les pluies errantes et les tempêtes au vol rapide qui arrosent les terres et grossissent les mers; et n'oublie pas les propres sources sous-marines. Cependant tous ces apports à une si grande masse l'augmentent à peine d'une goutte d'eau; c'est une raison pour moins s'étonner que la mer immense ne s'accroisse jamais.

En outre, le soleil par sa chaleur l'allège d'une forte part. Nous voyons en effet des étoffes mouillées sécher à ses rayons ardents : or les océans sont nombreux et étendent leurs vastes plaines à perte de vue. Dès lors le soleil a beau n'aspirer en chaque point de leur surface qu'une minime quantité d'eau, néanmoins sur l'étendue totale le prélèvement sera considérable.

Il faut dire aussi que les vents dont le souffle balaie la mer peuvent lui ravir une grande masse d'eau : est-il rare qu'en une seule nuit nous voyions les routes séchées et les ornières de boue molle prendre l'aspect d'une croûte dure ?

De plus, j'ai montré que les nuages aussi enlèvent beaucoup d'eau aux vastes plaines marines; ils la répandent çà et là sur tout le globe des terres, lorsqu'il pleut sur le continent au-dessus duquel les vents poussent les nuages.

Enfin la terre est formée d'une substance perméable, étroitement jointe aux rivages de la mer, qu'elle entoure d'une ceinture adhérant de toutes parts; en conséquence se produit un double mouvement des eaux terrestres qui se déversent dans la mer et de l'eau salée qui rentre dans la terre. Cette eau amère se filtre, perd son sel, remonte vers la source des fleuves où se rassemble toute la matière humide et de là coule en flots adoucis à la surface du sol, le long d'un chemin une fois creusé qui offre une pente à sa marche fluide.

Maintenant pour quelle raison les bouches du mont Etna vomissent-elles parfois d'épais tourbillons de flammes ? Je veux l'expliquer, car ce n'est pas un fléau ordinaire que cette tempête de flammes qui ravagea en souveraine les champs de Sicile, fut sur le point de mire des populations voisines, et, par le spectacle des espaces célestes obscurcis de fumée et éclatants de feu, remplit les cœurs d'épouvante et d'angoisse à la pensée des malheurs inconnus que semblait préparer la nature.

Ici il te faut prendre une vue claire et profonde des choses, porter tes regards au loin et en tous sens, pour te souvenir que le grand Tout est infini et pour comprendre combien notre ciel lui-même n'en est qu'une minime partie, bien moindre que n'est un seul homme à l'égard de la terre entière. Ces principes une fois établis, s'ils t'apparaissent avec clarté et évidence, bien des étonnements te seront épargnés.

Qui de nous s'étonne qu'un malade ressente dans son organisme la brûlure de la fièvre ou bien dans ses membres la douleur de n'importe quel autre mal ? Supposons que le pied enfle tout à coup, ou qu'une douleur aiguë saisisse les dents, s'attaque aux yeux, ou bien que le feu sacré fasse irruption, erre par tout le corps, en brûle toutes les parties qu'il atteint et s'empare de l'organisme : il est évident que la cause est dans la multitude existante des principes; la terre et le ciel de notre globe portent en eux assez d'éléments morbides, pour qu'il puisse s'en former une maladie de proportions effroyables. C'est ainsi assurément que le ciel et la terre peuvent recevoir de l'infini assez d'éléments capables de faire soudain trembler la terre, de parcourir terres et mer en tourbillons rapides, d'emplir l'Etna de feux, d'allumer l'incendie au ciel. Oui, le ciel lui-même peut s'embraser, les espaces célestes prendre feu, tout comme les pluies de tempête tombent avec plus de violence quand se trouvent rassemblés en plus grand nombre quelque part les éléments de l'eau.

Mais c'est qu'il est immense, cet incendie qui embrase l'Etna! Sans doute; mais y a-t-il un fleuve qui n'apparaisse très grand à qui n'en a jamais vu de plus grand ? Et de même un arbre, de même un homme; en toutes choses, ce qu'on a vu de plus grand, on l'imagine immense. Et cependant tout cela, avec le ciel et la terre et la mer, n'est rien, par rapport à la masse totale du grand Tout.

Maintenant néanmoins je vais expliquer comment la flamme tout à coup irritée jaillit des vastes fournaises de l'Etna. D'abord la montagne entière est creuse et presque toute faite de cavernes de granit [47]. En toutes il y a de l'air, du vent. Le vent provient de l'air ému et agité. Quand il s'est échauffé et que rendu furieux il a tout embrasé autour de lui, roches et terre, et qu'il en a fait jaillir des jets rapides de feu, alors il se dresse et prend son élan en droite ligne par des gorges du volcan. Il peut ensuite porter au loin la flamme, au loin disperser la cendre, rouler la fumée en noirs tourbillons tout en lançant des pierres prodigieusement lourdes; peux-tu douter que tout cela ait sa cause dans la puissance d'un vent déchaîné ?

D'autre part la mer, baignant le pied de la montagne sur une large étendue, y brise ses flots et tour à tour les reforme. Or depuis le bord de la mer, les grottes de la montagne se prolongent intérieurement jusqu'aux gorges du volcan. C'est par là que passent les vents quand la mer s'est retirée; il le faut, et c'est l'évidence; et c'est par là qu'ils dirigent leur souffle vers le sommet; ils s'échappent ensuite en soufflant des flammes, en projetant des pierres et en soulevant des nuages de sable. Au sommet de la montagne, en effet, se trouvent les Cratères : tel est le nom que leur donnent les gens du pays; nous autres, nous les appelons Gorges et Bouches.

Il y a encore bien des phénomènes pour lesquels il ne suffirait pas de proposer une seule cause; mais des diverses causes proposées une seule est la vraie; de même si, par exemple, tu vois à quelque distance un homme inanimé gisant à terre, c'est en énumérant toutes les causes vraisemblables de sa mort que tu diras la véritable. En effet, tu ne saurais décider s'il a péri par le fer, par le froid, par la maladie ou peut-être par le poison; mais qu'à l'une de ces causes soit dû son accident, voilà notre certitude. Telle est en bien des matières la bonne méthode.

Le Nil grossit en été et déborde alors dans la vallée [48]; lui seul, qui baigne l'Egypte entière, lui seul de tous les fleuves a ce régime. Il arrose régulièrement l'Egypte pendant la pleine chaleur, sans doute parce que dans cette saison où règnent les vents étésiens, les aquilons viennent battre à l'embouchure le cours du fleuve et leur souffle, le prenant à rebours, retarde ses eaux, les refoule, en comble son lit et les oblige à s'arrêter. Car il est certain que ces vents soufflent en sens inverse du fleuve, puisqu'ils arrivent des constellations glacées du pôle. Et lui au contraire, il vient de la zone torride où souffle l'Auster; parmi les races d'hommes noirs au teint brûlé par le soleil, il prend sa source au loin, dans la profondeur des régions que le soleil visite au milieu de sa course.

Il se peut aussi qu'un amoncellement de sable causé par les vagues qui s'opposent à son courant vienne former une digue devant son embouchure, au temps où la mer soulevée par les vents chasse le sable dans les terres; il en résulte une sortie moins libre du courant, une pente diminuée, un élan moins fort.

Peut-être encore en cette saison les pluies tombent-elles davantage à la source du fleuve, parce qu'alors le souffle étésien des aquilons amoncelle dans cette région des nuages venus de toutes parts : sans doute les nuages, quand ils se trouvent rassemblés dans cette région du Midi, se heurtent à de hautes montagnes et, par la force de la pression, se rompent.

Peut-être enfin est-ce au fond de l'Éthiopie, dans la région de ses hautes montagnes, que le fleuve forme sa crue, lorsque les plaines voient descendre les blanches neiges fondant aux rayons du soleil qui éclaire toutes choses.

Maintenant venons-en à la contrée des lacs nommés *Avernes* [49], je vais expliquer leur nature et leur formation. D'abord ils doivent leur nom à ce fait qu'ils sont funestes à tous les oiseaux; lorsque les oiseaux viennent voler au-dessus d'eux, aussitôt ils oublient de ramer, laissent tomber la voile, s'abattent la tête la première, le cou pendant, et s'écrasent à terre, si c'est la terre qui les reçoit, ou se noient si c'est un lac Averne qui s'étend là.

Ainsi près de Cumes, il existe un endroit où des montagnes pleines de l'odeur piquante du soufre exhalent des vapeurs auxquelles se mêlent celles de sources chaudes et dans les murs d'Athènes, au sommet même de la citadelle, près du temple de la bienfaisante Pallas Tritonnienne, jamais les corneilles au cri rauque n'abordent, même quand les autels fument de sacrifices; tant elles ont d'ardeur à fuir, non pas l'âpre colère de Pallas courroucée de leur vigilance, comme les poètes grecs l'ont chanté, mais un lieu dont la nature seule leur inspire de l'effroi. En Syrie également, on dit qu'il existe un lieu de cette espèce où les quadrupèdes ne peuvent porter leurs pas sans qu'aussitôt ils s'affaissent lourdement comme s'ils venaient d'être sacrifiés aux dieux mânes. Tous ces phénomènes s'accomplissent naturellement et les causes n'en sont pas mystérieures; aussi ne faut-il pas croire que la porte d'Orcus s'ouvre dans ces régions et que par là les âmes soient attirées par les dieux mânes aux bords infernaux de l'Achéron, comme les cerfs aux pieds ailés attirent par leur simple souffle, dit-on, les serpents hors de leurs retraites. À quel point ces fables sont contraires à la vérité, apprends-le, car c'est ce sujet même que je vais traiter.

Tout d'abord je répéterai ce que j'ai dit tant de fois déjà, à savoir : qu'il y a sur terre les éléments de toutes sortes de choses; beaucoup nous nourrissent et qui sont nécessaires à la vie, et beaucoup aussi qui portent les maladies et hâtent la mort. Les uns conviennent beaucoup mieux que d'autres à certains êtres vivants, et s'adaptent mieux à leur mode d'existence, je l'ai montré tout à l'heure, à cause de la différence des natures, des tissus et des corps premiers. Il en est qui s'insinuent dans nos oreilles en ennemis, d'autres dans les narines qu'ils blessent et offensent de leur contact; il n'y en a pas moins que le toucher doive éviter ou l'œil fuir, ou bien qui révoltent le goût. Que de choses hostiles à nos sens et dont l'impression est répugnante, douloureuse!

Une espèce d'arbres, en premier lieu, qui donnent une ombre funeste, qui provoquent des maux de tête chez ceux qui s'étendent à leurs pieds dans l'herbe. Il existe même sur le mont Hélicon un arbre dont la fleur a le pouvoir de tuer quiconque respire son parfum vénéneux. Sans doute sont-ce là des principes funestes qui montent de la terre, car elle porte en elle une multitude désordonnée de germes de toutes sortes qu'elle trie de temps à autre pour les produire à la surface.

Dans la nuit, si l'odeur âcre d'une lampe qui vient de s'éteindre blesse l'odorat d'un homme sujet à tomber du haut mal, la bouche écumante, elle le plonge aussitôt dans le sommeil. A respirer l'odeur forte du *castoréum* [50], une femme se pâme, laisse aller son corps et l'ouvrage aux couleurs éclatantes échappe à ses douces mains, pour peu que ce soit l'époque de ses règles. Bien d'autres substances encore frappent les membres de langueur et ébranlent l'âme au fond de sa retraite. S'attarde-t-on dans un bain chaud après le repas, il arrive souvent qu'on tombe sans connaissance dans l'eau brûlante. Le charbon, comme ses vapeurs se glissent aisément dans le cerveau! à moins que nous n'en prévenions l'effet en buvant de l'eau fraîche [51]. Et quand un homme a les membres brisés par la fièvre, alors l'odeur du vin lui donne un coup qui semble mortel. Et ne vois-tu pas encore que la terre recèle le soufre et engendre le bitume à l'odeur malfaisante ? Enfin là où l'on suit un filon d'argent ou d'or, là où l'on fouille avec le fer dans les profondeurs de la terre, à Scaptensula, quel souffle empeste les mineurs! qu'elles sont meurtrières, les émanations des mines d'or! quels visages, quel teint, elles infligent aux hommes qui y peinent! Ne sais-tu pas, n'as-tu pas vu ou entendu dire comme les mineurs meurent tôt, quelle existence précaire mènent les malheureux que la nécessité enchaîne à cette dure besogne! Eh bien, toutes ces vapeurs funestes, c'est la terre qui les dégage, les répand au dehors et en remplit les libres régions de l'air.

C'est ainsi que les Avernes doivent produire des émanations mortelles pour la gent ailée et qui s'élevant de la terre dans les airs empoisonnent une partie de l'espace; à peine les ailes de l'oiseau l'ont-elles porté dans cette région qu'aussitôt surpris comme aux lacs d'un poison invisible, il tombe à pic dans la source même des vapeurs. Une fois abattu, leur malignité achève de ravir à son corps les derniers restes de vie. Car elles ne provoquent tout d'abord qu'un étourdissement; mais une fois plongé dans la source du poison, l'oiseau doit rendre la vie elle-même, tant les principes du mal l'environnent en masse.

Il peut se faire aussi que les vapeurs de l'Averne aient la force de dissiper la couche d'air entre la terre et les oiseaux et de faire à peu près le vide dans cette zone. Arrivé là dans son vol, l'oiseau bat vainement des ailes, puisqu'il est dans le vide et que leur double effort est trahi. Il ne peut plus compter sur elles pour se soutenir dans l'air et la nature l'oblige à tomber de son poids : dans sa chute à travers le vide, il exhale son dernier souffle par tous les pores de son corps.

L'eau des puits se fait plus fraîche en été, c'est qu'en cette saison la terre dilatée par la chaleur laisse s'échapper tous ses éléments de feu, qui se répandent aussitôt dans l'air. Au fur et à mesure qu'elle les perd, l'eau qu'elle renferme se rafraîchit. D'autre part, quand la terre se resserre de froid, se contracte et se durcit, alors évidemment elle exprime dans les puits toute la chaleur dont elle était capable.

Il y a, dit-on, près du temple d'Ammon une source qui est froide à la lumière du jour et qui devient chaude à la nuit [52]. Les hommes s'en émerveillent et s'imaginent que les feux du soleil, plus vifs quand sa révolution l'amène sous la terre, échauffent soudain cette eau dès que la nuit nous couvre de ses horribles ténèbres. Que cette explication erre loin de la vérité! Si le soleil frappant directement la source n'a pu en rendre chaude la surface lorsque les rayons tombaient brûlants du haut du ciel, comment croire que par-dessous la terre, à travers toute l'épaisseur du globe, il serait capable d'échauffer l'eau et de la combler de chaleur? Surtout quand on pense qu'il peut à peine faire pénétrer dans l'intérieur de nos maisons l'ardeur de ses brûlants rayons.

Alors quelle explication donner? Eh bien, le sol étant moins dense autour de la fontaine et nombre d'atomes de feu se trouvant à proximité, il arrive que, dans les ombres humides de la nuit, la terre se trouve saisie par le froid et se contracte profondément. C'est comme si on la pressait de la main, et elle exprime dans la source tout ce qu'elle a d'atomes de feu, qui rendent ainsi l'eau chaude au toucher et au goût. Puis quand le soleil levant dilate la terre en la pénétrant de ses rayons, les atomes de feu regagnent leur ancienne place et la terre reprend toute la chaleur de l'eau. Voilà pourquoi la source redevient froide à la lumière du jour.

Sans compter que le soleil frappe la source de ses rayons et que sous leurs feux miroitants l'eau se dilate davantage à mesure que le jour avance; il arrive ainsi que tout ce qu'elle possède d'atomes de feu l'abandonne; c'est de même que le gel quitte l'onde, celle-ci rompant la glace et relâchant les nœuds qui l'emprisonnaient.

Il existe encore une source froide [53] à la surface de laquelle l'étoupe aussitôt présentée prend feu et jette des flammes. De même une torche qu'on y trempe s'allume et fait briller ses feux partout où l'entraînent les vents. Il faut que cette eau contienne beaucoup d'éléments de feu; il faut aussi que de son lit jaillissent d'autres éléments qui la traversent et se répandent dans les airs, sans être toutefois assez nombreux pour échauffer la source elle-même.

Ces éléments subissent une impulsion secrète qui les détermine à s'élever épars dans l'eau pour ne se rassembler qu'à la surface : c'est ainsi qu'une source d'eau douce, la fontaine Aradienne, écarte autour d'elle les eaux salées; et qu'en beaucoup d'autres endroits la mer offre une agréable ressource aux marins altérés en leur ménageant une eau douce au milieu de ses ondes salées. Voilà comment il se peut que dans notre fontaine les atomes de feu traversent l'eau et s'élancent au dehors pour allumer l'étoupe en se rassemblant sur elle; ou bien attachés à la torche flottante ils s'embrasent sans peine, car torche et étoupe contiennent elles-mêmes un grand nombre d'atomes de feu.

Ne vois-tu pas aussi que si l'on approche d'une lampe une mèche qui vient de s'éteindre, elle prend feu avant d'avoir touché la flamme ? De même une torche. Maints corps d'ailleurs s'enflamment de loin au seul contact de la chaleur et avant de communiquer avec le feu lui-même. Eh bien, c'est ce qui se passe dans la fameuse source, sois-en sûr.

Autre chose. J'entreprends d'expliquer en vertu de quelle loi naturelle le pouvoir d'attirer le fer est dans cette pierre que les Grecs appellent *magnétique* du nom de sa patrie, car c'est en Magnésie qu'on la trouve [54].

Cette pierre fait l'admiration des hommes; car souvent elle forme une chaîne d'anneaux qu'elle tient suspendus les uns aux autres sans autre lien qu'elle-même. On en voit quelquefois jusqu'à cinq et davantage qui se balancent en file pendante au souffle de l'air; le premier soutenant le second, qui adhère à lui par en dessous, et tous se communiquant de l'un à l'autre la vertu d'attraction qu'a la pierre : tant cette vertu peut se transmettre sans s'affaiblir.

Pour expliquer de tels phénomènes, il convient d'établir un certain nombre de principes avant d'en venir à rendre compte du fait lui-même; d'assez longs détours sont nécessaires pour l'aborder; raison de plus pour exiger de toi l'attention de tes oreilles et de ton esprit.

Tout d'abord, de tout ce que nous voyons s'écoulent nécessairement et se répandent dans l'espace des éléments qui frappent nos yeux et nous obligent à voir. Tels corps répandent sans cesse des odeurs comme les cours d'eau dégagent la fraîcheur, comme le soleil rayonne de chaleur, comme les flots bouillonnants aspergent d'embruns les digues du littoral. Et tous les sons ne cessent de voler à travers les airs. Enfin à nos lèvres parvient une saveur de sel, quand nous nous tenons près de la mer, et si une préparation d'absinthe se fait sous nos yeux, nous sommes frappés de son amertume. Ainsi de toutes choses une émanation se dégage en tous sens, cela sans trêve ni repos, puisque nous en avons sans cesse le sentiment et qu'il nous est toujours possible de voir, de sentir et d'entendre.

Je rappellerai maintenant ce que j'ai déjà exposé, à savoir combien tous les corps sont poreux : ce qui est mis en lumière dans mon premier livre. En effet, il s'agit d'un principe d'où découlent maintes vérités; mais il est spécialement lié au phénomène que j'entreprends d'expliquer; et c'est pourquoi il me faut établir à nouveau que de tous les corps accessibles à nos sens il n'en est aucun qui ne mêle la matière au vide.

Tout d'abord, on voit dans les grottes une eau qui suinte des pierres de la voûte et qu'elles distillent goutte à goutte : c'est ainsi que tout notre corps dégage de la sueur; la barbe et le poil poussent sur notre visage et sur tous nos membres; les aliments répartis dans nos veines nourrissent et font croître notre corps jusqu'aux extrémités, jusqu'au bout des ongles. Et nous sentons le froid et le chaud traverser l'airain, nous les sentons aussi traverser l'or et l'argent quand nous tenons à la main une coupe pleine. Enfin à travers les murs de pierre de nos maisons, volent les voix, se glissent odeur, froid, chaleur et feu; le feu pénètre même le fer si dense et force jusqu'à la cuirasse qui ceint le corps du guerrier. Les maladies aussi nous viennent du dehors, et les tempêtes qui naissent de la terre et du ciel se dissipent en un instant au large du ciel et de la terre, pour cette raison qu'il n'existe pas de corps dont la substance ne soit mêlée de vide.

A cela s'ajoute que tous les principes émanés des corps ne donnent pas les mêmes sensations et ne conviennent pas également à toutes choses. Le soleil cuit la terre et la dessèche, mais il dissout la glace et sur les hautes montagnes dissipe de ses rayons les neiges amoncelées. Enfin la cire fond quand on l'expose à la chaleur. Le feu met aussi l'airain en fusion ainsi que l'or, mais pour le cuir et les chairs il les resserre et contracte. L'eau, d'autre part, durcit le fer sorti du feu, tandis qu'elle amollit le cuir et les chairs durcis par la chaleur. A l'animal qui porte barbe, à la chèvre, des feuilles d'olivier sauvage plaisent autant que si elles distillaient l'ambroisie ou que si le nectar les imprégnait. Or, à l'homme, il n'est point de feuillage qui soit plus amer. Enfin, la marjolaine met en fuite le pourceau qui déteste toute espèce de parfums, car pour les animaux porte-soies ce sont poisons violents, tandis que nous y trouvons une source de vie. Par contre, la fange, qui est pour nous ordure repoussante, s'offre aux pourceaux comme un bain délicieux où ils n'arrêtent pas de rouler tout leur corps.

Une proposition encore reste à établir avant de revenir à l'explication du phénomène. Tous les pores dont la nature a doué les divers corps diffèrent nécessairement entre eux et ont dans chaque espèce leur genre particulier de canaux. Les êtres vivants en effet ont une diversité de sens dont chacun reçoit les impressions qui lui sont propres. C'est par le sens approprié que pénètrent respectivement le son, le goût, les odeurs, selon la substance et le tissu. En outre tel corps est fait pour traverser la pierre, tel autre le bois; celui-ci passe à travers l'or et l'argent, celui-là à travers le verre. Ici s'introduisent les images, par là se répand la chaleur; et d'ailleurs, par un même conduit, le passage est plus ou moins rapide. Tels sont les effets de la diversité infinie que la nature a mise aux pores des êtres, comme je l'ai montré tout à l'heure.

Tout cela posé et bien établi, ces propositions fondamentales présentes à notre esprit, il sera désormais facile d'expliquer complètement comment le fer est attiré par la pierre magnétique. Tout d'abord, il faut que de cette pierre émanent une foule de principes, ou bien qu'un courant venu d'elle disperse à chocs répétés la couche d'air qui la sépare du fer. Voilà cette zone devenue vide, tout un espace s'étend sans obstacle : aussitôt les principes du fer s'y précipitent tous en faisceau; il s'ensuit que l'anneau lui-même suit le mouvement et se porte en avant de toute sa masse. Car il n'y a pas de corps dont les éléments premiers se lient et s'enchevêtrent plus étroitement que le fer, ce métal dur et glacial. On s'étonnera donc moins que les éléments premiers émanés du fer, comme je viens de le dire, ne puissent s'en échapper en grand nombre dans le vide, sans que l'anneau suive lui-même, ainsi fait-il; il suit jusqu'à ce qu'il rencontre la pierre, et y adhère par d'invisibles liens. Le phénomène se produit dans tous les sens, de quelque côté que se fasse le vide, soit latéralement, soit de haut en bas : en un instant les éléments du fer les plus proches se précipitent. Car ils subissent l'impulsion de chocs extérieurs et ne sauraient d'eux-mêmes s'élever dans les airs. Et voici qui rend la chose plus vraisemblable encore, un élément nouveau qui favorise le mouvement. Aussitôt qu'en face de l'anneau l'air s'est raréfié et que le vide s'est fait dans la zone intermédiaire, l'air que l'anneau a derrière lui le pousse, pour ainsi dire, par le dos et le fait avancer. Car l'air autour d'un objet ne cesse de le battre; or dans le cas présent, il peut pousser le fer en avant parce qu'il y a un espace libre qui s'offre à le recevoir. L'air dont je parle, s'insinuant à travers les nombreux pores du fer jusqu'à ses plus subtils éléments, leur donne l'impulsion, les ébranle comme fait le vent aux voiles d'un navire.

Enfin tout corps doit contenir de l'air dans sa substance, parce que celle-ci est poreuse et que l'air entoure, avoisine tous les corps. L'air donc, caché aux profondeurs du fer, s'agite d'un mouvement inquiet, est ainsi entraîné à battre sans nul doute l'anneau, à le pousser intérieurement : c'est une impulsion nouvelle dans le sens où déjà il se précipitait, attiré par le vide offert à son essor.

Quelquefois aussi la pierre repousse le fer qui tour à tour la fuit et la poursuit. Il y a même du fer de Samothrace que j'ai vu bondir et de la limaille de fer que j'ai vue s'agiter follement dans des coupes d'airain sous lesquelles la fameuse pierre d'aimant avait été placée : tant le fer semblait impatient de la fuir! Quand la seule interposition de l'airain fait naître une telle antipathie, c'est que les émanations de cet airain pénétrant les premières dans les pores du fer encore libres, celles qui viennent de la pierre et qui les suivent trouvent tous les conduits occupés et n'ont plus leur passage. Alors ce courant est obligé de heurter le tissu du fer et de le battre de son flot; voilà pourquoi il repousse loin de lui et agite à travers l'airain les corps que, sans cet obstacle, il a coutume d'attirer.

Ici ne t'étonne pas que le courant venu de la pierre ne puisse attirer d'autres corps que le fer. Il en est, en effet, que leur poids fait résister, l'or par exemple; il en est d'autres, trop poreux et que le courant traverse sans les ébranler : de ce nombre semble être le bois. Entre les deux se classe le fer; il lui suffit de quelques atomes d'airain en alliage pour acquérir la propriété de subir l'impulsion magnétique.

Ces phénomènes d'ailleurs ne sont pas si étranges que je ne puisse songer à beaucoup d'autres du même genre et je citerai bien des corps capables de s'unir par affinités privilégiées. La chaux toute seule peut sceller des pierres ensemble, la colle de taureau unit si fort le bois que les pièces jointes craquent et se divisent avant que la colle ne relâche ses liens. Le jus de la vigne aime se mélanger avec l'eau des sources : ce qui est impossible à la poix trop lourde et à l'huile trop légère. La couleur de pourpre née d'un coquillage fait tellement corps avec la laine qu'elle n'en peut être jamais séparée : on aurait beau faire passer les flots de Neptune sur l'étoffe pour lui rendre sa première teinte, on aurait beau vouloir la laver de tous les flots de la mer! Enfin l'or ne se soude-t-il pas à l'or à l'aide d'une seule substance et n'est-ce pas l'étain qui seul peut unir ensemble le cuivre au cuivre. Combien d'autres exemples ne pourrais-je invoquer? Mais quoi! tu n'as pas besoin de si longs détails, ni moi de me donner tant de peine et de perdre tant de temps; un seul principe vaudra pour un grand nombre de faits. Quand les corps ont des tissus qui s'opposent en se correspondant, de telle sorte que leurs creux et leurs pleins se répondent mutuellement, ils forment entre eux de parfaites unions. Il arrive aussi que les corps se lient par des sortes de chaînons et de crochets qui maintiennent leur adhérence : tel est justement le cas, semble-t-il, de l'aimant et du fer.

Maintenant quelle est la cause des maladies et d'où naît soudain cette force malsaine qui sème ses ravages parmi les hommes et les troupeaux ? Je vais le dire. D'abord il existe des germes multiples, je l'ai déjà enseigné, qui sont créateurs de vie; mais il en est d'autres en grand nombre dans l'air qui sont porteurs de maladie et de mort. Lorsque le hasard a rassemblé ces derniers et en a infesté le ciel, l'air devient malsain. Et toutes ces maladies, toutes ces épidémies nous arrivent de climats étrangers, comme les nuages et les brouillards à travers le ciel, ou bien elles montent de la terre elle-même, lorsque le sol humide se putréfie par l'alternance de pluies insolites et d'excessives chaleurs.

Ne vois-tu pas aussi que la nouveauté du climat et des eaux éprouve le voyageur éloigné de sa patrie et de son chez soi, parce qu'il trouve en pays étranger un air trop différent de celui qu'il a respiré jusque-là ? Quelle différence, en effet, entre le ciel de la Bretagne et celui de l'Égypte où s'infléchit l'axe du monde! Quelle différence encore entre le ciel du Pont et celui qui s'étend depuis Gadès jusqu'aux races d'hommes brûlées par le soleil ? Ces quatre climats, nous les voyons bien distincts et qui répondent aux quatre vents principaux, aux quatre régions du ciel; bien plus, le teint et le type physique de leurs habitants diffèrent considérablement, ainsi que leurs maladies spécifiques.

L'éléphantiasis, qui naît sur les bords du Nil dans l'Égypte centrale, ne se trouve nulle part ailleurs. En Attique, le mal s'attaque aux pieds; en Achaïe, aux yeux. D'autres pays encore sont contraires à telle ou telle partie du corps : toutes ces différences tiennent à l'air. Dès lors qu'un climat qui se trouve nous être contraire se déplace et qu'un air malfaisant sort de son domaine, cet ennemi s'avance lentement, comme un brouillard ou un nuage, et en chemin répand le trouble et la corruption; enfin, arrivé dans notre propre climat, il le corrompt, et se l'assimile en le tournant contre nous.

Ainsi donc fait sa brusque invasion le fléau de l'épidémie nouvelle; ou bien il s'abat sur les eaux, ou bien il s'établit dans les blés ou autres productions qui servent de nourriture aux hommes et de pâture aux animaux. Ou encore sa virulence demeure suspendue dans l'air même et, quand nous respirons cet air contaminé, nous absorbons fatalement le poison qui l'infecte. C'est de la même façon que les bœufs aussi sont atteints souvent par la contagion, et même les troupeaux bêlants. Peu importe d'ailleurs que nous allions en des régions contraires, sous un ciel inconnu, ou que ce soit la nature elle-même qui nous apporte une atmosphère viciée, une nouveauté étrangère à nos habitudes et capable de s'attaquer brusquement à notre santé.

C'est une maladie de ce caractère, c'est un souffle mortel qui jadis sur la terre de Cécrops répandit la mort dans les campagnes, fit des chemins déserts, vida la ville de ses citoyens [55]. Venu du fond de l'Égypte où il était né, après une longue course à travers les airs et les plaines flottantes, le fléau s'abattit sur le peuple de Pandion tout entier : tous alors en foule étaient livrés à la maladie et à la mort. Ils commençaient par sentir leur tête en feu, une rouge lueur troublait leurs yeux. Leur gorge toute noire était baignée d'une sueur de sang et des ulcères leur obstruaient le canal de la voix; l'interprète de la pensée, la langue, dégouttait de sang, affaiblie par le mal, alourdie, rude au toucher. Par la gorge, la maladie s'emparait de la poitrine et affluait vers le cœur défaillant; alors tous les soutiens de la vie tombaient à la fois. La bouche exhalait une odeur fétide semblable à celle des cadavres corrompus qui gisent sur le sol. Puis l'âme perdait ses forces et le corps défaillant était déjà au seuil de la mort. A ces maux insupportables venaient s'ajouter l'anxiété, leur compagne assidue, et des plaintes gémissantes; un hoquet persistant, la nuit comme le jour, secouait sans trêve les nerfs et tout l'organisme, brisait le patient, achevait d'épuiser les malheureux. Chez aucun la surface du corps et des parties externes ne paraissait brûler trop ardemment; elle donnait même au toucher une impression de tiédeur; mais en même temps des ulcères pareils à des brûlures rougissaient tout le corps, comme il arrive lorsque les membres sont la proie du feu maudit [56]. A l'intérieur du corps, tout était embrasé jusqu'aux os, une flamme brûlait dans l'estomac comme au fond d'une forge. Aussi les vêtements les plus légers étaient-ils insupportables aux malades : toujours à la recherche de la brise et de la fraîcheur, les uns plongeaient leurs membres brûlants de fièvre dans l'eau glacée des rivières et se jetaient tout nus dans leurs ondes; d'autres, en grand nombre, tombèrent la tête la première au fond des puits vers lesquels ils s'étaient traînés la bouche ouverte. Une soif inextinguible qui dévorait leur corps brûlé ne leur permettait pas de faire une différence entre quelques gouttes d'eau et des flots abondants. Point de répit dans leurs souffrances : leur corps gisait inerte; la médecine muette de crainte ne savait que dire; elle s'effrayait de ces yeux brûlants de fièvre qui l'imploraient si souvent toujours ouverts, privés de sommeil. Bien d'autres symptômes de mort apparaissaient à ce moment : le trouble d'un esprit livré à la douleur et à l'effroi, le sourcil froncé, l'air sombre et furieux, les oreilles inquiètes et pleines de bourdonnements, le souffle haletant ou parfois lent et profond, le cou baigné d'une sueur luisante, les crachats petits, menus, couleur de safran, salés et arrachés péniblement par la toux à une gorge rauque. Aux mains les nerfs se contractaient, les membres tremblaient; des pieds, le froid gagnait peu à peu tout le corps : enfin au moment suprême, les narines se serraient, le nez se pinçait et puis c'étaient les yeux caves, les tempes creuses, la peau froide et rèche; la bouche ouverte grimaçait, le front tendu ressortait. Les membres ne tardaient guère à se raidir dans le froid de la mort; au huitième retour de la lumière du soleil ou tout au plus à la neuvième apparition de son flambeau, ils rendaient l'âme. Si l'un d'entre eux échappait à la mort, car cela arrive, d'affreux ulcères le rongeaient, une débâcle intestinale de noires matières l'épuisait et c'était à bref délai la consomption et la mort; ou bien un flot de sang corrompu, avec souvent des maux de tête, s'échappait des narines engorgées; et avec lui toutes les forces de l'homme, toute la substance de son corps coulait. A certains cette perte effroyable de sang corrompu était épargnée, mais alors le mal se rejetait sur les nerfs, sur les articulations et même sur les parties génitales. Il y en eut qui, dans leur épouvante d'entrevoir le seuil du trépas, survécurent en tranchant avec le fer leurs organes virils; quelques-uns restaient sans mains ni pieds, mais en vie, et d'autres n'avaient plus d'yeux : tant la peur de la mort les avait pénétrés de son aiguillon! Et l'on en vit qu'avait saisis l'oubli de toutes choses, au point qu'ils ne pouvaient se reconnaître eux-mêmes. Les cadavres sans sépulture avaient beau s'entasser les uns sur les autres, les oiseaux et les bêtes sauvages passaient au large pour fuir l'infection; ou bien si quelques téméraires venaient goûter à la proie, aussitôt ils tombaient en langueur sous la menace de la mort. Les oiseaux ne se hasardaient pas à se montrer durant ces terribles jours et pendant la nuit les bêtes féroces, abattues, ne quittaient point leurs forêts; la plupart, atteintes par la contagion, languissaient et mouraient; les chiens surtout, les chiens fidèles, gisant au milieu des rues, exhalaient douloureusement la vie que leur arrachait la violence du mal. C'étaient partout des funérailles sans cortège, lugubres, qu'on hâtait. Et nul moyen sûr d'assurer le salut commun; car tel remède qui avait conservé à l'un la jouissance des souffles vivifiants de l'air et la contemplation des espaces célestes, apportait aux autres le péril et la mort.

Dans ce désastre ce qu'il y avait de plus misérable et de plus affligeant, c'est que chacun, à peine touché de la contagion, se voyait déjà condamné et perdant tout courage gisait inerte, le cœur désespéré, imaginant ses funérailles : il expirait sur place. Mais ce qui accumulait deuil sur deuil, c'est que la contagion inexorable ne cessait à aucun moment de gagner les uns après les autres. Car ceux qui évitaient de visiter leurs parents malades, par amour excessif de la vie et par crainte de la mort, se trouvaient vite châtiés par une mort honteuse et misérable; ils périssaient abandonnés, privés de secours, victimes de l'indifférence comme les moutons porte-laine et les troupeaux de bœufs. Ceux au contraire qui avaient fait leur devoir succombaient à la contagion et à la fatigue que leur avaient imposée l'honneur, ainsi que les accents suppliants et les voix plaintives. Telle était la mort réservée aux meilleurs. Comme il fallait sans relâche donner la sépulture au peuple des morts, on s'en revenait chez soi fatigué de larmes et de deuils, puis le plus souvent on prenait le lit sous le coup du chagrin : bref, personne que la maladie, la mort, ou le deuil n'atteignît en ces temps de malheur. Il n'était pas jusqu'aux bergers, aux gardiens de troupeaux, aux robustes conducteurs de charrue qui ne fussent frappés de langueur; au fond des chaumières gisaient leurs corps, livrés à la mort par la pauvreté et la maladie. Sur des enfants inanimés on pouvait voir les corps inanimés des parents, et parfois aussi, sur leur mère et leur père, les enfants rendre le dernier soupir; l'épidémie pour une grande part reflua des champs sur la ville, apportée par les gens des campagnes, foule souffrante qui, à la première atteinte du mal, accourut de partout. Ils remplissaient les lieux publics et les maisons;

ainsi rassemblés, la mort n'en faisait que plus aisément des monceaux de cadavres. Un grand nombre, tourmentés par la soif, roulaient soudain à terre et gisaient près des fontaines publiques : un excès d'eau trop douce à leur mal les avait suffoqués. Beaucoup d'autres répandus dans des lieux publics et à travers les rues, accablés et à demi morts, montraient leurs corps souillés, leurs haillons, et une repoussante saleté : leur os n'avaient plus que la peau, déjà presque ensevelie sous d'affreux ulcères et dans un linceul de crasse.

Tous les sanctuaires des dieux eux-mêmes, la mort les avait remplis de victimes, et partout les temples des habitants du ciel s'encombraient des cadavres de tant de visiteurs [57] que leurs gardiens y avaient entassés! La religion ni les puissances divines ne comptaient déjà plus : la douleur présente était plus forte qu'elles. Et les rites funèbres ne s'accomplissaient plus dans la ville où le peuple les avait toujours pratiqués jusque-là. Tout était au trouble de la confusion, chacun dans l'affliction enterrait comme il pouvait son compagnon. Que d'horreurs la nécessité pressante et la pauvreté inspirèrent! Sur des bûchers dressés pour d'autres, on vit des gens aller à grands cris déposer les corps de leurs parents, en approcher des torches et soutenir des luttes sanglantes plutôt que d'abandonner ces cadavres.

NOTES

LIVRE I

1. Une légende soigneusement entretenue faisait d'Énée, fils de Vénus, l'ancêtre des Romains, par la filiation des rois d'Albe. On sait le parti que Virgile en devait tirer.

2. Allusion probable aux fureurs de Clodius vers les années 58 ou 57 av. J.-C. Les meilleurs citoyens furent persécutés, Cicéron exilé.

3. Tous les philosophes anciens adoptaient ce dogme de l'impassibilité divine, qui leur permettait de nier les châtiments de l'au-delà. Il serait puéril de signaler ici une contradiction avec les vers 30-44. Quand le poète invoquait Mars et Vénus, il désignait par ces noms traditionnels la puissance d'amour, qui crée, et la guerre, qui détruit.

4. Une zone de feu entourait le monde, dans la pensée antique.

5. C'est l'univers total, que Lucrèce appelle aussi *natura rerum* ou *summa tota* ou encore *summai totius summa;* il réserve le terme de *mundus* et de *hæc summa rerum* à notre système (terre, soleil, lune, étoiles). Dans la pensée d'Épicure, l'*omne immensum* est éternel, tandis que chaque *mundus* naît et meurt.

6. Ennius, auteur de l'*Epicharme*, fut un précurseur de Lucrèce dans l'épopée philosophique. La théorie qu'il exposa était celle de Pythagore. Lucrèce lui emprunta beaucoup de son vocabulaire et tous ses procédés : mots composés, répétitions voulues, allitérations, assonances. C'est dans le prologue de ses *Annales* qu'Ennius rapportait l'apparition d'Homère en songe; Homère venait lui révéler que son âme avait passé dans la sienne...

7. Le luxe de preuves déployé par Lucrèce à l'appui de ce principe fait hésiter à accepter l'opinion commune qui le regarde comme un principe universellement adopté par les anciens.

8. Lucrèce se laisse ici impressionner par la tradition mythologique, qui considérait les astres comme des divinités nourries d'éléments de feu émanés de notre globe.

9. *Héraclite* est un penseur grec de ce ve siècle où le travail de la pensée s'est fait si actif, dans le but d'expliquer la formation et la vie de l'univers. Héraclite appartient à l'école ionienne, qui niait l'existence du vide ainsi que la divisibilité de la matière et qui affirmait l'unité intime de l'être, indivisible et immobile. La matière unique,

pour Héraclite, est le feu, c'est-à-dire l'essence la plus subtile et la plus propre aux métamorphoses du feu en air, de l'air en eau, de l'eau en terre. Par un rythme inverse, la terre se muait en eau, l'eau en air, l'air en feu : d'où une succession sans fin de morts apparentes et de naissances réelles. Ainsi une harmonie universelle était le résultat d'un éternel rythme dont Héraclite faisait la loi de toutes les transformations.

10. *Empédocle* (d'Agrigente) a fait une synthèse des sciences de son temps (Ve siècle), mais a beaucoup emprunté au mysticisme pythagoricien. Il distingue quatre éléments, l'eau, la terre, l'air, le feu, se combinant et se séparant tour à tour sous l'influence de la haine et de l'amitié, dans un cycle éternel d'intégrations et de désintégrations : d'où un ordre immanent dans l'univers varié et régulier à la fois. Esprit de poète autant que de philosophe.

11. *Anaxagore*, à peu près contemporain d'Empédocle, était un esprit plus positif, qui s'efforça de rejeter toutes les explications mythologiques. La matière est pour lui une poussière de substances irréductibles; le principe d'organisation et d'harmonie est une force obscure d'intelligence impersonnelle qu'il nomme Raison.

12. Tous les philosophes anciens, ou à peu près, admettaient un espace infini; mais les difficultés les effrayaient devant l'infinité de la matière.

LIVRE II

13. Reproduction des vers 147-149 du livre I.

14. C'est Aristote qu'ici Lucrèce va s'efforcer de réfuter. Aristote suppose inerte la matière, en laquelle n'est qu'en puissance ce qui doit être appelé à l'existence; il faut une cause motrice pour le réaliser en acte. Lucrèce suit Épicure, qui réduisait toutes choses à la matière et au mouvement.

15. Il s'agit bien de vraies étoiles. Épicure et Lucrèce n'étaient-ils pas persuadés que les astres contemplés de la terre n'étaient pas plus gros que leur apparence?

16. C'est le fameux *clinamen*, déviation légère qui permet la rencontre des atomes tombant dans le vide. Il y a là un postulat arbitraire d'Épicure; Cicéron l'a amplement réfuté dans ses ouvrages philosophiques. On voit que Lucrèce ne l'appuie sur aucune raison. C'est un des points du système où la faiblesse philosophique du poète se trahit le plus évidemment. Là où Épicure chancelle, ce n'est pas Lucrèce qui peut le soutenir.

17. Sur la déclinaison des atomes considérée comme le fondement de la liberté morale, une excellente note de Blanchet (*Œuvres de Lucrèce*, Garnier, éd.) est à citer tout entière. La voici : « On est surpris, on se demande si cette déclinaison est nécessaire ou si elle est simplement accidentelle. Nécessaire, comment la liberté peut-elle en être le résultat? Accidentelle, par quoi est-elle déterminée? Mais on devrait bien plutôt être surpris qu'il lui soit venu en idée de rendre l'homme libre dans un système qui suppose un enchaînement nécessaire de causes et d'effets : c'était une recherche assez curieuse que la raison qui a pu faire d'Épicure l'apôtre de la *liberté*. Ne trouvant pas cette raison dans ses principes mêmes, il fallait la chercher hors de son système : je crois en entrevoir quelques traces dans la définition que donne ici Lucrece de la liberté et en particulier dans ce vers,

Fatis avolsa voluntas,
Cette volonté arrachée au destin.

Le but d'Épicure était de rendre l'homme indépendant du destin : le destin, cet être abstrait, moitié philosophique et moitié théologique, dont les païens n'avaient que des idées fort confuses, qu'on prenait, s'il faut en croire Sénèque, tantôt pour un dieu, tantôt pour la nature elle-même, était dans toutes les anciennes religions une divinité destructive du libre arbitre, qui déterminait irrésistiblement les volontés humaines et qui punissait avec une sévérité barbare les crimes qu'elle-même avait fait commettre. C'était pour détourner le cours de cette fatalité que les hommes immolaient des victimes, élevaient des autels, construisaient des temples, instituaient tous les jours de nouvelles cérémonies religieuses, quoique bien persuadés qu'ils ne pouvaient avec leurs sacrifices changer les arrêts irrévocables de la destinée. On était donc esclave dans toutes ces religions : voilà pourquoi Épicure regarda le dogme de la liberté comme un des dogmes distinctifs de l'athéisme et voulut remporter la victoire sur le destin en lui ravissant, pour ainsi dire, la liberté humaine dont il s'était emparé; voilà ce que veut dire Lucrèce par ces mots : *Fatis avolsa voluntas*.

18. Cybèle, fille du Ciel, déesse de la Terre, épouse de Saturne.

19. Rythme phrygien, rythme vif, gamme descendante partant du *ré*.

LIVRE III

20. *Le principe de la vie relève du sang :* théorie d'Empédocle.

21. *Le principe de la vie relève du vent :* théorie stoïcienne.

22. Il faut se rappeler ici que les dogmes païens mettaient l'infamie, le mépris et la pauvreté dans le cortège de la mort. Dans les enfers de Virgile, la Faim et la Pauvreté montent la garde à la porte, avec le Deuil et la Vieillesse. C'est cette triste théologie que Lucrèce accuse des crimes dénoncés à la fin de la tirade. Les moralistes latins, très laïcs sur ce point, n'ont cessé de proclamer l'égalité de tous devant la mort. Ce que nous prenons pour un lieu commun était une révolte de la pensée libre et une propagande d'affranchissement.

23. Allusion aux proscriptions des guerres civiles; les biens des proscrits étaient confisqués par le parti vainqueur.

24. C'est Aristote qui l'avait prétendu.

25. Les philosophes grecs et latins ont tous joint les deux dogmes de l'immortalité et de la préexistence. Ils regardaient l'un comme la conséquence logique de l'autre : l'âme était immortelle parce qu'elle avait toujours existé. Ceux qui la faisaient naître avec le corps acceptaient par là même de la laisser périr avec lui.

26. *Xerxès* fit jeter un pont sur l'Hellespont pour faire passer l'armée qui devait envahir la Grèce.

27. *Démocrite* se laissa mourir de faim à 109 ans, selon la légende.

LIVRE IV

28. Reproduction presque exacte des vers 925-948 du livre I.

29. Épicure entendait réellement des membranes un véritable tissu pelliculaire, et non pas un écoulement de particules disjointes (comme, dans la chaleur, la fumée).

30. Épicure, comme tous les philosophes antiques, voyait dans le sommeil un commencement de mort, ou plutôt une mort suivie d'une résurrection.

31. Vers fameux. Molière, qui avait traduit Lucrèce, a mis ce discours sur les illusions de l'amour dans la bouche de la sage Éliante (*Misanthrope*, II, 4).

LIVRE V

32. Il s'agit exactement du « rivage d'Atlas », c'est-à-dire de la côte nord-ouest de l'Afrique.

33. Qui dit cela ? Platon. C'est à lui que Lucrèce répond ici.

34. Ces sages sont notamment les stoïciens de Grèce. Lucrèce les connaissait surtout par le poète Pacuvius, leur vulgarisateur à Rome.

35. Ces vers reproduisent presque exactement les vers 807-829 du livre III.

36. Allusion au déluge de Deucalion.

37. Pour expliquer comment la terre peut se soutenir au milieu du monde, Lucrèce propose le même système qu'on retrouve dans Pline. Que de systèmes se sont affrontés devant cette difficulté ! Ils ne semblent saugrenus que depuis Copernic, surtout depuis Newton.

38. Le cercle des signes : le Zodiaque.

39. C'était une croyance antique que le monde avait eu son commencement au printemps : d'où la consécration de cette saison à Vénus. Le mois de mars marqua longtemps le début de l'année.

40. Allusions à Polyphème et à Atlas.

41. Lucrèce pense que le langage est d'origine naturelle et instinctive.

42. En effet, la faux ou faucille de bronze ne servit plus qu'aux magiciennes pour couper les herbes maudites, dans la nuit, au clair de lune.

43. Il s'agit des éléphants, appelés *bœufs de Lucanie* par les Romains, qui eurent affaire à eux pour la première fois en Lucanie, dans les combats contre Pyrrhus. Au vers suivant, allusion aux éléphants de l'armée d'Annibal.

LIVRE VI

44. Ces vers reproduisent les vers 54-60 du livre II, déjà reproduits au livre III, vers 87-93.

45. Reproduction des vers 83-91 du livre V.

46. Le tremblement de terre qui détruisit Sidon est mentionné par divers auteurs anciens. De même celui d'Egium. A propos de ce dernier, Diodore de Sicile remarque que le sol du Péloponnèse renferme d'immenses cavernes souterraines et qu'on y connaissait deux fleuves également souterrains. L'un d'eux prendrait sa source auprès du Phénée; il disparut sous terre peu après qu'on l'eut aperçu et il ne reparut pas. Celui qui naît au pied du Stymphée coule sous terre assez longtemps et reparaît près d'Argos.

47. « On dit que la Sicile était autrefois jointe à l'Italie par un isthme étroit et qu'elle fut séparée du continent par l'impétuosité de la mer supérieure. La terre de cette île est légère et friable : les cavernes et souterrains dont elle est remplie la rendent si perméable qu'elle est presque tout entière exposée au souffle des vents. Elle est avec cela mêlée naturellement de matières propres à engendrer et à nourrir des feux parce qu'on assure qu'elle est intérieurement abondante en soufre et en bitume : d'où il arrive que, le vent luttant contre le feu dans ses souterrains, elle vomit fréquemment, et en beaucoup d'endroits, tantôt des flammes, tantôt des exhalaisons, tantôt une épaisse fumée. De là enfin l'Etna, ce volcan qui brûle depuis tant de siècles et d'où s'élancent des amas de sables quand le vent s'engouffre dans les soupiraux des cavernes. » (Justin, *Abrégé de l'histoire universelle*, IV, 1.)

48. Les inondations du Nil ont beaucoup préoccupé les anciens, dont les théories sont exposées dans Diodore de Sicile (*Bibliothèque historique*, I). Leur cause véritable figure parmi celles que propose Lucrèce sans choisir : ce sont les pluies abondantes qui tombent avant et après le solstice d'été; elles forment un grand nombre de cours d'eau torrentiels qui rejoignent le fleuve, en Éthiopie.

49. *Averne :* il y a un lac de ce nom en Campanie, au fond du golfe de Baïa, d'où s'exhalèrent jadis des vapeurs méphitiques; toutes sortes de marais malsains l'environnaient. Les anciens regardaient le lac Averne comme l'entrée des enfers; l'antre de la Sibylle de Cumes

s'ouvrait sur ses bords. Il y a un siècle que le lac a été assaini et les marais convertis en vignobles.

50. Le *castoreum* est une matière grasse, huileuse, de couleur rousse et d'odeur insupportable, renfermée dans deux vésicules que le castor porte dans les aines; cette excrétion sébacée est employée en thérapeutique comme antispasmodique.

51. Les effets du charbon ardent ne font pas de doute, mais où le poète a-t-il pris qu'on pouvait s'en préserver en buvant de l'eau?

52. « Au milieu de la forêt d'Ammon se voit une fontaine qu'on appelle l'*Eau du soleil*. Au lever du soleil, elle est tiède; à midi, lorsque la chaleur est la plus considérable, elle est fraîche; ensuite, à mesure que le jour décline, elle s'échauffe, de manière qu'à minuit elle devient bouillante; et plus la lumière s'approche, plus l'eau perd de sa chaleur, jusqu'à ce qu'au matin elle retrouve sa tiédeur accoutumée. » *(Quinte-Curce.)*

53. Lucrèce parle ici de la fontaine de Jupiter à Dodone. Pline la décrit au second livre de son *Histoire naturelle* (chapitre CIII).

54. L'aimant avait pris son nom, *magnes*, du lieu de sa découverte : la ville de *Magnesiæ*, au pied du mont Sipyle en Asie Mineure (Lydie). Cette ville s'appelait aussi *Héraclée*.

Les anciens avaient pour l'aimant un véritable culte. Pline croyait cette pierre animée. Pour beaucoup, elle était divine.

55. Voici le tableau fameux de la peste d'Athènes; il est inspiré de Thucydide,

56. *Sacer ignis :* le feu maudit, sans doute l'érysipèle.

57. Évidemment les réfugiés de la campagne.

TABLE DES MATIÈRES

TABLE DES MATIÈRES

Volumes déjà parus :

1 ▪▪ Dictionnaire anglais-français, français-anglais.
2 ▪▪ Dictionnaire espagnol-français, français-espagnol.
3 BALZAC. Eugénie Grandet.
4 PLATON. Le Banquet — Phèdre.
5 ▪▪ MUSSET. Théâtre I.
6 ▪▪ SHAKESPEARE. Richard III. — Roméo et Juliette — Hamlet.
7 BAUDELAIRE. Les Fleurs du mal et autres poèmes.
8 ESCHYLE. Théâtre complet.
9 ▪▪ Dictionnaire italien-français, français-italien.
10 ▪▪ Dictionnaire allemand-français, français-allemand.
11 ▪▪ STENDHAL. Le Rouge et le Noir.
12 CÉSAR. La Guerre des Gaules.
13 ▪▪ LACLOS. Les Liaisons dangereuses.
14 ▪▪ MUSSET. Théâtre II.
15 VOLTAIRE. Lettres philosophiques.
16 MARC-AURÈLE. Pensées pour moi-même, *suivies du* Manuel d'ÉPICTÈTE.
17 ▪▪ SHAKESPEARE. Othello — Le Roi Lear — Macbeth.
18 ▪▪ SOPHOCLE. Théâtre complet.
19 MONTESQUIEU. Lettres persanes.
20 RIMBAUD. Œuvres poétiques.
21 ▪▪ SAINT AUGUSTIN. Les Confessions.
22 ▪▪ FLAUBERT. Salammbô.
23 ROUSSEAU. Les Rêveries du promeneur solitaire.
24 GŒTHE. Faust.
25 CHATEAUBRIAND. Atala — René.
26 ▪▪ STENDHAL. La Chartreuse de Parme.
27 ▪▪ RACINE. Théâtre I.
28 ▪▪ VOLTAIRE. Dictionnaire philosophique.
29 ▪▪ SHAKESPEARE. Le Marchand de Venise — Beaucoup de bruit pour rien. — Comme il vous plaira.
30 LUCRÈCE. De la nature.
31 Les Penseurs grecs avant Socrate.
32 MÉRIMÉE. Colomba.

Volumes à paraître en décembre 1964 :

33 ▪ ▪ MOLIÈRE. Œuvres complètes I.
34 ▪ ▪ SPINOZA. Œuvres I.
35 GEORGE SAND. La Mare au diable.
36 ERASME. Éloge de la folie.

GF — TEXTE INTÉGRAL — GF

1416 — 1964. — IMPRIMERIE-RELIURE MAME
N° d'édition 5030 - 3ᵉ trimestre 1964. PRINTED IN FRANCE

WHO WAS THAT DOG I SAW YOU WITH, CHARLIE BROWN?

By Charles M. Schulz

Selected Cartoons from
You're You, Charlie Brown, Vol. 1

FAWCETT CREST • NEW YORK

A Fawcett Crest Book
Published by Ballantine Books
 Published in the United States by Ballantine Books, a division of Random House, Inc., New York, and in Canada by Random House of Canada Limited, Toronto.

ISBN 0-449-20049-3

This edition published by arrangement with Holt, Rinehart & Winston, Inc.

This book comprises the first half of *You're You, Charlie Brown*.

Printed in Canada

First Fawcett Crest Edition: May 1973
First Ballantine Books Edition: June 1982
Twentieth Printing: December 1987

SMAK!

PSYCHIATRIC
HELP 5¢
WINTER RATES
7¢

PSYCHIATRIC
HELP 5¢
WINTER RATES
7¢
"WINTER RATES...7¢."

MAY I ASK WHY YOUR RATES GO UP IN THE WINTERTIME?

I DON'T HAVE TO ANSWER THAT QUESTION!

BY GOLLY, WE DOCTORS GET TIRED OF ALL THIS CRITICISM FROM YOU LAYMEN!
WINTER RATES
7¢
IT MAKES US NERVOUS.. WE'RE VERY SENSITIVE, YOU KNOW!
WINTER RATES
7¢
IT TAKES A SENSITIVE PERSON TO BE ABLE TO DO WHAT WE DO... WE CAN'T STAND ALL THIS CONSTANT CRITICISM!
PSYCHIATRIC HELP 5¢
WINTER RATES
7¢
PSYCHIAT HELP 5
WHERE'D HE GO?
WINTER RATES
7¢

STUPID LAYMAN...HE DIDN'T EVEN WISH ME "HAPPY NEW YEAR"!
SCHULZ

HERE'S THE WORLD WAR I FLYING ACE ZOOMING THROUGH THE AIR IN HIS SOPWITH CAMEL
IT'S OUTRAGEOUS HAVING TO FLY A MISSION ON NEW YEAR'S DAY!
WHAT DO THOSE PEOPLE AT HEADQUARTERS THINK WE ARE?
ACTUALLY, I'VE BEEN UP ALL NIGHT DRINKING ROOT BEER!
SCHULZ

THIS IS LEAP YEAR..
SO?
I GUESS MAYBE YOU'RE RIGHT
SCHULZ

THAT'S HIS "HA-HA, YOU HAVE TO SHOVEL IT, AND I DON'T" DANCE!
SCHULZ

NICE GOING...IT TOOK THAT STONE FOUR THOUSAND YEARS TO GET TO SHORE, AND NOW YOU'VE THROWN IT BACK!
EVERYTHING I DO MAKES ME FEEL GUILTY..
SCHULZ

HEY, EVERYBODY! LET'S PLAY "KING OF THE HILL"!

WHOEVER IS ON TOP WILL BE "KING," SEE, AND...

ALL RIGHT, LET'S PLAY "QUEEN OF THE HILL"
SCHULZ

MY DAD LIKES TO HAVE ME COME DOWN TO THE BARBER SHOP, AND WAIT FOR HIM
NO MATTER HOW BUSY HE IS, EVEN IF THE SHOP IS FULL OF CUSTOMERS, HE ALWAYS STOPS TO SAY, "HI" TO ME...
I SIT HERE ON THE BENCH UNTIL SIX O'CLOCK, WHEN HE'S THROUGH, AND THEN WE RIDE HOME TOGETHER..
IT REALLY DOESN'T TAKE MUCH TO MAKE A DAD HAPPY...
SCHULZ

I CAN'T STAND THAT COMMERCIAL!
SCHULZ

WE'RE HAVING A TEST TODAY ON CHAPTER FOUR..
CHAPTER FOUR?! GOOD GRIEF, I STUDIED CHAPTER TWO!
I'M DOOMED...
STUDYING THE WRONG CHAPTER IS LIKE CUTTING YOUR FINGERNAILS TOO SHORT!
SCHULZ

"THE ORIGIN OF THE BEAGLE IS NOT KNOWN"
"THE NAME, HOWEVER, IS TAKEN FROM THE FRENCH WORD 'BEGLE'"
IS THAT RIGHT?
OUI!
SCHULZ

YOU'RE A VERY BORING PERSON, CHARLIE BROWN
YAWN
EXCUSE ME...
I GET BORED JUST TALKING ABOUT HOW BORING YOU ARE..
SCHULZ

THIS KID AT SCHOOL SAID I HAVE A FUNNY FACE...
IS IT ALL RIGHT IF I TELL HIM YOU'RE GOING TO SLUG HIM? YOU CAN BE MY KNIGHT IN SHINING ARMOR...
I'D RATHER YOU DIDN'T
WHAT KIND OF A KNIGHT ARE YOU?
I'M A DOVE KNIGHT
SCHULZ

YOU STUPID KID, YOU THINK YOU'RE SO SMART!
I HAVE A BOY FRIEND WHO'S GOING TO CLOBBER YOU!
I'M NOT YOUR BOY FRIEND, AND I'M NOT GOING TO CLOBBER ANYBODY!
DON'T GO 'WAY! I HAVE TO TALK HIM INTO IT!!
SCHULZ

THIS KID AT SCHOOL INSULTED ME, SEE?
NOW, WHAT I WANT YOU TO DO IS BITE HIM ON THE LEG TO HELP ME GET EVEN WITH HIM..
BITE SOMEONE...JUST TO GET EVEN?
HOW GAUCHE!
SCHULZ

YOU CUT THAT OUT, YOU STUPID DOG!

WHY DON'T YOU GO SOME PLACE ELSE, AND SKATE?

YEAH, YOU'RE A NUISANCE! YOU AND YOUR FANCY FIGURES!
WHY DON'T YOU JUST GET OUT OF HERE?

GO ON! GET OUT OF HERE!
GET OUT OF HERE, AND LEAVE US ALONE!

SCHULZ

PSYCHIATRIC HELP 7¢
OKAY, MAC, WHAT'S YOUR PROBLEM?
THE DOCTOR IS IN
PEOPLE!

PSYCHIATRIC HELP 7¢
I FIND THAT PEOPLE TAKE ADVANTAGE OF ME..
THE DOCTOR IS IN

LIKE IN TALKING, FOR INSTANCE..PEOPLE TALK TO ME ON AND ON, AND I GET BORED AND WANT TO LEAVE, BUT I DON'T, AND THEY KEEP ON AND..

IT'S YOUR OWN FAULT! YOU'RE JUST TOO WISHY-WASHY!
THE DOCTOR IS IN

PEOPLE WHO TALK TOO MUCH DESERVE TO BE INSULTED! THEY DESERVE TO HAVE OTHER PEOPLE WALK AWAY FROM THEM! TALKING TOO MUCH IS AN UNFORGIVABLE SOCIAL SIN! ABSOLUTELY UNFORGIVABLE!
THE DOCTOR
THE ONLY WAY TO DEAL WITH PEOPLE WHO TALK TOO MUCH IS TO LET THEM KNOW JUST HOW BORING THEY REALLY ARE...
THE DOCTOR
YOU CAN'T WASTE YOUR TIME WITH THEM...NO, SIR!
WHY SHOULD YOU SIT AND WASTE YOUR VALUABLE TIME WHILE SOME BORE TALKS ON AND ON ABOUT NOTHING?
LIFE IS TOO SHORT TO WASTE IT LISTENING TO SOME PERSON WHO DOESN'T KNOW WHEN TO SHUT UP! TIME IS TOO VALUABLE! TIME IS...
SIGH!
SCHULZ

YOU'VE BEEN MORE CRABBY THIS YEAR THAN EVER BEFORE!
YOU'VE BEEN CRABBY EVERY DAY! DO YOU REALIZE THAT? DO YOU REALIZE THAT YOU HAVEN'T MISSED A SINGLE DAY?
I WISH YOU HADN'T MENTIONED IT
WHY NOT?
NOW YOU'VE JINXED ME... I WAS GOING FOR A NO-HITTER!
SCHULZ

FIFTEEN SNOWBALLS?
YOU MUST BE KIDDING! THAT'S RIDICULOUS!
BEHIND A TREE, YOU SAY? OH, COME ON NOW!
HOW COULD I POSSIBLY HIDE FIFTEEN SNOWBALLS BEHIND A TREE?
SCHULZ

I DON'T KNOW, I'VE JUST FELT CRABBY EVER SINCE THE YEAR BEGAN
EVERYTHING SEEMS SO HOPELESS... DO YOU FEEL CRABBY, TOO? WHY DON'T YOU COME OVER? SURE, BRING HER ALONG IF SHE FEELS CRABBY... BRING EVERYBODY!
I'M HAVING A "CRAB-IN"!
SCHULZ

HI, GIRLS! WHERE..

GET OUT OF THE WAY!!!

WE'RE ON OUR WAY TO A "CRAB-IN"!

KNOCK
KNOCK
IS THIS WHERE THE "CRAB-IN" IS BEING HELD?
WHO WANTS TO KNOW?
THIS MUST BE THE PLACE
SCHULZ

DON'T GO NEAR THAT HOUSE TODAY, SNOOPY..LUCY'S HAVING A "CRAB-IN"
1-19

NOK NOK NOK

SMACK

THAT'S HOW YOU BREAK UP A "CRAB-IN"!
SCHULZ

KER-
CHUNK!
THANK YOU VERY MUCH, SNOOPY..
I WAS ALL OUT OF STAMPS
YOU'RE WELCOME
I'M THE ONLY ONE IN THE NEIGHBORHOOD WITH A POSTAGE METER
SCHULZ

ALL RIGHT, WHO PAINTED RALLY STRIPES ON MY PIANO?!
SCHULZ

THE SUN IS GOING TO MELT YOUR SNOWMAN!
THE SUN IS GOING TO MELT YOUR SNOWMAN, AND ALL THAT WORK WILL BE FOR NOTHING! THE SUN IS GOING TO MELT YOUR SNOWMAN!
I SAID THE SUN IS GOING TO MELT THIS SNOWMAN!
STUPID SUN!!

CHARLIE BROWN, HOW DOES IT FEEL TO KNOW THAT YOU WILL NEVER BE A HERO?
WHAT MAKES YOU THINK I'LL NEVER BE A HERO? I MAY SURPRISE YOU! I MAY SAVE A LIFE OR REPORT A FIRE OR DO ALMOST ANYTHING!
LET ME PUT IT THIS WAY... HOW DOES IT FEEL WAY DOWN DEEP INSIDE IN YOUR VERY HEART OF HEARTS TO KNOW THAT YOU WILL NEVER BE A HERO?
TERRIBLE!
SCHULZ

WAITING FOR VALENTINES!
SCHULZ

WAITING FOR VALENTINES...
OH.....WELL, GOOD LUCK..
THANK YOU
YOU'LL NEED IT!
YOU DIDN'T HAVE TO SAY THAT!!

SIGH
SCHULZ

AND I GOT A VALENTINE FROM JOYCE AND I GOT ONE FROM PEGGY
AND I GOT ONE FROM ZELMA, AND JANELL, AND BOOTS, AND PAT, AND SYDNEY, AND WINNIE, AND JEAN, AND ROSEMARY, AND COURTNEY, AND FERN, AND MEREDITH...
AND AMY, AND JILL, AND BETTY, AND MARGE, AND KAY, AND FRIEDA, AND ANNABELLE, AND SUE, AND EVA, AND JUDY, AND RUTH...
AND BARBARA, AND OL' HELEN, AND ANN, AND JANE, AND DOROTHY, AND MARGARET, AND...
I CAN'T STAND IT... I JUST CAN'T STAND IT...
SCHULZ

HAPPY VALENTINE'S DAY!
HERE, LITTLE RED-HAIRED GIRL...THIS IS FOR YOU.. IT'S A VALENTINE...
THIS IS A VALENTINE I MADE ESPECIALLY FOR YOU
HERE, LITTLE RED-HAIRED GIRL, THIS IS A VALENTINE I WANT YOU TO HAVE...
HERE, LITTLE RED-HAIRED GIRL.. THIS IS A VALENTINE TO SHOW HOW MUCH I LIKE YOU...

HERE, THIS VALENTINE IS FOR YOU, SWEET LITTLE RED-HAIRED GIRL...
HERE, YOU LITTLE DOLL, YOU...THIS VALENTINE IS FOR YOU...

HERE, LITTLE RED-HAIRED GIRL, THIS VALENTINE IS FOR YOU, AND I HOPE YOU LIKE IT AS MUCH AS I LIKE YOU, AND...
SIGH

US MAIL
HI, CHARLIE BROWN... DID YOU GIVE THAT LITTLE RED-HAIRED GIRL YOUR VALENTINE?

I COULDN'T DO IT.. I MAILED IT ANONYMOUSLY...
GOOD OL' CHARLIE BROWN... HE'S THE CHARLIE BROWNIEST!
SCHULZ

IF YOU HIT ME WITH THAT SNOWBALL, I'LL **CLOBBER** YOU WITH THIS ONE!

ARE YOU GOING TO LET HER BLUFF YOU THAT WAY?

NEVER TRADE A HIT FOR A CLOBBER!
SCHULZ

HOW IN THE WORLD DO YOU FIND A SNOW-COVERED SUPPER DISH?!
SCHULZ

AND I GOT A VALENTINE FROM CLARA, AND I GOT ONE FROM VIRGINIA AND ONE FROM RUBY..
AND I GOT ONE FROM JOY, AND CÉCILE, AND JULIE, AND HEDY, AND JUNE, AND MARIE...
AND KATHLEEN, AND MAGGIE, AND DIANE, AND VIVIAN, AND CHARLOTTE, AND TEKLA, AND LILLIAN, AND...
GOOD GRIEF!
SCHULZ

AND EDNA, AND NAOMI, AND LILA, AND FRAN, AND..
YOU DIDN'T GET A VALENTINE FROM LILA!
I DIDN'T? DIDN'T LILA SEND ME A VALENTINE?
LILA DOESN'T LOVE ME ANY MORE!
OH, WELL...AND CONNIE, AND CHIYO, AND MARILYN, AND AILEEN, AND..
I CAN'T STAND IT...I JUST CAN'T STAND IT....
SCHULZ

ACTUALLY, THEY ALL LOOK ALIKE TO ME!

SCHULZ

OKAY, I'M READY... THROW ME THE HOCKEY BALL!

YOU INVITED HER.. I DIDN'T
SCHULZ

I LOVE PLAYING HOCKEY BALL!
SCHULZ

NOW HERE'S THE WAY WE START THE GAME..
WE HAVE A "FACE-OFF," SEE... WE LEAN OVER AND TAP OUR STICKS TOGETHER THREE TIMES.... OKAY, LET'S GO...
SMAK!

PENALTY BOX

POOF!

PICK A CARD... ANY CARD..
SCHULZ

I'M DEPRESSED, LINUS...
I NEED AN ENCOURAGING WORD TO CHEER ME UP
HAPPINESS LIES IN OUR DESTINY LIKE A CLOUDLESS SKY BEFORE THE STORMS OF TOMORROW DESTROY THE DREAMS OF YESTERDAY AND LAST WEEK!
I THINK THAT BLANKET IS DOING SOMETHING TO YOU!
SCHULZ

AH! THE SUN'S OUT!
THIS YEAR I'M DETERMINED..
I'M NOT EVEN GOING TO WAIT FOR SUMMER..:
THIS YEAR I'M GOING TO START EARLY, AND TRY TO GET A GOOD TAN!
SCHULZ

YOU DON'T UNDERSTAND GIRLS, DO YOU, CHARLIE BROWN?
NO, I GUESS I DON'T...
AND WHEN YOU GROW UP, YOU PROBABLY WON'T UNDERSTAND WOMEN!
SOMEHOW, I THINK THAT'S VERY FUNNY..
I'M HYSTERICAL
SCHULZ

THE EASTER BUNNY IS OUT IN OUR FRONT YARD!
SURE, HE IS..

HE'S HIDING EGGS...HE'S DOING A SPRING DANCE, AND HE'S HIDING EGGS ALL OVER THE FRONT LAWN...
UH HUH... SURE, HE IS...
I THINK I'LL GO OUT AND GATHER UP ALL THE EGGS
WHY DON'T YOU JUST DO THAT...
YOU MISS A LOT WHEN YOU SIT AND WATCH TV ALL DAY LONG...
SCHULZ

I'VE DECIDED SOMETHING..
I'VE DECIDED TO BECOME A NURSE WHEN I GROW UP!
HOW DID YOU HAPPEN TO DECIDE THAT?
I LIKE WHITE SHOES
SCHULZ

I CAN'T TALK TO THAT LITTLE RED-HAIRED GIRL BECAUSE SHE'S SOMETHING AND I'M NOTHING
IF I WERE SOMETHING AND SHE WERE NOTHING, I COULD TALK TO HER, OR IF SHE WERE SOMETHING AND I WERE SOMETHING, THEN I COULD TALK TO HER...
OR IF SHE WERE NOTHING AND I WERE NOTHING, THEN I ALSO COULD TALK TO HER...BUT SHE'S SOMETHING AND I'M NOTHING SO I CAN'T TALK TO HER...
FOR A NOTHING, CHARLIE BROWN, YOU'RE REALLY SOMETHING!
SCHULZ

I WONDER IF I WOULDN'T BE MORE POPULAR IF I HAD A NEW NAME...
THE WRONG NAME CAN BE A REAL HINDRANCE TO A PERSON'S FUNCTIONING IN SOCIETY..I THINK A NAME WHICH IS CONSISTENT WITH A PERSON'S PERSONALITY IS IMPORTANT
I WONDER WHAT WOULD BE A GOOD NAME FOR ME...
HOW ABOUT "SUPERMOUTH"?
I'VE GOT TO STOP THIS BUSINESS OF TALKING WITHOUT THINKING...
SCHULZ

IN A WAY, YOU'RE QUITE LUCKY, SCHROEDER..
IF YOU EVER GO INTO THE ARMY, THEY WON'T PUT YOU IN THE FRONT LINES...
YOU COULD PLAY THE PIANO FOR THE OFFICERS WHILE THEY EAT!
AAUGH!
SCHULZ

HERE'S THE WORLD FAMOUS GOLF-PRO RECEIVING HIS INVITATION TO PLAY IN THE MASTERS
AH, WHAT A THRILL!! GEORGIA IN THE SPRING!
I CAN SEE MYSELF NOW STANDING ON THE FIRST TEE...
ACTUALLY, BEAGLES ARE ALMOST NEVER INVITED TO PLAY IN THE MASTERS...
SCHULZ

HERE'S THE WORLD FAMOUS GOLF PRO FLYING HIS PRIVATE JET TO AUGUSTA, GEORGIA!
HE HAS BEEN INVITED TO PLAY IN THE MASTERS GOLF TOURNAMENT..
I'VE NEVER BEEN TO AUGUSTA BEFORE...
I'LL PROBABLY STAY WITH ARNOLD AND WINNIE!
SCHULZ

HERE'S THE WORLD FAMOUS GOLF PRO GOING OUT TO PLAY A PRACTICE ROUND AT THE MASTERS
I'LL PROBABLY PLAY WITH ARNIE TODAY, OR SAM, OR BEN, OR GAY...
OF COURSE, THEY DON'T ALWAYS LIKE TO PLAY WITH ME...
THEY HATE IT WHEN I OUTDRIVE THEM!
SCHULZ

HERE'S THE WORLD FAMOUS GOLF PRO TEEING OFF ON THE FIRST HOLE AT THE MASTERS...

AS HE WALKS DOWN THE FIRST FAIRWAY, HE IS FOLLOWED BY THAT HUGE THRONG OF HIS ADMIRERS KNOWN AS "SNOOPY'S SQUAD"

WINTER RULES?
SCHULZ

IT'S THE SECOND DAY OF THE BIG MASTERS GOLF TOURNAMENT IN AUGUSTA, GEORGIA..
NO MOVIE CAMERAS, PLEASE!
HERE'S THE WORLD-FAMOUS GOLF PRO LINING UP HIS PUTT ON THE SIXTEENTH GREEN........
SCHULZ

WHAT ARE YOU DOING HOME?
I THOUGHT YOU WERE IN AUGUSTA PLAYING IN THE MASTERS GOLF TOURNAMENT..DIDN'T YOU MAKE THE CUT?
HOW COME YOU'RE NOT PLAYING IN THE FINAL ROUND?
WELL, I RAN INTO THIS CUTE LITTLE GEORGIA BEAGLE, SEE...
SCHULZ

I THINK THERE'S SOMETHING WRONG WITH ME..
I KEEP HAVING THESE TINY SELF-DOUBTS...DO YOU THINK THIS IS WRONG?
OF COURSE, IT'S WRONG, CHARLIE BROWN...
I THINK YOU SHOULD HAVE GREAT-BIG SELF-DOUBTS!
SCHULZ

I THOUGHT YOU WERE GOING TO STUDY FOR A HISTORY TEST..
I DON'T HAVE TO... I'M JUST GOING TO PUT THE BOOK UNDER MY PILLOW..
HISTORY
DURING THE NIGHT, THE ANSWERS WILL SEEP UPWARD THROUGH THE PILLOW AND INTO MY HEAD.....
I HOPE!
SCHULZ

CHARLIE BROWN, I WANT YOU TO KNOW THAT I THINK YOU'RE A GREAT PITCHER!
WHY, THANK YOU, LUCY..THANK YOU VERY MUCH..I APPRECIATE THAT
APRIL FOOL!
I CAN'T STAND IT... I JUST CAN'T STAND IT...
HEE HEE HEE HEE
SCHULZ

YOU'RE CRAZY! NOBODY CAN MAKE A SHOT LIKE THAT!

YOU THINK YOU CAN GO THROUGH THAT WICKET, AROUND THAT BUSH AND CLEAR ACROSS THE YARD AND HIT MY BALL? NOBODY CAN MAKE A SHOT LIKE THAT!

PLOK!

THIS IS "BE KIND TO ANIMALS" WEEK

THIS IS "BE KIND TO ANIMALS" WEEK

SCHULZ

I'LL NEVER GET TO THE FIRST GRADE
I'M ALMOST SURE THEY'RE GOING TO MAKE ME GO THROUGH KINDERGARTEN AGAIN
WHY?
I FAILED FLOWER-BRINGING!!
SCHULZ

?
FANTASTIC!

DO YOU REALIZE THAT THEY MAY HAVE TO REPLANT EVERY TREE IN THIS PARK?
I CAN'T STAND IT.. I JUST CAN'T STAND IT...
SCHULZ

GOOP 5¢
I'LL TAKE A BOWL, PLEASE..
GOOP 5¢
THAT'S PRETTY GOOD GOOP
THANK YOU..
GOOP 5¢
ACTUALLY, IT WAS ONLY FAIR, BUT WHERE ELSE CAN YOU GET A BOWL OF GOOP FOR 5¢ ?
SCHULZ

COME ON, TRY IT... IF YOU DON'T HAVE THE CASH, YOU CAN PUT IT ON YOUR CREDIT CARD...
GOOP 5¢

GOOP 5¢

YOU WOULDN'T KNOW GOOD GOOP IF YOU TASTED IT !!!
SCHULZ

DEAR LITTLE RED-HAIRED GIRL,
I HAVE BEEN WANTING TO MEET YOU FOR A LONG TIME.
I THINK YOU ARE WONDERFUL. WOULD YOU CARE IF I CAME OVER TO YOUR HOUSE TO SEE YOU? WE COULD SIT ON YOUR FRONT STEPS AND TALK.
I MUST HAVE A FEVER!
SCHULZ

I'M TIRED OF BEING A COWARD!
BY GOLLY, I'M GOING TO GO RIGHT UP TO THAT LITTLE RED-HAIRED GIRL'S HOUSE, AND KNOCK ON THE DOOR..
WHEN SHE ANSWERS, I'LL INTRODUCE MYSELF, AND...
!
SCHULZ
WELL, I'LL BE! EVEN HER GRANDMOTHER HAS RED HAIR!

HELLO... I... UH..
I... I... I.. UH..
I... I.... UH.. I JUST... UH...
I.. I... I..... I....... I.....
YOU'RE A CUTE
GRANDMOTHER!
OH, BROTHER!!
SCHULZ

I'LL NEVER GET TO MEET THAT LITTLE RED-HAIRED GIRL...
SOMETIMES I GET SO DEPRESSED I CAN HARDLY STAND IT..
ONE BOWL, PLEASE..
GOOP 5¢
A GOOD WAY TO FORGET A LOVE AFFAIR IS TO EAT A LOT OF GOOP!
SCHULZ

PSYCHIAT
HELP
OKAY, WHAT'S YOUR PROBLEM?
THE DOCTOR

PSYCHIATRIC HELP 5¢
TOMORROW!
THE DOCTOR IS IN

PSYCHIATRIC HELP 5¢
I FIND MYSELF ALWAYS WORRYING ABOUT TOMORROW..
THE DOCTOR IS IN

THEN WHEN TOMORROW BECOMES TODAY, I START WORRYING ABOUT TOMORROW AGAIN..

I GUESS I'M JUST AFRAID TO FACE THE FUTURE
I THINK I CAN HELP YOU, CHARLIE BROWN...
THE DOCTOR IS IN

NOW, THE FIRST THING YOU HAVE TO DO IS TURN AROUND...
THE FUTURE IS OVER THIS WAY... THERE, THAT'S BETTER!
!

NOW, THE NEXT THING IS YOUR POSTURE...IF YOU'RE GOING TO FACE THE FUTURE, YOU'VE GOT TO DO IT WITH YOUR CHEST OUT..
THAT'S THE WAY! THROW OUT YOUR CHEST AND FACE THE FUTURE! NOW, RAISE YOUR ARM AND CLENCH YOUR FIST..THAT'S RIGHT.. NOW, LOOK DETERMINED...

WELL, I THINK I KNOW WHY YOU'RE AFRAID TO FACE THE FUTURE..
WHY?

YOU LOOK RIDICULOUS!
SCHULZ

HAPPY FATHER'S
DAY from
your rare gem.

HI, ROY...I SUPPOSE YOU'RE WONDERING WHAT I'M DOING...

I'VE JUST MADE MY DAD A HAND-MADE FATHER'S DAY CARD..

EVERY NOW AND THEN MY DAD SAYS TO ME, "PEPPERMINT PATTY, DO YOU KNOW WHAT YOU ARE?" AND I ALWAYS SAY, "NO"....THEN HE SAYS TO ME, "YOU ARE A RARE GEM!" AND WE BOTH LAUGH...

SO YOU SEE, I'VE MADE A CARD FOR HIM... "HAPPY FATHER'S DAY FROM YOUR RARE GEM"

THAT'S VERY NICE..
THANK YOU..I'LL PUT IT ON TOP OF HIS DRESSER WHERE HE'LL SEE IT...

ACTUALLY, ANYONE WHO GIVES HIS DAD A FATHER'S DAY CARD IS A RARE GEM...
SCHULZ

sf

SCHROEDER, WHAT WOULD HAPPEN IF YOU AND I GOT MARRIED SOMEDAY, AND I GOT TIRED OF FIXING YOUR BREAKFAST?

I MEAN, WHAT WOULD HAPPEN IF I DECIDED I'D RATHER SLEEP IN THE MORNING?
I CAN'T STAND IT...

SAY, FOR INSTANCE, I GOT TIRED OF GETTING UP EVERY MORNING TO FIX YOUR BREAKFAST, AND JUST SUDDENLY DECIDED I'D RATHER SLEEP LATE EVERY MORNING...

I MEAN, WHAT WOULD YOUR REACTION BE?

ROWRR!!

WELL, PERHAPS I COULD SLEEP LATE ON WEEKENDS...
SCHULZ

WATCH IT, BEAGLE!
SIGH

YOU SPEND ALL YOUR TIME LYING ON TOP OF THAT DOG HOUSE..
THAT'S ALL YOU SEEM TO DO... YOU JUST LIE THERE AND LIE THERE
I JUST DON'T SEE HOW YOU DO IT!
LET'S NOT OVERLOOK THE POSSIBILITY OF GENIUS!
SCHULZ

I HAVE A MESSAGE FOR YOU...
MOM SAYS GET YOUR STUPID SELF IN THERE, AND CLEAN UP YOUR STUPID ROOM!
I'M SURE SHE DIDN'T SAY IT QUITE LIKE THAT
SO I ELABORATED A LITTLE..
SCHULZ

I WISH SHE'D MISS...

MISS! MISS! MISS! MISS!

THIS IS THE MOST BORING THING I'VE EVER DONE... I CAN'T STAND HERE ALL DAY TURNING THIS STUPID ROPE... WHY DOESN'T SHE EVER MISS?

THIS COULD GO ON FOREVER.. I'VE GOT TO GET HOME.. I HAVE A WHOLE LOT OF HOMEWORK TO DO, AND MY FAVORITE TV PROGRAM COMES ON IN FIFTEEN MINUTES AND, BESIDES, MY ARM IS KILLING ME!

IF SHE'D JUST MISS, MAYBE I'D HAVE AN OPENING TO SUGGEST THAT WE QUIT..WHY DOESN'T SHE EVER MISS? MISS! MISS! MISS! RATS! SHE NEVER MISSES! WHY DON'T I JUST TELL HER I'M GOING HOME?

THAT'S WHAT I THINK I'LL DO... I THINK I'LL JUST TELL HER THAT I HAVE TO QUIT AND GO HOME... I THINK I'LL JUST DROP THE ROPE, AND TELL HER I'M GOING HOME.... MISS! MISS! MISS!

MY ARM IS GETTING NUMB...I CAN'T EVEN FEEL MY FINGERS ANY MORE..I THINK I'LL JUST THROW THE ROPE DOWN, AND TELL HER I'M QUITTING... I THINK I'LL JUST LET GO, AND WALK AWAY... I..

TEN THOUSAND! TEN THOUSAND AND ONE, TEN THOUSAND AND TWO..
SIGH!
SCHULZ

HAVE YOU SEEN OUR BASEBALL SCHEDULE FOR THIS YEAR, "CHUCK"?
MY TEAM PLAYS YOUR TEAM TWELVE TIMES...WE SLAUGHTER YOU TWICE IN APRIL, SMASH YOU THREE TIMES IN MAY AND RUIN YOU ONCE IN JUNE..
WE MURDER YOU TWICE IN JULY, ANNIHILATE YOU THREE TIMES IN AUGUST AND POUND YOU ONCE IN SEPTEMBER
IT'S A GREAT SCHEDULE, HUH, "CHUCK"?
BEAUTIFUL!
SCHULZ

THIS YEAR WE'RE GOING TO STRESS PROPER CONDITIONING..
I WANT EACH PLAYER TO DO TWENTY PUSHUPS EVERY DAY!
HOW ABOUT ONE PUSHUP EVERY TWENTY DAYS?
WHAT A CRABBY MANAGER..
SCHULZ

HEY, MANAGER, I CAN'T DO TWENTY PUSHUPS...
WELL, MAYBE YOU SHOULD START WITH JUST FIFTEEN OR MAYBE TEN...LET ME DEMONSTRATE...
PUSHUPS CAN BE VERY DIFFICULT IF YOU'RE OUT OF SHAPE..SOMETIMES IT'S BEST TO START WITH JUST...
...ONE !
SCHULZ

IT'S GETTING DARK..I GUESS THAT'S ENOUGH PRACTICE FOR TODAY..
YOU THINK I DON'T CARE ABOUT OUR TEAM, DON'T YOU, CHARLIE BROWN?
WELL, JUST TO SHOW YOU THAT I DO, I'VE FIGURED OUT A WAY FOR US TO PLAY NIGHT GAMES!
GO AHEAD... GO OUT ON THE PITCHER'S MOUND, AND SEE..

THERE'S ANOTHER GOOD THING ABOUT PLAYING NIGHT GAMES, CHARLIE BROWN..
SAY YOU'RE PITCHING A LOUSY GAME, SEE, AND WE WANT TO GET YOU OUT OF THERE...WELL, ALL WE HAVE TO DO IS COME OUT TO THE MOUND AND BLOW OUT YOUR CANDLE!
POOF!
I THINK WE'D BETTER STICK TO DAY GAMES!

I WAS WATCHING THIS BALL GAME ON TV LAST YEAR..
ONE OF THE PLAYERS GOT REAL MAD AT THE UMPIRE, AND KICKED DIRT ON HIM...
...LIKE THIS!
YOU CAN LEARN A LOT WATCHING THOSE GAMES ON TV!
SCHULZ

NOW, LOOK HERE.. I DON'T THINK YOU'RE EVEN TRYING!
BLEAH!
COME BACK HERE!! YOU CAN'T QUIT THE TEAM BEFORE THE SEASON EVEN STARTS!
I SHOULDN'T HAVE ACCUSED HIM OF NOT TRYING...BEAGLE-SHORTSTOPS ARE SO SENSITIVE...
SCHULZ

WHAT'LL WE DO? SNOOPY'S QUIT THE TEAM!
ALL I DID WAS BAWL HIM OUT A LITTLE..
DON'T BLAME YOURSELF, CHARLIE BROWN...
THAT'S THE TROUBLE WITH THAT STUPID DOG...HE'S ALWAYS CHANGING RAINBOWS!
"CHANGING RAINBOWS"?!
SCHULZ

PLEASE COME BACK TO THE TEAM, SNOOPY...
IF YOU COME BACK, I'LL DO ANYTHING! I'LL RAISE YOUR FOOD ALLOWANCE... YOU CAN PLAY ANY POSITION YOU WANT.. YOU CAN EVEN BE MANAGER!
MANAGER?
HERE'S THE WORLD FAMOUS BASEBALL MANAGER STANDING IN THE DUGOUT..
NOW WHAT HAVE I DONE?
SCHULZ

MANAGER?
THAT STUPID BEAGLE IS GOING TO BE OUR NEW MANAGER? NOTHING DOING! I'LL..
BOOT!
WE BASEBALL MANAGERS DON'T STAND FOR ANY BACK-TALK!
SCHULZ

STRIKE THREE!
BOOT!
THIS NEW MANAGER IS GOING TO BE ROUGH TO PLAY FOR!
SCHULZ

KLUNK!

BOOT!
BOOT!

IT'S KIND OF NICE NOT BEING MANAGER..
ON THE NIGHT BEFORE OUR GAMES I ALWAYS USED TO LIE AWAKE WORRYING...
I WONDER IF OUR NEW MANAGER IS LYING AWAKE WORRYING...
Z
SCHULZ

HERE WE GO... THE FIRST PITCH OF THE SEASON!

GOOD GRIEF! A HOME RUN!!

BOOT!
SCHULZ

OH, OH! OUR NEW MANAGER IS GIVING ME THE SIGNAL TO STEAL SECOND..
"YOU'RE OUT!!"
BOOT!
SCHULZ

WELL, WE LOST OUR FIRST GAME OF THE SEASON..
I WONDER HOW OUR NEW MANAGER WILL TAKE THIS DEFEAT ?
BOOT! BOOT! BOOT!
BOOT! BOOT! BOOT!
I HATE LOSING!
SCHULZ

CHARLIE BROWN, WHEN A TEAM LOSES A GAME, IS IT THE FAULT OF THE PLAYERS OR THE MANAGER?
WELL, I DON'T KNOW...IT'S KIND OF HARD TO SAY, AND I...
WELL, I'M NOT AFRAID TO SAY! WHEN A TEAM LOSES A GAME, I THINK IT'S THE FAULT OF THE MANAGER!
BOOT!

ACTUALLY, RUNNING A BALL CLUB IS A VERY HARD JOB
IF YOU WANT, I'LL BE GLAD TO TAKE OVER AS MANAGER AGAIN.....
SMAK!
A KISS ON THE NOSE, AND I'M OFF THE HOOK!
SCHULZ

IF I HAVE A BIRTHDAY PARTY, WILL YOU GIRLS COME?
WELL, FRANKLY, CHARLIE BROWN, WE'D RATHER NOT...
BUT IF WE CAN'T FIND ANYTHING ELSE TO DO, AND IF THERE'S NOTHING GOOD ON TV THAT DAY, WE MIGHT CONSIDER COMING...
IT'S FUN TO GIVE A PARTY WHEN EVERYONE'S SO ENTHUSIASTIC
SCHULZ

BEEP!
I HAVEN'T BEEPED YOU IN A LONG TIME
I HAVEN'T MISSED IT A BIT!
SCHULZ

DANGER!
Kite-eating
tree
HELLO, YOU DIRTY KITE-EATING TREE! HAVE YOU HAD A HARD WINTER? I'LL BET YOU'RE HUNGRY, AREN'T YOU?
I'LL ALSO BET THAT YOU HATE ME, DON'T YOU? YOU HATE ME BECAUSE I RECOGNIZE YOU FOR WHAT YOU ARE, A DIRTY, SCHEMING, NO-GOOD, KITE-EATING TREE!
YOU ALSO HATE ME BECAUSE YOU NEED ME! I'M THE ONLY ONE AROUND HERE WHO FLIES KITES, AND WITHOUT ME, YOU'D GET PRETTY HUNGRY!

WHAT WOULD YOU DO IF I DECIDED NOT TO FLY ANY KITES THIS YEAR? WHAT WOULD YOU DO?
YOU'D STARVE TO DEATH, THAT'S WHAT YOU'D DO!

IT SORT OF SHAKES YOU UP, DOESN'T IT? WITHOUT ME, YOU'RE NOTHING!!

EXCUSE ME, CHARLIE BROWN, BUT YOU LOOK SORT OF DIFFERENT... LIKE SOME CHANGE HAS COME OVER YOU...
I THINK MAYBE IT HAS...
FOR THE FIRST TIME IN MY LIFE I FEEL NEEDED!
SCHULZ

POW!
YOU HAVE CUTE TOES, CHARLIE BROWN!
SCHULZ

THIS IS THE SAME THING I HAD TO EAT YESTERDAY..
IN FACT, THIS IS THE SAME THING I HAD TO EAT EVERY DAY FOR THE PAST MONTH!
I THINK I'LL REGISTER A COMPLAINT...
AFTER I'VE FINISHED EATING.!
SCHULZ

DO YOU KNOW HOW MANY STARS THERE ARE IN THE SKY, LUCY?

OF COURSE! THREE HUNDRED AND SIXTY-FIVE... ONE FOR EACH DAY IN THE YEAR..

WE LIVE IN WHAT IS KNOWN AS AN ORDERLY UNIVERSE!
SCHULZ

LUCY SAYS THERE ARE THREE HUNDRED AND SIXTY-FIVE STARS IN THE SKY..

SHE SAYS THERE'S ONE FOR EACH DAY IN THE YEAR...

SO MUCH FOR TODAY!
SCHULZ

SOMEDAY, I'D LIKE TO PUNCH A CAT IN THE NOSE!
I WONDER IF I'D EVER HAVE THE NERVE TO TRY IT...
PROBABLY NOT
IT'S KIND OF FUN TO THINK ABOUT, THOUGH..
SCHULZ

YOU KNOW, YOU TALK ABOUT YOURSELF ALL THE TIME!
IT'S JUST "I" THIS AND "I" THAT ALL THE TIME!
YOU MAY NOT REALIZE IT, BUT ALL YOU EVER SAY IS, "I" "I" "I" "I" "I"!!
I ?
SCHULZ

DON'T YOU EVER GET TIRED OF THAT BLANKET ?

NOT REALLY!
SCHULZ

KLUNK!

KLUNK!
YOU CAN'T DO ANYTHING, CAN YOU, CHARLIE BROWN?
SCHULZ

WELL, SO LONG, ROY... I'M OFF TO CAMP!
THIS YEAR I'M IN CHARGE OF A TENT... I'M ALMOST LIKE A COUNSELOR...ISN'T THAT GREAT?
I LOVE GOING TO CAMP..
FOR A GIRL LIKE ME, IT'S THE NEXT BEST THING TO BEING IN THE INFANTRY!
SCHULZ

HELLO, GIRLS... I'M "PEPPERMINT" PATTY, YOUR TENT MONITOR...
CAMP KAMP
ACTUALLY, MY NAME REALLY ISN'T "PEPPERMINT" PATTY...THAT'S JUST A NICK-NAME MY DAD GAVE ME... HE ALSO CALLS ME HIS "RARE GEM"
NOW, WHAT ARE YOUR NAMES?
AFTER ALL THAT, WHAT CAN WE SAY?
SCHULZ

"SOPHIE, CLARA AND SHIRLEY.."
NOW, LET'S SEE IF I HAVE YOU STRAIGHT..A GOOD TENT MONITOR MUST KNOW THE NAMES OF ALL THE GIRLS IN HER TENT..
YOU'RE SOPHIE, YOU'RE CLARA AND YOU'RE SHIRLEY.... RIGHT?
WRONG!
BUT THAT'S CLOSE ENOUGH.. WE'RE ONLY GONNA BE HERE FOR TWO WEEKS...

ALL RIGHT, GIRLS.. LIGHTS OUT!!
SCHULZ
DID YOU ALL BRUSH YOUR TEETH?
WHAT IS THIS, A COMMERCIAL?

Jane Kindred is the author of the Demons of Elysium series of M/M erotic fantasy romance, the Looking Glass Gods dark fantasy tetralogy and the gothic paranormal romance *The Lost Coast*. Jane spent her formative years ruining her eyes reading romance novels in the Tucson sun and watching *Star Trek* marathons in the dark. She now writes to the sound of San Francisco foghorns while two cats slowly but surely edge her off the side of the bed.

Also by Jane Kindred

Waking the Serpent
Bewitching the Dragon
The Dragon's Hunt
Seducing the Dark Prince

Discover more at millsandboon.co.uk

SEDUCING THE DARK PRINCE

JANE KINDRED

MILLS & BOON

First Published in Great Britain 2018
by Mills & Boon, an imprint of HarperCollins*Publishers*
1 London Bridge Street, London, SE1 9GF

ISBN: 978-0-263-26678-8

49-0418

MIX
Paper from
responsible sources
FSC™ C007454

This book is produced from independently certified FSC™ paper to ensure responsible forest management.

For more information visit: www.harpercollins.co.uk/green

Printed and bound in Spain
by CPI, Barcelona

Chapter 1

Like the ethereal substance his last name evoked, Lucien Smok was breathtaking—literally. The moment Theia saw him across the temple reception hall, the air rushed from her lungs as though it had been sucked into a vacuum. Pale blue eyes like pieces of ice locked on hers from beneath long lashes, dark brows in an ivory face lifted in amusement above them as if he was well aware of the effect he was having on her.

She'd seen him before somewhere. In a dream or a dark premonition. Beneath the reception hall's Baroque quadratura-painted ceiling—invoking the blessing of the gods of Olympus—he reminded her of a painting by Waterhouse, Narcissus winking just for a moment at the viewer before returning to his reflection.

But beautiful or not, this wasn't some breathless lust at first sight. She really couldn't breathe.

Theia clutched at her throat and tried to make a sound, but nothing came out. Her lungs were locked in a spasm, convulsively trying to take in air against some obstruction.

Her dark-haired Narcissus crossed the reception hall in two swift strides and embraced her from behind, arms wrapped around her waist and hands clasped tight beneath her breasts, a gesture of intimacy. Vertigo swam over her, making her feel as though she were floating within herself, a lighter-than-air balloon encased in a human frame, bobbing against its edges.

He hugged her forcefully, jolting her against him, almost off the ground—once, twice, thrice.

Another spasm of her diaphragm forced what remained

of the air in her lungs through her windpipe and dislodged the champagne grape she'd swallowed wrong. Such a small thing to cause so much trouble.

Air rushed in so quickly that she choked on it, gasping and coughing until tears ran down her cheeks.

"All right now?" The soft voice at her ear brought her fully back to herself. His hold around her hadn't loosened and was decidedly more intimate than it had been when he'd been performing the Heimlich on her.

Theia realized she'd relaxed into his embrace, her arms sliding around his, and she let go with a jolt and bolted from his grasp. Though the moment had seemed epic and prolonged, none of the other guests were paying any attention.

His smile was one-sided—a slight leftward lift that combined amusement, smugness and a hint of offense. "You're welcome."

"Sorry. I didn't mean to… I mean, thanks. I appreciate the—"

"Don't strain yourself, darling. It's okay. I'm used to this reaction."

Theia's embarrassment dissipated, and she narrowed her eyes, wrapping her arms around herself. "What reaction?"

"Women going weak in the knees and tongue-tied around me. I expect it's being this close to money." His voice had the lazy, sardonic drawl of James Spader's bad boy Steff in *Pretty in Pink*. "Does that to some women, I understand."

"Wow. I take it back. You're a complete ass."

"Not the first time I've heard that, either." He held out his hand. "Lucien Smok, heir to the Smok Biotech fortune and your hero today."

Theia kept her hands tucked under her arms. "Gosh, how fortunate for me. And I've heard of you."

"Of course you have. Hence the reaction." His hand

dropped casually to his side. "Are you going to reciprocate?"

Theia blinked at him. "What?"

"Your name. Not going to give it to me? Then let me guess." Before she could react, Lucien had drawn her left arm from where she'd tucked it, his fingers stroking the crescent moon and descending cross tattooed on her inner forearm. The slow, sensual touch sent a shiver down her spine. "The mark of Lilith. You must be a Carlisle. I'm going to guess Theia." He let her go, and Theia wobbled a bit from having planted her feet so firmly to steel herself against him.

Heat bloomed in her cheeks. "How do you know that?"

"I cheated. I asked the groom."

"No, I mean Lilith. How do you know about Lilith?"

A fleeting look she couldn't interpret crossed his features. "I've studied astrology. I'm familiar with the symbol."

She was sure he'd meant something more than just the astrological symbol—a representation of the Black Moon Lilith, the elliptical focal point opposite the earth at lunar apogee. He'd associated it with the Carlisles. But Lucien didn't elaborate.

"Well, you're wrong," said Theia. "I'm not a Carlisle."

His brow furrowed, as though he didn't care much for being wrong. "Oh?"

"My name is Dawn. Theia Dawn. My sisters are Carlisles." She'd taken her middle name as her last after learning about the second family her father had kept hidden until his death. She didn't want the name that belonged to a cheater and a liar. But Theia didn't bother to explain any of this to Lucien Smok. Let him wonder. She turned on her heel and left him staring after her.

Gliding up beside her, her twin put her arm in Theia's. "Who was that?" Luckily, she'd taken Theia's right arm.

Theia wasn't about to let Rhea anywhere near that Lilith tattoo, especially now that Lucien had touched it. Where Theia occasionally had prophetic dreams and visions, Rhea could cut right through the annoying interpretation of symbolism with her "pictomancy" readings to see the future in tattoo ink. And Theia absolutely did *not* want to know any specifics about her future.

"Lucien Smok. His family owns the biotech firm that recently partnered with Northern Arizona University. I think he's a friend of Rafe's."

Rhea wrinkled her nose. "I wouldn't say friend. Phoebe was telling me about the Smoks. Rafe's family knows them, but she doesn't remember sending them an invitation. Some uncle of Rafe's must have brought Lucien along."

Before Theia could speculate on what Lucien was doing there, a commotion broke out at the front of Covent Temple's reception hall. A tall, Nordic hunk of beefcake was literally thumping his chest at the best man, who stood coolly observing the former and looking perfectly at home in his Armani tux, graying temples adding to his sophistication against the rich hue of his skin.

"Looks like your man is fighting with Dev." Theia nudged her sister. "Go get him, sweetie. We don't want Kur getting out and eating the guests." Dev Gideon, their sister Ione's boyfriend, had an unfortunate tendency to transform into an ancient Sumerian dragon demon when provoked.

Rhea sighed. "Leo must have been celebrating a little too enthusiastically." Like the thousand-year-old Viking he was, Leo Ström was fond of a good, hearty drink.

Theia watched Rhea weave through the guests to get to Leo, the shin-length red chiffon of her bridesmaid's dress swinging and swishing gracefully. It was odd to see Rhea in anything but pants. Not that Theia was much for dresses, either.

She glanced down at her own, smoothing the fabric beneath the crisscross bodice. Only Phoebe could have gotten her and Rhea cleaned up this good. Well, Ione had, really. But Phoebe had chosen the fabric as part of her red rose-themed Beltane wedding—red, blush and white ribbon draped the room, woven around the support at the center of the hall like a Maypole and fanning out to form a latticed canopy.

Theia had to admit the dress looked fantastic with both her natural dark bob and Rhea's short, bleached-blond cut sculpted into points—the dead giveaway for those who had trouble telling them apart. Rhea had curled her points at the tips for the occasion, adding a dab of cherry-red dye. She'd added some of it to the points of Theia's bob, too. It was more difficult to see against the dark color, but Theia preferred subtlety.

With Ione officiating as high priestess in her longer, dusty-rose version of the dress, the twins' red had made Phoebe stand out. She'd been absolutely gorgeous in a fairy-tale bone-white off-the-shoulder sweetheart gown with beaded lace and a vintage mantilla from Rafe's own grandmother.

Theia glanced around, realizing she hadn't seen Phoebe in a while. Or Rafe. God, you'd think they could wait a few hours for the honeymoon.

Her glance fell once more on Lucien Smok, flirting with one of the younger members of Ione's coven. An unfamiliar irritation prickled along Theia's skin as his hand rested on Margot's shoulder while he leaned close, Margot laughing at something he'd said. Theia shook off the sensation. *No. Absolutely not.* This couldn't be jealousy, because she had absolutely zero interest in Lucien Smok. Or the heart-stopping contrast of his pale eyes with his nearly jet-black, effortlessly messy hair.

He caught her watching him and winked.

Theia looked away deliberately, her eyes on Rhea lead-ing Leo away from the open bar. It was always amusing to see Rhea, her form slight beside him, managing the Chieftain of the Wild Hunt. Having spent the last thousand years under the control of a Valkyrie, he seemed perfectly content to let a woman take charge despite his outward bluster.

On the opposite end of the room, where the reception hall connected to the temple nave by a breezeway, the Sedona winds had apparently kicked up, and the doors blew open with a bang. Ione moved to shut them, her long, ironed-straight hair whipping about her head in a halo of setting-sun ombré, but paused and stood deathly still, staring at something on the other side of the doorway. Theia moved around the support column that blocked her view.

With the wind had come an uninvited guest—the necromancer who'd made more than one attempt on the lives of both bride and groom in recent months. Theia's jaw dropped open, and she sensed Rhea's shock echoing hers from across the room. Carter Hamilton was supposed to be rotting in prison.

His overly whitened smile flashed in his overly bronzed face as he stood bracing his hands between the double doors like Maleficent making an appearance at Sleeping Beauty's first birthday. "Am I too late to toast the happy couple?"

"How the hell are you here?" Ione's voice seemed icy calm as she faced her psychotic ex, but Theia knew she was barely keeping it together.

Carter's gaze acknowledged Dev as he appeared at Ione's side. "And there he is, like a good little cur, looking for a pat on the head."

A low rumble came out of Dev's throat—too low to be human.

Ione took Dev's hand. "Don't trouble, love. He isn't worth it."

Their newly minted brother-in-law emerged from the stairwell to the bell tower that was doubling as a dressing room, moving toward Carter in a way that ought to unnerve the other man. Even without the Quetzalcoatl tattoo visible at his shoulders beneath the white linen wedding shirt, Rafe Diamante was imposing. And the knowledge that Rafe possessed the necromantic power Carter had killed to try to get should have had the slighter man quaking in his boots. But Carter's smile persisted.

"You have no right to set foot on Covent property," Rafe warned.

Carter's gaze flicked over him. "Nor have you, my friend. I understand you've been formally expelled from the Covent for oath breaking."

"I'm not your friend. No one here is your friend."

Phoebe, descending the staircase behind Rafe, paused on the bottom step with one slipper-clad foot wavering over the floor, her face a white mask of shock. She'd been the one to put Carter in prison while she was still practicing law.

Ione's hand tightened around Dev's. "What do you want, Carter?"

"Just to see your faces when I tell you my good news. The conviction for the crimes you framed me for has been overturned. I'm a free man."

Cake and champagne churned in Theia's stomach.

Phoebe voiced her shock. "How is that possible?"

Carter's eyes settled on her, bitter amusement dancing in them. "So you don't deny you framed me."

"No one framed you," Rafe growled. "You murdered four people."

"Well, the state doesn't seem to agree. Nor does the Covent."

Preceded by a flourish of his hand in the air, a champagne flute materialized in Carter's fingers. "To the bride." Carter raised the glass toward Phoebe. "Who looks almost as lovely in white as she does in nothing at all. And I have the pictures to prove it."

A collective gasp rustled through the hall.

As Carter drank, Rafe charged him, the snake tattoo twisting and roiling beneath his shirt, but Carter's physical matter seemed to dissolve into smoke at Rafe's contact with him, leaving Rafe's fingers to close around a nonexistent collar. The bright grin was the last thing to go, like an evil Cheshire Cat.

Chapter 2

Ione was livid. "That was an astral projection. He's out of prison and accessing powerful magic. What the devil is going on?" She was staring at Dev, as if he ought to know.

"I don't know a thing about it, love, I promise. I haven't been privy to Covent business since I resigned my commission as assayer."

Rafe closed the adjoining doors forcefully and turned back to face the hall. "I, for one, am not going to waste a moment of my wedding day thinking about that insignificant, third-rate sorcerer. He wasn't really here, and that's precisely the way he should be treated." He stepped toward Phoebe and took her hand. "Care to dance, Mrs. Carlisle-Diamante?"

Phoebe smiled gamely. "I'd love to, Mr. Diamante-Carlisle."

The mariachi band Rafe had hired—its members all magical connections of the Diamante family—began to play, and Rafe led his wife out onto the floor.

Theia took a step toward Ione, intending to try to reassure her, but a hand on her shoulder made her turn.

"May I have this dance, Ms. Dawn?" Lucien's smile was mischievous. How did he manage to make an offer to dance sound dirty?

Before she could decline, he'd tucked her hand into his and slipped his arm around her waist, turning her toward the dance floor.

He pulled her closer as she started to draw back. "You wouldn't embarrass me in front of all these people by turning me down, would you?"

"I might."

"I've never been turned down before. It might damage my confidence. Could set me back years emotionally."

"Then I definitely should."

Lucien grinned. "But you won't."

"Won't I?"

"I fascinate you."

"Oh, for heaven's sake." Theia shoved away from him and stalked to the bar.

Like a persistent mosquito, he was buzzing at her side as she ordered her drink. "What if I blackmailed you? Would you dance with me then?"

Theia whirled on him. "Excuse me?"

"That was an odd little display from the groom. And I swear I saw the best man's eyes glow with their own fire. Not to mention the fact that someone just dematerialized right in front of us, and everyone is acting like nothing happened."

"Who the hell are you, anyway?" Theia narrowed her eyes. "Do you even know the Diamantes?"

"Of course I do. I'm exactly who I say I am. You can ask Rafael. Our families go back a long way. And there have been rumors about the Diamantes for just as long. Looks like today I've seen evidence that those rumors are true."

"Then maybe you should take up your concerns with *Rafe* himself, if you know him so well. I'm sure he'd find them very interesting."

"Ooh." Lucien gave a sexy little shiver that Theia tried not to physically respond to and failed. "It sounds like you're suggesting something untoward might befall me. Are you threatening me? I suppose you're one of them, too."

Theia's fists clenched at her sides. "One of what?"

Lucien leaned in intimately close. "Witches, of course."

Theia laughed. "That's what you're planning to blackmail me with? We're standing in the reception hall of the temple of the Sedona branch of the world's largest organized coven. It's not exactly a secret that there are witches here."

"But it is something of a secret that Rafe Diamante is a necromancer, isn't it? And that Dev Gideon is the host for a demon?"

It hardly seemed useful to argue the finer points of Rafe's incidental command of the dead or Dev's shared physicality with an enslaved dragon from the underworld. The fact was that Lucien's statement was irrefutable.

Theia hoped the look she was giving him was as murderous as she intended. "What do you want?"

Lucien's eyes widened and he let out a laugh of pure surprise. "Did you think I was seriously going to blackmail you? Sorry. I have a tendency to take a joke too far. I was just having a little fun with you."

"Oh, well, I'm *so* glad it was fun for you. Now you can fuck off."

"There *is* a little something I was hoping you could help me with, though."

Theia sighed, steeling herself for more innuendo.

"I understand you're working on your master's in molecular biology at NAU." That wasn't creepy-stalkery at all.

"So?"

"I'm sure you've heard that Smok Biotech is undertaking a joint venture with the university microbiology lab."

Theia acknowledged this with an uninterested lift of her eyebrows, even though the new lab actually interested her a great deal. Smok was just the sort of corporation she didn't want the university to be associated with, a for-profit pharmaceutical giant. At the same time, it offered unprecedented funding opportunities for expanded research.

"I need someone I can trust to provide some oversight on a special project—someone who won't be fazed by...odd goings-on." Lucien flashed his crooked smile again, trying to charm her, but seemed to realize the smile wasn't working on her and let it fade. "To put it bluntly, someone familiar with the supernatural who also understands the science."

Theia crossed her arms and studied him. "And are you? Familiar with it?"

Something dark seemed to cloud his vision for a moment, but he shook it off and smiled. "Not quite as familiar with it as you are, I'm sure. You might say my family is magical adjacent. Our business intersects with the magical community. It's sort of a quid pro quo."

"Unless you're implying that I owe you for saving me from choking on a grape, there's no quo I could possibly want from you or your organization. I'm sorry, Mr. Smok, but I'm not interested."

Lucien met her gaze with a reproachful look. "Mr. Smok? Really?"

"Pretty much." Theia caught Rhea's eye across the room and moved away from the bar, but Lucien stepped in front of her once more.

"Talk to Rafe. Before you write me off completely, ask him about the mutually beneficial relationship the Smok family has had with the Diamantes for ages." He took a card from his shirt pocket, crimson with black lettering, and handed it to her.

Theia thought about refusing it, but that would just prolong the "dance." She snatched it out of his hand and walked swiftly away before he could say anything else, meeting Rhea halfway as she came to her twin's rescue.

"I saw your signal." Rhea glanced at Lucien still standing by the bar. He raised a glass of champagne toward them. "I wasn't sure you really wanted rescuing, though. He looks tasty."

"He's a creep, and I'm not interested. I'm more concerned about Carter's little magic show."

Rhea glowered. “Yeah, what was that? How the hell did Malibu Ken get out of prison?”

“I’m guessing one of his dirty friends in high places fixed it for him.”

Lucien’s words about quid pro quo and his family’s relationship with the magical community came back to her. Both Rafe and Dev had spoken of connections that helped keep Covent business—and other supernatural events—from the public eye. Could that be the connection with the Smok family? Maybe she should talk to Rafe after all. Not because she had any intention of getting involved in Lucien’s project, but because she and her sisters had a right to know who else knew about their business.

It wasn’t until she was helping clean up after the reception ended that Theia found her opening. Phoebe and Rafe were about to leave for the Yucatán, and she wouldn’t have another opportunity.

Theia stacked the folding chairs as Rafe collected them, his thick, dark waves tied back in a high, bobbed tail. “What do you know about Lucien Smok?”

Rafe paused in picking up a chair. “Was he bothering you? I saw him talking to you, but I figured you could handle him. I’d keep him at arm’s length if I were you.”

It wasn’t quite the answer she’d expected. “So your family doesn’t have some kind of simpatico relationship with the Smoks?”

Rafe’s look was guarded. “I wouldn’t call it simpatico, exactly, but there *is* a relationship. It goes back centuries. To the time of the founding of the Covent, in fact.” The Diamantes had been founding members.

“You mean they’re a Covent family?”

“No, not exactly.” He handed her the folded chair. “There were no witches among the Smok family—that I know of. But I read a lot of Covent history in my father’s records after his death. Information that isn’t generally known.”

It was unlike Rafe to be so cagey.

"What kind of information?"

Rhea's laugh rang out from the stairs as she came down with Phoebe after helping her change. Rafe set another chair on the stack and smiled at the sight of Phoebe in her usual bouncy ponytail, bangs across her forehead instead of swept back as they had been under the mantilla. "My father kept several volumes on Covent history and politics," he murmured, still smiling at Phoebe. "Ione has the keys to his house. Tell her I left some books for you in the library."

After seeing Phoebe and Rafe off with much ribbing and a fair amount of sisterly tears, Theia and Rhea flopped together onto the bench by the door, and Rhea kicked off her heels with a groan.

Theia removed hers more sedately. "Where's Leo?"

"I told him to go ride with the Hunt for a while and work off some of his buzz. It's weird. Alcohol doesn't usually affect him this much. He's got a pretty high tolerance."

"I thought the Wild Hunt only appeared between Halloween and Yule."

"It does, normally. But now that he's mortal, he's not bound by the Norns' rules and he can conjure the riders when he likes. There's always some sicko out there that needs a one-way ticket to Náströnd."

Theia poked at her décolletage. "It seems a little like playing God. How does he determine that someone is deserving of having their soul ripped out and escorted to hell?"

Rhea shrugged. "It's a scent or something. I don't ask too many questions. He gets all Gunnar the tenth-century Viking on me sometimes, like his soul is taking the reins even though he's no longer under the curse, and Gunnar can be a little...pompous."

"But you've ridden with him."

"Yeah."

"And you don't feel weird about it? About taking somebody out of the earthly plane?"

"And having one less pedophile or rapist walking the earth? Not so much."

Theia had to admit she didn't exactly hate the idea. As long as their guilt was certain.

When Ione and Dev came back from closing up the temple, Theia could see the tension on Ione's face. Carter had really gotten to her. She couldn't blame her. Carter Hamilton was like a nasty rash that just kept coming back. It hurt to see his manipulative bullshit affecting Ione like this.

As Ione picked up one of the plastic bins of supplies, Theia hopped up from the bench and grabbed another. "Do you need any help getting things back to the house?"

"No, I think we're good. Dev's already loaded up the car with the rest."

Theia followed her out with her bin. "By the way, Rafe mentioned something about getting the key to his dad's place from you. He wanted me to take a quick look in on it while I'm watching Phoebe's."

"His dad's place?" Ione set the bin on top of the others and loaded Theia's next to it. "I thought he was selling that."

"I assume he still is, but I guess nobody's been by regularly except the gardener, and he wanted me to take a look around."

Ione could always tell when one of them was bullshitting her, and the fact that she didn't push back on the request spoke volumes about her mental state.

She took a set of keys from her purse and handed them to Theia. "Just make sure you get them back to me."

As Ione got into the car, Dev took Theia aside. "She didn't want me to tell you this, but our unwanted guest pretty much ruined her plans for the reception." Dev glanced at Rhea leaning into the car to block Ione's view. "It was supposed to be ours as well."

Theia stared at him, confused. "Your what?"

"Reception. Don't react. She might snap if she realizes I'm telling you. But we drove up to Vegas a few weeks ago and tied the knot." He allowed himself a little grin while Theia suppressed the urge to squeal and jump up and down.

"You complete bastard. I can't believe you're telling me this now when I can't do anything."

"I suggested to Tweedledum that you and she could plan a little celebration for Ione later when she's cooled down."

"You're lucky you didn't say Tweedledee. Because Rhe is definitely Dum." Theia grinned but kept it subtle. "And you can count on us."

Rhea joined Theia as Dev and Ione drove away, waving like Stepford wives only to start jumping and squealing in unison the second the car was out of visual range.

"Can you believe the ovaries on that one?" Rhea laughed as they spun around. "Eloping and stealing Phoebe's thunder? Phoebe's going to be furious."

"I don't know how she kept it to herself all this time." Although Ione was certainly better equipped to keep a secret than the rest of them. Theia glanced at Rhea as the dance died down. "You'd better not tell me you and Leo are up to something similar."

"Me?" Rhea laughed. "Right. Like I'd get married." She winked, which wasn't reassuring. Everyone in the family was pairing off, and Theia was the odd one out. Rhea, as usual, could see what she was thinking. "Why don't you just let me read you again?"

"*No.* There's no reason to rehash what I already know."

"Which is what? That your love life is cursed? I think you're being way too literal about it. Just let me ask a more specific question."

The night was getting chilly now that the sun was down.

Theia pulled the shawl she'd borrowed from Ione around her shoulders, tucking her tattooed arm underneath it. "I'm good, thanks. So, takeout?"

Rhea sighed through her nose, her mouth in a thin line of annoyance, but shrugged her acquiescence. "Indian?"

Theia gave it a thumbs-up. "You order. I'll drive." She held out her hand for the keys.

"You're not driving Minnie Driver."

"Your car is not a person, and yes, I am. I saw how much champagne you had."

Rhea tossed her the keys and got in on the passenger side, patting the dash. "Don't listen to her, Minnie. You are too a person." She pulled up the delivery app on her phone and started making selections. "Whose house are we going to? Phoebe's or Rafe's?"

"Neither, actually." Theia ground the gears, and Rhea swore, gripping the seat. Theia ignored her, putting the car in gear properly. "Do you still have the address for Rafael Sr.'s place in your phone?"

Rhea glanced over at her. "The Ice Palace? Yeah, why?"

"There's something I need to pick up. We can pretend we're filthy rich, like Phoebe." She grinned without looking over.

"Ha. Phoebe, married to the richest man in town, and still keeping her little bungalow."

"I think she's still freaked out about those reporters outside Rafe's window filming him going spelunking in her *cave* that time."

"He *is* quite the cave diver. Oh, dammit."

"What?"

"We totally missed the opportunity for cave-diving puns. They're visiting cenotes on their honeymoon."

"Ah, damn. We're off our game."

Driving the labyrinthine route from Covent Temple back to the highway was much easier than driving in. A proximity glamour kept passersby from noticing the otherwise startling white byzantine spires against the sienna red hoodoos and hills of Sedona, and the disorientation spell on the road was an extra measure to confound those who might be purposefully looking for it.

Rhea's red and white Mini was a blast to drive up Highway 179 through the walls of rocks and around the curves threading through the pines on the way to the secluded community hidden in the hills. Theia drove an automatic hybrid, which didn't quite have the same kick.

"So what did you want to pick up, anyway?"

"Some papers Rafe's dad kept. He said there's some stuff about the original Covent and Madeleine Marchant I might want for my genealogy research." There was no point in giving Rhea ammo to tease her by letting know she was researching Lucien Smok.

"Don't we know all we need to about her?"

"Nothing is ever all you need to know about anything."

Rhea rolled her eyes. "Right. I forgot I was talking to Brainiac's daughter."

"So you're not at all curious about the origins of our Lilith blood."

"I just think you can overanalyze things. A little mystery in life is nice."

Mystery was exactly what Theia didn't want. She liked to know the whys and wherefores of things. Knowledge was power. And mystery… As far as Theia was concerned, mystery was danger.

Chapter 3

Lucien watched the revenant from the rooftop. Starlight lent a pale, unearthly glow to the proceedings as it swallowed up the dusk, leaving the red landscape sepia toned and casting flat, colorless shadows. The demon wore cowboy boots and a leather duster with a gambler-style cowboy hat, his horse tacked up in the Western style, but this was a Hunt wraith, an undead revenant of the Viking era who roamed the earth in search of dark souls. Less substantial wraiths rode beside him, their mounts, like themselves, phantoms. No one would notice them, even staring at them head-on. No one but a black-souled phantom like himself.

But the leader was different. He was no phantom but flesh and bone, unnaturally maintained, living tissue that ought to have perished centuries ago. And Lucien had seen him before. Just hours before—at the wedding of Rafael Diamante to Phoebe Carlisle.

Lucien followed the horse's trajectory, tracking the revenant with the scope on his crossbow. He'd slipped a little something into the Viking's drink to see if he could trigger him. The most it had done was to get him arguing with Dev Gideon, the eldest Carlisle sister's faithful companion. Rumor had it Dev was a shape-shifter, part man, part demon himself. The entire Carlisle family seemed to be magnets for unnatural beings. Not surprising, given their bloodline.

He wasn't sure what he'd expected when he'd decided to check out the Carlisle sisters for himself, but Theia's large, passionate eyes challenging him with far more moxie than her slight frame warranted was certainly not it. He hadn't expected someone witty and intelligent who took no shit. She hadn't fallen for his player persona. And she hadn't been impressed by his name—if anything, there'd been a little sneer on her face when she'd heard it—or acted impressed by his family's money. But maybe it was a different kind of power that impressed the Carlisle women. The kind that was infernal in origin. If only she knew.

Lucien turned in a slow arc to follow the horseman with his scope. Leo Ström's origins were what concerned him right now. How had he come to be the leader of the Wild Hunt? And what was the Hunt doing appearing on a lovely spring evening in Sedona, Arizona? Traditionally, it was said to appear around the winter solstice and was better suited to snowier climes.

They'd scented someone now, it seemed, and even from this distance, Lucien thought he heard their victory hoots as the phantom storm that followed them swallowed up their victim and they disappeared into the night, leaving it calm and warm.

He'd have to find out more about this Leo Ström. The man was involved with Theia's twin, Rhea, which could mean anything in terms of unnatural origin. It might even be Rhea's own magic animating him. It was unlikely she'd created the revenant herself, since the long dead were nearly impossible to give a convincing living appearance to, no matter how much magic the practitioner had. So perhaps she'd taken possession of a revenant created by some other unnatural power. And Lucien just happened to have access to information on any of a number of unnatural powers.

He stashed his gear and changed into something more appropriate. People might talk if he showed up at Polly's dressed like a cat burglar.

Polly was entertaining in her booth when Lucien walked in. Aware of her out of the corner of his eye, he made a point of not glancing in her direction, knowing it would drive her crazy. His ploy worked, and in less than five minutes, she'd ditched her patrons and sauntered over to the bar where he stood waiting for his drink.

"Well, look what the cat dragged in." She lifted her drawn-on nearly crimson brows with a little smirk as she leaned back against the bar beside him and raised her voice for the bartender's benefit. "Whatever he's having, it's on the house."

Lucien put down a twenty as the craft beer arrived. "That's sweet, but I've got it covered."

Polly pushed the bill across the slick wood toward the bartender. "That's a tip."

Lucien sipped his beer. "You're such a control freak."

"I like to treat my friends well."

"Oh, we're friends now?" Lucien turned to mimic her stance, elbows back against the bar.

Polly flipped her cherry-red hair over her shoulder, nails painted a dazzling sapphire blue. "Well, maybe frenemies."

"Seems fair."

"So what brings you back to my neck of the woods?"

"Edgar does." He always used his father's first name, never calling him Dad or Pop. "Smok Biotech is partnering with Northern Arizona University on a new venture. He sent me to supervise."

"That doesn't explain what you're doing in Sedona. NAU is in Flagstaff."

"I know where it is." Lucien took a swig of his beer. "Went to a wedding."

Polly's eyes sparkled with interest. "The Diamante wedding? Lucky you. Those invitations were highly coveted."

Lucien shrugged. "I didn't say I was invited."

Polly laughed. "Of course you weren't. So you crashed the quetzal's wedding and now you're slumming at my joint. Who are you after?"

"Who says I'm after anyone?"

Crimson waves swayed as she shook her head. "Darling, don't grift a grifter."

He finished his beer and set the bottle on the bar. "What do you know about the Wild Hunt?"

Polly pushed away from the bar and grabbed his hand, drawing him with her through the jostling patrons trying to get the bartender's attention. The joint was hopping tonight.

She led him to her booth, where the patrons she'd ditched were still waiting. "Meeting's over, boys. I'll get back to you when I hear anything."

The two pale twentysomething men with slicked-back blond hair shrugged and scooted out of the booth.

One of them frowned and hung back as she slid onto the seat. "Don't make us wait too long. The consequences may be dire."

"Stop being so dramatic, Kip."

Lucien sat on the bench. "*Kip?*"

Polly grinned. "Preppy vampires turned in the '80s. Eternally embarrassing." She gestured to one of her staff, presumably ordering a bottle of something. "So why do you want to know about the Hunt?

"Because I saw it tonight. And unless I've been doing way too much molly, it's May, not December."

"You saw it?"

"Why does that surprise you?"

The woman she'd signaled arrived with a bottle of wine and poured them each a glass, despite Lucien shaking his head.

"Generally, only someone who's a target of the Hunt is treated to that sight." Polly sipped her wine with a curious lift of her brow. "Have you been very naughty, Lucien?"

"No naughtier than usual. Why is the Hunt still in town at this time of year?"

"What makes you think I'd know?"

Lucien played with the rim of his glass. "Pols. You make it your business to know everything of interest—everything paranormal—that happens in the entire Southwest. Information *is* your business. Are you really going to make me pay for it? After what we've meant to each other?"

Polly laughed, her eyes twinkling in the wavering light of the candle on the table. "Don't push it, Hellboy."

"Ouch. Below the belt."

Beneath the table, the pointed toe of her shoe stroked the side of his leg. "Best location."

He moved his leg, and she uncrossed hers and crossed them the other way.

"But in the interest of our continued frenmity, I'll tell you what I've heard." She paused to top off her glass. "Last winter, the Hunt blew into town to deal with some riffraff, and the leader of the Hunt struck some kind of a deal that let him remain in the mortal realm indefinitely. Word is, it's because of—"

"Rhea Carlisle."

Polly tipped her glass toward him. "The quetzal's sister-in-law, yes. And today you crashed the quetzal's wedding. I take it Leo Ström is the reason."

"One of a couple of reasons." Lucien swirled the wine in his glass, thinking about Theia's large eyes. And the way she'd held on to his arms after he'd saved her from choking.

"And would another of those reasons be Rhea Carlisle's identical twin?"

Lucien glanced up, caught off guard. "Why in the world would you say that? I just met her today."

Polly shook her head knowingly. "Those Carlisle women have a way of getting under a man's skin. I'd be careful of that one if I were you. She's deceptively humdrum."

"What's that supposed to mean?"

"She's very *normal*." Polly said the word as though it were a terrible insult. "Very sweet. People think of her as the least talented of the bunch, but I wouldn't want to be anywhere near her with a secret I didn't want found out."

It was a warning he'd be wise to pay heed to.

"As for Ström, he used to come in here with a redhead years ago. A real redhead." She grinned and flipped her hair. "Not like me."

"And?"

"And apparently she's a rogue Valkyrie. A couple of regulars knew her—also Valkyries—and didn't care much for her."

That was the missing piece. The Valkyrie must have been the one to create the revenant. And somehow she'd made a deal with Rhea Carlisle.

Full of mango lassi and sweet Kashmiri naan, Rhea wasn't interested in reading an old man's treatises about the history of the Covent written in longhand. Which suited Theia just fine. Alone, she wouldn't have to hide what she was looking for. She drove Rhea back to her car before heading to Phoebe's place with Rafael Diamante Sr.'s archives.

Puddleglum, Phoebe's Siamese tabby, curled up with her in the guest bed while she pored over the materials, looking for anything about the Smok family. As she turned the pages, she noticed a peculiar effect when she lingered on an entry: the text on the page began to shift beneath her touch. Rafe hadn't mentioned anything about magically enhanced pages, but here it was. Like clicking a magical hyperlink to load a page of related content, touching a reference in the text made the copy on the page transform into the detailed document to which Diamante referred. When she lifted her finger off the page, it returned to the original journal entry.

Fascinated, Theia thumbed through an entry on the Smok family's history. But it wasn't about the Diamantes at all. It was an accounting of Madeleine Marchant's belongings, given to the nobleman who had been her benefactor—none other than one Philippe Smok, Vicomte de Briançon. And among those "belongings" were Madeleine's children: seven daughters, in fact. *Seven sisters.*

The Lilith blood allele—a hypothesis Theia had formulated when she and Rhea had first traced their genealogy—was passed down through recessive genes, only resulting in the Lilith phenotype when daughters were born to two carriers of the gene in Madeleine's direct line. And this always seemed to result in the birth of seven sisters with the gifts. But she hadn't realized that the first set of sisters were Madeleine's own daughters.

Puddleglum plopped down in the middle of the journal to announce that Theia was done reading. She hadn't realized how late it had gotten. Lying back on the bed and staring at the ceiling, she tried to work out what Lucien Smok's game might be. There was no way his appearance at Phoebe's wedding was a coincidence. Rafe was right. She should keep her distance. But if his family had a connection not just to the Covent but to Madeleine herself, then Lucien surely knew it and had sought them out deliberately. Theia had to find out what he was up to. Particularly with regard to Smok Biotech.

The arrival of the vision was the first indication that she'd actually fallen asleep.

It flew out of the night like a carrion bird, circling overhead, waiting for death, casting a heavy shadow on the creatures below: the crow. The wolf. The dragon. The flying thing drew closer, and now she was looking up at it, standing with her sisters. It was both a vulture and a reptile, a prehistoric lizard with wings—a pterodactyl, perhaps—its head birdlike, with glowing red eyes, bat-like wings stretching out from the lizard body.

In the distance, a rooster crowed, and the sound became

a screech in the thing's beak, a scream of laughter as it dived, talons outstretched.

The rooster crowed again. Light blazed through a crack in the blinds. Dawn light. The rooster was somewhere outside. Nice. Phoebe hadn't mentioned the built-in neighborhood alarm clock. Theia pulled the pillow over her head and rolled onto her side.

Before the cock crows twice. What was that from? Something in the Bible, she thought. New Testament. She hadn't been to church in years, but she remembered it now: Peter's denial of Christ. The cock outside had crowed twice. Not that unusual, probably. But why was that sticking in her head? Cock, not rooster. Theia giggled, knowing what Rhea would have to say about it.

Cock crows twice. The vision came back to her in a rush. It wasn't the Bible phrase she was thinking of, after all. The flying thing—it hadn't been a pterodactyl like she'd speculated in the dream. It was a cockatrice. And it was coming for them.

In middle school, she'd once gone with a friend to her church, an evangelical one. The preacher had spoken of some mad theory about human-animal hybrids and the evil plot of godless scientists who wanted to bring back such things as griffins, harpies and cockatrices. His theory claimed such creatures had roamed the earth before the Great Flood because of the sins of unnatural men who'd bred them, and God had wiped them out.

Theia had barely been able to contain her laughter, and her friend had been furious. Even at twelve, Theia understood enough science to know how idiotic such a theory was. Nobody was trying to splice genes across species to create monster hybrids, and even if they did try, it wouldn't work.

Except… Lucien Smok had said Smok Biotech's research at NAU was both scientific and supernatural. And what was more supernatural than mythical creatures that turned out to be real?

She certainly hadn't believed dragons were real until recently, when she'd seen two of them with her own eyes. Dev Gideon shared his form with the dragon Kur, and Rafe was a scion of Quetzalcoatl who sprouted iridescent feathered wings and snake flesh and commanded the dead. And she hadn't seen Leo shift, but according to Rhea's account of their time battling another ancient dragon in the Viking underworld, he could transform into a serpentine creature with the destructive energy of the mythological Jörmungandr—who maybe wasn't so mythological after all.

What if the Smok family's "magical-adjacent" connection was that they were bioengineering other such creatures?

Theia unhooked her arms from the pillow, and her eyes focused on the crimson business card on the nightstand. If she wanted to get to the bottom of this, she was going to have to take Lucien up on his offer.

Chapter 4

Lucien's phone vibrated in his jacket pocket. He'd been out on a job all day and had turned his ringer off. He took it out and glanced at it, surprised to see a voice mail notification from Theia Dawn. And annoyed that it seemed to make his heart beat faster.

Theia's message was brief: "We should talk."

Somebody else had talked, obviously. From the tone of her voice, he could tell she was better informed about the Smoks than she'd been yesterday. Lucien lay on his back on the Berber rug on the floor of his penthouse suite while he returned her call.

He grinned when she answered. "I knew you couldn't resist me."

"I can resist you just fine. It's your company I find intriguing." There was a pause as she apparently realized how her word choice sounded. "Your firm," she said quickly, followed by an adorable, mortified gasp.

He put her on speaker and crossed his arms behind his head. "So what can my…*firm*…do for you, Ms. Dawn?"

"I thought we were going to talk about what I can do for your…" She swore softly at herself in the background. It sent a little shiver down his spine to know how flustered she was when he wasn't even standing in front of her. "About the job. With Smok Biotech," she hastened to add. He wondered how flushed her skin was right now. With the chocolate-brown hair bobbed sharply at her chin and those little points of cherry red at the ends, it would make her eyes seem even larger.

"You want the job at the lab." He spoke lazily, imagining her large gray eyes blinking at him.

"If the offer's still open. And it depends on exactly what the job is."

"The offer is most definitely still open. Why don't we meet for dinner tonight to talk over the specifics?"

"Tonight?" Her voice went up slightly at the end, a little squeak of surprise.

Lucien smiled. "Is that a problem?"

"It's almost eight o'clock."

"Too close to your bedtime? I'm sure I can accommodate that."

"*No*, it's just—it's short notice. I wasn't planning on going out tonight. It would take me a little while to get ready."

"It's just a business dinner. You don't need to impress me."

"That's not what I meant." Her tone was clipped.

He loved getting under her skin. Lucien grinned at the thought. He'd like to get deep under it. Or inside it. In a manner of speaking. Lucien shook himself out of his little daydream. That wasn't going to do him any good.

"Why don't we meet at Cress at L'Auberge in an hour? Is that enough time?"

"Are they open that late?"

"They will be for me."

The last time he'd seen her, she'd been dressed as a bridesmaid in a bloodred chiffon dress that swung around her hips when she walked. Undeniably flattering, but he'd suspected it wasn't the sort of thing she normally wore. Neither was what she had on tonight—a conservative navy blue pencil skirt with a cream-colored blouse buttoned up far too high. It was an interesting look, perhaps something she thought a scientist would wear to a business dinner. The one departure from the conservative style was the pair of red crushed-velvet heels that drew attention to her fantastic legs.

"You really didn't have to dress up for me," he said as he pulled out her chair at their al fresco table above the babbling Oak Creek.

Theia sat almost suspiciously, like she wasn't sure what he was doing. "I didn't. I mean, this isn't for you. It just didn't seem like Cress was really a jeans and Tinker Bell T-shirt kind of place."

He smiled, picturing her in a Tinker Bell T-shirt. That seemed a lot more her style.

"It's whatever kind of place you want it to be, darling. Seriously. They know me here, and you may have noticed the place is empty."

Theia's eyes narrowed. "This doesn't impress me, you know."

"Of that I have absolutely no doubt." Lucien laid his napkin in his lap. "I hope you don't mind that I've ordered ahead. I should have asked if you had any food allergies, though. Is filet mignon all right?"

"No. I mean, yes, filet mignon is fine. No, I don't have any food allergies." She was gripping her water glass tightly.

"You don't have to be impressed, but there's no need to be so tense, either. Would it help if we dive straight into business?"

"*Yes.*" She'd answered almost before the words left his mouth. He was really enjoying how flustered he seemed to make her.

"Okay, so to start, I take it you spoke to your brother-in-law about us."

Theia took a sip of her water as if trying to buy time. "I got some information from him, yes."

"So you know what it is we do. Outside the lab, that is."

A questioning look appeared on her face for a moment before she masked it. "I do." She didn't. But she knew something. Something that was making her very nervous.

"As you know, there are two main divisions of Smok International: Smok Consulting and Smok Biotech. Let me explain how the consulting side of things intersects with the biotech business. Part of cleaning up other people's messes is dealing with what triggers those incidents in the first place."

Theia nodded, pretending to follow. The first course had arrived, and Lucien paused to try the bacon-wrapped lapin.

Theia's face lit up as she took a bite of hers. "Wow. This is fantastic."

"It doesn't suck," he agreed with a wink. "There are *some* perks to having too much money."

"Do you?" Theia took another bite, visibly relaxing. "Have too much?"

"Me personally?" Lucien shrugged. "I don't have any, as a matter of fact. This is all being expensed." He smiled at her dubious expression. "Still unimpressed? My inheritance is all held in trust, and it's dependent upon a few conditions I haven't met yet, so I get to represent my father's business, but everything I have belongs to him. Or to the company." He indicated the suit he was wearing. "This thing? Expensed." He flicked some mustard from his fork onto the jacket.

Theia laughed, the laughter obviously surprised out of her as she tried to cover her mouth, still full of rabbit. He liked seeing her laugh. It changed her whole face, like she'd let him in for a moment and let down her guard—something that was in place not just because she didn't trust him but a guardedness that seemed ingrained in her.

"You said something about triggers." Theia tried to go back to her frosty demeanor, moving beet curls around her plate. "What kind of triggers were you referring to?"

She was obviously trying to get him to explain more about what she was pretending she already knew. He figured he'd oblige.

"Your brother-in-law, for instance—Rafe Diamante. I noticed that the uninvited guest at his wedding reception—the *other* uninvited guest—triggered a partial transformation. Strong emotion is often a trigger for such things. Most shape-shifters learn to control when they shift. Or to adapt, if the trigger happens to be out of their control, such as a full moon."

"You seem to know an awful lot about Rafe."

"I know an awful lot about everybody, darling." He noticed her visible flinch at the familiarity, and he tried not to react. Part of being able to indulge in his extracurricular activities depended on making sure people saw him as a spoiled brat who'd never grown up. And part of him *was* a spoiled brat who'd never grown up, so it wasn't all that hard to pull off. "I know a lot about a lot of influential people with unusual problems, I should say."

The waiter arrived to take their starter plates and replaced them with calamari salad. Theia picked up a set of little tentacles, holding them up in the light.

"Not a fan of squid?"

"Hmm?" Theia had popped the calamari into her mouth, and she chewed for a moment before responding. "No, I love squid. I was just admiring it. I love it when they include the tentacles instead of just the rings. They're the best part." She took another bite, this time with her fork. "So these unusual problems." She paused to chew and swallow. "Shape-shifting." She'd lowered her voice on the word. "It's actually fairly new to me, so I'm not used to people talking about it so openly. Are there really a lot of them?"

"More than you'd suspect. The job of Smok's consulting arm is making sure no one does suspect. Sometimes it's literally cleanup—which I don't do." He showed her his hands—no calluses, manicured nails. "We have crews for that. People who don't mind getting their hands dirty and who can be counted on to be discreet. We had a crew out to your sister Dione's house a few months—"

"Ione," Theia interrupted him with her mouth still partially full.

"Sorry?"

She swallowed and wiped her lips with her napkin. "She goes by Ione. It drives her crazy when people pronounce her name wrong, like you just did, so she dropped the *D*." Theia paused, apparently only just registering what he'd said. "You were at her house?"

"Not me personally. Like I said, I'm not big on cleaning things. But we sent a crew at Rafe's request to do some repairs after a certain dragon demon stomped around in her living room. And I understand *his* trigger was, well, fairly intimate."

Theia reddened slightly. Dev's transformation was reportedly triggered by sex and blood.

"My point is that responding to unwanted supernatural activity, whatever the trigger, by cleaning up after the fact may be lucrative, but it's inefficient. At Smok Biotech, we develop technologies to suppress unwanted transformations. Among other things." He figured any more information would just overload her if she'd only recently learned that shifters were real. "And people will pay a lot of money for that kind of control. Particularly people in the public eye. Entrepreneurs. Actors. Politicians. Imagine how the public would react if the president turned into a poison-spitting were-newt in the middle of a White House press conference?" Lucien glanced up with a smirk. "Bad example. He's clearly not bothering to use our tech."

Theia laughed again, her nose wrinkling. He definitely liked making her do that.

The main course arrived, and they were distracted for

a bit by both the presentation and the flavor, truffle and fungus in wine sauce drizzled over the top of the perfectly grilled steak and an artful swirl of béarnaise surrounding mashed root vegetables with edible flowers on top. Lucien found he liked watching Theia eat food that delighted her almost as much as he liked making her laugh. But not quite as much as he was sure he'd like tasting her mouth the way she was tasting that filet mignon.

Lucien focused on his own food for a moment, trying to think more appropriate thoughts.

"So what is it you'd want me to do?"

He glanced up sharply, nearly choking on a mouthful of mashed turnip as he inhaled at the wrong moment. It would really be something if she had to return the favor from the wedding reception by performing the Heimlich maneuver on him.

"At the lab," Theia clarified, eyeing him suspiciously. "Why do you need me?"

Managing not to choke, Lucien set down his fork to take a drink of mineral water. "We have an excellent staff of researchers but only a handful of lab techs who know the full extent of what we do. I thought it would be good to have someone on staff that I don't have to hide things from." Not those things, anyway. He'd gotten used to hiding everything else. "And you'd be well compensated," he added. "In case that wasn't clear."

"You want me to be a lab technician?"

"More than just a lab technician. I mean, that, too. But..." He hadn't really thought about how he was going to broach the subject of her gift. They'd talked around the reputation of the Carlisle sisters, but he hadn't actually mentioned clairvoyance outright. "Someone with both technical and esoteric knowledge would be invaluable. Someone who could make...educated predictions of the likely outcomes."

Theia's body language had loosened up significantly

over the course of the meal, but in an instant she was back to being stiff and tight and on guard.

"Sorry, did I say something wrong?"

"What exactly is it that you think I can do, Mr. Smok?"

Oh, crap. He was Mr. Smok again.

"I…understood you had oracular powers."

"Oracular." Her forehead creased with irritation. "You think I can see the future. That I can just look into my little crystal ball and tell you how Smok stock is going to do tomorrow."

"Well, not exactly—"

"Who told you I had these oracular powers?"

Lucien was beginning to feel uncomfortable under her gaze. She might not have oracular powers, but he was starting to think she could burn a hole in his family jewels with those eyes.

"It's common knowledge in the community. The magical community."

"And the magical adjacent, of course."

Lucien shrugged helplessly. "Sorry. I've obviously stepped in it here, and I'm not really sure how."

"Let me ask you something, Mr. Smok."

"Fire away."

"Do you and your kind think my sisters and I are some kind of magical Pez dispensers? Is there a creep board out there on the internet somewhere, some ugly little masculinist corner of the deep web where you guys swap stories about how to hit on magically gifted women?"

Lucien nearly choked again at the word *masculinist.*

"I'm not sure what you think my kind is, but I think you're taking my interest the wrong way."

"So you don't want to sleep with me to get your magical rocks off."

Something in her words made him snap, like a percussion grenade had gone off inside him. "Listen, sweetheart, if all I wanted to do was sleep with you, I wouldn't have wasted the company money on a fancy dinner. I would have just done it, and right about now is when you'd be gathering your clothes and making your exit so I could roll over and go to sleep."

Theia pushed back her chair and stood, her napkin falling to the floor. "Thank you for the dinner, Mr. Smok. Enjoy rolling over and sleeping next to your hand."

Still suffering the effects of the mental percussion grenade, he wasn't entirely sure what had just happened, but it was both delightful and painful to watch her walk away in those heels and that skirt.

Chapter 5

Theia ordered a car on her way outside, and in fifteen minutes she was back at Phoebe's ranch house yanking off the skirt and kicking off her shoes and grabbing a startled Puddleglum for a forcible cuddle in the papasan chair by the picture window.

Who the hell did that asshole Lucien Smok think he was, anyway? God's gift to women, obviously. Showing up at Phoebe's wedding trolling for Lilith blood was bad enough, but making up a job offer to get into her pants was pathetic.

Her phone rang underneath Puddleglum, and she ended up accidentally answering as she wrested it from under him before she saw who was calling.

Lucien's voice carried from the speaker as she stared at it. "I didn't think you'd answer."

"I didn't. It was my sister's cat."

"Her…cat?"

"His butt. Some people butt dial. He butt answers. Goodbye." Her finger was poised over the button.

"Wait. Please hear me out."

For some reason, she did.

"I'm calling to apologize. I screwed up."

"Ya think?"

"I really did ask you to dinner to talk about the job. There was no ulterior motive. I'm sorry I handled the topic of your gift badly. I didn't realize it was a touchy subject and maybe not for public consumption. And I'm sorry I snapped at you. I'm not sure why I overreacted. But what I said was inexcusable."

Well, damn. That was an unexpectedly sincere apology.

But maybe this was part of his game. She wasn't going to be stupid enough to fall for it twice.

"Okay, well, thanks for calling. Have a nice evening."

"Theia?"

Something about the way he said her name, almost a plea, made her hesitate.

"Are you still there?"

Theia's thumb hovered over the button. "Sort of."

He laughed softly. "Sort of? Listen, the job offer was genuine. I realize I made assumptions, but I think you'd be an asset to the enterprise, gift or no gift. Is there any way we can start over and discuss it?"

She did need to learn more about the Smoks, and the whole trigger-suppression concept was intriguing.

Theia sighed. "I'm not a psychic, I don't read people's fortunes and I don't perform on command."

"Of course. That's perfectly understandable. Can I ask…" There was a rustling sound as he changed position. "Can you tell me how it does work? If it's none of my business, that's perfectly cool."

Theia hesitated, and Puddleglum jumped down to wander to the kitchen, offended at no longer being the center of attention. "I've been known to have dreams. Visions. But honestly? I don't even know if they're anything."

"I think you underestimate yourself."

"How would you know?"

"Just a feeling."

Theia smiled despite herself. "That's usually my line."

"Why don't we put the feelings and intuitions aside then? I'll be at the lab tomorrow around two o'clock. Just come by and take a look around, see what we do. If it doesn't interest you, no harm done. You can walk away. And if you do get any impressions of a possible prophetic nature, I'd be happy to hear those, too. But no pressure."

"No pressure."

"Cross my heart and hope to die."

"Let's not go that far."

Lucien gave her that soft laugh again. "I get the feeling you doubt my sincerity. Suppose I can't blame you. So will I see you tomorrow?"

The word *tomorrow* seemed to float before her in brilliant blue letters. Synesthesia wasn't unusual for her, but it was often a precursor to a waking vision. Either way, it seemed to indicate that tomorrow was significant. A sign she should heed. Interpretation, of course, was always the tough part. Was her gift telling her she should go tomorrow? Or stay away?

"Theia? You still there?"

"Yeah, sorry. Tomorrow it is."

The same brilliant blue haunted her sleep. Not letters or words this time, but blue in the form of a small dragon. Like the cockatrice she'd dreamed of before, it had webbed, bat-like wings, the joints ending in sharp claws, and stood on two legs, the head and barbed tail the classic shape of a dragon from fantasy—the sort Rhea had collected as figurines when they were kids. But there was something wrong with this dragon. It dragged itself along the desert floor the way a wounded bat might, using its winged forelimbs to "walk." And above it, the shadow of the carrion-eating cockatrice circled as before. And it was growing closer.

She forgot about the dream images by the time she'd finished grading papers from her Friday morning class and headed over to the lab.

Smok was using the university biotech labs while a larger, permanent facility was being built off campus. Theia already had an access card for her own research, though she'd never been in the biotech section.

Lucien greeted her in the atrium, looking almost surprised that she'd actually shown up. "Theia. Welcome." He squeezed her hand like they were old friends. "It's nice to see you in something more comfortable."

She'd worn ruby plaid skinny jeans and a black fitted T-shirt—not exactly something she'd just thrown on, but she wasn't trying to look good for him. The words of Violet Bick from *It's a Wonderful Life* popped into her head: "*This old thing? Why, I only wear it when I don't care* how *I look.*" Theia, of course, couldn't pull off the sassy hair flip.

She just wanted to feel confident, and looking exceptionally cute made her feel confident. So did the approving look he gave her as his eyes lingered over her curves for just the briefest moment. Not so long that it was obtrusive and objectifying, but long enough that she knew she'd chosen well. And as much as she hated to admit it, that little feeling of breathlessness was back.

She'd tried to ignore it at dinner the night before, tried not to think about how his arms had felt around her, like he was protecting her from the world—or like there was no one else in it but her. But every time she'd looked up from her food into those depthless ice-blue eyes, her lungs had tightened like when she was a kid and had felt an asthma attack coming on. She'd had to chew very carefully to make sure not to end up in a repeat performance of the moment they met.

Today, of course, she'd gone with comfortable black cotton Mary Janes instead of the velvet heels, which made Lucien seem exceptionally tall, though he was probably just under six feet. She'd been wearing heels both times they'd met before, but now she was at her full height of a whopping five foot two.

Beside Lucien, an older woman in a lab coat held out a clipboard. "Before you go in, we'll need you to sign a standard confidentiality agreement."

Lucien gave her an apologetic smile and a little shrug.

Once Theia had signed it and returned the clipboard,

Lucien led her into the Smok wing of the lab, which required a special passkey. "I can have them add the access code to your existing card right now if you like." He held out his hand as if expecting her to put her card in it.

Theia kept her arms crossed. "I haven't agreed to your offer yet."

Lucien smiled. "You will."

Researchers were hard at work despite the lab only having been in operation for a few days. The equipment—and presumably the technology behind it—was cutting-edge. Theia had microscope envy.

Lucien seemed pleased by her reaction. "This is our pharmacogenomics division."

"Pharmacogenomics?" Theia wondered if she'd heard wrong. "Not pharmacogenetics?"

"Nope. Genomics. That special project I told you about is particularly dependent on genome-wide study. Smok is currently trying to pinpoint variations in a single nucleotide within the genome to understand the pharmacokinetic and pharmacodynamic effects for our newest drugs in development."

Theia's heart skipped a beat at the way the words rolled off his tongue. Most people's eyes glazed over when she talked genetics. She was starting to see Lucien in a new light.

Encouraged by her interest, he gave her a little smile and went on. "The market for this drug is unique, as you know, and every patient responds differently. Understanding the epigenetics involved is crucial."

Epigenetics. Now *there* was a term that was near and dear to Theia's heart. The Lilith blood phenotype she'd postulated was epigenetic in nature, not caused by changes in the DNA itself, but by changes in gene expression.

"Have you been able to isolate the autosomal mutations responsible for the…condition?"

"We have, indeed. We're well past that stage." Lucien looked thoughtful before moving toward an isolated room at the rear of the lab. "Let me show you something." He used his key card once more on the door. "Another access code I'll provide you with. This one's highly classified, since it has to do with our special research."

He held the door for Theia and she stepped in, not realizing at first the significance of what she was looking at. Cages lined the walls of the small room, containing what seemed to be perfectly ordinary specimens—mice, rats, a snake.

Lucien closed the door behind him. "These are all animals in which we've been able to induce lycanthropy through gene manipulation."

"Lycanthropy?"

"As a generic term, it doesn't refer strictly to wolf-human forms but to any kind of trans-species shift."

Theia moved closer to the snake—a juvenile albino ball python—to get a better look. "You mean...they all shift?"

"It makes it easier to study the triggers and suppression mechanisms when we know exactly what genes we're dealing with." Lucien pushed a button next to the glass of the python's cage.

"What does that do?"

"Triggers the shift by introducing a mild toxin into the sealed environment."

Theia bristled. "A toxin?"

"It won't harm it. It's more of an irritant. We'll remove it and rebalance the environment in a moment."

Theia was about to give him a piece of her mind about humane lab practices, but the snake had begun to uncoil, raising its head as if sensing them or perhaps just sensing the change in its air. And as it lifted its snout, the yellow and white pattern of the scales began to ripple and grow, becoming feathery, while the snout elongated into a beak.

The reptile shuddered as it morphed, although she'd seen much more violent transformations. This, at least, didn't appear to be painful.

The body shortened. Limbs grew—a pair of legs with talons. Soon it was covered in feathers, wings bursting from the flesh at its sides and a comb and wattles elongating out of the remaining scales on the head. A rooster…a cock. Theia shivered.

"Amazing, isn't it? And just as we've triggered the metamorphosis, we can trigger the reverse." Lucien pressed the button again, and in moments the creature was shuddering back into its original python form and curling up into its previous coil. "The gene manipulation is a shortcut, of course. We can't exactly experiment with genetic modification on human subjects. Although human trials for the serum are the next phase. We're not quite there yet, but we're actively recruiting volunteers who already have the shifter gene."

Theia turned to stare at him, thinking he might be pulling her leg, but his expression was serious.

"You see why we have a need for ethical oversight from someone familiar with the sensitive nature of the work."

"You expect me to help you experiment on human volunteers?"

"Like I said, the actual clinical trial comes later. Probably at least a year away. What you would be doing is helping us map triggers based on genome. And making sure confidentiality is maintained as well as helping to establish a sensitivity protocol for screening volunteers. Which is where your special skills would come in."

There was something unsettling about the idea of people volunteering such information to a large, profit-driven corporation, but she supposed someone with lycanthropy who was desperate to control it might be willing to sacrifice some privacy for the promise of a cure. Or at least the promise of a regimen for managing it.

The idea of mapping triggers, however—mapping them to *genes*—it almost made her toes tingle with giddy excitement.

Lucien smiled knowingly. "It's a lot to take in all at once. I don't expect you to answer right away. Take your time and think about it."

Once he'd started talking pharmacogenomics, there wasn't really any question of what her answer was going to be, and she suspected he knew that. But it wouldn't hurt to sleep on it and think it over rationally. Or pretend to.

Theia held out her hand and gave him what she hoped was a businesslike handshake. Her palm felt small in his. Despite his claim that he didn't do physical labor, his hands were surprisingly muscular. Not in an unpleasant way, but like he was used to using them for more than just writing checks from his trust. Maybe he worked out a lot and it was from gripping weights or something. As with his earlier greeting, his grasp was warm and familiar. Not businesslike at all.

Theia tried to keep from blushing at the contact. "I'll definitely think it over. Thanks for taking the time to show me around."

After holding her hand a moment longer, Lucien winked as he let it go. "Anytime, darling." There was something in the way he said *darling* combined with the wink that seemed deliberately alienating, as though he'd realized he'd been behaving much too civilly. Like he was reminding her that he was a jackass. *Well, it worked, buddy.* She didn't feel flushed or breathless anymore, just annoyed.

Chapter 6

For some reason, the meeting with Theia had agitated him. Lucien took the company Maserati and drove south from Flagstaff with the top down, deliberately speeding, taking the switchbacks and hairpin turns down Highway 89A without slowing, just to hear his tires squeal.

He liked her more than he wanted to. He didn't really want to like anyone. Wanting something—wanting *someone*—made you vulnerable, and that was something Lucien didn't intend to be. He needed to be vigilant. The family curse might be nothing more than a legend, but he wasn't about to be caught with his metaphysical pants down. The last time a firstborn son of the Smok family had been required to pay the price demanded by the witch in Briançon before she burned, the Smoks had only just immigrated to the New World. Every seven generations, so the legend went. The last Smok to pay it had fought against the British in the American Revolution.

Lucien wasn't going to be the next.

At the same time, he kind of hated himself for turning on his manufactured "Lucien Smok, spoiled brat" persona just as he'd parted ways with Theia. He could see the disappointment in her face. She'd been warming up to him, and he'd yanked the rug out from under her on purpose.

When he got back to his rented suite, he found an envelope had been slipped under his door. It was a little unsettling not knowing who this "helpful citizen" was, but the source had been right on the money every time. It was better intel than he could get at Polly's—at least not without her expecting something in return. Then again, everything had a price. He just didn't know what it was yet. It ought to worry him more, but right now he needed to send something to hell.

He opened the manila envelope, expecting another name, maybe an active vamp who preyed on the living—unlike the pasty poseurs at Polly's—or an animated corpse. Instead, it was a URL. Lucien was surprised to find it took him to a genealogy website. The page was for the Carlisle family. What was the point of this? He already knew their history. They were descendants of the witch, and they'd inherited her gifts. Witches might have the potential to create supernatural havoc, but they weren't supernatural themselves. It wasn't like *they* were demons.

Lucien closed the browser just as a message appeared on his phone from Polly.

Got something juicy for you, hon. Come by tonight.

He headed to Polly's after dark, trying for low-key in a tan Versace suit.

Polly laughed when she saw him. "What is this, the Obama surprise?"

"Hey, that was a damn fine suit. So's this. Just because some people have no appreciation for style..."

"Whatever you say." She was at her usual booth, surrounded by pretty-boy vegan bloodsuckers and assorted half-shifted weres, and she gave no indication that she intended to dismiss them.

"So what is it you wanted to tell me that you couldn't just text me?"

Polly pretended to pout. "Now you're just being mean. Is it so terrible to have to see me in person?"

Lucien sighed. "That's not what I meant, and you know it. It's just that you look awfully busy, and I wasn't really planning on hanging out and drinking tonight. I felt like shit the next morning after the last time we chatted."

"It's not my fault you can't handle your liquor. Anyway, I thought you might want to be here tonight, because there's someone special visiting."

"Who?"

She nodded toward a table near the stage, partially lit by the spillover of the spotlight on the singer. "Check out the Amazon with the short bald guy."

Lucien noted the tall, leggy blonde and her considerably less impressive companion. "So? Who are they?"

"Who cares who he is? Probably a snack. *She's* Brünnhilde."

Lucien's brows drew together. "Who the hell is Brünnhilde?"

Polly gave him a smug grin. "She's a Valkyrie, baby. I found you a Valkyrie."

The bloodsucker beside her frowned. "Who's this asshole? Why does he get a Valkyrie?"

Polly slapped his hand. "I'm not giving her to him, you idiot. She's a freaking *Valkyrie*. And have some respect. This is Lucien. He's the—"

"Thanks, Polly. You can quit there. A little discretion?" He turned toward the table where the Valkyrie sat, but Polly put her foot in his path.

"Hey. No thank-you? Not even a little kiss?" She tilted her head and pointed to her cheek.

Lucien smiled, remembering his manners. He'd be wise to keep Polly on his good side. And she *had* done him a favor. He leaned in, but instead of kissing her cheek, he lifted her hand from around the vamp's shoulder and kissed the back of it, to the annoyance of both parties.

Polly flipped her hair, black this evening, over her shoulder. "Come by tomorrow at two. You can thank me properly."

Lucien approached the Valkyrie's table, realizing halfway there that he didn't know what to offer for information from a Valkyrie. What did Valkyries want? Souls? They didn't need him for that. And he wasn't likely to be able to give them any valiant, heroic ones. He lucked out, though, as she seemed thoroughly bored with her companion.

He smiled winningly at her as she glanced up. "Pardon the intrusion, but would you care to dance?" No one else was dancing, but Brünnhilde rose and accepted as if eager to escape.

The song that had been playing was more on the swing spectrum, but the band switched to something slow and melodic. Lucien put his arm around her waist and took her hand, feeling like an adolescent next to her. It was like dancing with a tree.

"I'm Lucien," he offered.

"Brünnhilde."

"That's a lovely name."

Brünnhilde's brow arched. "Is it? In 2017 in the Southwestern United States?"

Lucien laughed. "Well, Lucien isn't exactly in fashion, either. Your name stands out. And it suits you."

"I get the impression you want something from me, Lucien."

"Can't a guy ask a beautiful woman to dance?"

She gave him another brow arch, this time without amusement, and he laughed.

"All right. I'll cut to the chase, since you've been gracious enough to indulge me. I understand you're a Valkyrie. I hope that's not out of line to say."

Brünnhilde shrugged noncommittally. "Perhaps."

He wasn't sure if she was half-heartedly confirming her identity or agreeing that he was out of line, but he forged ahead. "I wondered if you might have heard anything about the Wild Hunt."

"You speak of Odin's Hunt."

"I believe so, yes. But one that's out of season."

Brünnhilde's green eyes flickered with annoyance. "Indeed it is. The Chieftain of the Hunt defies propriety. No surprise, given his protector."

"His protector?"

"A mortal who wields peculiar magic. She somehow bested one of my sisters to win him."

"That's surprising. Why does he need protection? And from a mortal, no less?"

"Because his body is meant to sleep while he rides. But when Kára removed her own protection from him, she also gave him the power to ride while in his skin. It's a disgrace. Of course, Kára was a disgrace long before this latest stunt."

"Kára? She's your sister?"

Brünnhilde nodded tersely. "She calls herself Faye these days. She was once a great warrior, but she defied the Norns to coddle this man, fallen in battle. Instead of taking him to his reward in Valhalla, she kept him as a pet. In exchange, he was cursed to lead Odin's Hunt."

"This man, the chieftain—you say he was fallen. You mean he died?"

"Precisely. Died in battle, but Kára broke the laws of the Valkyries, the laws of Odin himself."

"So he shouldn't be here. His life is unnatural."

Brünnhilde shrugged. "Well. None of the wraiths of the Hunt *should* be here. And yet they are. They are all unnatural. That's what makes them wraiths, does it not? How else would we have the Hunt?"

The music ended, and Lucien thanked her for the dance.

Brünnhilde glanced back at the table where her inexplicably dull companion was waiting for her. "I suppose I'll have to take him now. Warriors aren't what they used to be. She sighed and headed back to her table.

Lucien had the answer he needed. Leo Ström was as unnatural as a man could get. His soul might once have been destined for Valhalla, but now it belonged in hell.

He donned his hunting attire and made sure the arrows in his quiver were all equipped with his specially designed arrowheads. Having Smok labs at his disposal had come in handy in his quest to rid the world of revenants and demons. The exploding tips were filled with a serum known at the lab as the Soul Reaper. Developed for those dangerous and recalcitrant creatures they occasionally came across on their consults, it was deadly to the inhuman. And if the inhuman creature it struck happened to have a human soul remaining in it, the remnant was dissolved and relegated, presumably, to hell.

In all honesty, Lucien wasn't sure he believed in an afterlife of reward or punishment, but he'd seen plenty of evidence of an underworld—or perhaps underworlds—a plane where the supernatural elements of living things, whether spirit or soul or something else, could travel. Virtually every religious tradition had its own version of this soul realm—and a ruler of it.

He took a more discreet car this time and drove to the home where Rhea Carlisle and Leo Ström were staying. No point waiting to see if the Hunt would ride tonight. He knew what Leo was. And if the revenant was already out for the evening, Lucien would wait. He'd brought a ski mask to avoid revealing his identity to Theia's twin.

A little twinge of conscience tugged at him, reminding him that an insult or injury to one twin was likely to be felt by the other. Not physically, necessarily, but in terms of emotional harm, regardless of how close they were. And these two had seemed particularly close when he'd seen them together. He and his sister Lucy didn't see eye to eye—after years of sibling rivalry fueled by their father's vagaries, sometimes they downright hated each other—but he knew that if anything happened to Lucy, if anyone dared to hurt her, he'd be furious. He'd want retribution.

But he couldn't allow his feelings to get in the way of his mission. This wasn't about him, in any event. It was about the kind of people the Smoks had cozied up to for hundreds of years. No, not people, but *things*. Lucien felt it was his duty to make up for the evil his family enabled.

Helping a foolish family that had invited a demon into their home was one thing, and the routine cleansing of unwanted spiritual activity was a necessary service, but Smok Consulting had covered up depravities—cleaning up blood-spattered rooms after a nest of bloodsuckers had engaged in a Caligula-style orgy and fed on their half-dead victims for days; disposing of bodies when a shape-shifter lost control and slaughtered its own family, and then allowing that shape-shifting abomination to start a new life somewhere else with no consequences. The thought of how many lives his own family had allowed to be destroyed, looking the other way in the name of professional reputation and profit, sickened him.

One of the key sources of tension between Lucy and him was her blasé attitude toward all of it, her seeming acceptance of the status quo. She was ambitious and had made it her life's goal to show Lucien up and prove to their father that he'd made a mistake in choosing his heir. It was never going to do any good. Edgar was immovable, but Lucien was happy to let Lucy take the lead and the credit, to let himself seem lazy and spoiled. The longer his father was motivated to keep putting off retirement, the better. And Lucy was just better at business, which didn't interest Lucien in the least.

Rhea and Leo were staying at one of Rafe Diamante's properties in his absence—Lucien had been tracking them since the reception—a gated community in northeast Sedona. Luckily, the Smok family connections gave him access to any of a number of exclusive communities here and around he world. He had no problem getting in. Rhea's car, a red Mini, wasn't parked in the drive at Diamante's house, which could mean they were both out. But the lights were on inside.

He pulled his ski mask over his face as he got out of the car, loaded an arrow in the crossbow and lined up the sight on the scope.

Luck was on his side tonight. The revenant walked in front of the large picture window, looking down at something on the coffee table in the great room. Sheer curtains were drawn across the window, giving Lucien the advantage. He could see Leo perfectly through them but wouldn't be visible from within.

The image of Theia's face popped into his head, making him hesitate just for a moment. But Lucien wasn't responsible for the fact that the Valkyrie had created an abomination Theia's sister happened to be dating. This creature had stalked the earth long enough. It needed to be put down. *Forget about Theia.* Easier said than done, but anger at himself propelled Lucien forward, and he took his shot straight through the glass, not wanting to waste the opportunity.

The split second between the penetration of the glass and the arrow's impact in his target wasn't long enough for a normal person to react, but the revenant turned, causing the arrow to hit him in the shoulder. It had missed bone and gone straight through. Lucien grabbed another arrow, but Leo moved faster, charging through the broken window, and the arrow wasn't fully loaded as he came at Lucien.

Lucien dropped the bow, ready to defend himself in hand-to-hand combat. He only had to hold the revenant off for a little while. Despite the miss, the arrow tip would have delivered its poison, and it should be taking effect any minute.

But Leo didn't even seem impaired. Lucien bobbed and wove as Leo grabbed for him, throwing a right hook. Leo was faster, his fist catching Lucien on the jaw. The revenant barreled into him as he tried to take another swing, flattening him on the ground. Gravel and cactus tines from a decorative cholla ground into Lucien's shoulder as the revenant pummeled him. The Soul Reaper wasn't slowing this guy down a bit.

A knee to Lucien's groin ended any chance of regaining the upper hand.

Leo climbed on top of him, hands around Lucien's throat, the shaft of the damn arrow still skewering his left shoulder. "Who are you? Who sent you? Was it that necrophiliac?"

The lack of oxygen to his brain as the large hands constricted his airway must be impairing his understanding. That couldn't have been what the revenant said.

Lucien's vision was going gray.

"Leo! What the hell are you doing?" Theia's voice rang out as a car door slammed, and she was running toward them. "What's going on?"

But it was Theia's twin, not Theia herself—which made a lot more sense, Lucien realized before he lost consciousness.

Chapter 7

Rhea's message was baffling.

That guy you pretend you don't want just went rogue. Get over here. NOW.

Theia tried calling, but it went straight to voice mail, and her texts weren't being read. That was unnerving. What was going on? She hopped into her car and drove straight to Rafe's place, rattled enough to speed. Normally, according to Rhea, she drove like a granny.

A car Theia didn't recognize was parked out front, so she had to park farther down the drive. As she approached the house, she tripped over what looked like a quiver of high-tech arrows among scattered gravel and broken cactus littering the normally immaculate walkway. Theia dashed to the door and burst in without knocking after seeing shattered glass around the front windowpane.

"Rhea? Are you okay? Are you here?" She hadn't had any visions about Rhea being in danger, but her Spidey-sense was triggered like crazy.

"In here."

Theia breathed a bit easier at the sound of Rhea's voice. She hurried toward it and found her sister and Leo in the kitchen—with Lucien Smok tied to a chair. He looked like an angry bull had trampled him. Lucien glanced up at Theia out of one eye, the other swollen shut, and quickly looked down.

Leaning against the counter with his arms folded, Leo

had a bandage around his shoulder and blood soaking his white T-shirt. And there were bruises on his knuckles.

Theia found her voice after a moment of what was becoming a familiar sense of breathlessness, except this was breathlessness of disbelief. "Lucien? What in the world is going on? What happened to you? What are you doing here?"

"That's what we've been asking him, but he won't talk." Rhea kicked at the leg of Lucien's chair. "He shot Leo with a goddamn arrow." She indicated Rafe's large oak table with her gaze. A crossbow with a high-powered scope attachment lay on it.

Theia rubbed her forehead. "Lucien?"

He didn't glance up, but he finally spoke. "I'll talk to Theia. But not with *him* in the room."

Leo made an angry noise that sounded like a wolf growling, but Rhea took his hand. "Come on. Maybe she can get something out of him." Reluctantly, he went with her, and Theia closed the kitchen door.

She took a breath and turned around to find Lucien staring at her, his one open eye bloodshot and defiant. "Are you going to tell me what's going on? Did you really attack Leo with a..." She glanced at the table. "A *crossbow*?"

Lucien's voice was calm and measured. "Your sister is living with a man who ought to have died a millennium ago."

Theia crossed her arms. "I'm aware of that."

"You're aware."

"How is this any of your business?"

"Because *that's* my business. My real work. Putting unnatural creatures down. Demons. Revenants."

"Revenants?"

"That's what the reanimated dead are called."

Theia laughed, but Lucien wasn't kidding. "Leo is *not* a

revenant. You can see that, can't you? I mean, I know your vision is a little limited right now, but, seriously, Lucien."

"He died over a thousand years ago."

"He was *supposed* to die over a thousand years ago. I take it you're aware of the Valkyrie's bargain?"

"Dead is dead. The Valkyrie created a revenant in defiance of the Fates."

"Even if she did, what does that have to do with you? Why do you care?"

"I told you—"

"Yeah, yeah. You said. It's your job. Is this why you showed up at Phoebe's wedding?"

Lucien inclined his head. "One of the reasons. The other reasons were a demon and a necromancer."

Theia's temper flared in the face of his calm composure. "So your bullshit job offer was just that. Something you made up on the spot as an excuse to get close to my family so you could go on some purity crusade against them. Are you working with Carter Hamilton?"

Lucien opened his mouth but paused as her words registered before he spoke. "Hamilton?"

"The *actual* necromancer who crashed the reception. The man who murdered Rafe's father and apprentice along with at least two innocent women."

"I'm aware of who he is. Why would I be working with him?"

"Because he's made it his life's work to destroy my family, and you seem to be very conveniently helping his cause."

"I'm not trying to destroy your family. This isn't about your family at all."

"Could have fooled me."

Lucien sighed, glancing down at the floor, where droplets of blood had dried around him. "First of all, my interest in having you join the genome project at Smok Biotech was genuine. *Is* genuine. That has nothing to do with any of this."

"Any of this? You mean the trying-to-kill-members-of-my-family this? Did you think I'd just be like, 'Oh, that's okay, Mr. Smok, let me map these triggers for you. I don't need time off for the funerals. Can I get you a coffee?'"

"I didn't think you'd find out," Lucien burst out.

Theia unfolded her arms and clenched her fists, tempted to add to his bruises.

He had the sense to look embarrassed. "I mean, this is what I *do*. It has nothing to do with anything else. I compartmentalize the Lucien I have to be for the company so I can do this. You have no idea how dangerous these inhuman abominations are. Revenants rip people limb from limb. They're unstoppable. They're not human, and they do not experience empathy or remorse. My work with Smok Consulting means letting creatures like these walk free, and I was tired of being the cause of it, so I decided to take matters into my own hands—unofficially. I'm sorry it happens to affect you personally, but I can't let my feelings for you get in the way of what has to be done."

Through the haze of anger, Theia's airway did that funny tightening thing again. "Feelings for me?"

"I didn't mean *feelings*, I just meant—I mean, of course I'm attracted to you, that's not… Fuck." Lucien threw back his head in frustration but clearly regretted the movement as soon as he'd made it, judging by the sharp cry.

"What was that? What's wrong?"

Lucien looked a little green. "Nothing. I think I might have… I just have a little…" His eyes fluttered shut, and his head slumped forward.

"Lucien?" Theia tried to rouse him with a gentle shake, to no effect. She raised her voice as she turned her head toward the door. "You guys? I think I need some help in here."

The door opened abruptly, Rhea's palm flat against it

as though she'd been standing just on the other side with her ear pressed against the wood. "What did he do now?"

"I think he passed out. He moved his head sharply and it jarred some injury."

Leo grunted from the doorway. "Probably his broken arm."

Theia whirled on him. "You broke his arm?"

"*Arrow,*" Rhea reminded her. She pointed at the table with a glare. "Crossbow."

"I'm not saying it wasn't warranted, but you don't tie up a guy with a broken arm and torture him for information."

Rhea snorted. "Nobody tortured him. He's a big goddamn baby."

"You have to take him to the hospital."

Lucien stirred and groaned. "'M fine. No hospital."

Theia rolled her eyes. "You're not fine. You got the shit beaten out of you by a Viking. Deservedly, it sounds like."

Lucien gritted his teeth like he was struggling to stay conscious. "Call Lucy."

Theia looked at Rhea, who shook her head and shrugged, then glanced back at Lucien. "Khaleesi?"

Lucien groaned, this time a sound of frustration rather than pain. "Call. *Lucy.* My sister. Number's in my phone." He paused for a breath. "Under 'Bitch.'"

"Um..." Theia raised an eyebrow.

Rhea picked up the cell phone lying next to the crossbow. It was a bit dented, and the glass cracked, but apparently it still functioned.

"Password?" Lucien gave it to her and Rhea typed it in. "Yep. Here it is—Bitch."

"She's my twin," said Lucien.

Rhea shared a look with Theia. "Seems about right," they said together.

Lucy Smok was at the door twenty minutes later. She had the same ice-blue eyes and long lashes as her brother.

The same dark brows and darker hair—though Lucy's was considerably longer and hung in a loose braid—contrasted starkly with the porcelain-fair skin in a slightly more feminine frame.

Lucien's twin leaned casually against the entryway, a black leather attaché case in her hand, glancing from Rhea to Theia as they opened the door. "Which one of you is the biologist?"

"I'm Theia." She stepped forward and shook Lucy's hand as though they were meeting in a normal social situation. "This is Rhea. Please come in. He's in the kitchen, through here."

Rhea had agreed to let Theia untie Lucien, but he still sat in the chair, guarded by a scowling Leo.

Lucy took in Leo's size with a glance and burst out laughing at her brother. "God, you're an idiot."

Lucien glared, holding his right arm awkwardly in his lap. "Thanks." His voice was tight and clipped. "Knew I could count on you."

"You'll have to forgive my brother." Lucy smirked at him from the doorway. "He thinks he's some kind of vigilante superhero." She stepped into the kitchen and set down the bag to look him over, clucking her tongue at his bruises.

He swore loudly when she touched his arm. "I think it's broken," he said through gritted teeth.

"That's what they told me."

"Did you bring it?"

"I did. You sure you want it?"

Lucien nodded curtly.

Lucy straightened. "We're going to need to get that shirt off." She looked around. "Got any scissors?"

Rhea rummaged through the kitchen drawers and dug up a pair. "Looks like you've got this covered." She handed them to Lucy. "I think Leo and I should leave you to it." She nodded at Leo, who pushed away from the counter with a sigh and followed her to the door. Before she left, Rhea turned back to Lucien. "And by the way? He's not a revenant, you jackass. He's mortal."

Lucien hissed in pain as Lucy cut the black sweater up the side, muttering something under his breath.

Lucy shook her head, continuing to cut without pausing. "You shot a mortal with that thing, idiot. You're lucky he didn't kill you."

The sleeve came away, revealing an odd twist to Lucien's elbow that made Theia's stomach churn.

From the black case, Lucy retrieved a small glass vial and a disposable syringe and ripped open a sterile wipe, which she used on his elbow. "This is going to hurt."

Theia peered over Lucy's shoulder as she opened the vial and filled the syringe. "What is that?"

"It's like Fix-a-Flat for bones." Without a warning, Lucy jabbed the needle directly into the joint, and Lucien let out a barrage of obscenities.

Theia had to turn away to keep the sudden lurch of her stomach from becoming something more. When she turned back, the twist in Lucien's arm seemed to have magically straightened.

"It's a little something we make at Smok Biotech." Lucy nodded to her brother as he cautiously flexed the joint. "You'll need to have it set properly before it starts to mend wrong. But for now, you should be able to use it."

As Lucien pulled off what remained of the sweater, Theia caught a flash of blue ink on his back just below the right shoulder. Brilliant blue, like the color she kept seeing everywhere—in her dreams, evoked in sounds and words.

Lucien glanced at Lucy. "Did you bring me—"

"Of course." She handed him the sweater she'd taken from the case, the same as the one he'd been wearing.

He turned as he stood to pull it on, giving Theia a good look at his ink.

It was a tattoo of a small web-winged dragon in flight.

Chapter 8

As Lucien struggled to pull on the sweater without showing that it was a struggle, Lucy stopped him.

"You've got something sticking out of your back."

"Cactus." He'd rolled in plenty of it. The minor irritant had paled against the other aches and pains he was beginning to feel now that his arm wasn't killing him. He couldn't remember ever taking such a beating, even from a raging wendigo. He'd been overconfident and unprepared.

Lucy sighed and got a pair of tweezers from her case. "Sit down. Let me get them." She went to work pulling out the tiny spines as he eased back into the chair. "So I understand you're going to be working at Smok's new lab," she said to Theia.

Lucien snorted. Like that was happening now.

Theia stayed behind him, watching Lucy from a few feet away. "I hadn't made up my mind."

"Well, if you don't mind a little unsolicited advice, I suggest you don't."

Lucien tried to turn, but Lucy held his shoulder—the one that was still sending out flares of pain.

"Oh?" Theia's voice was cool. "And why not?"

"I think it's a little beyond your abilities."

Lucien wanted to slug her, but her grip on his shoulder was firm.

"I mean, I'm sure you'll be a fine scientist someday, but this is serious work. It's not a graduate project."

"Give it a rest," Lucien growled under his breath.

"On the other hand, I hear you've already been in the White Room."

"The White Room?"

"Our special project. *Lucien*'s special project, really." She was yanking out cactus spines roughly to let him know she thought he'd overstepped his authority. "It's highly classified. Even the government doesn't know about it. But you…you know about it."

Theia stepped closer. "Is that some kind of threat?"

"Threat?" Lucy stopped plucking and turned to look up at Theia. "No, of course not. That's a little paranoid." She went back to her work. "It *is* a warning, however. I know you've signed our nondisclosure agreement. Not sure if you read the fine print."

Theia's voice hardened. "What fine print?"

"*Lucy,*" Lucien warned, but she ignored him.

"The fine print that says you've agreed to return any intellectual property you may have removed from the lab."

"I didn't take anything. What are you talking about?"

"Your memories." Lucy stood and dropped the tweezers into the case, turning to face Theia as Lucien rose, wanting to shut her up but not knowing how—and realizing as he stood that the room was spinning.

"And how exactly am I supposed to give back my memory of the visit?" Theia scoffed.

"We've developed a special technique."

Lucy had a syringe in her hand, and Lucien grabbed for it, but the floor seemed to tilt under him, and he grabbed her arm instead as he pitched toward the table.

Theia stepped in to steady him while Lucy regarded him with cold eyes, as if she would have let him fall. He'd fucked up, and he was on his own.

She stood back while Theia helped him into the chair. "I suppose you got your head knocked around by that delicious Viking."

"I may have hit my head on the concrete once or twice," he acknowledged.

"Are you having trouble seeing?"

"Not much." Things *had* been a little blurry.

"Not *much*?" Lucy shook her head. "Looks like you've earned yourself a pretty good concussion there, little brother. Someone's going to have to keep an eye on you overnight. And it's not going to be me. I have a date."

"Well, he's not staying *here*," Theia's sister objected from the doorway.

"I'm fine," Lucien insisted. "It's just a little vertigo and blurred vision." He stood again but couldn't seem to find the room's level.

Theia grabbed his arm once more. "I'll give you a ride home. I'd like to discuss this intellectual property issue a bit more, if you don't mind."

With both Rhea and the Viking now standing in the doorway, Lucy was reluctant to make a scene. Lips pressed together, she discreetly dropped the syringe back into her attaché case as she picked it up. "Suit yourself. But I warn you, he's a pain in the ass when he's convalescing."

"Thanks for all your help," Lucien said to her sweetly. "I think we can take it from here."

Lucy shrugged. "Get that bone checked tomorrow. And don't come crying to me if you slip into a coma."

"If I slip into a coma," said Lucien, "I promise you will be the last person to whom I come crying."

Lucy gave him a saccharine smile and headed for the door.

Theia's sister frowned at the two of them. "You sure about this, Thei?"

"No. But I'm doing it anyway." Theia picked up the crossbow and gave Lucien a stern look. "I'm going to hold on to this for you. If you can convince me you're not a danger to my family, maybe I'll give it back."

Leo stepped in the way as Theia led Lucien toward the

door. "Don't come at me or mine again. Next time you won't be walking away, with or without assistance."

Lucien was too tired to argue with any of them. All he wanted to do was lie down and go to sleep. He let Theia walk him to her car without comment or protest, leaning back in the seat and closing his eyes once he was inside.

"I'm going to talk to Rhe for a minute," Theia said. "Don't fall asleep."

"That's not actually a thing," he murmured. "It's a myth that you shouldn't fall asleep after a concussion."

"I meant because we're going to have words. A lot of them." She slammed the car door, and Lucien wanted to grab his head to stop it from ringing, but his arms were too tired.

Theia glanced back at the car as she gathered the scattered arrows. Lucien might be dangerous, but his sister was definitely more so. She hadn't exactly been subtle in her threats. Smok Biotech might not literally have a way to wipe Theia's memory, but she wasn't about to give Lucy the chance.

The rhythmic snap of a pair of flip-flops announced Rhea's approach on the stone path. "You're not really going to give those weapons back to him?"

Theia straightened and put the last one in its quiver. "Not if he doesn't give me some satisfactory answers. But I'm sure he's got plenty more where these came from."

"He just tried to *kill* Leo."

"I know. I'm going to try to talk some sense into him about this obsession he has with Leo being a revenant."

"You realize there's a good chance that he's actually unhinged."

"Yeah."

"Want me to read that tattoo of his? I caught a peek from the doorway. Maybe we can verify his motives, see if any of this stuff about hunting down 'unnatural creatures' is true. And maybe find out a little more about him, if you know what I mean." Rhea raised an eyebrow suggestively.

Theia was 99 percent certain that whatever Rhea might read in Lucien's ink was the last thing she wanted her to see.

"Maybe some other time. I'm not sure how his mental state right now would affect it. And I'd prefer if we had his consent." Which Theia was going to make damn sure they never got.

Rhea studied her for a moment, her expression suspicious. "You call me when you get home. I want to know you're all right before I go to bed."

Theia booped Rhea's nose, guaranteed to distract her with aggravation. "You got it, Moonpie."

Rhea rubbed her nose with the back of her hand. "Gross. Weirdo. And stop calling me Moonpie."

Theia headed for her car. "But you look like a Moonpie."

"What does that even mean? I look like *you*."

"Go play with your Viking."

Theia tossed the quiver onto the back seat and climbed in. Lucien's eyes were closed, his head lolling against the headrest. Theia reached over to draw the shoulder belt across him and fasten it before starting the car. With a wave at Rhea, she headed out, only to realize once she'd exited the gates that she had no idea where Lucien lived.

"Lucien?" She nudged him gently. Nothing. God, he wasn't slipping into a coma already, was he?

His phone was propped in the cup holder under the dash. Maybe his address was in it. Theia pulled over and entered the password on the cracked screen and found the address in his contacts, committing it to memory. Before she set the phone down, a message notification appeared from Lucy. Theia couldn't resist taking a peek.

This one's for the little pixie girl.

Pixie girl? Theia glared at the screen and continued to read.

No doubt he's sitting next to you in the car snoring right now.

He was, a little bit, now that she listened for it.

Make sure you wake him up every two hours to check his responses. I don't like the blurred vision. If you can't wake him, call me. I'll send one of our doctors. Lovely to meet you. Finish our talk later.

Every two hours? She tried to respond, but the keyboard wasn't letting her press most of the keys. Theia sighed. She was going to have to take him to Phoebe's place. She'd left the house without feeding Puddleglum.

Someone was shaking him.

"We're here. Come on."

After a more vigorous shake, Lucien opened his eyes and focused on Theia's face. Still a little blurry. But eminently kissable. Shit. He was really out of it.

"Hey." She peered at him. "You awake? It's Theia Dawn. We're here. Time to get out."

Lucien looked around at the shrubbery laced with fairy lights in front of the cozy ranch-style bungalow. The night was silent except for the pleasant rhythm of chirping crickets, and the air was heavy with the perfume of jasmine blossoms. He was completely lost.

"Where's here?"

"My sister Phoebe's place. I'm cat sitting. And now apparently I'm babysitting. You," she clarified when he squinted at her in confusion. "Lucy told me to wake you up every two hours and check on you, so you're staying with me tonight."

"I thought Lucy left before we did. How long was I asleep?"

"About an hour. I let you sleep a little longer while I was feeding the cat. And she did leave before us."

"The cat?"

"*Lucy.*" Theia narrowed her eyes at him. "Are you sure I shouldn't take you to a hospital?"

Lucien rubbed his eyes. "No, I'm fine. I'm awake now." He tried to get out of the car, impeded by the seat belt, and finally managed to fumble in the dark and find the release. As he got to his feet, he groaned and clutched the door.

"Lucien?"

He stared at the ground for a moment, suddenly flushed, his forehead breaking out in a sweat. "I'm possibly going to throw up in your sister's front yard."

"Oh God. Please don't."

"I'd prefer not to." He stood still for several seconds, willing it down, and finally straightened. "Lead the way."

"To the bathroom?" she suggested as she took his arm.

"Sounds wise."

The ground tilted and swayed beneath him, echoing the motion of his stomach, as if he were navigating the deck of a ship on a choppy sea. He managed to make it to the little powder-blue room and close the door before pitching toward the floor once more. Lucien sank to his knees and grabbed the edge of the toilet, literally hugging the bowl as he dredged up what he was certain was every last thing he'd ever eaten.

By the time he was able to get to his feet and clean himself up, his head felt like someone had shaken his brain and bashed it against the inside of his skull—which he supposed was pretty accurate—but at least the dizziness and nausea had subsided.

Theia sat waiting for him in the living room when he made his way gingerly down the hallway. "So where do you want to start?"

"Start?"

"Explaining yourself."

Lucien stepped down into the living room with a sigh and grabbed for the couch. "I already told you that Leo Ström is a revenant, and—"

"Except he's not. He was immortal. He was never a revenant. In Leo's tradition, I believe, revenants are known as *draugr*. Rhea dealt with one once when she was fighting to save his life. It was what you said—an abomination. A shuffling, inhuman monster that tried to suck out her soul before Leo's warden spirit destroyed it. Leo isn't a monster. He's a good man."

Lucien studied her for a moment. He'd put down a *draugr* or two. They were just about the most unpleasant creatures he'd ever encountered. But that didn't mean that every revenant raised from the corpse of a Norseman had to be a *draugr*. Valkyries had great power over the dead.

"Your sister said he was mortal."

Theia nodded. "He is. It was part of the Valkyrie's bargain with the Norns when she released him."

"But he leads a hunting party of wraiths."

"Yeah, you'll have to ask Rhea how that one works, because I haven't quite wrapped my head around it. But it doesn't make him a revenant. I'm sure Leo would be happy to explain it to you himself after you've apologized for trying to kill him."

Lucien leaned forward and rested his arms on his knees, looking down at the wood floor as he contemplated the facts. He couldn't let guilt or desire sway him. Cold, hard, rational facts were the enemy of the esoteric. The stupid. Of supernatural shit. And feelings.

He lifted his head sharply and regretted it. "Where's my gear? My crossbow?"

"I've put it away for safekeeping."

The tip of the arrow that had hit Leo Ström should have exploded on impact with flesh, leaving behind its poison. A revenant would have gone down within seconds, the unnatural blood in its veins turning to acid and eating it from the inside until there was nothing left of it. But Leo hadn't. The serum hadn't affected him at all. The arrow had only wounded him. Those were the cold, hard facts.

"I may have made an error."

Theia laughed, and he smiled without meaning to.

She shook her head, the red tips of her hair swinging. "Jesus, you're a stubborn son of a bitch." She leaned back against the cushion of the round rattan chair, looking like Venus in her scallop shell. Perhaps he'd hit his head harder than he thought. Theia's velvety gray eyes fixed on his, her gaze piercing. "So about that nondisclosure agreement."

Lucien rubbed his eyes. "Lucy didn't have any business bringing that up. She tends to get a bit aggressive when it comes to the company."

"Is that really what I signed? An agreement to have my memory wiped? Can she do that?"

"Yes." He shrugged. "No. And yes. The NDA does include a clause about not removing any intellectual property, but, legally, I think we'd be hard-pressed to make the case that you were agreeing not to leave with your memories intact if you chose to reject the offer. As for Lucy, well… I wouldn't turn my back on her if I were you."

"So there *is* a drug that can erase my memories of what I saw."

"And any memory that we've had this conversation about it, yes. But it's not my intention to implement that protocol."

Theia lifted an eyebrow. "You say the darnedest things."

"None of that's relevant, though, if you choose to accept the offer."

"Oh, I see. So *if* I agree to keep my mouth shut and help you with your little genome-mapping database, you won't physically assault me and tamper with my mind."

Lucien closed his eyes against the increasing intensity of his headache. "Can we... Do you mind if we continue this in the morning?" He could feel her gaze intent on him, studying him, perhaps to see if he was bullshitting her.

"Of course." Theia slipped from the shell-like chair and held out her hand to help him up as he opened his eyes. "Or in two hours. Whichever comes first."

"You're really going to wake me up every two hours?"

"Still have the blurred vision and vertigo?"

"No." Lucien reached for her hand and missed. "Yes."

"Then, yes, I am." Her hand closed around his. "I've made up the guest bed for you. Actually, I was sleeping in the guest bed, so I didn't really do anything but straighten it— Are you allergic to cats?"

He tried to follow her train of thought as he rose and went with her. "Allergic? No."

"Good, because Puddleglum pretty much thinks that room is his, and there's no way to get all the fur off the bedspread."

"I don't want to displace... Puddleglum? Or you, for that matter. I could sleep on the couch."

"That would be stupid. It's a two-bedroom house." She opened the guest room door. A well-fed tiger-stripe Siamese regarded him from the center of the largest pillow with unblinking aquamarine eyes.

"That's his pillow," she said unnecessarily. "If you need anything, just let me know."

"Theia?"

She paused as she turned to go. "Hmm?"

"I'm not sure why you're being so nice to me after I... well, anyway. You don't have to be, and I appreciate that you are."

Theia wondered the same thing as she set the alarm in Phoebe's room. She could have ignored Lucy's instructions and driven him home. Yet here she was, preparing to interrupt her sleep every two hours to make sure Lucien's own arrogance didn't kill him.

But despite his misguided attack on Leo, she couldn't help being secretly pleased to learn there was more to Lucien than just a privileged rich boy for whom everything was a game—including seduction. If what he'd said was true, he'd taken a principled stand against his own family legacy. If Smok Consulting was in the business of covering up paranormal crimes for the wealthy, Lucien's clandestine efforts minimized the harm they caused in doing it. And Theia wanted to find out more about both.

Chapter 9

The alarm went off what seemed like minutes later. Theia rose bleary-eyed and shuffled down the hall to the guest room, where Puddleglum opened one suspicious eye from his perch on the pillow.

Lucien was hard to rouse, but he jolted awake when she put her hands on both shoulders to shake him. His hands closed around her upper arms, and he flipped her across his body onto her back on the bed and leaped over her on all fours, eyes looking slightly wild. Puddleglum disappeared under the bed.

It took Theia a moment to catch her breath and speak. "Lucien, it's me."

He blinked down at her, his feral stance slowly relaxing. "Sorry. I was deep in a dream. I was fighting off—"

"A thousand-year-old Viking who was kicking your ass?"

Lucien grinned sheepishly. "Something like that." He sat back on his heels, and she was intensely aware of his thighs—muscular and firm—on either side of hers. He might not be able to compete with Leo in size, but he was obviously extremely athletic. "So this is my two-hour wake-up, I take it."

"And I take it you're not in a coma."

"Not at the moment."

"And you know your own name."

"Of course. Anakin Skywalker."

"Interesting choice. Who's the president of the United States?"

Lucien scowled for a moment, pondering the answer. "Alec Baldwin?"

"Close enough. You're cleared for another two-hour nap." Theia waited for him to move, raising an eyebrow when he continued to stare down at her. "Are you going to get off me?"

Lucien seemed to color as he rolled onto his hip, but it was hard to be sure in the monochrome tones of the dark bedroom. Maybe it was just her imagination.

Theia turned to face him, head propped on her hand. "How long have you been…"

"Hunting unnatural creatures?" He considered for a moment. "It started by accident, I guess. High school. Junior year, on a job cleaning up a vamp den."

"As in *vampires*?"

"Yeah."

"They're real?"

"Everything's real."

A little shiver ran up her spine, and he must have noticed it.

"There's nothing sexy about them, I can assure you. Every one I've ever met was as dumb as a post. They exist on instinct, feeding their hunger. If they're part of an organized brood, they're fairly harmless, only clever enough to follow orders. The master negotiates with sources and puts them to work delivering shipments, doing busywork, so they don't wander off and try to hunt on their own."

"Sources?"

"Blood sources. There are black-market blood banks… and voluntary donors."

Theia shuddered, this time with revulsion. She could just imagine how the "voluntary" donor system worked. Probably a lot like Carter Hamilton's afterlife sex ring, where the shades of dead sex workers were coerced into servicing clients who paid to have sex with someone being controlled by a "step-in."

"The business runs pretty smoothly," Lucien confirmed. "The syndicates keep everything relatively clean. But every so often, a bloodsucker goes rogue. Sometimes a handful of them will splinter off the brood and try to go it alone. That's when it gets messy. Which is when they call in Smok Consulting."

"Your father's company."

Lucien nodded. "Edgar didn't trust me to handle the consulting work. Probably rightly so."

"Edgar?"

"My father." He shrugged. "It turned out a rogue brood had been keeping a..." Lucien swallowed, his expression no longer neutral. "An illegal blood farm. Kids they'd taken off the street—junkies, runaways. There's a strict set of rules for voluntary donors—consent forms, maximum donations, minimum nondonation periods to make sure the donors remain healthy, a mental-health screening process—these kids bypassed all that. Probably traded sex—or even a willing donation if they were savvy enough about who they were dealing with—for a place to sleep for a night. And then found themselves being harvested...indefinitely."

Theia's gut twisted. "Jesus."

"Yeah. Some of them lasted..." Lucien's voice trailed off, and he swallowed again before going on. "A long time. I was supposed to be cleaning up corpses, and there was this kid, this little girl, maybe twelve years old, chained to a radiator. Vamp tracks up and down her arms...everywhere. She was supposed to be dead, but she moved."

Lucien's face had gone white. "God, she *moved*." He sat up and drew his knees to his chest, and Theia stared, transfixed, not wanting to hear any more but unable to stop him. "I called in the crew foreman to get her help. I stayed with her, told her it was going to be okay, she was safe now. And when the foreman showed up, he…put a bullet in her head."

"Oh my God. Lucien…"

He dropped his forehead to his knees and shuddered, and Theia sat up and put her arm around him, rubbing his shoulder, not sure what to do.

"I don't know why I told you that. I've never told anyone that. Not even Lucy."

"It wasn't your fault."

Lucien straightened and jerked away from her. "Of course it was my fault. I'm a Smok. That's what we do."

"You tried to help her."

Lucien laughed bitterly. "Yeah, and you see how that turned out."

"You were a kid yourself." Theia was pissed on his behalf. "It's outrageous that your father would have put you in that situation. You were what, seventeen?"

"Sixteen. It doesn't matter."

"Of course it matters." She wasn't sure how to get him out of the dark place he'd descended to, and it seemed suddenly urgent and imperative that she did. "And that was when you got started with your own hunting? At sixteen?" The calm questioning seemed to work. The shadow in Lucien's eyes faded.

"Not right away. It was just the catalyst. I asked what was going to happen to the bloodsuckers who were responsible, and my father said their sire would deal with them. It's not good for business to have rogues on the loose, so they'd likely be put down." His affect had changed, his words now emotionless, as though he'd dissociated. "I couldn't stop thinking about it, so I decided to look for them and find out for sure. I used a fake ID and signed up as a donor."

Theia gaped at him. "But you didn't actually…"

"Of course I did. The ID said I was eighteen, the minimum age allowed. They paid by the hour. You could do a private donation with a single patron for fifty dollars an hour, or you could go to a party and be available on tap. Five hundred a night."

"On tap? Not a literal…"

"No, though that's not unheard of. Mostly with fetishists. Groupies. But this was purely a financial transaction. I signed up for a party. There were two other donors, both girls who looked like minors. I thought it would be like the movies, with everybody at a cocktail party, lots of velvet, vamps biting us on the neck." A slight, embarrassed smile animated his face for an instant and was gone. "But it was way less glamorous. Apparently the telltale wound draws too much attention for donors, and it's dangerous anyway. Too easy—and too tempting—to drain the donor dry. They needed access to less visible veins. We stripped down to our underwear. The girls were topless."

Lucien's expression had gone flat. "The party was in a hotel suite. We were told to circulate—that got some big laughs—and the vamps started feeding on us as we moved around the sitting room. We all tried to make small talk at first, but they weren't interested in us as people. We were food. The girls were more popular, and one of them ended up passing out because they drained her too quickly. They carried the other one off to the bedroom, and three of the vamps stayed in the outer room with me and pulled out the sofa bed. Apparently, they prefer to feed lying down."

Theia rested her hand on his wrist, wanting to stop him, but he seemed determined now to get it out.

"When they'd had their fill, they got a little more talkative, and I managed to turn the conversation to the rogues, pretending I was a groupie and I wanted to be owned. I said it was a shame they were gone, but one of the bloodsuckers told me they'd just relocated. He gave me an address, a ranch. I was taking archery at school, and I showed up at the ranch the next morning with my bow loaded with Soul

Reaper arrows—the kind I had tonight, to split the demon from the undead frame and send the soul to hell. And I staked every last one of them while they were sleeping." Lucien shrugged, as if the last part had been incidental. "Didn't do anything like that again until I was in college."

Theia was at a total loss for words.

"I've talked your ear off." Lucien had been staring at the wall, and he turned his head to look at her with an apologetic smile, but the smile faltered. "You're crying."

Theia put her fingers to her cheek. "I am?" She was. She hadn't even noticed. "I'm sorry." She wasn't sure exactly what she was apologizing for. The tears were coming faster.

"Theia. Don't." He reached out to her, taking the hand she was still holding in front of her, tears on her fingertips. "I didn't tell you that to play on your emotions."

"I know you didn't. It's just…my gift."

"Your gift?"

"It comes with the visions. Sometimes instead of images, I pick up on other people's emotions." She shrugged, again apologetic. It always seemed like a bit of an intrusion, and one she usually kept to herself. "These aren't my tears."

She could feel it now, like a physical blow to her soul. Lucien was in pain. Torn up inside as much as he was bruised and battered outside from his fight with Leo. More so, probably.

He squeezed her hand, wordless, shocked, and didn't deny it.

Theia started crying in earnest. "Okay, maybe they're a little bit mine, too." She grabbed for the tissues on the nightstand, but Lucien reached for her, stopping her. His hands went to either side of her face, thumbs brushing away the tears, and he lowered his mouth to hers and kissed her.

Every dark warning she'd ever dreamed was rising to the surface, threatening to engulf her. He was mystery. He was danger. There would be no turning back if she dived into these waters. There was no telling how deep they were or what was hiding in them. But she didn't care. She wanted to drown in him. His kiss was like air beneath the dark waves. As long as she breathed through him, she would survive. Theia threaded her arms through his, hooked them around his neck and let go, giving herself to the deep. The relief at no longer fighting was immediate and intense. She was immersed.

Lucien made a soft sound of pain, and it took her a moment to realize it was physical.

Theia drew back. "Your shoulder?"

"I think I may have sprained it a bit."

"Maybe next time be more aware of who you're going after."

Lucien nodded and lay back on the bed, pulling Theia with him. "I solemnly swear only to hunt actual revenants and demons from now on." He wrapped her in his arms and started to kiss her again, but Theia hesitated. Lucien frowned. "What's the matter?"

"About the demons..."

He stroked his hand down Theia's side. "What about demons?"

Theia grabbed his wrist and pulled his hand away with a scowl. "You've threatened certain members of my family. I need to know if you're still planning to harm them."

"You consider them your family."

"Absolutely. They're both my brothers-in-law, but they were family long before that."

Lucien cocked his head. "I thought Phoebe was the only one who was married."

"Apparently Dev and Ione eloped. No one is supposed to know. But that's beside the point."

She'd gestured with her hand, and Lucien took hold of it and kissed it. "Tell me about Dev, then. Is he possessed or isn't he?"

Theia sighed. "He's not. Technically. He was bound to a demon by a sorcerer he was apprenticed to. The demon was tortured and forced to occupy Dev's physical form as though it were a cage. Dev nearly died. He didn't even know what his mentor had done to him until after he woke up in the hospital and something triggered the demon's release for the first time. Dev has it under control now. They've come to an understanding, and the demon is contained by a magical sigil tattooed on his body."

"An understanding." Lucien scowled. "How do you come to an understanding with a demon? It's a monster. A killer."

"Kur is actually very sweet once you get to know him."

"*Kur?* The demon has a name? And you've met this abomination?"

"I have. And please stop using the word *abomination*. It makes you sound like a hellfire-and-brimstone preacher."

Lucien laughed. "My great-grandfather was a hellfire-and-brimstone preacher, as a matter of fact."

"Well, that's delightful." The touch of his skin, his hand holding hers, was distracting, but she didn't want to let go. "Listen, why don't you just meet with Dev? Let him tell you about Kur. Maybe he'll even let you meet Kur so you can see for yourself. He's not an abomination, I promise you."

Lucien seemed to consider it seriously. "If you want to arrange a meeting," he said at last, "I promise to hear Dev out—but I'll make up my own mind about the demon."

It was a start. "Now, about Rafe."

Lucien groaned and rested his forehead against hers. "Can we talk about him in the morning? I've only had two hours' sleep, and there's a beautiful woman in my bed, and everything hurts."

She smiled reluctantly, her cheeks warm. "I would, except…" She glanced at the window behind him. Pale streaks of gold and pink were visible on the horizon, peeking between the tips of the spires of Cathedral Rock in the distance.

"Except what?"

"It's already morning."

Lucien turned and followed her gaze. "Well, damn." He rolled onto his back with a slight wince. "Can I have my two hours anyway? Or do I get kicked out at dawn?"

Theia curled against his side with her head on his chest. "I'll tell you when I wake up."

Lucien tightened his arm around her and closed his eyes. "Tell me I'm not still lying in the gravel getting my head kicked in and you're not some fevered hallucination that will disappear when I open my eyes."

Theia yawned. "I'm pretty sure I'm not a hallucination. But you did hit your head pretty hard."

Chapter 10

When Lucien woke again, a cat was in Theia's place. It figured. Even though he knew this was the infamous Puddleglum, it would be just his luck if Theia were a shapeshifter. Puddleglum sat staring at him like some infernal imp, blinking knowingly as if to say, "Takes one to know one, buddy."

Theia saved Lucien from imminent hypnotism and enslavement by returning with coffee and a box of doughnuts.

"Thank God." Lucien sat up and took the cup she handed him. "I think your cat was plotting the trajectory to my jugular. I was playing dead, but I think he was onto me."

Theia grinned. "He's way too lazy to bother with live prey. He'd just sit there and wait you out until you died of starvation and then eat your corpse. And probably stalk off in a huff because you weren't the right texture."

Lucien took a powdered doughnut from the box with a little offended sniff as Theia climbed into bed and displaced the cat. "I assure you, my texture is everything it ought to be."

"I take it you're feeling better." She examined the eye that had been nearly swollen shut the night before. "I thought I'd let you sleep. I figured it would do you some good."

"Let me sleep?" Lucien took a bite of his doughnut. "What time is it?"

"One o'clock."

Lucien inhaled powdered sugar and nearly choked. "In the afternoon? Damn. I have to go." He kissed her and stuffed the rest of the doughnut in his mouth as he rolled out of bed as gingerly as possible while still maintaining a modicum of masculine dignity. The sharp sting from the cuts and scrapes and cactus spines had given way to an all-over throbbing ache and muscle stiffness.

"Go where? It's Saturday."

He couldn't exactly tell her he had a date with his ex-girlfriend to express his "gratitude" for the information she'd given him about Leo. "I have to meet with a client at two." He kept his head down over his coffee cup, hating that he was already lying to her. This was the other problem with having feelings for someone.

Theia set down her cup and got up. "Your car's at Rafe's. I'll have to drive you. I don't think you should be driving with your vision messed up, anyway."

He'd forgotten he'd left his car. There was no time to go across town to get it and still meet Polly by two. And she was very unforgiving of people who made her wait.

"I can have a car pick me up."

"Lucien, I'm right here with a car right now. What's the big deal? I can wait in the parking lot while you meet your client."

If he made this an even bigger deal, she was going to get suspicious. "You promise you'll stay in the car? It shouldn't take long." He crossed his fingers behind his back, praying to whatever forces controlled the universe that Polly wasn't going to want something he couldn't give her with Theia waiting outside.

Lucien was moving like an old man, and the broken bone in his arm was starting to feel stiff and cold as the ecto-plasmic gel Lucy had injected began to solidify. It wasn't intended as a long-term fix.

Theia pulled into the parking lot at Polly's, obviously curious but not asking any questions, and Lucien drew himself up straight to walk in with his usual casual aplomb. It took every ounce of control he had.

Polly's hair was blue today, clipped up in a loose fall of sapphire curls. Seated at the bar reviewing the books, she glanced up at his entrance and let her gaze wander over him with amusement.

"Just coming from goth yoga, are we? Where's your mat?"

"Very funny."

"Oh, wait, I know...you left her in the car." She glanced up at the television over the bar, tuned to a closed-circuit security camera on the parking lot.

Lucien slid onto the stool beside her with manufactured grace. "Jealousy, Pols? Aren't you above that?"

"I wouldn't call it jealousy. I'm just looking out for you, sweetie. I warn you about her, and the next thing I know, she's chauffeuring you around town. In the clothes you obviously slept in. And apparently were mauled by a bear in." Polly scrutinized him more closely, touching his puffy eye with a metallic-teal fingertip. "Took him a while to go down, did it?"

Lucien picked up the highball she was drinking and tossed it back. "He didn't go down."

"You're kidding. Your fancy arrows didn't work?"

"He was human, as it turns out."

Polly covered her mouth, trying not to giggle—and not trying very hard. "Oh, no. Oh, Lucien."

"Did you know?"

Polly didn't answer right away, reaching over the bar with her ass in the air to get the bottle of bourbon and refill the glass. "How would I know? He hasn't been in here in years. He certainly wasn't a human then. At least not a mortal one. I guess he broke the curse." She took a sip and smiled, savoring it in her mouth. "You asked for information on the Valkyrie. I got you a Valkyrie so you could get it straight from the horse's mouth. I can't help it if you didn't ask her the right questions."

"I'm so glad this is amusing for you."

"Oh, come on, sweetie. I'm sorry." Polly kissed his cheek, her lips damp with bourbon. "You really took a beating, didn't you? And the girl? The psychic sidekick? Does she know how you got hurt?"

Lucien turned the bottle on the bar, feigning interest in the label. "Theia isn't psychic, as it turns out. She's an empath."

"Lucien." Polly moved the bottle out of his grasp, all teasing gone. "You're playing with fire. I'm the one who picked you up out of your own vomit when you couldn't stand to stay sober long enough to have an emotion. She'll end up knowing everything about you. Things you don't even know. That self-loathing that eats away at you that you manage to project as cockiness and arrogance, the fear that made you run away from Edgar and his ice-in-his-veins ideas about family and duty straight into my bed." Polly smiled sadly and lifted his chin. "Your Maggie May. All of that is going to be laid bare to her. You might as well be walking around without skin, waiting for her throw salt on your raw flesh."

"I don't need you to tell me that."

"Don't you?" Polly turned his chin toward her and shook her head. "Poor baby. I wish I could give you immortality, make you immune to human weaknesses like love."

"You know I don't want to be inhuman."

"Oh, I know that, sweetie. Which is what makes your path so much harder. Be careful, sweet boy. She'll break your heart."

"I didn't come here for a lecture. I came to thank you for the information you facilitated—as unfortunately inaccurate as it turned out to be. You wanted me to meet you here, and I'm here. So what do you want?"

Polly turned her wrist, the jewels in her charm bracelet catching the light. "I was going to ask for a drop of blood." She fingered a garnet teardrop. "But just look at you." She shook her head and sighed. "Considering what's waiting for you outside, I suppose I'd better have what you gave her."

Lucien's brows drew together. "What I gave her?"

"A tear, sweetie. Before she drains you of all of them." Polly held her finger to the corner of his eye and a tear fell onto her fingertip as if commanded, solidifying into something that strongly resembled a diamond. "Lovely, isn't it? The devil's tears. It'll be worth a pretty penny one day."

Chapter 11

Lucien was quiet. Theia didn't ask what the meeting was about. After what he'd told her last night, she wasn't sure she wanted to know. She drove him to his car, which he insisted he was okay to drive home. He needed a shower, he said, and some more rest, but he'd see her later.

Theia wasn't sure what later meant, precisely, but he kissed her goodbye, and the kiss was promising. In the meantime, she was going to burst if she didn't talk to someone about what had happened between her and Lucien. She needed sisterly advice, but there was no way she could talk to Rhea about him after what he'd done. Ione had raised them after their parents were killed in a car accident, and Theia wasn't in the mood for her disapproval. Phoebe would have been perfect—she was always easiest to talk to—but Phoebe was somewhere in the Yucatán climbing pyramids and getting laid by a demigod.

But Theia hadn't talked to Laurel in a while.

Laurel Carpenter was their half sister, one of three born to their father's secret second wife.

Rhea wouldn't be happy about it, but despite Laurel's past sins against them as Carter Hamilton's apprentice, Theia considered her a friend. Laurel had grown up in foster care, unaware of her own magic and resenting the half sisters who'd gotten all her father's attention. She'd been ripe for Carter's head games. Theia couldn't hold that against her.

She needed to pop into her apartment in Flagstaff anyway to get some materials for the final exams for a class she was teaching, and Laurel, it turned out, was more than ready to take a break from studying for her own.

As they set out the tea things on Theia's balcony, Laurel watched her, cautious as always. "I guess you've heard about Carter's conviction being overturned. In case you're wondering, no, he hasn't contacted me, and no, I have no interest in ever speaking to him again."

"I did hear, actually." Theia grimaced. "When he magically crashed Phoebe's wedding reception."

"Oh, shit. He didn't."

"Sadly, he did. But don't worry. That's not why I called you. Although I do have a bit of an ulterior motive." Theia grinned as she poured the tea. "To be honest, there are some things I can't talk to anybody else about, and I really need some advice."

"From me?" Laurel set out the plate of homemade lemon bars she'd brought. "I'm not sure what advice I could possibly give you."

"I've had these visions lately—one in particular that I've had since I was little." Theia sat and took a lemon bar. "I think it started when I heard a story in church about being the bride of Christ. The priest said if we weren't Christ's, we would be the devil's. I dreamed I was wearing a red wedding gown and veil and running from someone hiding in the shadows. The faster I ran, the closer the figure got, until I realized I was running straight to hell. At the end of the path was a throne. And the dark figure that had been chasing me was sitting on it and holding out his hand."

"And now you think you've met the dark figure."

Theia shivered despite the balmy weather. "Bingo. You're good."

Laurel smiled as she stirred sugar into her cup. "You know I see things, too." Laurel's gift was a true ability to see the future without all the interpretation Theia's visions required.

"So...what exactly have you seen?"

"It's not always perfectly clear, you understand. I see future events like they're on a layer of film laid over the top of what's in front of me, and right now... I see some kind of contract in your hand."

"And?"

Laurel set down the spoon and smoothed her fingers over her closely cropped hair. "And I think it says you've promised the devil your soul."

"Ah."

"I take it you were hoping for something a little less literal."

"Well, it is very specific. The thing is, this man I met... there's more to him than this 'dark prince' persona he shows the world. I guess I was hoping I was imagining things. It wouldn't be the first time I've avoided getting close to someone because of my dreams. But I..." The look on Laurel's face when she glanced up made her pause. "What?"

Laurel colored. "It's not important. Sometimes I get flashes of events that aren't any of my business."

It was Theia's turn to blush. "I'm going to sleep with him, aren't I?" She groaned into her hands for a moment before looking up again. "See, this is another thing I can't talk to Rhea about. As close as we are, I've never told her that... I've never actually...done it."

Laurel's eyes widened over her cup.

"Yeah." Theia lifted her shoulders helplessly. "I've been having visions all my life, and every time I got involved with a guy, I'd see something about him that just, I don't know, made me think the devil was around every corner. And I don't even believe in a literal devil. Of course, with the things we've seen lately, I don't even know what to believe. And Lucien—that's the guy—has been telling me about a whole underground society of 'unnatural creatures,' things I had no idea were real."

"I see it," said Laurel. "That underbelly. Things no one else sees. Until I met Carter, I thought I must be schizophrenic or something when I'd see shades and ghosts. I was afraid to tell anyone when I was in the foster system, so I just kept it to myself."

Theia glanced at her, impressed. "I didn't know you could see ghosts. It's good to know I have another sister I can turn to for supernatural help."

Laurel paused with her cup halfway to her mouth. "You think of me as a sister?"

Theia couldn't help but laugh. "Well, not to state the obvious, but we *are* sisters. Just because we didn't grow up together doesn't mean we aren't."

Laurel set down her cup, visibly moved. "I've never really had a sister before. I know that sounds funny, but Rowan and Rosemary always seemed so much older than me. When our mom died, we went to separate foster homes, and we lost touch." Laurel shrugged. "Nobody's ever needed my advice. About anything."

Theia smiled. "Well, I do. Do you have any?"

"I don't exactly have the greatest track record. I mean, the last guy I was into was, you know. Ugh."

Theia poked at the crumbs of her lemon bar. "That's kind of the advice I want. How do you know when you're into someone who's not good for you? Should I run away from this? Or toward it?"

"I guess you have to trust your instincts. I didn't trust mine. I was looking for external validation because I didn't believe in myself. And now—I mean, I'm still struggling with that, but I'd never fall for someone like Carter today. He only told me what I wanted to hear."

The question was, what was it Theia wanted to hear? That Lucien wasn't dangerous? That he wasn't the Prince of Darkness after all? Or was she looking for someone to tell her it was okay if she sold her soul to the devil?

* * *

Lucien stood in the shower with his head bowed under the water, letting it pour over him. Every muscle in his body ached, and the broken bone felt like it had been replaced with solidified latex polymer, like rubber cement that had been left out with the cap off. Using it was going to become more difficult if he didn't see the company doctor soon.

When he emerged at last, the corner of an envelope poked out from under his door. After towel-drying his hair and wrapping the towel around his waist, Lucien bent to pick up the envelope. His body protested. Inside was the same URL his source had sent before. Had he missed something last time? Lucien looked at the Carlisle family tree once more, still baffled by what this had to do with hunting rogues. He already had the information the source had provided on Rafael Diamante and Dharamdev Gideon.

But there was something here he hadn't seen before. A document had been added to the family records, some kind of research paper on recessive genes.

As he examined it, he realized it was Theia's research on her own family, documenting her discovery of her father's polygamy—a second wife he'd taken in secret without divorcing the first. Lucien started to feel uncomfortable. How was this a public document? Maybe he should just close it and forget about it.

But something farther down the page caught his eye. Theia had discovered a genetic mutation. *Lilith blood*, she called it.

Lucien's own blood ran cold. According to Madeleine Marchant's claim, she'd been descended from the first demoness. Lucien had never believed it. But Theia had written this history as though it was fact. If her research was accurate, the demon blood was real, and all the Carlisle sisters possessed it. Their magical abilities, their gifts of vision and prognostication and communicating with spirits—they were all aspects of the demoness. The Carlisle sisters weren't just the gifted descendants of a powerful witch, they were literally part demon. *Theia* was part demon.

Chapter 12

Lucien stared at the laptop, trying to get a grip on the sudden rage filling him. He'd given her the benefit of the doubt despite her sisters' penchants for unnatural men—and now here it was, a confession in her own words that she herself was unnatural, that she was the worst kind of unnatural. Theia was what he'd been trying to escape his entire life. In fleeing Edgar and his stupid rules, Lucien had been fleeing the stain of the demonic—the Smok legacy: that he was doomed to serve in hell. Though the story had seemed allegorical when he was younger, it had become more theoretically probable once he'd been initiated into the family business.

The family made its money fulfilling the needs of demons and unnatural beings, hobnobbed with them, protected them. It had begun to seem unlikely that the legend was only that. By the time Lucien had started college, he'd been bitterly determined not to become what his father wanted him to be, what he was trying to make him into. He'd tried to drown his fears with drink—and then he'd met Polly. He'd followed the song of the siren, jumping headfirst into the world he'd been resisting.

It was a double standard, but becoming a slacker who hung out almost exclusively with inhuman and unnatural beings had been another kind of rebellion. Doing business with such creatures was one thing. One did not *party* with them, as Edgar had once told him in disgust. And they sure as hell didn't sleep with them.

Lucien had lost himself in that world for a time, not caring what fate meant him to be and not caring if he became it. If his father found it distasteful, then Lucien would wallow in it. And Polly had been more than happy to help him in that endeavor. Though she'd been less enthusiastic when he'd decided to hunt rogue unnaturals. Polly brooked no nonsense in her club. Any unnatural creature that tried to do business there involving humans without their consent was summarily tossed out on its ass. But hunting them down was something else altogether.

Avenging the little girl he'd found at the blood farm had been an act of grief and rage. But the first time he'd taken out a rogue in cold blood had been intensely clarifying. He'd found his calling. Eventually, it replaced his need to wallow in vice, and he'd moved on, parting ways with Polly amicably enough. He'd told himself then he was through being ruled by his fate, and he intended to dedicate his life to resisting it. And that meant staying clean in terms of unnatural contact—which included anyone not fully human. His vow had hurt Polly, though she would never admit it.

And until now, Theia hadn't threatened that. He'd resisted his feelings for her because of the inadvisability of entanglements, but this morning he'd allowed himself the luxury of ignoring his own rules. And despite his doubts about her family—and about himself—kissing Theia had felt very right. He'd never felt so instantly at home with anyone. From the moment his lips had met hers, he'd felt as though he'd been broken, missing something, and now he was whole. He hadn't wanted to talk; he'd wanted to touch her mouth, taste her skin, run his fingers over every inch of her and explore this wondrous thing that had happened.

But now…now she was the goddamn enemy. This was fate's cruel trick, getting him to let down his guard and share himself with someone—when fate had been steering him toward that someone all along. More than just Madeleine Marchant's descendant, she was the embodiment of Madeleine's curse. "Blood for blood," the witch's last words had been before the pyre was lit. She seemed to be mocking him from the grave. He couldn't escape.

Lucien slammed his fist into the laptop screen and shattered the LCD. Stupid, but momentarily satisfying. He'd once surrendered fully to the darkness and the deep to spite his father, willfully drowning himself in the seamy underbelly of the world Edgar inhabited only on the periphery. And now he was drowning again—only this time it was an unwitting submersion.

The question was: Who wanted him to know? Polly? Was this her way of trying to warn him away from Theia? But she'd done so directly earlier today. Why bother with cryptic game playing? And if she'd known this detail about Theia's blood, why not just mention it outright when they spoke? No, this wasn't Polly's style. Someone else was apparently as interested in his fate as he was.

His phone buzzed, and he remembered the screen was shattered on that as well. But at least it was still readable. It was Theia, wanting to know what his plans were for the rest of the day. Their conversation was still unfinished. She'd wanted a chance to persuade him of Rafe's "worthiness."

Lucien realized he couldn't respond. The screen was readable, and a few of the apps were responsive if he pressed hard enough, but he couldn't get the keyboard or the number pad to work. He supposed it was just as well. Let her think what she wanted about why he didn't text back. It was a coward's resolution to the situation, but Lucien was tired, in his head and in his bones, the aches and pains from last night's disaster demanding his attention. The decision was out of his hands. Fate had once again intervened.

Mindful of the bruises on his backside, Lucien flopped onto his stomach on the bed and fell asleep.

* * *

He wasn't expecting to find Theia standing on his doorstep when he awoke from his nap.

He'd answered the door half-asleep, the towel he'd wrapped around his waist barely tucked in, not quite registering that he was answering a door and not a telephone.

There was Theia. He'd been dreaming about her. What was the dream about?

Lucien rubbed his eyes. "Theia?"

"You weren't answering my texts, and then I remembered your phone was broken so I thought I'd stop by on my way back from Flagstaff."

"Flagstaff?" He was drawing a blank on what she was talking about. Or what day it was. "What time is it?" It was dark out but not fully.

Theia laughed, and the sound tugged at his heart even as something else about her was filling him with anxiety. "It's 7:30. I drove to my place in Flagstaff to get some things and I was heading back to feed Puddleglum. I told you in my text…which of course you didn't get."

"No, I got…something." He was starting to remember.

Theia gave him an amused smile. "Are you going to invite me in?"

An invitation. It was how one let in vampires. And the devil. Lucien shrugged and held the door wide. His towel slipped off, and he managed to catch it and tie it back on as she entered.

Theia's cheeks went charmingly pink, but she frowned at his reticence. "Did I do something wrong? You seem upset."

"I'm not upset." Of course he was upset. He wanted to scream at the universe and punch the Fates in the face. Theia had demon blood. And she smelled like sunshine and citrus, and he just wanted to kiss her and shut his brain up.

On the coffee table, the laptop displayed its spiderweb of bleeding crystal behind the cracked screen.

Theia glanced at it and back at him. "Lucien? Is everything okay?"

"Yeah. No." He closed the door and sighed. "You didn't tell me about your history."

"My history?" Theia stared at the broken screen once more. Enough was visible through the bleeding colors to know what he'd been looking at when he smashed it. She looked up, her smile gone. "Is that my research? How did you get that? That's private."

"It's not important how I got it."

"The hell it isn't. Have you been investigating me?"

Lucien folded his arms. "No. But I should have. You're not human."

Theia's face blazed with anger. "Of course I'm goddamn human. Who the hell do you think you are, anyway?"

"I don't know, Theia. I honestly don't. But I know I'm not a demon." No matter what the family legend said. "And after last night, I'm sure you know how I feel about demons."

"I'm not a demon, either. I'm the distant relative of Madeleine Marchant. Maybe you've heard of her. It seems your family and mine go back a long way."

"So *you've* been investigating *me*."

"Damn right I have been. When you showed up at Phoebe's wedding acting completely full of yourself and trying to tempt me with the position at Smok Biotech, you may recall you told me to ask Rafe about your family. What information did you expect him to give me?"

Lucien faltered. He'd forgotten he'd encouraged her to talk to Rafe. God, what had Rafe told her? What did Rafe even know?

"I expected him to tell you about what Smok Consulting does, how he and his family have contracted us a number of times. It was a reference."

"Well, he didn't have time to give me a reference. He

was leaving on his honeymoon. So he gave me his father's papers. And Rafael Sr. apparently collected old Covent records. *Very* old ones."

"So you know." The realization tied his stomach in knots. She had utterly turned the tables on him, and he had no defense. "You know what my family did."

"You mean that they essentially owned mine."

Lucien blinked at her in confusion. "Owned? They were Madeleine Marchant's patrons, if that's what you mean."

"So they received her *property* when she was burned at the stake. Including her daughters. They became the wards of the Vicomte de Briançon, who sold them off to his cronies."

This was something Lucien had never heard. There was only one daughter he knew about. The one who'd married the vicomte's youngest son.

"You didn't know about that." Theia studied him. "So what were *you* talking about? What did your family do?"

Lucien rubbed his hand over his mouth, smoothing his fingers over his stubble. Hell. Might as well just tell her. Everything was fucked anyway.

"The vicomte's family—his wife—denounced Madeleine Marchant."

After a stunned silence, Theia lowered herself to the couch. "Wow."

"It was apparently a not-uncommon practice. A way for noblemen to steal what little their vassals had. Unless their families could prove to have had no knowledge of the witchcraft, the belongings of the accused went to their patrons by default to pay for the execution." Lucien shrugged helplessly. "I'm sorry."

Unexpectedly, Theia began to laugh.

"What in the world is funny about that?"

"Everything. This entire fight. I'm supposed to be mad at you because of something some people who were distantly related to us did over five hundred years ago? I mean, it's ridiculous. You're apologizing for the Vicomte de Briançon."

Her laugh was infectious, and Lucien had to lower his eyes to keep from smiling. It *was* ridiculous, but she was still a demon. And she was still part of the curse Madeleine had put on his family.

Theia's laughter subsided. "But you're still mad at me."

Lucien looked up. "I'm not mad at you. I'm mad at the universe. I mean, yes, I'm angry that you kept the fact that you have demon blood from me—"

"I thought you knew. You're the one who brought up my tattoo at the wedding and kept talking about blackmail and witches."

"Your tattoo..."

Theia held out her arm. "You called it the mark of Lilith. You obviously knew about Madeleine's claim."

"Her claim, yes, but not what it meant for her descendants. Not about the Lilith blood and the generations of seven sisters."

"And now that you do, I suppose I'm on your list." Theia rose, her gray eyes darkening. "Should I watch my back, Lucien? What would one of those arrows do to me?"

"I would never come after you."

"Oh, well, that's a relief. You know what? You can take the job at Smok Biotech and shove it up your ass." She brushed past him, reaching for the door, but Lucien grabbed her arm, and tears spilled over her cheeks.

"Don't go."

Theia looked up at him, miserable. "Why?"

He was too close to her. His skin touching hers. It would enhance any empathic vibrations she was picking up. Polly had warned him to stay away. His own instincts had warned him. She could read him now. He was an open book.

"Because I need you," he said simply and drew her into his arms. "I don't want to, but I do."

Theia's tears were still falling. "Then I guess I'm insulted and flattered."

Lucien laughed, the release of tension he needed, and kissed her.

It was a mistake. All of it was a mistake. But right now it felt like the most delicious mistake he'd ever made. Screw the Fates and his own infernal blood.

Theia tasted like lemon drops, and her hair smelled like violets, and nothing mattered. Lucien had been with his share of women—he hadn't been kidding when he'd bragged to her at the reception about the effect the Smok name seemed to have on some—but he'd never felt anything like the jumbled-up confection of desire and nervous excitement and worry and affection and, yes, *need* that was threading through his veins as he drank her in. He gathered her to him like she was a figurine made of glass, delicate and hard at once. He couldn't stop touching her, stroking her arms and her hair, holding her face between his hands as he kissed her deeper and with greater desperation until he finally had to let her go to breathe.

Theia's skin was flushed and her pupils dilated, her eyes shining as liquid danced in them in the dim light of the one lamp he'd fumbled on as he'd made his way to the door.

Lucien stroked his thumb across her still-damp cheek. "These are yours, right?"

Theia laughed weakly. "I think so. Unless kissing me makes you sad."

Lucien smiled. "It does not." He kissed her again to prove it, this time less desperately, lingering over the texture and taste of her lips. "You taste like lemon candy," he murmured against them, and Theia laughed again.

"Laurel made lemon bars. I had them with tea."

"Laurel?"

"My sister. My *half* sister."

"You have a half sister?"

"Three of them."

"Three..."

Theia nodded. "And four makes seven."

That little feeling of alarm was back, rattling against the walls of his skull, but Lucien wasn't about to give it free rein. Not now.

"I guess you didn't read through all of my research." Her body had gone tense.

Lucien was determined to drive the tension out. He let his hand slip down her arm and wordlessly led her to the bedroom. Sitting on the edge of the bed, he drew her onto his lap and kissed the back of her neck beneath the little point of hair at the center of her bob.

"What are you doing?" she murmured, softer already.

"Tasting you."

Theia shivered delightfully.

Lucien was only wearing a towel, and there was no way of hiding what that shiver did to him. The little moan she followed it up with only made things worse.

He wrapped his arms around her, stroking hers once more. "I like touching you."

"I can see that." Theia's arms crossed over his.

Lucien chuckled. "Well, I don't think you can see it, exactly. Not yet." He pressed his lips to her nape once more and began working his way toward the front, lingering in that spot just beneath the hollow of her jaw.

"Lucien." Theia's voice was a soft gasp.

He tucked her hair behind her ear and licked her earlobe. "Hmm?"

"I should probably...tell you something."

Lucien shook his head, planting more kisses along her collarbone as he peeled back the edge of her shirt. "You don't have to tell me anything."

"I think you might want to know...this thing." Theia gasped again and grabbed his hand as it slid downward between her legs, not pulling it back but not letting him move it any farther. “I think you might *need* to know it.”

“What is it? Is something wrong?”

“Not wrong, exactly. It’s just that, well…” Theia cleared her throat. “I’m a virgin.”

Chapter 13

She waited for Lucien to laugh or for things to get awkward. Guys generally had one of two reactions to this announcement: pulling away or pressuring her. But Lucien did neither.

He kissed her neck again. "So?"

"That's…not a problem for you?"

"I guess it depends on what you want to do about it."

"Well, I… I'm not sure." Theia turned to look at him, and he caught her mouth in a kiss that made her forget what they were talking about.

After a moment, Lucien moved his mouth to her neck once more, nuzzling beneath her ear. "You don't have to decide right now, if that's what you're worried about. I just want you near me. We can just cuddle. Or I could…"

"Could…what?"

Lucien smiled, a devious little upturn to one corner of his mouth. "I could keep tasting you."

"Oh." Theia felt her whole body blush, heat rising in her skin for a multitude of reasons. She could also feel his heat beneath the towel. It wasn't that she hadn't gone that far before—she had, once or twice—it was how much she suddenly wanted him to that was making her flushed.

Lucien slid her off his lap onto the bed and ran his fingers along the hem of her T-shirt. "Can I take this off?"

Theia nodded and let Lucien draw the fabric up, lifting her arms so he could pull it over her head. He tossed the shirt on the floor, tracing her curves through the thin barrier of her bra. Fortunately, she'd worn a nice one, black mesh lace with a halter closure. Theia closed her eyes, clutching the edge of the bed, as Lucien lowered his head and closed his mouth over the fabric, the heat and damp of his tongue making a mess of it.

She opened her eyes with a whimper of disappointment when he let go, but he'd dropped to his knees and was staring up at her with his hands at the button of her jeans. "These, too?"

Theia nodded again, not trusting her voice, raising herself off the bed as he unbuttoned them and worked them off and down, pausing to take off her canvas flats. He positioned himself between her legs with his hands against her thighs, looking like a Roman centurion in his towel, and without removing her panties he parted her with the flat of his tongue.

Theia bit her lip, fingers curled around the bedspread, as Lucien's tongue prodded and teased against the cotton. If the bra was a mess, the panties were going to be wrecked, wet from without and within. Lucien's teeth nipped at the fabric, tugging the damp cotton and shaking it with a little growl like a puppy playing tug-of-war as he grinned up at her. At the same time, he'd moved his hands along her thighs, his thumbs slipping inside the legs of the garment, and Theia gasped as he pulled the panties away with a swift motion of thumbs and teeth.

As they fell to the floor, Lucien gently loosened her grip on the bedspread. "Let go. Hold on to me instead." He threaded his fingers through hers and locked them tight, as though to keep her grounded in case she floated away.

Theia let out a moan as he buried his head in her lap, tongue persistently and enthusiastically opening her until she was writhing and rocking into him and forgot to care about how much sound she was making. And Lucien seemed to revel in it, rewarding her with faster, deeper strokes of his tongue and answering moans of his own the more noise she made, until she arched back, hips raised, and crooned as the waves of her climax rolled through her. Her vision had gone blue.

Completely spent and utterly relaxed, Theia flopped back onto the bed, and Lucien persisted until she had to stop him, overstimulated. He responded to the little twist of her hips without her having to say a word, raising his head and resting his cheek on her thigh.

Lucien softened his fingers in hers and stroked his thumb along the heel of her palm. "You okay, beautiful?"

Theia giggled, not sure if it was more at the question or the endearment. "I am very okay."

He lifted his head from her thigh and climbed onto the bed, the towel catching and sliding off, revealing his still very enthusiastic erection.

Theia rolled onto her stomach beside him. "Do you want me to...?"

Lucien leaned back against the pillows, stroking himself idly. "Take this off," he murmured, tugging on the band of her bra.

Theia sat up and loosened the halter at her nape to let the bra drop open, cheeks warming at the little sound he made as she unhooked the back.

He shook his head. "Damn, girl. Just stay there, just like that." His fist around his cock was sliding up and down in more deliberate strokes.

Theia sat back on her heels, watching with fascination. She'd never actually seen a guy jerk off before. Lucien's hand picked up pace, and his breathing matched it as he watched her back, the soft sighs and grunts of his exhalations punctuating the sounds of skin against skin. After a moment, he screwed his eyes shut and let out a whispered string of obscenities and went off like a geyser, pearly white drops spattering the tight washboard of his abs as he choked the blushing head.

With his eyes still closed, the long, dark lashes stood

out against the flush in his cheeks. "Come here," he whispered, holding out his hand.

She crawled toward him and curled beneath his arm, and Lucien kissed her, his lips still sticky with her and her taste still on his tongue, unexpectedly pleasant.

Theia cuddled against his side. "Why didn't you want me to...return the favor?"

"It wasn't a quid pro quo, darling."

She flinched at the sardonic tone in his voice. She hadn't heard it since he'd given her the tour of the lab.

Lucien opened his eyes. "Sorry. Reflex." He rolled toward her, tucking her hair behind her ear. "I'm not used to not behaving like a prick just because I can." He kissed her again, the honesty in his touch reassuring. "When someone asks, 'Do you want me to?' it's generally not because *they* want to but because they think they ought to."

"It's not that I didn't want to—"

"Theia, it's okay. I would never want you to do something you weren't ready to do just to appease my arousal. I'm not one of those men who thinks he's owed something just because he's given something. The pleasure was in the gift." Lucien grinned. "Believe me."

Theia smiled. "Well, I'll keep that in mind. In case it... comes up again."

Lucien laughed. "And I have no doubt that it will." He snuggled closer to her. "Possibly after a short nap."

Theia closed her eyes for a moment, but they opened in a flash. "Oh, shit."

"What's the matter?"

"I was supposed to feed Puddleglum."

"Can't he wait until morning?"

"Seriously?"

"I don't know. I've never had a cat."

"Well, you have a stomach, don't you?" Theia sat up,

scrambling for her clothes. Her panties lay in a soggy heap at the foot of the bed.

Lucien laughed as she held them up and scowled at them. "Just toss them in my hamper. The cleaning lady is coming in the morning."

"I can do laundry at Phoebe's."

Lucien took them out of her hand and tossed them into the hamper across the room. "I'm sure you can, but that's what I pay the cleaning lady for."

Theia wasn't a fan of going commando, but she'd have to grin and bear it. She pulled on her jeans, zipping them carefully, and wriggled into her top while stuffing her feet into her shoes. The bra she tucked into her back pocket.

Lucien's phone buzzed, and he picked it up from the nightstand, studying the message with a frown.

"Bad news?"

"No, just a client. I have to go to Tucson."

"Tonight?"

"Yeah, somebody's got a poltergeist problem at the university. Lucy's on her way over to pick me—"

The bell chimed on the door.

Lucien inclined his head toward the sound. "—Up."

But Lucy hadn't waited for an answer. The front door opened, and Theia stood frozen in her tracks as Lucien's sister came down the hall, while Lucien remained where he was—nudity, sticky abs and all.

Lucy paused in the doorway, staring at Theia a moment before glancing at Lucien and rolling her eyes. "I see you found your way home just fine, Lulu."

"Don't call me Lulu."

"I should go." Theia scooted past Lucy through the door.

"Hang on." Lucien followed her to the front door as if his nudity were incidental and gave her a kiss. "I'll call you tomorrow."

"With what?"

Lucien shrugged in acknowledgment. "I'll get another phone in the morning."

Theia lowered her voice. "Aren't you a little uncomfortable...like this...with Lucy being here?"

"Why?" Lucien shrugged. "She's seen me naked. Don't worry about it." He kissed her again and opened the door. As it closed behind her, Theia realized her bra was dangling out of her back pocket.

"Give me five minutes," Lucien called over his shoulder as he went into the bathroom.

Lucy appeared in the doorway as he stood over the toilet. "You really think this is smart?"

"What, taking a piss?"

"Fucking that witch."

"She's not a witch. She has visions. She's an empath."

"Oh, well, that's fine, then. Nothing could go wrong there."

"Why does it matter to you?"

"You just seem a little bent on giving away all your secrets to someone you barely know. And some of those secrets belong to me."

Lucien flushed the toilet. "It may surprise you to know, but we didn't actually spend any time talking about you and your secrets when we were in bed. We were occupied with more interesting things."

"Just clean yourself up and let's go. Our ride is waiting for us at the airport."

The ride turned out to be a helicopter. At least he could avoid small talk with Lucy on the flight.

Rhea called just after Theia got out of a long, luxurious soak in the tub and started getting ready for bed. She thought about not answering, but that would only make Rhea suspicious.

She hit the speaker and tossed the phone on the bed. "What's up, buttercup?"

"You sound cheery."

"No, I don't. I'm just getting ready for bed. I do have a big bowl of ice cream waiting for me, though. I'm pretty pleased about that."

"I told you to call me when you got home last night, and you didn't."

"Oh." *Shit.* "Sorry. You're right. I forgot."

"Did you have any trouble getting Oliver Queen home?"

Theia laughed at the Green Arrow reference—probably a little too enthusiastically. "No, he was pretty subdued. I straightened him out about Leo. He shouldn't give you guys any more trouble."

"Thei…is there anything you want to tell me?"

"Tell you? What would I want to tell you?"

"Is he there with you right now?"

Theia felt her face blaze scarlet. "What? Why would he be here?"

Rhea sighed into the phone. "You really think I'm dumb, don't you?"

"What in the world are you talking about?"

"I may not be the one getting a master's degree in molecular biology, missy, but I know when something's going on with you. We shared a womb. And Rafe's alarm has been set to record and report entries at the security gate ever since the paparazzi incident. I saw your key code on the security log from this morning when you came to get Lucien's car."

"Oh. Fudge."

"You slept with him."

"In the sense that we spent the night together in the same bed? Yes. His sister told me I had to wake him up every two hours to check his responses, so I brought him back to Phoebe's place, and we ended up talking after I woke him up. That's when I straightened him out about Leo. And Dev. We didn't quite get to Rafe because the sun came up, but I'm pretty sure he's not going after any of our family members again." Theia was talking fast, trying to avoid a lull in the conversation that would let Rhea pin her down on what had happened today. Which was of course a dead giveaway that something had.

"You talked."

"*Most*ly."

"*Theia.* I can't believe you're holding out on me. I could hear it in your voice the minute you answered the phone. You just got back from his place, didn't you? You've been there all day, and he screwed your brains out. The lunatic who tried to kill my boyfriend screwed your fancy little molecular-biologist brains out. And you *loved* it."

"I was not there all day."

"Ha!"

"And there was *no* screwing."

"Theia."

"I…there might have been…licking."

"Oh my God. Who licked whom? I want details. Juicy, disgusting details. It's my birthright."

"That is not even a thing."

"It is so a thing. Leo is out hunting, and you're hoarding ice cream, Puddleglum and juicy licking details. I'm coming over there."

"Don't you dare. There is *not* enough ice cream for you. It's Häagen-Dazs Deep Chocolate Peanut Butter, and it's all mine." Theia realized the phone had gone dead. "Goddammit, Rhe." There was no way her story would hold up under Rhea's in-person scrutiny.

Chapter 14

Luckily, Rhea brought her own ice cream—a pint of Ben & Jerry's Chocolate Fudge Brownie.

Theia opened the door in her PJs and looked down at a pair of fluffy slippers that matched her own. "I compliment you on your excellent taste in footwear."

Rhea pushed her way in. "They're yours. I stole them the last time I visited you in Flag."

"I thought I'd left them at the Laundromat."

"You did. That's where I stole them."

"Dammit, Rhe." Theia had spent hours online finding a replacement pair.

While Theia took her ice cream from the freezer and grabbed some spoons, Rhea commandeered the papasan chair.

"So spill," said Rhea after Theia tossed her a spoon. "How exactly did you get from wounded commando recovery to licking? And who licked whom?"

Theia sat at the breakfast bar separating the living room from the kitchen, swiveling on her stool so she could see Rhea without facing her. "He told me what Smok Consulting does—they clean up paranormal situations that get out of hand. It complements the biotech business, where they're working on developing pharmaceuticals to suppress the effects of certain switched-on genes—"

"Blah, blah, sciencey words, blah, blah, and?"

"And Lucien needed an outlet that would let him balance the harm he felt Smok was doing, so he started going after what he considered to be dangerous elements. The serum-tipped arrows are specially designed to destroy unnatural creatures."

"And he shot one into my very human boyfriend, got his ass handed to him and you nursed him back to health with erotic licking."

"That is *not* what happened."

"Was it like this?" Rhea licked a ribbon of fudge off the back of her spoon.

"Oh my God. I did *not* lick him."

"Aha. So he licked you. Did you pass out after? No? Didn't think so. My man can lick your man under the table any day." Rhea paused. "Which does not sound quite like I meant it to."

"He's not my man." Theia kept her head over her pint to keep the heat in her cheeks from showing, but Rhea never missed anything.

"You are such a terrible liar."

Considering everything she'd been keeping from Rhea for years, Theia might not be the greatest at verbal dissembling, but she seemed to be doing a bang-up job at sins of omission.

"So where is he now?"

"He got called away to a job with Lucy."

"Ah, Lucy. The bitchy twin."

"Yeah, you two have a lot in common."

"Yeah, we're both the hot one. Kind of gives you fuel for a twin fantasy, though."

Theia nearly choked on her ice cream. "I beg your pardon?"

"Not us, you dork. Ew. I meant him and her. You ever think about…?"

Theia gaped at her. "She's female, in case you didn't notice."

"What, you've never hung out at Muffy's Dive Bar? I thought that was what college was for."

Apparently Theia wasn't the only one who was good at keeping secrets. "You are totally blowing my mind right now."

Rhea winked, digging into her pint. "That's what she said."

"Speaking of dive bars…" Theia cleared her throat. "Do you know anything about a place called Polly's Grotto in West Sedona?"

"Polly's Grotto?" Rhea sucked on her spoon. "Sounds vaguely familiar, but I don't think I've ever been there. Why?"

"Not sure." Theia dug for a vein of peanut butter. "Lucien had to meet a client there earlier today, and it just seemed like an odd place for a meeting. Even for a paranormal cleaner." She pondered her scoop. "I don't think the place was even open yet, so whom was he meeting?"

"I can ask Leo about it. He knows a lot of sketchy characters from his years as an immortal." Rhea studied her for a moment. "So it sounds like you're kind of all in with this guy, huh?"

"I don't know about…" Theia felt her cheeks warming again. "Yeah. I guess maybe I am."

Rhea smiled. "It's about time. You've been weird about dating ever since that reading I gave you. I was beginning to think you were going to die an old maid." She ducked as Theia flicked peanut butter off her spoon. It landed on Puddleglum, who was hovering at the top of the papasan chair in hopes of sneaking a bite of Rhea's ice cream. The cat gave Theia an offended look but began studiously grooming the peanut butter glob from his fur.

"Just promise me you'll be careful," Rhea added after a moment. "This quest of his to hunt down 'dangerous elements' could be a hard habit to break." She smiled ruefully. "Take it from a hunting widow. And if he's still harboring doubts about any 'unnatural' members of our family, he could be trouble for all of us. I'd hate for him to end up being that dark prince you worry about."

Theia put the lid on her ice cream with a thoughtful nod and gave Rhea a sly look from under her lashes. "Guess you're not quite as dumb as you look."

"Yeah, well, joke's on you, genius, 'cause you look exactly like me."

Theia got up to put her pint in the freezer. "No, I don't. Moonpie."

Lucy eyed Lucien as their escort at University Medical Center led them off the helipad. "You didn't see the doctor like I told you to."

"I was busy."

"You know that's going to hurt like hell when the doc has to break up all that ecto gel. Especially if it completely solidifies and the bone has to be rebroken to set right."

"Yeah, I know."

"Hope her pussy was worth it."

"Shut up, Lu." Lucien held the door to the stairs for her. "And you bet your ass it was."

Their client, a frazzled-looking but distinguished older gentleman, was waiting in the hallway outside the closed-off wing. "Thank you for coming so quickly, Mr. Smok. I'm Roger Fitzhugh, the hospital administrator." He shook Lucien's hand, looking past Lucy like she was Lucien's assistant. "It's here in the NICU." He indicated the double doors beside them but seemed reluctant to open them.

"The NICU?" Lucy frowned. "You're sure you're dealing with a poltergeist? They generally attach themselves to adolescents. Sometimes prepubescent children, but I can't imagine what would prompt such activity around newborns."

"I suppose the diagnosis is up to your team. I'm no expert. But...*something* is in there, and it isn't happy."

"Is the ward clear?"

"Yes, we moved all the patients down to another level and sealed off the area."

"All right. We'll handle it from here, Mr. Fitzhugh. Thank you." Lucy opened the door, and Fitzhugh stepped back.

The air was thick with charged particles as the doors swung shut behind them, making the hairs on Lucien's arms stand on end.

"This feels like a haunting, not a poltergeist."

Lucy nodded. "That's what I was thinking."

"Are we even equipped to open a gate?"

Lucy reached into her bag and pulled out her kit. "We should probably draw some blood now and be ready to use it. I've got the catalyst."

Lucien took off his coat and rolled up his sleeve.

She watched him with a frown. "Are you sure you're up to it? I could do this one."

"You know Edgar wouldn't like it."

"Since when do you care what Edgar wants?"

"I care when he gets mad at you and treats you like shit for something I did."

"Aw. I had no idea you cared, baby brother."

"Shut up and take the blood before it gets any freakier in here."

While Lucy took the needle out of its packaging, Lucien swabbed his arm and placed it on the nurse's station for her to tap a vein and draw. The same kit was useful for attracting revenant bloodsuckers. The only difference in dealing with apparitions was the catalyst, a compound developed by Smok Biotech that reacted with the supposedly infernal component in the Smok blood to create a thinning of the spectral veil that could open a gate to the other side. Useful for sending the already dead and disembodied packing.

Lucy filled the vial and transferred the needle to the

glass tube containing the catalyst, red blood swirling into the clear liquid. “Ready to go.”

“All right, let’s do this.”

As they moved down the corridor toward the nursery, the resistance from the malevolent spirit was palpable. Something definitely didn’t want them here. To prove the point, a gurney came flying at them from a side corridor, and they jumped out of the way. It slammed into the wall hard enough to crumple the frame.

“There.” Lucy pointed toward the window of the nursery as they straightened. A shadow figure stood on the other side, the darkness of its misty form pulsing with rage. She raised her voice and spoke to it. “You don’t belong here. It’s time for you to go.”

A vibration of sound, almost subsonic, rose from a deep rumble to an ear-piercing shriek, and the glass of the observation window shattered outward.

Lucien instinctively turned and covered Lucy, flinching as a few shards struck his back.

Lucy shoved him off. “Dammit, Lucien. I can take care of myself.”

“I was making sure the vial wasn’t hit.”

“You were being a misogynist ass.”

Supplies started hurtling toward them, and Lucien ducked a tray of surgical tools. “We’d better get this done before that thing takes an eye out. You want to approach it? Be my guest.”

Lucy covered her head with her jacket and darted forward, the vial in her fist. The shadow charged her, and Lucy stiffened with a jolt as it went through her, now swirling between them.

“Hit the juice.” Lucy whirled toward him. “Now!”

Armed with the violet wand from Lucy’s bag—designed to generate electric shocks for sex play, though Lucien really didn’t want to know if Lucy ever used it for that purpose—Lucien hit the button as the spirit flung itself in his direction. The spark flared in the darkness, illuminating the human shape within. A teenage girl stood petrified in the violet glow, and for a moment he could see her face, twisted with grief and anger.

Lucy smashed the vial on the floor in the center of the spirit's form, and the ghost began to scream. The spattered liquid spread, thinning the veil where Lucien had her trapped, kept in place with repeated jolts from the wand, while the air filled with violet sparks and the smell of ozone.

The wailing sound, Lucien realized, wasn't a wordless cry. She was screaming, "No!" and holding out her arms toward him. Lucien felt sick. There was nothing he could do to stop it now. The void swallowed her up, and only a soft weeping lingered as the thickness in the air dissipated. He heard a single word in it, a name: "Emma."

Lucy pushed her hair back from her forehead, holding her hand to the top of her head for a moment. "Jesus. That was brutal. Do you think that was her name? Emma?"

Lucien shut off the wand and dropped it into the bag. "No. I think it was her baby's."

Lucy's hand dropped to her side. "Damn. That's why the NICU."

"I hate this job."

"Yeah." Lucy straightened her coat and picked up the bag. The dimly lit ward looked ordinary now.

In the waiting area, Roger Fitzhugh got to his feet as they emerged through the double doors. "Did you find it?"

Lucy nodded. "All clear."

"And…the price?"

Lucy handled the financial arrangements. Lucien had done it a few times, and it always left a bad taste in his mouth. His sister was only too happy to step in and demonstrate her superior skills—a performance for the benefit of a man who wasn't even here to appreciate it.

She considered for a moment, looking tired. "It was a garden-variety haunting, Mr. Fitzhugh. It's on the house."

Lucien studied her as they headed back out to the helipad. The fee for any consulting job was the same. The price was a soul. Lucien had always assumed it meant nothing more than a life—as if a life weren't everything—but it was the Smok reputation that mattered. Clients believed the souls were collected for hell.

Lucy noticed him watching her. "What?"

"That was uncharacteristically nice of you."

"I wasn't being nice. We got our soul. No need for another."

"Yeah, well." Lucien shrugged. "I suspect you may have one yourself. But don't worry, Lu. Your secret's safe with me."

It was just after two in the morning when Lucy dropped him off. In addition to the aches and pains, he was really feeling the drain of the night's work. It was only a few milliliters of blood, but the opening of a gate always took something out of him. And it was just another reminder that he was running out of time. If the Smok legacy was true, he would become something inhuman before he took his place in hell—what form that would take, the legend didn't say. But Lucien wasn't taking any chances. He had to finish developing the anti-transformative.

Lucien peeled out of his suit and lay on top of the covers, too tired to turn down the bed. It still smelled of Theia.

She was still part demon. That hadn't changed. But he didn't give a damn. Lucien laughed at the inadvertent pun. Whatever she was—whatever *he* was—Theia made him feel there was a reason to get up in the morning. And that, he realized, was something he hadn't felt in a very long time.

Chapter 15

After receiving a call from Leo at the crack of dawn to let her know he was back from the Hunt, Rhea went home from their impromptu pajama party. With a parting shot at Rhea about being penis whipped, Theia went back to bed and had vague dreams about Rhea's Náströnd, the Shore of Corpses in the Norse underworld where Rhea and Leo's astral projection in dragon form had rescued Leo's disembodied soul. Images of rotting corpses, reanimated and climbing from a foul primordial soup, were enough to shake her out of sleep, glad of the daylight. At the periphery of the dream's fading memory was the wounded blue wyvern diving into the hell lake pursued by the cockatrice.

Theia stood in the shower, goose bumps on her flesh despite the hot water, trying to wash away the image of those sloughing, scrabbling corpses—revenants for certain, if anything was. Revenants and cockatrices and wyverns, oh my.

"Wyverns?" Theia opened her eyes as she spoke the word aloud, the brilliant blue letters floating in the air as though the word was significant. Where had that come from? She'd thought of the creature as a dragon when she'd dreamed of it before but not a specific breed. Maybe it was something she'd seen in a video game. Or one of Rhea's books.

The doorbell was ringing when she turned off the water. Theia jumped out of the tub and grabbed her robe from the back of the door, throwing it on over wet skin as she ran to answer the bell.

Lucien stood on the stoop holding his phone. "I got the

replacement but I still couldn't call you because I don't have your number. So I thought I'd drive across town and tell you that." He grinned then cocked his head as he took in her appearance with a sideways smile. "Funny…that's just how I fantasize you."

"You fantasize about me?"

"Constantly." Lucien beamed. "Can I come in?"

"Watch out for darting cats. I'm not supposed to let Puddleglum out." She unlocked the screen door, and Lucien stepped in and closed it behind him just as the cat skulked around the corner and tried to make a break for it.

"Curses. Foiled again," Lucien said in a cartoon villain voice, grinning at the cat. He glanced up at Theia, looking slightly chagrined. "I have no idea where that came from. I think I was channeling him. Is he a warlock?"

Theia laughed. "I wouldn't be a bit surprised."

Lucien kissed her, silencing her laugh, and pulled her close. "I missed you in my bed. I think I may have to keep you there." He stepped back after a moment and glanced down at the damp marks her robe had left on his khakis. "You're all wet." He untied the belt at the front of the robe, sliding his hands inside and around her ass. "Can I dry you with my tongue?"

Now she was definitely wet. But she hadn't thought about where this might go. As fantastic as yesterday had been, she couldn't just expect him to continue his one-sided pleasuring. But she wasn't sure if she was ready to take the plunge into post-virginity immediately.

Lucien's lascivious grin turned questioning. "No pressure, of course."

"Sorry. I just…hadn't thought about what might happen next."

"Theia." He played with a strand of her hair, a wistful smile on his face. "There's no timeline. I can dial it back a bit. I know I can be a little intense." He retied her belt, making a prim little bow. "For now, how about breakfast? If you haven't already eaten, that is. There's this cute little place on Cedar Street that makes fantastic lavender scones."

Theia grinned up at him. "Now I'm starting to think *you're* some kind of warlock." She turned toward the bedroom. "Just let me get dressed. You had me at scones."

"That was kind of the last word I said, actually, but at least I managed to reel you in while I was still speaking."

They had just ordered when Lucien received a text. He frowned as he read it.

Theia watched him over her coffee cup. "Anything wrong?"

"No." Lucien looked up. "I mean, yes. Another job. Lucy's unavailable, so I have to leave now to handle it."

Theia's mouth curved into a pout. "No fantastic lavender scones?"

"Not for me, I'm afraid. I'm really sorry about this. We're not usually this busy. But you should stay—I'll settle the bill."

"Why don't I just go with you?"

"You want to come with?" Lucien glanced at the message again with a dubious look. "It's a botched resurrection."

"Botched…resurrection?" Theia blinked, not sure she was hearing right.

"Someone paid a reanimator to bring a loved one back from the dead. It literally never works. It's the monkey's paw of spells, and yet people try it all the time. Like teenagers calling up vengeful spirits in the mirror as a drunken party game, trying to resurrect the dead never goes out of style, no matter how disastrous. Of course, Smok is very good at making sure those disasters never get publicized."

The idea of witnessing the results of a botched resurrection was both horrifying and compelling. She'd seen

Phoebe and Rafe deal with the spirits of the dead before, but never the reanimated dead.

"I'm up for it, if it's not against the rules."

"There aren't really any rules—or if there are, I make them." Lucien grinned. "If you really want to come, I can tell them you're just observing as a new apprentice so they won't expect you to step in. And you have to promise to follow my directions. I'm not being an ass—I just have to be able to ensure your safety."

Theia smiled. "I do want to come. And I give you my word. I promise I have absolutely zero interest in getting in the way of a revenant. Because, you know—*actual* revenant."

Lucien grimaced. "Touché." He paid for the uneaten scones, and they hit the road.

"The client is in Oak Creek," Lucien told her as they drove through Uptown Sedona. "Nice to have something close by for a change."

"Aren't all of your clients local?"

"No, we're worldwide. I spent a lot of time on the West Coast and in Europe after college, working with our agencies there. Edgar wanted me home for the lab opening. Lucy's been handling things for him locally, but he's been trying to encourage me to take a more active role in the company."

"What about your mother? Is she not involved in the company?"

Lucien's expression was guarded. "They're divorced. The business was never her thing anyway. She kind of loathes the entire Smok enterprise. Can't say that I blame her."

"But you still do it." Theia realized it was a shitty thing to say. "I mean—"

"No, you're right. I take part in aspects of the business that I find morally and ethically…uncomfortable. I can't really justify it other than to say I feel a sense of familial obligation." Lucien was quiet, and Theia thought it better not to intrude on his silence.

He turned onto Jack's Canyon in the Village of Oak Creek and headed west.

"Ione lives a few blocks from here." Theia glanced at Lucien. "Which maybe I shouldn't have told you. You've abandoned the idea of going after Dev, I hope?"

"I already know where your sister lives. But unless Dev's demon goes on a rampage, yes, I've given up on that plan. I'm rethinking my sources."

"Your sources?"

"For information on rogue creatures. I have a few insiders who alert me to candidates in the area. And some anonymous sources." Lucien glanced at her. "That's what put me on your family's trail, actually. An anonymous 'concerned individual' tipped me off." He paused. "The same person that sent me the link to your personal genealogy research."

"Someone sent you that?" Theia frowned. Who could have been able to link to the file? It was a private upload to the genealogy site, which only immediate relatives could access without expressly having the link.

They pulled into the driveway of a modest-looking duplex. Theia wondered how the occupants were able to afford Smok Consulting's services.

"Keep behind me when we approach the subject," Lucien advised. "Sometimes they can move surprisingly fast."

"How do you…get rid of it?" Theia asked as he rang the doorbell. "Do you have to kill the revenant?"

"No, it's already dead. All I have to do is release the shade from the body." He shook his head. "It's really a cruel thing to tie a shade to a rotting corpse. It's unconscionable that anyone would do it."

A middle-aged woman opened the door. Dark circles

under bloodshot eyes made her look somewhat manic, as if she hadn't slept in days.

"Mrs. Castillo. I'm Lucien Smok, and this is my colleague, Theia Dawn. She'll be observing—"

"Thank God you're here." The woman grabbed Lucien's hand and held it in both of hers. "*Es mi abuela.* She passed on a month ago, but my mother was distraught, and she couldn't get over the loss. I didn't know she had called a *brujo* until I came home from work on Friday, and I found her sitting with Abuelita. I didn't know what to do. My husband's cousin told me about your services."

Lucien patted her hand and gently drew his other out of her grip. "You did the right thing, Mrs. Castillo. Just let us take it from here."

As soon as they stepped inside, the smell nearly bowled Theia over. Her eyes watered, and she covered her mouth as Lucien's client led them to a bedroom in the back.

"Mamá? The doctor's here." Mrs. Castillo turned to Lucien and lowered her voice. "I had to tell her you were a doctor coming to help my grandmother. She has Alzheimer's. My mother, I mean. Not my grandmother." Tears sprang to her eyes as she opened the door.

The curtains were drawn, and it took a moment for Theia's eyes to adjust to the light. On a little day bed in the shadows, two elderly women sat holding hands. But one of them had a swollen face with a grayish-blue discoloration. The swollen one began to curse in Spanish. Theia understood just enough to know that the words were shocking.

Mrs. Castillo crossed herself.

Lucien touched her arm. "What's your mother's name?"

"Rosa Campos."

"And your grandmother?"

"Lupe Ramirez. Lupita."

"I'll need Rosa to move away from the—" Lucien caught

himself. “From your grandmother.” He held out his hand. “Mrs. Campos, I’m Dr. Smok. Can I speak with you?”

Rosa looked confused. “The doctor was here. Mamá was sick but the doctor made her better.”

Obscenities continued to fly from the older woman’s mouth—along with a terrible stench that Theia was surprised she could even distinguish next to the pervasive smell of rotting flesh.

“I just need to give her a checkup. And I have some vitamins for you.” He took a bottle from his bag and emptied two pills into his hand. He turned to Mrs. Castillo. “Can you get a glass of water?”

The woman eyed the pills with mistrust. “What are those for?”

“I think it’s best if she’s sedated,” he murmured, “before I take care of the—your *abuela*.”

Hands trembling as she stepped into the room to pour a glass of water from the pitcher beside the bed, Mrs. Castillo took the pills. “Come on, Mami. Take your vitamins and let the doctor look at Abuela.”

The old woman reached obediently for the pills, but the revenant knocked them from her hand with a snarl, and Rosa began to cry.

“That’s okay. I have more.” Lucien shook out another two pills. “Can you come here to me?”

“You’re not my doctor.” Rosa began to speak rapidly in Spanish.

“She wants her granddaughter.” Mrs. Castillo looked at Theia. “She thinks you’re my daughter. She wants you to give her the pills.”

“Me?” Theia glanced at Lucien. The smell of the decaying flesh was making it difficult not to gag.

Lucien shook his head. “You don’t have to.”

But Rosa had gotten up, reaching for Theia. “Conchita, be a good girl. *Dame las vitaminas.*” The revenant tugged at her hand, and Rosa tugged back. Theia swallowed bile as a layer of the revenant's skin sloughed away.

She took the pills and the water and stepped closer. "Here you go, Abuela."

The old woman took them, and Theia held the water for her, trying to ignore the rage—and stench—emanating from the revenant.

"*Puta!*" The undead woman spat the word at Theia, along with a viscous gray substance that struck her cheek.

Theia covered her mouth and stumbled back. For a moment, she was sure she was going to lose the battle and vomit.

Stepping to her side, Lucien wiped the trail of slime from her cheek with a handkerchief. "You're doing amazing," he murmured.

Rosa's eyelids began to flutter, and she leaned her head on her mother's shoulder.

"Mamá, why don't you lie down and take a little nap?" As Mrs. Castillo moved toward her mother, the revenant lunged for her, letting Rosa tumble onto the bed.

Mrs. Castillo screamed and threw her arms over her face reflexively, and the revenant sank her teeth into one of the upraised arms. Watching in horror, Theia thought incongruously how impressive it was that a woman in her nineties had died with all her teeth.

Lucien darted forward, taking a vial of clear liquid from his pocket. He opened it and flung the contents at the revenant, shouting in what sounded like Latin.

The revenant shrieked and let go, cringing and backing toward the daybed at the touch of the liquid as if it were acid.

"Lupita Ramirez." Lucien's voice projected with a deep, authoritative tenor. "You don't belong here. I command you to come out. Be free." He repeated the words in Spanish, and the revenant made an agonizing sound, a wail that seemed to encompass both misery and relief. The haunted, rage-filled eyes emptied, turning glassy and dull, and the body crumpled lifeless to the floor.

Mrs. Castillo began to sob. Mercifully, Rosa's eyes had remained closed, unconscious to the loss of her mother for the second time.

"A crew will be here shortly to take care of the remains." Lucien spoke soothingly, patting the woman's shoulder. "They should be done before your mother wakes up. It's entirely possible she won't remember any of this." He cleared his throat. "And while I hate to speak of business at a time like this, there is the matter of payment. I assume our policy regarding the timing in the case of a reanimation reversal has been explained to you?"

She nodded, wiping her eyes.

Lucien glanced at the sleeping woman on the bed. "If I can make a suggestion…it might be a mercy to let your mother make the payment."

"No, no." Mrs. Castillo shook her head vehemently. "It will be me. I've already made arrangements. My daughter will take care of my mother."

Lucien nodded and took a small vial from his pocket. "This will complete the transaction. I recommend that you take it at bedtime and go to sleep as usual."

As Mrs. Castillo took the vial, she grabbed Lucien's hands once more. "*Gracias*, Mr. Smok. You don't know what this means to my family. I haven't slept since Abuelita…" She glanced at the corpse and squeezed her eyes shut. "And now it's over. It's over."

Lucien pressed her hands and extracted himself from her grip. "You should see to that arm." He nodded to the bite mark.

Mrs. Castillo's eyes flew open, wide with terror. "It won't make me like her, will it?"

"No, no. Of course not. It's just that it looks painful."

* * *

On the drive back to Sedona, Theia was quiet, trying—and failing—to reconcile the events she'd witnessed.

Lucien glanced at her after a few minutes. "Are you okay? That was a rough one."

"What was that vial you gave her?"

"Holy water. Well, really, just plain water. Its power is in the belief of the shade. She actually left on her own, believing she'd been exorcised."

"No, I mean the other vial. The one you gave Mrs. Castillo."

"Oh." Lucien stared ahead. "I probably should have done that in private."

"*Lucien.* What was it?"

"A lethal dose of pentobarbital. It's painless."

Theia leaned back against the headrest, letting her breath out slowly. She'd wanted to be wrong. Wanted him, at least, to express some shock at the statement.

"So that's the payment. She's going to kill herself."

"Well, no. Not exactly. The payment for any of our services of this nature is a soul."

Theia's head throbbed as she turned to look at him. "What the hell do you mean, a *soul*?"

"It's my family's legacy. We..." He glanced at her for an instant before looking back at the road. "Legend says we collect souls for the devil."

"The devil. There's an actual devil."

Lucien shrugged. "I don't know. Maybe there's not even any such thing as a soul. But those are the bargains we make at Smok. And people enter into them willingly. In most cases, the designated payer lives out his or her normal life. But to reverse a resurrection, payment is due in full when services are rendered."

Sweat beaded her forehead, and Theia gripped her door handle. "Pull over."

"What?"

"Pull over! Right now."

Lucien pulled onto the shoulder of the highway, and Theia threw open the door and vomited into the dirt. Her stomach lurched so violently she expected to see it in the gravel turned inside out.

Lucien held out his handkerchief when she straightened and sat back against the seat, and Theia yanked it from his hand, careful not to wipe her mouth with the bilious substance he'd cleaned off her cheek from the revenant.

"I'm sorry. I shouldn't have brought you."

"You shouldn't have brought me? That's what you're sorry about? You just told a woman to kill herself and go to hell—and handed her the poison to do it."

"It's the job. It's why I hate it so much."

"Oh! Well!" Theia threw her hands in the air. "As long as you *hate* it."

"Theia—"

"Just take me home. I need to be alone."

Lucien pulled back onto the highway without a word.

When they arrived at Phoebe's place, he looked over at her at last, obviously wanting to say something. Whatever it was, Theia didn't want to hear it. She got out and slammed the door and went inside without a backward look.

Chapter 16

Lucien drove home, the usual dark funk that hung over him after a job magnified by a thousand. Why had he taken Theia with him? In one afternoon, he'd revealed to her every repugnant thing about himself and the Smok legacy. He was so used to letting Lucy handle the negotiations that he'd forgotten just how personal and ugly it felt—especially this one. And yet he'd done it in front of Theia without even preparing her beforehand.

Yesterday, he'd been devastated by the news of Theia's heritage, ready to renounce her. Twenty-four hours later, he'd pushed her away with the ugly truth of his own, and all he wanted to do was get down on his knees and beg her not to leave him. As if she was even *with* him in the first place.

His smashed laptop screen greeted him when he got home, and Lucien punched it again for good measure. And then punched it a third time and a fourth, imagining it was his face. The ecto gel in his arm reverberated with a sickening thud. Lucien kicked the laptop onto the floor and stomped on it. After a moment, he started to laugh at his own stupidity, dropping onto his knees on the Berber carpet and laughing until he was crying and could barely breathe. He tipped over sideways and rolled onto his back, wheezing and gasping, tears pouring down his temples into his ears.

"God, you stupid bastard." He sucked in air, holding his stomach. Honestly, he should just get himself one of those little vials of pentobarbital and put an end to it. Put himself and the rest of the world out of his misery. One fresh soul, coming right up.

It wasn't like anyone had a gun to his head forcing him

to carry out his repugnant duties. What would have happened, after all, if he'd just neglected to give Mrs. Castillo the vial and let her live out her life? Was someone going to reprimand him? Maybe Edgar would have him fired.

The idea made him laugh again, but after a moment, his laughter subsided. What *would* happen if he didn't do it? Absolutely nothing, that's what.

Lucien got up and grabbed his keys and headed back down to his car. Screw his duties. He drove back to Mrs. Castillo's house and pounded on the door.

She looked shocked to see him. His was probably the last face she wanted to see. Behind her, visible through the open bedroom door, the cleanup crew moved about, calmly carrying out their work.

"Mr. Smok? Did you forget something?"

"I did," he said. "Myself."

Mrs. Castillo squinted at him. "I don't understand."

"I made a mistake, Mrs. Castillo."

Anxiety clouded her features, and her hand flew to her uncombed hair, a gauze bandage visible on her arm where the revenant had bitten her. "Is she going to come back? I don't think my mother can handle it."

And how would her mother handle the loss of her daughter so soon after?

"No, there was no problem with the service. It was a billing error. Usually, my sister handles these details, and I didn't realize we were waiving the usual pay-on-receipt-of-services clause. I'm so embarrassed, Mrs. Castillo, but if you wouldn't mind, could I get that medicine back from you?"

"The medicine? I don't understand. Is there something wrong with it?"

"It's just that there's no need for you to use it. The bill won't come due until your natural expiration."

"My...expiration?" She was sleep deprived, and it took

a moment for the words to sink in, but when they did, her face lit up like beam of pure light. “I don’t have to take it?”

Lucien smiled. “You don’t have to take it.”

Mrs. Castillo burst into tears and flung her arms around his neck, taking him by surprise. He indulged her, letting her weep until the cleaners emerged from the hallway behind her with the body bag to transport Mrs. Ramirez to the cemetery for reinterment.

Gently tugging Mrs. Castillo’s arms from around his neck, Lucien moved her aside so they could get by. She stood watching them with her hand over her mouth, weeping quietly.

“The medicine?” Lucien prompted after the body had been loaded into the truck.

“Oh, yes.” Mrs. Castillo grinned. “Of course, yes! Let me get it for you.” She hurried to her bedroom across the hall from the room where the revenant had been earlier but paused in the doorway, looking perplexed. “I had it right here. Did the other gentlemen take it already?”

Lucien followed her to help her find it. “I doubt they would have even known about it. They don’t deal with this end of the operation. You’ve probably just forgotten where you set it down.”

“No, it was right here by the bed. I had everything set up for when I was going to go to sleep tonight. I didn’t want my daughter to have to worry about anything.” Mrs. Castillo turned and went across the hall to check on her mother and let out a sharp cry. “Mamá! Mamá, no!”

From behind her, Lucien could see the old woman lying on the daybed on her back, staring up at the ceiling with eyes that had as much life in them as a Lucite marble. Next to her on the end table was the empty bottle.

Mrs. Castillo ran to her, shaking the limp body. With a sob, she dropped to her knees and embraced her mother. The devil, it seemed, had gotten his due.

* * *

Lucien meant to drive home again, but he found himself in Phoebe Carlisle's driveway. As he sat in the car trying to get his head right, he saw Theia's face appear at the window and disappear again. After a moment, the door opened, and Theia held the screen door for him, waiting.

He stepped out of the car and moved toward her, feeling like he was drowning in quicksand. If he could just get to her, he could keep his head above the mire. There was no welcoming smile, no forgiveness when he reached her, but she let him in, and Lucien clung to her, unable to move. His body began to shake, he realized with some horror, with silent sobs.

"Lucien?" Theia's hand hovered on his hair. "What is it? What's happened?"

He shook his head, not trusting himself to speak. He felt so raw right now that if he dared open his mouth, every cry he'd kept inside since childhood would come pouring out.

"Come inside." Theia drew his arms down to his sides and led him in, steering him to the little pleather-and-wood love seat. Lucien stroked the artificial texture of the vinyl, trying to stop thinking about Mrs. Castillo's sobs. He wasn't crying tears. Not yet. Maybe he could still get himself together and start acting like a man.

He heard his father's voice saying it: *Stop crying like a girl and start acting like a man.* He'd been eight years old. He'd forgotten that day. It was like it had never happened. Until now.

"I went back. I went back to the house, and it didn't matter. Nothing matters."

"What do you mean? To Mrs. Castillo's house?"

Lucien closed his eyes and nodded. "I went to get the vial back. I thought I could make a difference and change something. I thought I could do the right thing for once. She was so happy when I told her she didn't have to take it." His voice broke, and he dug his nails into his palms. "But it was too late. Somehow, they knew what I was going to do. Someone knew. The cleaning crew. I don't know..."

He was quiet again for so long that Theia must have thought he was sleeping, and she shook his shoulder gently.

"Lucien?"

He exhaled slowly. "It was Rosa. The old woman. Someone gave it to her. They collected the old woman's soul while she was sleeping. My act of rebellion, my grand gesture... it was just a joke."

"Oh, Lucien."

"You were right about me."

"Right? About what?"

"Whatever it was you thought when you first met me. Whatever you thought about me today after what you witnessed. I'm garbage."

"You are not garbage, and that isn't what I thought." Theia held his gaze, and Lucien looked away, but she turned his face toward her with both hands. "You're a human being. You're allowed to make mistakes."

Lucien laughed and then couldn't be sure whether he was laughing at "human being" or "mistakes," which gave his laughter a slightly hysterical edge.

Theia drew him into her arms, resting his head on her shoulder, and he remembered belatedly that she was an empath. She'd known he was going to break before he did. And when he broke, it was like a crack in a dam bursting under the pressure of a lifetime of unshed tears.

He wept for his grandmother—the only connection he'd had to his mother, who'd never come back—at whose death his father had told him to "act like a man." He wept for the souls he'd collected and the lives he'd seen ruined. And he wept for himself, knowing it was puerile and self-indulgent but unable to stop now that he'd started. Every loss, every wound came back to him, multiplying the ache in his chest, until he had nothing left.

"Lucien, it's all right. You'll be all right." Soothing, meaningless platitudes, but from Theia's lips, they were life preservers tossed into a turbulent sea. She might have said anything; it didn't matter. The sound of her voice was his lifeline.

He raised his head, afraid to see in her face that she thought less of him now, but when he met her gaze, she seemed to truly see him as no one had before.

Theia brushed a tear from his cheek and leaned toward him, reaching for his mouth with hers. Their lips came together, and Lucien surrendered to that drowning feeling he'd experienced the first time they'd kissed. It was as if they'd both gone under but shared oxygen with their breath. As long as they stayed together, as long as Theia was close to him, he'd survive.

It didn't even occur to him to want more. Kissing Theia was more satisfying than most sexual encounters he'd had. Maybe satisfying wasn't exactly the word—more of a physical communion, perhaps. He wanted to keep doing it, to keep tasting the salt of his own tears on her mouth, to keep feeling the silk of her lips and the velvety texture of her tongue with his.

They ended up curled together on the love seat, Lucien resting his head on her breast. So maybe he wanted a *little* more. He grinned to himself against the soft curve beneath her cotton shirt. But he wasn't going to push it right now. He liked where they were, comfortable, not needing words. No pressure. He'd said it more than once, but it was true. He felt none when he was with her—no pressure to put on an act. Not the confident arrogance of the playboy or even the everyday simple, stupid stoicism of being a man. With Theia, he was just himself. And for the first time, that felt okay. Maybe she was right. Maybe he wasn't entirely garbage.

"So what do I do now?" He hadn't meant to say it aloud.

"Now?"

"How do I go on being Lucien Smok, heir to the Smok fortune and all that comes with it?" He shook his head. "Don't worry. Rhetorical question."

"You've already made a start. Going after rogue creatures isn't exactly playing by Smok rules."

"I collect those souls, too, though. So maybe it's just me indulging my own need to feel self-righteous. Going after people like Leo."

"You said an anonymous source gave you his name. I think I have an idea who that might be."

Lucien propped his elbow on the couch cushion. "Who?"

"Carter Hamilton. It can't be a coincidence that he crashed Phoebe's wedding at the same time you did. It would be in his interest to have someone else do his dirty work and take down my family and the people close to us."

"Hamilton." Lucien nodded slowly. "That would make sense. We've done a lot of cleanup for him over the years. He knows my father fairly well. I've never met him, but if he was looking for a way to wreak some havoc, he'd only have to go to Polly's to get information about what I do."

"What is that place, exactly? Did you really meet a client there?"

Lucien sighed and straightened. He wasn't sure why he'd lied to her before.

"Polly…is my ex-girlfriend. She owns the club. It's a hangout for unnatural people. Enhanced people. And people pay her for information. She's one of my key sources."

Theia sat up beside him. "What kind of enhanced people?"

Lucien met her gaze. "Vampires. Werewolves. Valkyries."

"Valkyries?"

"Leo used to spend time there some years ago, according to Polly. With a rogue Valkyrie."

Recognition dawned in Theia's eyes. "Faye." She paused, brow wrinkling. "Wait…she and Leo were here in Sedona years ago?"

"The club can be entered from anywhere in the world. It's sort of…timeless. Not exactly fixed in time and space."

"Not *exactly*? How does that work?"

Lucien shrugged. "You'd have to ask Polly. But I doubt she'd tell you."

"And what about Polly? Is she…timeless?"

Lucien gave her a sidelong glance with a tentative smile. "Are you jealous of Polly?"

"Should I be?"

She was. The realization made his heart do a little flip. Jealousy meant she was invested in him. In this. It meant there *was* a "this." He'd never imagined a relationship was something he wanted. The warm glow at the idea that he had one surprised him.

"There's nothing between me and Polly anymore. She's just a friend. And I suppose, in answer to your question, she is a bit timeless. The club is a sort of extension of her, a web or a net she sends out to draw in people who interest her."

"A web? What is she, a were-spider?"

Lucien laughed at the idea. "No. Polly…is a siren."

Chapter 17

It took Theia a moment, her mind stuck on the image of a spinning light on top of a police car, before her eyes widened with understanding. "An actual siren? As in *The Odyssey*? As in luring men to their deaths?"

Lucien's smile was wry. "I doubt she's ever lured any man to his death—unless he went willingly—but, yes, those sirens."

Theia wasn't sure she wanted to know what he meant by that middle bit. She was going to have to compare notes with Rhea. Which was worse as an intimidating ex, a siren or a Valkyrie? She imagined a siren's experience would be impossible to compete with—even if Theia *had* any experience.

Lucien started to say something, but his phone interrupted. "Damn. Another haunting. I'm starting to feel like Bill Murray."

Theia rose as he did. "Do you usually have this much business?"

"No. Not at all." Lucien frowned. "It's starting to seem a little weird. Like something's stirred up the dead around here."

The last time something had stirred up the dead in Sedona, it had been Carter Hamilton.

"Lucy's already on it, so hopefully this will be an easy one. As soon as we finish up, I'll give you a call. Speaking of which, I'd better get your number in here." He glanced up with a sly half smile once he'd entered the number she gave him. "So you were just kidding about me shoving the job up my ass, right? I'm going to see you there tomorrow?"

Theia laughed. "I have a final in the morning, but I'll be there in the afternoon. You can consider your ass safe."

As he pulled out onto the drive and Theia closed the door, he texted her with an emoji: a smooching heart.

An irritated meow came from the guest room, accompanied by a perturbed doorknob rattle. She'd forgotten to let Glum out after stashing him to open the front door.

Theia stepped aside for his flounce after releasing him. "Sorry, buddy. Sucks to be thumbless."

He gave her a condescending stare before trotting to his window spot and peering out belatedly after the "intruder."

As she started to text Rhea about her bizarre afternoon, her phone rang, Rhea's photo popping up on the screen. "Speak of the devil," she answered.

"And how did you know I was going to do that?"

Theia took the phone to the papasan. "Do what?"

"Speak of the devil. I found out something interesting from Ione."

"You've lost me."

"She called to check on me. I don't think she trusts me with a millionaire's house. And I happened to mention the incident with Lucien the other night—"

"Rhe."

"I had to. I need to get some of the lamps on the walkway fixed and replace a windowpane, thanks to Oliver Queen. And she gave me an earful about the family Smok. Apparently, they go back to the time of Madeleine Marchant, and they're into some very sketchy things."

"I know that. That's the research I was doing at Rafe's dad's place."

"You know? Why didn't you tell me?"

"I don't know." And, honestly, she didn't, now that she thought about it. It was like she'd gotten so used to keeping things from Rhea that it was becoming a habit.

"Did you also know that Lucien has a nickname among the magical community?"

"No. What?"

"Little Lucifer."

Theia snorted. He was hardly little.

"It seems the Smok family has a reputation for making *infernal deals*. Like crossroads kinds of deals." She paused. "Theia Dawn. Are you going to tell me you knew about that, too?"

"I only found out this afternoon. I went with Lucien on a consulting job and witnessed a deal in action. It wasn't pretty."

"And that's okay with you?"

"No, of course it isn't. And I told him that and made him take me home. But then he went back to the client and tried to nullify the deal and found out it was too late. You should have seen him when he showed up here. He was absolutely wrecked."

Rhea was quiet for a moment. "You're starting to worry me."

"There's nothing to worry about."

"You're working for Smok Biotech, and you're going with Lucien on his creepy crossroads client calls."

"I haven't actually started working for Smok."

"Because it's the weekend. Are you taking the job or aren't you?"

"Maybe. Yes. So?"

"Theia, your boyfriend collects *souls*."

"So does yours."

"That's not the same thing."

"Isn't it?"

Rhea sighed. "We're not talking about Leo Ström. We're talking about Lucien Smo— Oh, wow. *LS?* You couldn't even get your own initials. You always have to copy me."

Theia couldn't resist needling her. "Actually, you're the one who copied me. I dated Leo first, if you recall."

"Ouch. I can't believe you went there. Seriously, though, infernal deals aside, Lucien doesn't exactly have a sterling reputation. I talked to Leo about that place you mentioned. Polly's Grotto? He's heard of it, all right."

"From when he used to go there with Faye."

She could almost hear Rhea's mouth drop open in indignation. "What the hell, Theia? Have your visions gotten spooky accurate lately, or are you becoming a pathological liar?"

There was a distinct chance the answer to that entire question was "Yes."

"Lucien told me about it this afternoon. Apparently, he used to be involved with Polly, the owner. He wanted me to know because he's not the creep you're trying to make him out to be."

"He dated her?"

"And she's a siren. So stick that in your Valkyrie pipe and smoke it."

"I don't even know what that means."

"Neither do I. It just came out."

"Go back to the part where Polly is a siren."

"Yes, he dated a siren. They're real. Apparently, everything is real. That shouldn't really surprise you. You're hooking up with the Chieftain of the Wild Hunt."

"Aren't you a little concerned that Lucien is popping off to visit his ex-girlfriend the siren on a Saturday afternoon?"

"She gives him information. That's how he confirmed his erroneous intel on Leo. Which he originally got from some anonymous source who's been tipping him off about our family."

There was a brief pause before they said the name together. "Carter Hanson Hamilton."

Rhea growled. "That absolute dirtball. It wasn't enough

that he sent an actual Nazi after Leo to steal his soul, now he's setting up Lucien to send Leo to hell?"

"I don't have any proof that it's him."

"It's totally him. You know you're going to have to tell Ione about this."

As much as Theia hated the idea, Rhea was right. Which meant she was going to have to tell Ione everything about Lucien.

The haunting ought to have been routine. No over-the-top *Ghostbusters*-style vanquishing, no silly beeping REM pod tech and primitive blinking flashlight communications. A haunting usually consisted of a simple soul collection. Easiest job on the books. Ordinarily, opening a portal wasn't even required. The haunting in the NICU last night had been an exception. As with Lupe Ramirez, often all that needed to happen was to convince the spirit or shade that it was in the wrong place, and it would go on its own. A forcible crossing, whether done with electrical current or by a practicing witch through spell casting, was generally considered undesirable and could be dangerous if not done right.

Lucien arrived in Litchfield Park west of Phoenix at ten after five, expecting to meet up with Lucy, who'd been in Phoenix already when the call came in. Her car was parked in front of the client's property. She'd gone in without him. Lucien swore to himself as he got out and approached the door. If she was going to handle it herself, why had she bothered to call him in on the job? He could be spending the evening with Theia.

The client, a young black man about Lucien's age, opened the door to his knock, looking frightened and harried. "You Lucien?"

Lucien paused. Something wasn't right. "Where's Lucy Smok?"

A hand reached from around the door and opened it wide. "Hi, sweetie! I'm right here." It was Lucy's voice and Lucy's body, but it was the most un-Lucy-like greeting he'd ever heard.

Lucien narrowed his eyes. "You're not Lucy. Don't bullshit me. Who am I speaking to?"

Her face broke into a grin. "And Lucy thinks you aren't the brainy one. Daisy Fox, at your service." She looked him up and down as she stepped around the client. "And you are absolutely dreamy." She stroked Lucien's cheek, and he stepped back with a shudder. "Guess you're not those kind of twins, huh?"

"What do you want, Daisy? My organization can help you without you having to resort to body theft."

"I doubt that. Besides, this is infinitely more fun." Daisy stroked Lucy's hands over her body before turning around to go back into the living room and flopping into an armchair like she owned the place.

Lucien addressed the client as he closed the door. "What happened?"

"My fiancée was acting weird—like your sister is now—and I worked out that she was possessed. So I called you people on the advice of a lawyer friend. Your sister showed up and tried to reason with the spirit. Next thing I knew, Sherrell—that's my girl—had collapsed, and the ghost was in your sister."

Across the room, Daisy beamed at Lucien out of Lucy's face.

This wasn't a simple haunting. It was a step-in, a forcible takeover of a living person by the deceased, unwilling to give up a life on the physical plane. And the shade had apparently hopped into Lucy when she'd attempted to compel it to release the body it occupied. As with a demon possession, this shade seemed to have the ability to move through the ether—and through hosts—at will. It was a rare shade that had such control, and Daisy's didn't fit the profile. Someone else was controlling it. They had a necromancer on their hands.

"Where's Sherrell now?"

"She's upstairs resting. She doesn't remember any of it. But I can't get this lady to leave. I mean, your sister. Or *not* her. Whatever it is."

"So Daisy Fox isn't someone you know?"

"Never heard of her."

"And when did this start, Mister…" He'd forgotten the client's name. Bad form.

"Mitchell. Jesse Mitchell." He held out his hand, and Lucien shook it. "Sherrell came home from work early yesterday acting funny. I thought she was sick. She didn't let on she wasn't Sherrell until this morning. That's when I called my friend. He represents some unusual clients, and I figured he might know what to do. He gave me your number."

That wasn't the usual method of client referral. Neither was the referral for the reanimation of Lupe Ramirez.

"Did your friend happen to explain how we work? I mean, he told you about the cost?"

Jesse stuck his hands in his pockets and swallowed before he nodded. "Your office explained it to me. I agreed to the terms. Your sister gave me a finger prick to sign the agreement." Traditionally, contracts for souls were signed in blood, but that was really just for show. They only needed a drop of blood, impressed with the signatory's thumbprint, to seal the deal.

Lucy-Daisy sighed loudly from the living room. "You boys are boring me to death." She laughed at the pun.

Lucien ignored her for the moment. "Thank you, Mr. Mitchell. I'll take care of the rest. It may take me a little while to get her to leave, but we'll get rid of her."

"Stop talking about me in the third person. It's very rude."

Lucien walked into the living room. "You're lecturing me about manners? You've violated at least two people intimately in the last forty-eight hours. That, Ms. Fox, is exceedingly rude."

"*Violated.* That's a very strong word. Ask our Jesse here. His girl is none the worse for wear."

"Just because someone can't remember what happened to them doesn't mean doing whatever you like with their body is okay. That's what violation is."

"You think I don't know what violation is? You think I don't know what it's like to wake up somewhere and not know what happened?"

"I don't know anything about you, Daisy. Why don't you tell me why you're doing this?"

"Why don't you go fuck yourself? I don't need you to condescend to me."

"Mr. Smok?" Jesse held out his phone with the browser open. "I found out who she is."

Lucien took the phone. A picture of a smiling young Navajo woman appeared. Lucien read the headline aloud. "Body Found in Phoenix Dumpster Identified as Daisy Fox, Missing From Window Rock Since April."

"Congratulations." Daisy gave them a slow clap. "You know how to use the internet."

Lucien handed back the phone. "I'm sorry that happened to you, Daisy."

"I don't need your pity, either."

"What do you need?"

"I've pretty much got what I need. Maybe some less stuffy clothes would be nice." Daisy rose, glancing out the window. "That my car? The black convertible?"

"You're not going anywhere with Lucy's car or Lucy's body." Lucien blocked her path to the door. "Why don't you tell me how you were able to step into her? She's not exactly inexperienced with people in your state."

Daisy laughed, an unnerving sound coming from Lucy's mouth. Not that Lucy didn't laugh, but it was usually a very dry laugh, indicating how deeply unamused she was by something.

"Did you have help?"

The laughter stopped. "What do you mean by help?"

"Is someone controlling you, Daisy?" If a necromancer was responsible, it was probably her killer—or at least someone with access to Daisy's bones. "Is it the person who hurt you?"

A flash of rage distorted Lucy's features. "He's not going to get me to give up this body, and neither are you."

"He will, Daisy. If he induced you to enter Sherrell, and he helped you hop from Sherrell to Lucy, he can make you do anything. But I can help you. I can make him stop."

"How can you help?" Lucy's face crumpled, another expression he'd never seen on his sister. "He took my body. I tried to get back in. I couldn't get back in."

A disturbing idea occurred to him. "Are you saying your body was still alive when you left it?"

Tears were streaming down Lucy's face. "He gave me a drug. Said it was just going to make me feel good. And then suddenly I was outside and I couldn't get back. He'd put something around my neck. Like a collar."

The necromancer had used a blocking object, something the shade couldn't cross to reenter her unconscious body.

"He said he wouldn't do anything to me—to my body—as long as I did what he asked. And I did. I went where he said. And now you're telling me my fucking body is a corpse!"

"You didn't know." Lucien touched Lucy's arm, and Daisy flinched. "I'm so sorry, Daisy."

Daisy jerked away from him. "So now he doesn't have anything on me and I don't have to give this one back."

"I'm afraid that's not how it works. He probably kept…a

souvenir. A small bone is all he would need. That's how he could continue to dictate your actions. When you jumped into Lucy, was it a conscious thought? Or did you just find yourself here?"

Daisy shook her head, turning and looking around as if trying to find a way out. "I don't remember." She turned back to Lucien, her expression pleading. "Can't I just keep it? Can't I stay? I don't want to go."

Before he could answer, before he could even tell her it would be okay if he released her, that she could go where she pleased, Lucy's body collapsed.

Lucien caught her before she hit the ground. "Daisy?"

Her eyes fluttered erratically. "Fuck. *Me.* Goddammit."

Lucy was back.

She opened her eyes in a squint and glanced around. "Little bitch jumped me without warning. Did you vanquish her?"

"No."

"No?" Lucy pushed away from him, getting to her feet. "Then where the hell did she go?"

Lucien straightened. "Someone else appears to have forced her out. She was pleading to stay."

"Well, isn't that special?" Lucy gripped her head. "Ow. She gave me a damn migraine."

"I've got some ibuprofen." Jesse hurried upstairs to get it.

Lucy watched him go. "We should probably check on his girlfriend. Make sure the shade didn't just get pulled back into the original host."

"I doubt that's the case. Looks like you were the target. Daisy knew who you were. I think this whole thing was staged for our benefit. Whoever's controlling the shade was obviously trying to get our attention, letting us know we're vulnerable to their magic."

"Speak for yourself. She just caught me off guard."

Lucien folded his arms. "Lu. You've never been caught off guard in your entire life."

Jesse reappeared with the pills and a glass of water.

"Thanks." Lucy downed the pills. "If you don't mind, Mr. Mitchell, I need to look in on Sherrell. Just to make sure the problem is fully resolved."

Jesse nodded. "She's upstairs in the first bedroom."

Lucien nodded to Lucy. "I'll handle it. You take care of the business arrangements." He was being a coward, passing the responsibility of soul collecting back to Lucy after one attempt to do the right thing. But this wasn't a pay-on-receipt situation. There was time to remedy things if he found a way to later.

Lucien paused at the top of the stairs. Was that what he wanted to do? Was he going turn everything on its head and refuse to collect souls? The idea made him slightly heady. But the anxiety that followed immediately overshadowed the feeling. If he refused to fulfill the earthly duties of the Smok heir—what would it mean for the infernal ones?

Chapter 18

Lucy's post-step-in headache was still severe, so Lucien left his car and drove her back to Sedona in hers.

After several minutes, he glanced over at her, eyes closed as she leaned back against the seat. "You awake?"

Lucy scrunched her eyes together. "Unfortunately."

"I wanted to talk to you about something that happened at the job I went on earlier today. The reanimation reversal."

"Yeah, that sounded like a fun one."

"I gave the client the requisite dose for the payment, and she was prepared to pay in full that evening, but something happened to it. She found it in her mother's room. The old woman had taken it."

"Wasn't the old woman the one who was reanimated?"

"That was *her* mother. Rosa was the one who hired the reanimator. She has Alzheimer's, so someone must have taken advantage of her. She couldn't have had the presence of mind to think about how to bring her mother back from the grave. And now she's dead, too. I think the cleaning crew gave the meds to her."

Lucy opened her eyes in a squint. "The cleaning crew? They wouldn't even know what it was."

"Normally, I'd agree, but the client swore she'd put it in her own room in preparation for taking it that evening, and the old woman was still knocked out from the sedative I had to give her in order to vanquish the revenant." Lucien had meant to tell her about driving back with the intent of giving Mrs. Castillo her reprieve, but the story worked without the extra detail. Lucy would just assume the client had called him later. God, he really was a coward.

"Maybe the client's lying. Maybe she chickened out and didn't want to pay. It wouldn't have been the worst decision to give it to an old woman with Alzheimer's, after all."

"That's what I told her when I was there, but Mrs. Castillo was insistent that the payment was hers to make."

"I can't imagine why anyone from the cleaning crew would interfere in that. I suppose we can call the contractor tomorrow and ask." She closed her eyes again, and Lucien drove the rest of the way in silence, but his conscience was still nagging him as he dropped her off at her villa.

"Hey, Lu?"

She was already out the door, but she turned and leaned into the passenger window. "Yeah?"

"Have you ever…let a client off the hook on a deal like that?"

"Off the hook? You mean like the ghost girl the other night? Pro bono?"

"Sort of. I mean for the pay-on-receipts. Have you ever told them they didn't have to pay until the normal expiration of the contract?"

"Why would I do that?" Lucy peered at him with a suspicious expression. "Lucien. Did you tell that woman she didn't have to pay?"

"It didn't seem right. I drove back after I got home, and I asked for the pentobarbital back. I told her there had been a clerical error. You should have seen the joy in her face."

"We don't do this for joy."

"Why the hell *do* we do it?"

"You know why."

"Because of the curse."

"The curse?" Lucy laughed—the unlaugh he was used to hearing. "We do it because it's business. We offer a very important, needed service for a fee. Everyone goes into the agreement knowing full well what they're agreeing to. No one forces them to sign." She straightened and frowned.

"This is that little empath's influence, isn't it? She told you it wasn't fair and said you were a bad man, so you defied centuries of protocol, jeopardizing our entire operation for some pussy."

"Don't talk about her like that."

"I notice you're not denying it. You'd better straighten up, Lucien. Edgar indulged your rebellious phase, and he turns a blind eye to the mystery archer who just happens to have all the same client information we do. But you start messing around with the business and he's going to rain down hell on your head."

Lucien laughed, copying Lucy's sharp sound of disdain. "What's he going to do, put me over his knee?"

"I'm not kidding, Lucien. Do *not* fuck with the business." Lucy slapped the hood of the car as she went around it. "And get your own damn ride home. This one's mine, and it's staying right here."

It was after ten by the time he got a car. He really wanted to see Theia, but he was bone tired. He'd have to call her and tell her he'd see her tomorrow at the lab. He had the driver take him home.

Lucien undressed on the way to the bedroom, looking forward to at least sexting with Theia for a few minutes before he passed out. She'd left him a message with pretty much the same conclusion he'd come to about the late hour and asking him to call when he got in. With his phone in his hand, he climbed into bed—and nearly sat on a brand-new laptop someone had placed there.

He smiled tentatively. Had Theia gotten him a gift? He opened the cover, which triggered some kind of automatic video messaging system, and found himself staring at his father, seated at his desk.

"Lucien."

"Edgar. I'm not really dressed for face time."

"Are you entertaining?"

"Not at the moment."

"Then put something on and sit down."

Lucien grabbed his robe from the bathroom and returned, trying not to let on that his stomach was in knots. For Edgar to want to talk to him in real time, face-to-face, he had to be in deep shit. Lucy had ratted him out.

Edgar was dressed in a conservative suit, as if he'd been conducting business at this hour, his steel-gray hair meticulously styled. "As you know, Lucien, being born a Smok comes with great responsibility."

"I know that—"

"Don't interrupt." Edgar's expression didn't change, but his voice dropped instantly into a deeper register. That tone had instilled fear in Lucien as a boy. It wasn't doing a half-bad job of it now. "I've been giving you space to grow up, to grow into these responsibilities. My father was so much harder on me. There was no sowing wild oats or running around like a spoiled adolescent doing as I pleased. I had to grow up fast. But I've never wanted to be hard and inflexible like my father. I've striven to give you and Lucy a better upbringing."

It was all Lucien could do to keep a straight face at the idea of Edgar as warm, loving patriarch.

"But there comes a time when a man has to take responsibility for his actions and to earn his keep. I'm not going to be around forever, and you're nearly twenty-five."

"Edgar—"

"I've spoken with the bank about your trust, which is slated to be fully under your control on your birthday." Which it almost certainly wasn't going to be now. "I hadn't planned to do this quite so soon, but a business opportunity has presented itself that makes the timing ideal. I'm prepared to start turning the business over to you." Edgar's mouth curved upward into what Lucien supposed was his idea of a warm, fatherly smile. "Think of it as an early birthday present."

Lucien had been concentrating so intently on Edgar's tone and facial expressions that he hadn't really been listening—because he'd thought he knew what was coming. But this was definitely not it.

"You... I'm sorry. What?"

"I've made arrangements for the day-to-day operations to fall to your sister. She really is the brain of the organization, and she's been handling much of it already. That will free you up to be the public face of Smok International and all our subsidiaries, which of course includes any and all business of a sensitive nature. I'd like you to meet with some of my colleagues tomorrow afternoon to get the ball rolling."

"I don't understand." Lucien struggled to follow. "You're turning the company over to me? Now?"

Edgar gave him that bizarre smile again. "Don't mention anything to Lucy until I have a chance to talk to her in the morning. I want to make sure she doesn't see this as some kind of a step down. The arrangement actually is quite favorable for her, but she's liable to overreact. She's very much like your mother in that regard."

"So... I'll be..."

"The chief executive officer of Smok International, with primary responsibility for the Smok Biotech division. Congratulations."

The knots in Lucien's stomach turned into a confusing mix of elation and anxiety. The company was his. He'd never dreamed Edgar would give up control of even the slightest bit of it so long as he was healthy and his wits were still sharp. The business opportunity he was willing to relinquish it for must be something astounding.

A million thoughts whirled through his head. He could change things now from the top down. If the company was really his to control, he could put a stop to the questionable practices that had bothered him all his life. He could actually help people, make their lives better. And he could make Smok's mission one that permanently removed the predatory elements they dealt with instead of rewarding them. No more turning a blind eye to abuse and mayhem. No more little girls trapped in blood slavery, considered expendable.

Edgar was still smiling. "I thought you'd be pleased. We'll go over all the details tomorrow, but there is one small condition I'd like to discuss with you before I make it official."

Lucien's mind was still lost in grand daydreams. "Condition?"

"I understand you've been keeping inappropriate company. Now, what you do for *recreation* isn't my concern. If you want to keep that what's her face, Polly, on the side, it's none of my business. Keep a dozen Pollys."

"I'm not seeing Polly anymore. You don't have to worry about me embarrassing you or the company."

"As I said, you can do what you like on your own time, in private. But I want you to stop seeing Theia Carlisle."

"Theia Dawn," he said automatically, before the meaning of his father's words struck him in the gut. "Wait. What are you saying?"

"You know perfectly well that the Carlisle sisters are the direct descendants of Madeleine Marchant. I don't have to tell you what harm that unsavory witch has done to this family. We've managed to turn the situation to our advantage over the centuries, but we do not forget where we come from, Lucien. And that will become even more apparent to you once I begin to show you the inner workings of the company. But I will not do so unless I have your solemn oath that you will sever ties with the girl completely. This is nonnegotiable."

Chapter 19

Lucien was dumbstruck. There was no way he was going to give Theia up. He needed her. More than he wanted to. But it was equally clear that Edgar wouldn't be swayed by any argument Lucien could make. When Edgar made up his mind about something, it was made up for everyone around him.

"Do I have your word, Lucien?"

"I… Can I think about this?"

"There is nothing to think about. If you refuse this one condition of mine, the company and all its holdings will go to Lucy. Your trust fund will be cut off. You will never see a penny of it. And Lucy will be under a legally binding oath not to turn around and give you a pity allowance after my death."

A moment ago, Lucien hadn't given a damn about the company other than the thorn it had always been in his side. Then he'd had an instant to reimagine it as his own before Edgar had taken it away again. But he'd never imagined being cut off completely. He wouldn't even begin to know how to survive by himself. For all his talk of wanting Lucien to become a man, Edgar had made him dependent on the company and his money, making sure he knew nothing about the details of living an independent life. Lucien felt like a fool.

"Edgar, I think if you met Theia—"

"I said this is nonnegotiable, Lucien. But if money alone doesn't sway you, perhaps you need a little bit of incentive to come to your senses and make a rational decision. I've sent you something via email. Look it over and get back to me tomorrow. I'll set up the meeting and send you the invite. If you don't show up on time, I'll assume you've made your decision, and I'll send someone to collect my property and revoke your access to Smok Biotech and any of our holdings. Good night, Lucien."

Edgar's parting shot had been straight to the heart. Lucien couldn't lose access to Smok Biotech's labs. He needed the research data on the anti-lycanthropy project. He needed the cure. Maybe if he went to the lab right now and downloaded everything he could onto an external drive... But Edgar would have thought of that. Lucien wouldn't be surprised if his access was temporarily suspended.

He pulled back his fist reflexively, preparing to punch the screen of the new laptop, but managed to draw his arm up short. This might be the only thing he had to his name by tomorrow. He couldn't afford to have a temper tantrum.

His phone buzzed, and Lucien picked it up, forgotten on the pillow after finding Edgar's face staring at him. Theia wanted to know where he was.

Theia.

He could have everything he'd ever wanted—financial security, respect, power and the real possibility of effecting change in the world. Or he could have Theia—and lose everything he'd ever known. It shouldn't even be a contest. He should have been able to give Edgar his answer without hesitation: Theia was enough, she was everything, and Edgar could go fuck himself.

An email notification popped up on the laptop with a message from Edgar. He'd promised Lucien some additional incentive. What the hell could he possibly say in an email that would make a difference? But maybe Lucien shouldn't be hasty to make a decision. Maybe for once in his life he should weigh the evidence and come to a reasoned conclusion before making up his mind. It couldn't hurt to sleep on it.

The message notification on his phone chimed again. Everything okay?

Lucien typed in a response, his thumbs shaking.

Sorry. Took me forever to get home. Had to drive Lucy back from the job site. Long story. She wouldn't let me keep her car and I had to wait for a pickup.

He sent the message and watched Theia's typing bubble before writing another.

I really wanted to see you tonight, or even just talk for a bit, but I'm about to drop. Do you mind if we talk in the morning?

Her response came quickly enough, no sign that she was suspicious.

I totally understand. We'll see plenty of each other tomorrow. But I miss you already.

God, he missed her—like an essential amputated limb he hadn't even known he had until it was cut off. Talk about maudlin.

Miss you, too. Good night.

Theia sent a little heart emoji that made his actual heart twist.

Lucien turned off the phone, not wanting to allow himself to be distracted in case Theia texted again. He was going to read Edgar's email and give it due consideration, whatever it was. And then he was going to get some sleep.

He'd find a way to make the right decision tomorrow. He just needed fortitude.

He opened the email and found that Edgar had sent him an attachment that looked remarkably similar to the one his anonymous source had directed him to containing Theia's genealogy research. If that's all it was, it wasn't incentive at all. He already knew about Theia's bloodline.

He breathed a sigh of relief. The scale had tipped toward Theia, and just that realization made it possible. He could do this. He could walk away from Smok's hold over him entirely. He could learn how to do something respectable for a living. He had some biotech knowledge, after all.

But that reminded him of the reason he'd painstakingly educated himself about the lycanthropy research. If the legend turned out to be not just a legend, he might become what he'd always despised. And he wasn't sure how much time he had left. Without Smok, Lucien might become a monster.

He'd been scanning the document idly while his mind raced, when something caught his eye. This wasn't Theia's research after all. At least, not solely. Someone had made annotations.

> The Lilith blood phenotype isn't simply a magical strain giving those with the dominant gene special abilities. Lilith blood is specifically designed to trigger paranormal abilities in those the Marchant-descended women choose to mate with. More than that, it seeks out such dormant abilities and acts as a pheromone, drawing in the unsuspecting mate. It is how Rafael Diamante Jr. became an avatar of Quetzalcoatl. It is how Dione "Ione" Carlisle controls her familiar, the demon within Dharamdev Gideon. And it is what led the immortal Leo Ström to Rhea Carlisle, one of the twin pair, released from the bond with the Valkyrie

only to become bound to a descendant of Madeleine Marchant. It is the Lilith blood that makes these men surrender their human selves to these innocent-seeming women. And every one of the men ensnared becomes the embodiment of the beast: the serpent, the dragon, the snake—Lilith's companion. Together, the Carlisle sisters are the Whore of Babylon, riding on the back of the seven-headed dragon of the apocalypse.

Chapter 20

There was a problem with Theia's new access card when she arrived at the lab. When she came back down, the security guard at the front desk confirmed that it wasn't authorized for access to the floor where the Smok lab was situated.

"I guess something must have gotten mixed up in the system. Can you call Lucien Smok for me and tell him Theia Dawn is here?"

The guard dialed upstairs. "There's a Theia Dawn here to see Mr. Smok." After listening for a moment, she hung up, regarding Theia without expression. "Mr. Smok has left orders to revoke your access."

Theia wasn't sure she'd heard right. "My access… What?"

Someone spoke from behind her. "The job offer has been rescinded."

Theia turned to see Lucy, sharply dressed as always, giving her a cool, smug smile. "I suppose this is your doing."

"Not at all. Can't say I'm displeased about it, though."

"Why would Lucien rescind the offer? That doesn't make any sense. I just saw him yesterday. I talked to him last night."

"I'm well aware of the time you spend together. And I'm also aware that you got him to make a stupid mistake yesterday that resulted in an innocent woman's death. If you want to know why he's rescinded the offer, you can probably start there."

"That's ridiculous. I didn't make him do anything."

Theia took her phone out of her bag. "I'm calling him right now to find out what's going on."

Lucy shrugged, arms folded. "Be my guest."

The phone rang once before rolling over to voice mail. Which meant he'd declined the call when he saw her name. What the hell was going on?

Lucy was smug. "Looks like he's busy."

Theia's hand curled around the phone at her side. "I want to know what this is about. Did something happen on the job you two were on yesterday evening?"

"Something always happens on a job. It's an unpredictable business. But we left a satisfied customer, as always."

"Oh, really?" Theia lowered her voice. "Someone was satisfied to sign away their soul?"

Lucy frowned, uncrossing her arms. "This is why it's a bad idea to bring outsiders in. You don't understand the nuances of these issues, and you aren't meant to. But this is not something you can just stand here in the middle of our lobby and talk about as you please."

"It's not exactly your lobby. This is a university building, and I happen to be a student here as well as faculty."

"That can change."

"Excuse me?"

Lucy turned and walked toward the exit. "If you want to have a candid discussion about the change of plan, follow me."

Theia paused, glancing back down at her phone. She could send Lucien a text and just wait here. He couldn't be completely cutting her off. Something had happened, and if she could just talk to him, they could work it out.

Lucy turned back at the door. "This is the only offer you're going to get. If you don't leave voluntarily, security is instructed to send for the campus police to escort you out."

Theia's mouth dropped open. They couldn't just kick her out of a university building. Could they? What if she'd been expelled from the graduate program? She could at least get some answers from Lucy—whatever grain of truth there might be to them—and try to reach Lucien again later. Dropping the phone back into her purse, Theia pressed her lips together and followed Lucy through the door.

Lucy walked her out to the parking lot. Maybe Theia was being a sucker, and Lucy wasn't going to tell her anything after all. She hesitated at the edge of the lot as Lucy pressed the button on her key fob and the convertible beside them beeped in response.

Lucy nodded toward the car. "Get in."

"Where are we going?"

"We're not going anywhere. It's the only secure place to talk."

Theia opened the passenger door reluctantly and slipped inside, leaving it open a crack.

Lucy got in beside her and reached across to close it. "I'm not kidnapping you, for God's sake. I'm trying to avoid being overheard."

"Overheard saying what?"

She fixed her gaze on Theia, the same startling pale eyes as Lucien's, her expression grim. "The reason Lucien isn't responding is that our father made him an offer last night that he couldn't refuse."

"What kind of offer?"

Lucy's mouth twitched. "He's turning over the entire enterprise to Lucien immediately, something we didn't expect for years to come."

Theia knitted her brow. "What does that have to do with my working for Smok Biotech?"

"It's not about you working for Smok Biotech—though I can't stress enough what a really stupid idea that was. It was a condition of the offer. Edgar insisted that Lucien stop seeing you."

Theia's eyes smarted as if there were smoke in the air.

"He offered Lucien control of the company if he stopped seeing me?"

"Not just the company." There was that twitch again. "Everything. He either stops seeing you or he loses it all, cut off without ceremony."

Theia raked her hands through her hair, trying to process this. "I have to talk to him. He doesn't have to do this. And he doesn't want to. I'm sure of that."

Lucy's expression was cold. "I'm not here to help you jeopardize Lucien's livelihood. I just wanted you to know so you'd stop trying to contact him. You can't change his mind—Lucien needs Smok Biotech more than you can possibly understand—and you won't change Edgar's."

Theia frowned. "I don't believe you."

"That's your problem."

"I mean about why you're telling me this. Why not just wipe my memory like you threatened to? You could probably wipe Lucien clean out of my brain, couldn't you?"

"Do you want me to?"

"*No*, I don't want you to. I want to know why you chose to tell me the truth about what's going on with Lucien—if it's the whole truth—instead of just taking the easy way out. Making sure I'd never bother you again. There has to be a reason you're telling me this."

Lucy looked out through the windshield. "Lucien said you were intuitive."

"Sometimes."

She was quiet a moment before taking a preparatory breath. "There's something wrong with all this. Edgar retiring without warning, giving Lucien sole control of the company. I didn't see it coming. The way he's always talked about Lucien, I half expected him to eventually give the company to me after he got tired of waiting for Lucien to grow up. He's given me all the financial responsibilities—I've already been handling them, but he's officially making me the CFO—but the company will be Lucien's." Lucy paused. "And there's a silent partner."

"Meaning what?"

"Meaning my father has signed over a percentage of the company to an investor who doesn't want to be publicly connected to it. I suppose a secret partner is a better word for it. He wants to benefit from our success and meddle in the business without anyone holding him responsible."

A chill ran up Theia's spine as Lucy spoke. "Who is this secret partner?"

Lucy gave her a sidelong eye roll. "It wouldn't really be a secret if I shared it with you, now would it?"

"What if I guessed?"

Noncommittal, Lucy waited with an expression of mild interest.

"Would it happen to be Carter Hanson Hamilton?"

Lucy's dark brows lifted. "I guess you really *are* psychic."

"Not exactly. It's just what I'd expect of him. I suppose you know our history?"

"Who doesn't? The murder trial was highly publicized."

"He also tried to steal my sister Phoebe's soul and have her killed while he was in prison last year, and he sent a Nazi who was obsessed with Norse mythology after Leo Ström. The creep kidnapped me and unleashed a *draugr* on Rhea."

Lucy's eyes registered sudden understanding. "So that's what was up with that. We got an alert from one of our staff psychics that someone was using one of the holy relics from the Third Reich to raise the dead, but it was handled before we had a chance to investigate." She studied Theia. "So Ström sent the Nazi's soul to Náströnd, I take it?"

"And destroyed the *draugr*, yes."

Lucy laughed. "My baby brother has more in common with that Viking than he thinks."

"Baby brother?"

"Technically, I was born the day before he was—11:58 p.m. I ought to be the heir, but our father is a traditionalist. Which is why I can't imagine him agreeing to a partnership with Hamilton. We've consulted for him in the past, but Edgar could never stand him. Said Hamilton was an opportunistic amateur who didn't respect the limits of power. This whole thing came completely out of the blue, and it has me worried. And Hamilton has already sent me inappropriate emails. I don't know what he thinks is going to happen, but if he imagines for one minute that I'm one of the perks of his partnership, he's going to be sorely disappointed. If he so much as looks at me, he's going to lose his balls."

Lucy seemed to realize she wasn't alone in the car, and she drew herself upright. "At any rate, he's a problem, and I don't like problems. Whatever he has planned for Smok International, I intend to be a thorn in his side. But don't think I'm not pleased as punch about Lucien dumping you. I'd hate for you to make the mistake of thinking that this cozy little conversation means we're friends. And Lucien has nothing to do with this. I'm not going to mention to him that I've had any contact with you, and I'm not going to try to persuade him that he's making a mistake."

"Fair enough." Theia would find a way to get Lucien to talk to her. She opened the door, since it looked like the conversation was over. "Thank you for telling me. You didn't have to."

"I didn't do it for you. Lucien has enough on his plate to deal with. He doesn't need you complicating things."

Theia paused with her hand on the door. "Has it occurred to you that Carter might be using necromancy on your father?"

"You mean with a step-in?" Lucy shook her head. "No. He's definitely himself, even if his actions are unusual. A step-in wouldn't be able to fool anyone for a prolonged period of time. And I've talked to him at length."

Theia nodded and got out but turned back once more before closing the door. "Don't underestimate Carter Hamilton. One thing you can be certain of is that he has a plan. And he's obsessed with other people's power."

Chapter 21

Theia had left him another message. He ought to block her number if he was serious about this. And he *had* to be serious about this. She was dangerous to him. Even without the role her blood might play in the fulfillment of the Smok curse, being with Theia meant losing access to Smok's labs. And even if Lucy was willing to defy Edgar's wishes and allow Lucien access to the research, it was useless without access to the scientists working on his cure.

Until now, developing the anti-transformative had been a fail-safe, something to fall back on in case the legend turned out to be true. If, at some distant point in the future, his father's death triggered what lay dormant in Lucien's blood, Lucien would simply be able to take a pill and suppress the infernal transformation. But the warning his father had sent him about Rafe, Dev and Leo rang true. Which meant Theia's interest him—his very attraction to her—was fated. It was the Lilith blood that wanted to bring forth the devil in him.

Lucien turned off his phone, unwilling to sever the ties completely. Which was a bad sign, and he knew it. But he wasn't ready. Not yet. What he needed now was a distraction.

Polly had brought in a good crowd this evening. As Lucien threaded his way through it, he discovered why. Polly had booked a performer. To anyone unfamiliar with the clientele that frequented Polly's, it looked like an erotic dance performance. But the anemic-looking blonde was obviously a bloodsucker groupie, and it became apparent as she worked the pole and stripped down to her G-string that she had tracks in the less visible places that vampires with discretion preferred for feeding. The purpose of the striptease wasn't to titillate sexually, it was to arouse the vamps. And once she had, they came to the stage—not to put dollar bills in her G-string but to taste.

She clearly got a sexual charge of her own out of it. Lucien looked away in disgust as the bloodsuckers crowded around, dipping their fangs into the marks at the undersides of her arms, beneath her breasts, inside her thighs, and sucking greedily. The donor moaned and crooned with pleasure and finally climaxed loudly, and the crowd cheered.

"Not your thing, baby?" Polly smiled down at him, dressed tonight in poison-green silk with long aquamarine locks to match. She could easily have swum out of a pre-Raphaelite painting.

"Blood porn? No. Never. But then you know that."

Polly slipped into the seat opposite him, managing to give him a sympathetic look. "I haven't forgotten. If I'd known you were planning on making an appearance here again so soon, I'd have moved the performance to another night."

"No, you wouldn't, but it's sweet of you to say so." Lucien downed his third bourbon.

Polly raised an eyebrow at his empty glass and signaled one of her staff to bring him another. "Anything bothering you? You usually don't drink alone these days."

"I'm celebrating." Lucien tried to smile and felt like he couldn't remember how. He was an alien pretending to be human. He gave it up and raised his glass after the waiter refilled it. "You're looking at the new CEO of Smok International."

Polly took the bottle from the waiter and picked up the glass he'd set in front of her. "Congratulations." She watched Lucien over the rim as she sipped. "Do I detect a note of dissatisfaction with your good fortune?"

"You haven't asked if Edgar's kicked the bucket." Lucien took another drink, and Polly refilled it. "He hasn't, by the way. He just decided out of the blue to retire and turn the whole thing over to me."

"And there's a catch, of course."

With a nod, he drank again. "No dirty Marchant blood allowed."

One green eyebrow twitched. "You mean Carlisle blood, I take it."

"Same thing."

"You like this Carlisle girl. A great deal."

Lucien shrugged and emptied his glass.

"Sorry, sweetie. I told you no good would come of that association, but I hate to see you like this."

The suckfest on stage was getting louder. They were practically having a vampire orgy right in the middle of Polly's Grotto. The donor had been lifted into the air on her back—crowd surfing—so they didn't have to crouch to feed. Lucien was starting to wish he'd brought his crossbow.

He glared at Polly. "How far are you planning to let them go? They're going to bleed her dry."

Polly waived her hand dismissively. "They know the rules. She knows her limits. This isn't her first performance."

"No doubt. She's reaching another one of her limits right now, from the sound of it."

Polly reached across the table to take Lucien's hand even as she refilled his drink. "This thing is really eating you up. I wish I could do something to help."

Lucien laughed. "Is that an offer?"

Polly smiled knowingly. "There's always a standing offer for you, baby." Her thumb rubbed against his palm, a suggestive stroke and press.

"You're doing the silent song tonight, I see."

Polly's smile didn't waver. "We've always been so very much in tune."

He could take solace in her as he had before, both of them knowing it was only solace. Knowing she had any number of lovers and didn't need him one bit. Instead, she wanted him. He couldn't help being flattered. Lucien let his thumb move along the webbing between her thumb and forefinger.

The sweet scent of violets wafted toward him through the smoky air. The same scent Theia's skin had as he'd pressed his lips to it.

"Lucien?"

He jumped at the sound of Theia's voice.

Lucien pulled his hand out of Polly's—a bit forcefully, because she resisted—and turned to look up, mortified. But it wasn't Theia. It was her more colorful twin. Rhea stared ice daggers into him with Theia's gray eyes. And the Viking stood behind her, arms folded and fists clenched like he was resisting punching Lucien in the face.

Rhea turned her ice daggers on Polly. "Who the hell is this?"

"This is Polly. She owns the—"

"Oh, I've heard of Polly. Polly the siren. Nice. Jerk." Rhea turned back to Lucien as Polly raised her eyebrows with amusement. "Theia's sobbing her eyes out trying to figure out what she did wrong, and it turns out it's because she's not some tarted-up sex siren."

Polly's eyes narrowed.

"Theia didn't do anything wrong."

Rhea's gaze shifted, fixed over his head at the stage. "Holy shit." She looked to Lucien once more, her gaze now more fire than ice. "Is this what you're into? Live sex shows? Theia totally dodged a bullet with you, asshole. Come on, Leo. Let's go."

"It's not a sex show," said Lucien. "They're..." What was the point in finishing that thought, though, really? He took a drink of his topped-off bourbon.

"They're drinking her blood," Polly offered helpfully. "I believe your erstwhile immortal friend here has seen a similar performance a time or two." Polly smiled at Leo. "Isn't that right?"

Leo's face turned bright red, and he ran his fingers through his untidy reddish-blond hair in a nervous gesture that was amusing given his usual demeanor.

Rhea glowered, looking up at him. "Leo?"

"A long time ago," he muttered. "With Faye."

Lucien snorted. He'd drunk just enough to be extremely incautious. "I've heard a few things about you and Faye." He could feel Leo's eyes on him without looking up.

Leo took a step closer to the table, the awkward moment having apparently passed. "Care to elaborate?"

"Talked to a few Valkyries," said Lucien. "To hear them tell it, you were something of a kept man." He picked up his drink again. He'd lost count of which number this was. "Kept on a leash."

The glass spun out of his hand so fast, it took Lucien a moment to realize Leo had knocked it from his grasp.

While Lucien was still contemplating the unexpected speed, Leo grabbed his collar in both fists and hauled him from his seat. "Why don't you say that to my face?"

Rhea shifted her feet, boots crossed at the ankle as she bit her lip. "Leo, let's just go. He's not worth it."

Lucien met Leo's eyes and smiled. "Kept. On. A. Leash."

"Oh, shit." He heard the words from Rhea before he found himself flat on his back on the table with Leo's fist in his face. He wasn't really feeling it. Which meant he'd had way more to drink than he wanted to admit.

He slithered out of Leo's grasp and hit the back of his head on the table as he dropped to the ground. That smarted a little. It would smart more tomorrow. Lucien scrambled up and dashed past Leo, heading for the door, but Leo caught him by the arm—the arm Lucien had forgotten to see the doctor about. He heard the snap before he felt the thick pop of the solidified ecto gel stretching and bending.

Leo let go of him, looking slightly nauseous. Rhea's eyes were wide, and even Polly looked a little green—notwithstanding the evening's wardrobe choice.

"What?" Lucien stared at them, swaying slightly. He wasn't sure if it was the blow to his head or the booze. And then he glanced down and saw his arm pointing the wrong way at the elbow. And a bone sticking out of it. And chartreuse gel oozing from it like an ectoplasmic emanation. Or putrefaction. He wasn't sure which one of those things made the blood rush out of his head before he dropped.

Head swimming, he was dimly aware of being carried off the floor to a back room while Polly spoke.

"I'd happily let him stay here for the night, but I have a business to run at the moment, and I think he needs medical attention." She seemed weirdly far away.

"Yeah, I'm sure you would be *thrilled* to." Rhea's voice, dripping with sarcasm. "Which is precisely why he's going with us."

"He's not our problem," Leo muttered under his breath.

"You *are* the one who knocked…*that*…out of his arm." Polly again. "Violence is strictly forbidden in the Grotto, as I'm sure you're aware. But I'm willing to overlook the infraction if you'll see that Lucien's taken care of. I suggest you call Lucy. No doubt she'll have experience with… whatever that is."

"I think she gave him some kind of shot the other night when it was broken," said Rhea. "Let's just call her, Leo. We can hand him over to her and be done with it. Her number's in his phone under Bitch."

Lucien giggled.

Someone was digging in his pockets. He'd left his phone at home so he wouldn't be tempted to check Theia's texts.

"It's not here," the Viking growled.

Lucien made a dismissive motion with his arm, trying to indicate that he didn't have the phone, but his arm evidently didn't quite do what it was supposed to, and everyone groaned.

He opened his eyes, focusing on Polly frowning down at him. "I'll get an Uber," he tried to say, but it didn't sound like that, either.

"Get Anubis?" Rhea glanced at Leo. "What is he talking about?"

Leo looked baffled. Lucien started to laugh. That's when he realized he was insanely drunk and that he was going to regret all of this, and he didn't care.

Rhea's disapproving expression made him laugh harder. "Okay, let's just get him outside. I'll call Theia. Maybe she has Lucy's number." For some reason, this made Lucien laugh even harder.

With a growl of disgust, Leo hauled Lucien off the couch he was lying on, one arm braced under Lucien's unbroken one. Polly showed them the back way out of her private suite into the alley, and Lucien stumbled along with Leo, giggling like an idiot.

Rhea walked ahead of them to the parking lot, her phone in her hand. "Thei? We have a bit of a situation here. Lucien's been injured. Again. Do you have Lucy's number? He doesn't have his phone on him." There was a brief pause. "Okay, well, you don't have to yell. And Leo didn't do it. I mean, he did, kind of, but it wasn't his fault."

A cheerful chirp and flash of taillights announced that they'd reached Rhea's little red car, and Leo opened the door and shoved Lucien into the back.

Rhea glanced inside dubiously while Lucien tried to fold his legs into it, half reclining. "He'd better not puke in Minnie Driver." She spoke into the phone again as she got behind the wheel. "Just give us his address, then. We'll drive him home and he can call Lucy himself." Rhea listened for a moment. "Oh, for God's sake. Fine. Then we're coming to you."

Someone was operating a jackhammer in the next room. Lucien groaned and tried to cover his ears, only to find his right arm screaming with pain like someone had stuck a knife through it.

"What. The. Fuck."

"Lucien?" The jackhammering came again. Except it probably wasn't a jackhammer but someone knocking on his door. "Are you awake?"

He rolled onto his side so he could cover one ear and press the other to the pillow. "No."

The door opened, and light flooded the room. Lucien moaned in protest.

"I brought you some extra-strength aspirin." It was Theia. He could smell violets. Though he supposed it could be Rhea. Except she wasn't swearing at him. It was Theia. "Figured you might want it. For a number of reasons."

Without opening his eyes, Lucien held out his hand, and Theia placed the pills in his palm. He swallowed them dry before realizing she was holding a glass of water. She set it beside him on the nightstand. His mouth felt like he'd been sucking on gauze. He was probably going to need to sit up and drink that. Eventually. Maybe when he was dead.

Theia was still hovering. "I didn't know if I should take you to the emergency room. I figured they wouldn't know what to make of that…stuff."

Lucien grunted, hoping it was an acceptable answer.

"Lucien, can you just talk to me for a minute? Like you give a damn that I'm here?"

Reluctantly, he opened one eye. And felt like the biggest

asshole alive. Theia's eyes were red and puffy, like she'd been crying for hours. Probably all night and then some.

"I'm sorry." It was the only thing he could think of to say. Because he was. Sorry to his bones. Sorry he wasn't strong enough to stand up to his father. Sorry that he knew what he knew about her—and that he'd let it define his actions. Sorry that he'd ever met her, because how was he ever going to be normal again without her?

"I tried to call you. I texted you a dozen times."

"I know."

"Acting like I don't exist so you don't have to deal with your decision to choose money over me is a shitty thing to do. Can you just tell me to my face that you don't want to see me?"

Lucien sat up, clutching the bed to try to keep it from spinning. "No, I can't."

"You can't tell me to my face."

"I don't want to." The look on her face made Lucien's heart hurt. Dammit, hearts were stupid. Even stupider than heads, which in his case was pretty damn stupid. *Shut up, heart. Shut up.* "I don't want to because I don't want it to be true. But it is."

The pained look in Theia's eyes turned hard. "Okay. Well, I'm glad we cleared that up. I'll call you a cab." She slammed the door before he could say anything else, and the reverberating echo, like rocks smashing together in his head, made it impossible.

After a moment, Lucien realized he was in the master bedroom, which had a bathroom attached. He rolled out of the bed and made his way to the toilet, bracing his left hand on the bed for balance. He had to use the left hand to aim, too, which was awkward.

As he made his way back through the bedroom, he paused with his hand on the doorknob. What was he going to say to her? What the hell was he going to do?

Reflected in the full-length mirror in front of him was a painting hanging over the bed: John Collier's *Lilith*—the redheaded nude with the secretive smile—in the embrace of the snake. Maybe it *was* his fate. Maybe he should stop running from it. Leo and Rafe Diamante and Dev Gideon seemed perfectly happy with their lot. Maybe he could embrace the devil inside him and everything would be okay.

And maybe hell was real, and he would find himself dragged down into it, unable to escape Madeleine Marchant's curse.

His arm throbbed, and his head was pounding. And his goddamn heart hurt. He opened the door, ready to tell Theia that he was an idiot, that he was prepared to defy his father's wishes, and he didn't care if he was penniless and hell-bound so long as he was with her.

Theia stood by the open front door at the end of the hallway. "Your cab is here. Hurry up. I don't want Puddleglum to get out."

Chapter 22

The cab pulled out onto the drive, and Theia let the edge of the curtain fall. She was done crying over Lucien. He could go to hell for all she cared.

Rhea had told her about Polly and how Lucien had been having no trouble at all getting over Theia. It hardened her resolve. Let the siren have him. Theia had been ignoring all the omens, all the warnings, all the dreams. Now she didn't have to, because fate had decided for her.

With Carter's help.

Theia frowned. It was past time to talk to Ione. There was something happening here that was bigger than having her heart stomped on. Might as well bite the bullet and do it face-to-face. She still had Ione's shawl from the reception to return.

Theia texted her sister to tell her she was coming by with the shawl and headed out.

Ione was in a considerably better mood than she'd been after the wedding. Which of course Theia was going to ruin by bringing up Carter again. After dropping off the shawl, she lingered in Ione's garden, trying to figure out how to broach the subject while Ione trimmed her roses, but, as usual, her big sister managed to be one step ahead of her.

"Rhea says you have a new job. When does it start?"

Theia sniffed a cluster of tea roses. "It fell through, actually."

"That's too bad." Ione deadheaded a limp rose with her pruning shears. "You and that Smok boy looked pretty good together."

Theia groaned into the rose petals. "Why do you always know everything before I tell you about it?"

Ione gave her a cryptic smile. "I have my witchy ways."

"Nice. You're doing magic divination about my love life. Who isn't?"

"Rhea, for one. She says you won't let her read your tattoos."

Theia stepped back from the rosebush with a glare. "She told you about Lucien."

"She was a little worried about you. I'm sorry it didn't work out."

"That's kind of what I came to talk to you about."

"Oh? I thought you came to bring back my shawl." Ione gave her that look again that said Theia was fighting a losing battle if she thought she could ever put one over on her big sister.

"I don't suppose Rhea mentioned anything about Lucien's hobby."

"She did say something about an archery incident."

"Did she happen to tell you that someone's been feeding Lucien information about us to get him to target Leo and Rafe and Dev?"

Ione scowled. "It's *him*, isn't it? That's what he was doing at the wedding. Letting us know he had us in his sights."

Theia inspected another rose before broaching the rest of it. "I talked to Lucien's sister yesterday and found out Carter has signed on as a silent partner with Smok International. Lucy says he has some kind of influence over her father—I'm betting you and I can guess how—and the whole thing has her worried."

"Lucy?"

"Lucien's sister. They're twins. She kind of hates me. But I think she hates Carter more."

With a sharp snip of her shears, Ione managed to deadhead a happily blooming rose. "What does he want with a pharmaceutical company?"

"It's more like parapharmacology. I can't really get into the specifics. I signed a nondisclosure agreement. But suffice it to say, there are…magical applications. The company also has a consulting arm that cleans up after magical accidents. They cleaned up your place."

"*My* place?"

"After you, uh, let Kur out that first time."

Ione blushed but shook her head. "That was Rafe's crew."

"The construction crew was Rafe's. The cleaners were contractors. From Smok."

Ione's eyes darkened. "Which Carter now owns part of."

"Which means he has a potential foot in the door of every magical household in the world."

"Lovely."

Theia stepped away from the roses. "I have to drive to Flagstaff, so I'd better get going. I just thought you should know."

Ione walked her to the garden gate, frown lines etched into her forehead.

Theia turned back after opening it. "By the way, congratulations, Mrs. Gideon." She winked and gave Ione a kiss on the cheek.

Ione's eyes widened before narrowing into a glare. "I told him not to tell you. And it's Ms. Carlisle, thank you very much. I'm not changing my name."

Theia grinned. "Of course you're not."

Lucien gritted his teeth as the doctor extracted the last of the gel.

Fran gave him a disapproving look from behind her rimless glasses. She'd been treating Lucien's mishaps for most of his life.

"You know this wouldn't be this painful if you'd just called me the day after it happened."

"Yes, I know. Yes, I'm an idiot. Yes, I deserve every ounce of pain I've got coming."

Fran glanced over the top of her lenses. "I wouldn't go quite that far. But it is going to be painful, unfortunately. And not just right now. It's not possible to restore the bone fully since you've let this gel degrade. I'm removing as much as I can, but you're likely to retain some residual gel in the joint, which will probably cause some chronic stiffness and inflammation."

"You mean I've managed to give myself arthritis before I even hit my midtwenties."

Fran shrugged apologetically. "That's about the size of it."

"Fantastic."

The doctor straightened, holding up the large syringe full of fluorescent gray-green sludge. "That should do it. As for the break, I think we can avoid a full cast and keep it immobilized with a splint. As long as you promise not to get into any more fights until it heals."

"Yeah, I think my fighting days may be over."

"I heard you're taking the helm at Smok. Congratulations. I never thought Edgar would retire. Certainly not this early." Fran glanced up as she adjusted the straps of the splint. "How does Lucy feel about all this?"

"I don't know. I haven't spoken to her."

"Do you think that's wise? I mean, she is still the CFO. Not to mention your sister."

"She'll get over it." Lucien's response was a bit terse, but it seemed a little inappropriate for Fran to comment on family business. He supposed she saw the two of them as almost like family of her own, having treated them since they were kids. And she was also his shrink.

Fran was quiet as she finished and packed up her bag, and Lucien felt like a jerk. It was becoming a familiar feeling.

"Thanks for making the house call." He lifted his arm gingerly. "It still hurts like hell, but honestly, it feels at least fifty percent better."

Fran's warm smile was back. "That's what Edgar pays me for." She studied him for a moment. "Have you been sleeping well? You look a little wan."

Lucien laughed. He was born wan.

"There's been a lot to get used to. And I drank more than I should have last night."

"If you need a prescription for a sleep aid, I can write one up." She took out a pen. "Or a refill on your antidepressants or antianxiety meds."

"Thanks, but I think I'm good."

After she'd gone, Lucien discovered a message waiting for him from Edgar. He was being summoned: a command performance with the board of directors to meet the new financial partner—none other than Carter Hamilton. Nothing like being thrown into the deep end with the sharks. The informal meeting with Edgar's inner circle the day before had been tedious enough. This was the part of the business he'd never wanted to inherit. Lucien was beginning to think he'd made a very bad bargain.

His first official appearance as CEO would be with his arm in a sling. Not exactly the picture of confidence he wanted to project. He was the last to arrive. Lucy sat at what was usually Edgar's right hand, but Edgar stood behind the chair at the head of the table, waiting to turn it over to Lucien. Lucy's expression was stoic. Not that stoicism was anything new for her. Edgar gave Lucien a big, pretentious smile. It was all for the benefit of the board. Lucien was sure Edgar had never smiled at him genuinely in his life.

After Edgar introduced him and the board politely applauded, Lucien took the CEO's seat while Edgar moved to a seat among the other members. To Lucien's left sat Carter Hamilton in the flesh, polished and overeager, like a slick, blond, high-end car salesman. He seemed innocuous enough, but something about him raised the hairs on the back of Lucien's neck. Maybe it was the overdone tan that put Lucien in mind of a grifter politician.

After the preliminary business was out of the way and niceties had been exchanged about Lucien's place in the firm, Edgar turned to Hamilton. "As you know, Carter Hanson Hamilton has thrown in his lot with the Smok enterprise. He'll be working closely with Lucy in restructuring our executive operations." Edgar paused and laughed. "I should say *your* executive operations. As of today, I'm officially stepping down from active participation in the company." Surprised glances were exchanged around the table. "Carter, would you like to say a few words?"

Unnecessarily, Carter pushed back his chair and got to his feet. "Thank you, Edgar. I'm thrilled to be a part of the Smok family. I see a new, even more prosperous tomorrow for Smok International, and I'm delighted to be able to work with the lovely Lucy Smok on making our plans come to fruition."

Lucy's mouth curved into a smile, but her eyes weren't participating.

As Carter spouted a few more lines of inane corporate babble and the board began to discuss the day's business, Lucien's mind wandered. What was he even doing here? He could be with Theia, curled up in bed and nursing his hangover. Instead, he was becoming his father, the last person he'd ever wanted to be.

The meeting was over before Lucien expected it, and he started guiltily, wondering if he'd actually fallen asleep with his eyes open. The board members were approaching him to shake his hand and apparently to try to cozy up to him with more corporate babble and flattery.

Carter was the last to greet him personally. Though the other members had casually taken Lucien's left hand without comment, Carter made a point of reaching for the right and stopping short.

"My apologies." He offered his own left hand instead. "Tennis accident?"

Lucien shook his hand, annoyed by the unnecessary firmness of Carter's grip and the way he pulled Lucien in toward him like an insecure ape trying to assert dominance. "Archery. It's a hobby." For some reason he felt the need to add, "Crossbow."

Carter was still gripping his hand. "Ah, are you a hunter, Mr. Smok?"

"Like I said, it's a hobby." Lucien pulled back on his arm, and Carter finally released him. Lucien resisted the urge to wipe his hand on his slacks.

"I'm more of a racquetball man myself. I have a court reserved every Wednesday at 10:00 a.m. on campus. Perhaps we could meet tomorrow and..." Carter glanced at Lucien's sling. "Oh, right. Sorry. Maybe another time when you're feeling up to it." Carter turned to Lucy, who was packing up her briefcase. "Lucy, why don't you meet me there tomorrow? It will give us a chance to discuss strategy."

Lucy paused and glanced up at Carter as if he'd just suggested joining him in a naked mud bath. "I have some other commitments, so I afraid I can't..." Her words trailed off, and she stared openmouthed as Carter turned and started talking to one of the other members of the board without listening to her response.

As the board members filtered out, Lucien turned to go, but Edgar tapped him on the shoulder.

"If you don't mind, Lucien, I have some details to go over with you. Can you stay a few minutes?"

Lucien glanced at Lucy, who was heading out the door. He couldn't remember the last time he'd been alone in a room with Edgar. He was a grown man, and the idea actually made his stomach churn with anxiety.

"Can it wait?"

Edgar's dark brows drew together in disapproval. "No, Lucien. It cannot wait. Have a seat."

Lucien returned to the table reluctantly, hesitating at the chair he'd been sitting in before. Deciding it would be a gesture of respect to leave it for Edgar, he took one on the side, leaving a gap between them.

But Edgar remained on his feet. "You may have some questions about the timing of my announcement. I've already spoken to Lucy about it, but I thought you should know." He clasped his hands behind his back and paced around the table.

"Know?"

"I'm sure you're aware that I've used Smok's patented medication for some years to supplement my youthfulness. It turns out that prolonged use has some rather unfortunate side effects. Not surprising ones, really, when it comes right down to it." Edgar stopped pacing and turned to face Lucien. "Quite simply, things are falling apart. Rapidly. Both body and mind. I was very lucky to run into Carter Hamilton recently. He's in remarkable health for his age, as it happens, and has never used a drug." He crossed to the window and looked out at the mountains, perfectly framed. "I'm not well, Lucien. But Carter is extraordinarily well. He's agreed to share the secret of his good health with me in exchange for majority interest in Smok's holdings."

Lucien had known Edgar was older than he looked. Even as a small child, he'd been aware that his father was quite a bit older than the parents of his peers, but it was never spoken of. Lucien and Lucy's mother hadn't been his father's first wife, but they were the only children Edgar had fathered. Lucien had always suspected it was why his mother had left after performing the job she'd presumably been recruited for—producing an heir. For all he knew, she'd been paid for it.

"Why step down as CEO?"

Edgar turned, his brow creased with annoyance. "What?"

"I understand making a bargain with Carter Hamilton for whatever his secret is, but once you've done that, why not continue to run the company?"

Edgar's expression was stiff. "That wasn't the bargain. The company is yours. Stop whining about it."

"I'm not whining. I'm just curious."

"You're trying to squirm out of your responsibilities as always. Don't think I didn't notice your lack of interest and participation in the meeting today. And I wasn't the only one who noticed. You can't rely on Lucy to do everything for you your entire life, Lucien. You're a man. Act like one."

Lucien's face burned. There was no retort he could make to any of that, because it was true.

"If there's nothing else..." He got to his feet, eager to be anywhere but here.

"There is, in fact, something else." Edgar's expression was grim. "We need to discuss the legacy bequeathed by Madeleine Marchant."

The name, as always, sent a chill down Lucien's spine. "So there is one, then."

"Of course there is one. Why on earth do you think I've been prolonging my life?"

Lucien had assumed it was the reason anyone would: fear of dying. "I hate to state the obvious."

"You think it's vanity? That I'm afraid of looking old?" Edgar shrugged. "I suppose there's some truth to that. Age means frailty, and I cannot afford frailty. But more than that, my continued longevity means that Madeleine's payment can be deferred. As Smoks, we deal in souls. Not the least of which are our own."

Lucien had a sinking feeling he understood. "You've bargained your soul."

"Not mine, Lucien. Yours."

Chapter 23

The pain in Lucien's arm intensified. "What do you mean, mine?"

"You know the story. Every seventh generation is required to serve in hell. I found a way to skip a generation—staying alive."

Lucien wasn't following. "But according to the family tree, yours is the sixth generation of Smoks since the last to serve."

Edgar shook his head. "I've let you believe I was far older than I am so that you could get used to the idea of being the one to bear the curse. I'm not the first Edgar Smok. That was my father. Nevertheless, my lifespan was extended well beyond the time that my service was to come due, so the duty passed to my offspring. I know it seems callous of me, but you must understand that it was a decision I made many years ago, long before you were born."

Lucien was the eighth generation. Edgar had cheated, selling Lucien out—selling Lucien's *soul*—to avoid the Smok fate.

Everything made sense now. His father's distance and coldness. Even the way Edgar had let Lucien get away with everything short of murder despite the gulf between them. It hadn't made sense that Edgar wouldn't be harder on him given the lack of warmth in their relationship. Lucien had pushed every boundary, trying to find out just how far he could go before Edgar would step in. But he'd only done so when Lucien had started seeing a Marchant descendant.

"You realize my staying alive also benefits you, Lucien."

Lucien let out a choked laugh. "How the hell does it benefit me?"

"Because this isn't a 'pay on receipt of services rendered' transaction. The bill only becomes payable upon my death. So the longer I live, the longer you can go on about your life. In that respect, we're both very lucky that Carter Hamilton came along. The Smok family may lose a little power, but a Smok will remain the public face of this company. You're free to enjoy a long, full life." Edgar inclined his head. "But only the span of an ordinary human life. That was the deal. So you see, I can't prolong the inevitable indefinitely. My time runs out when yours does. And vice versa."

Lucien swiveled away from him. "And what happens, exactly, when the bill comes due? Say I die an old man, seventy years from now. Are you saying there won't be any consequences until then? No physical effects from the curse in our blood?"

"Do you see any in me?"

Lucien swiveled back reflexively at the question.

"For all intents and purposes, you are fully human, just like the rest of the Smok family. The change comes, as I understand it, once the soul is delivered—which occurs without it having to leave the body. A sort of transmogrification."

"You're saying I'm going to turn into some sort of monster on my deathbed and get sucked down into hell."

Edgar frowned. "You always see the worst in everything. I hardly think *monster* is the preferred term. As far as I know, you won't look any different. You'll simply *be* different. Most likely, youthfully restored. I expect you'll look much as you do now."

"Only I'll be a demon reigning in hell."

Edgar had on one of those smiles again. "Better than serving in heaven, as the saying goes."

"And yet you've spent decades making sure you never had to."

"Naturally, you make *me* out to be the monster. I've been the villain of your entire life. You have no idea of the sacrifices I've made for you. Am *still* making for you." Edgar waved his hand in the air in irritation, as if he couldn't articulate what he wanted to say. Perhaps his mind really was going. "That's enough. Go home."

Lucien had plenty to think about as he left the building. If Edgar was right about the terms of the Smok legacy, it could change everything. If shifting into something inhuman no longer loomed on the horizon, the threat of the loss of Smok Biotech was meaningless. What he had to consider was whether he could survive without the rest of what the Smok empire offered: power, money, a good life—everything he had access to now. He still had hopes of doing some good with that power, of changing how Smok operated and putting a stop to its complicity in allowing evil to prosper and proliferate. He was doubtful that anything would change with Lucy at the helm. She was too pragmatic.

There was also the fact that his fate, like Edgar's, was only postponed. But it was hard to see something that was so many years away as the looming threat he'd always feared. Would defying Edgar affect that eventuality in any way? Could he even trust anything his father said? After all, Edgar had sold Lucien's soul to the devil.

Having left the boardroom with an increasing feeling of hope, he was already cycling back toward pessimism and mistrust. Maybe he *should* have Fran give him some meds.

He was so deep in the vicious circle in his head when he reached the parking lot that he stepped off the curb without looking. A horn blared, wheels screeching, and Lucien found himself just centimeters away from the hood of a silver hybrid. Angry at himself, he directed the anger at the car and slammed his palm on the hood, ready to cuss out the driver.

Through the windshield, Theia's wide gray eyes stared at him in disbelief. Both of them froze for a moment before Theia's shocked expression turned dark.

She lowered the window and leaned out. "Why don't you look where you're going?"

Lucien took his hand off the hood and stood in front of the car, realizing how much better he felt just being yelled at by Theia—having any interaction with Theia. "I don't know. I think I'm probably an idiot."

"You got that right."

The driver of the car behind Theia honked aggressively.

Theia glared. "Are you going to move or just stand there being an idiot?"

"Can I get in the car and be an idiot?"

Her mouth twitched, resisting a smile. "Depends on how idiotic you plan to be."

Lucien smiled. "I never plan. That's the genius of my idiocy."

The horn honked again, longer this time, to let them know the irked driver meant business and would honk again, by golly.

Theia's expression didn't change, but the lock on the passenger door of her car clicked open. Lucien wasted no time in taking her up on the tacit invitation.

He slipped in and closed the door. "Thanks for not running me down."

"It was touch-and-go there for a minute." Theia pulled out onto the main drive. "It's going to be awkward running into each other on campus like this. Although Lucy said she might fix that for me by making sure I got kicked out of my graduate program if I didn't leave you alone."

"She what? When did she say that?"

"Yesterday, when I tried to report for my first day of work."

Lucien ran his hand through his hair. "Dammit. I'm so sorry. I mean, not about Lucy—although that, too—but about me. About all of this. It just happened so suddenly, and I didn't know what to do."

Theia glanced at him. "And do you know what to do now?"

"Honestly?" Lucien sighed, wishing he could give her the answer she deserved, but he hadn't yet worked it all out in his head. There was still the issue of the Lilith blood. He wasn't sure if that was separate from the legacy. He shook his head. "No. But I know that I hate not being with you."

Theia kept her eyes on the road. "Well, that's something, I guess. So where am I driving you? I assume you had a car in the parking lot."

Lucien shrugged. "I can get another one."

Theia laughed, though not humorously. "Wow. Your life is something else."

"It is, isn't it? Where were you heading?"

"Me? I just finished my last final and was on my way home. To my place, I mean. My apartment here in Flagstaff."

"I haven't seen your place."

Theia threw him an annoyed look, the point of her bob swinging against her cheek with the quick movement of her head. "Well, yeah. Shortest relationship ever. Even for me." The word *relationship* made the little blip of hope attempt a comeback.

"There are some things I'd like to talk to you about."

"Things like Susie the siren?"

"Polly the—" Lucien stopped himself, reddening. "I'm not seeing Polly. She's not a factor in this."

"And what would 'this' be?"

"This would be me trying to figure out some very complicated things about who I am. And who you are."

Theia glanced over again and nearly rammed the car in front of her as it stopped when the light changed. She hit the brakes forcefully. "Who *I* am?"

"The Lilith blood."

"I thought we'd already discussed that. I thought you were okay with it."

"That was based on the information I had at the time. I have more now."

"So you want me to drive you to my *home* so you can tell me what else you don't like about me in my own personal space. I don't think so."

Lucien reached for her hand on the steering wheel, and she flinched but didn't pull it away. He felt a million times stronger, a million times surer of himself, at the touch of her skin.

"I want to figure us out. If you'll give me a chance. I can't promise where the conversation will end up, but I think we deserve to have it. We don't have to go to your place, if it makes you uncomfortable, but I'd like to talk to you somewhere private. We could just sit in the car, I guess."

Theia went through the intersection. "I have gourmet doughnuts at home. I think we might need them."

What she'd dreamed about and feared, her worries about the dark prince—everything Lucien told her about the Smok legacy while she nervous-ate three artisanal doughnuts confirmed her suspicions that it was all coming to pass. He was the one. And fate had brought them together, as surely as it had Phoebe and Rafe, Ione and Dev, Rhea and Leo. She'd just kind of hoped her fate wasn't really going to be this dark.

Theia leaned her head against her fist with her elbow

propped on the back of the couch, trying to digest Lucien's words along with the doughnuts. "So according to your father, you won't descend to hell for sixty or seventy years."

"Barring some kind of accident or disease. It was the first time he spoke to me about any of this, and given his ulterior motive in staying alive as long as he can, I have no reason to disbelieve him."

"And Carter is going to help him do that."

"Apparently, he has some secret to the fountain of youth."

"Yeah, it's called feeding on the life energy of other people. How do you know he isn't planning to feed on yours?"

"That would be detrimental to Edgar's agenda. He's not going to do anything that would shorten my life." Lucien smiled ruefully. "For the first time, my father is actually rooting for me to succeed at something."

Theia returned the smile, but Carter's involvement was worrisome. He certainly wasn't doing anything out of the goodness of his heart. She was pretty sure he didn't have one. Maybe the secret to his longevity was that he'd had his heart removed and kept in a crypt somewhere, magically preserved—and magically preserving *him*.

"So what happens if you don't honor your father's wishes? Does that change things?"

Lucien breathed in deeply and exhaled. "I'm not sure. Given everything he told me, I don't see how it could. Except for one possible unintended consequence."

There was always an unintended consequence. "Which is?"

"It's the possibility that completely aside from Edgar's manipulation of the legacy, some other factor would trigger it." Lucien looked at her pointedly. "You."

"Me?" Before the protest was even out of her mouth, the connection became obvious. "You mean my blood."

"The theory is that it's what drew us together. That's why I tried to break it off with you so completely and so suddenly, without having the decency to tell you what was happening. I'm not proud to admit this, but I was scared. I was afraid that if I saw you again to tell you about Edgar's ultimatum, to try to explain to you that he'd forced my hand because of the anti-lycanthropy research, that you'd seduce me."

Theia couldn't help the surprised titter of laughter. "Seduce you? I've never seduced anyone in my life."

Lucien smiled. "But you have." He reached for her hand and wove their fingers together. "Everything about you seduces me every time I see you. You seduced me from all the way across the room that first moment at the reception."

"By choking on a grape."

Lucien shook his head, still smiling. "My God, woman. I've never seen anyone choke on a grape so seductively in my life."

Now she was laughing out loud. He stopped her with a kiss that, once again, took her breath away. Theia melted into him, moaning softly at the connection she'd somehow managed to convince herself wasn't real. It lent credence to the idea that it could be the influence of the demon strain in her blood, called home by Madeleine's curse—but if it was, more power to it. Something that felt this right couldn't be bad. Except...

Theia let out another moan, this time in frustration, and pushed herself away from the firm plane of his chest.

Lucien's strikingly pale eyes searched hers. "What's wrong?"

"I want this—you have no idea how much—"

"I think I have some idea." He dipped his head toward her.

She put her fingers against his lips as he tried to move in close again. "But I don't want to turn you into something you don't want to become." She shrugged helplessly and let her fingers fall.

Lucien's brow furrowed. "So now the thing we're afraid is drawing us together is going to be the thing that keeps us apart?"

"We have to think this through. We have to be sure about what we want."

"I don't want to think anymore. I'm tired of thinking. I want *you*."

"But doesn't that back up your theory? You came over here conflicted, depressed, wanting to tell me why this wasn't going to work—" She stopped midsentence and glared at the insistent shake of his head. "I could tell that was what you were thinking, Lucien. Don't deny it. I could feel it."

Lucien let go of her hand and launched himself off the couch with a one-armed shove. "So now I'm just some stupid pawn who doesn't know his own mind. Is that what you're saying?"

"That's not what I'm saying at all. I just want us both to be clear about what we're doing, why we're doing it and whether we're prepared to accept what might happen." She fixed him with an unflinching gaze. "Are you?"

Lucien clenched his fist in the hair at his forehead. "How can I know that, Theia? How can anyone know they're not going to die tomorrow? What I know is that I feel like my guts have been ripped out when I'm not with you." He gave her a helpless little attempt at a smile. "I'm not prepared to go through life without my guts. Don't make me."

Theia rose and wrapped her arms around his neck, and Lucien unclenched his fist and slid his good arm around her waist. Their bodies fit together like a set. His feelings for her were powerful and real—so strong that she had to make a conscious effort to separate them from her own. This wasn't about blood for either of them.

"If it's what you want, Lucien..." She took a breath of certainty. "It's what I want."

He bent to kiss her again, but something vibrated between them.

Lucien laughed. "That's not a phone in my pocket, I'm just happy to see you." He retrieved the offending device. "Let me just turn off…"

Watching the swiftness with which Lucien's smile dropped away felt like stepping off the sea floor in the shallows into a bottomless drop.

She withdrew her arms. "What's wrong?"

"My father… Lucy found him unresponsive on the floor of the boardroom. He's in the hospital."

Chapter 24

Lucien was quiet as they drove to the hospital. Lucy was already there, hovering in the waiting room as they stepped off the elevator.

She threw Theia the side eye as she hugged her brother. "What's she doing here?"

"I was with her when you called."

"Well, that didn't take long. Did you walk straight out of the boardroom into her car?"

"Pretty much, yeah."

"Convenient, then, that Edgar's unconscious and can't disown you."

Lucien stepped back and held her at arm's length. "Watch yourself, Lucy. This has nothing to do with Theia."

"Then I repeat, *what* is she doing here?" Lucy jerked her arm out of Lucien's grasp as he started to answer. "It was a rhetorical question, asshole." She paced away from them, facing the doors to the ICU.

Theia spoke quietly to Lucien. "Do you want me to go?"

"No. No, please stay. I need you here." He took Theia's hand, and Lucy made a derisive noise as she glanced over. "How did this happen?" he asked her. "Do the doctors know anything?"

Lucy sighed and folded her arms but didn't turn. "They think he's had a stroke. They said he has an unusual amount of plaque buildup in his arteries for his age." She glanced at Lucien. "Of course, I didn't tell them…" Her voice trailed off as she eyed Theia once more.

"You can say whatever you want in front of Theia. She knows about everything."

Heat flashed in the pale blue of Lucy's eyes. "Oh, well, isn't that just *swell*, Lucien."

"Edgar said he talked to you about his health problems. All he told me was that his health was deteriorating rapidly, and the partnership with Carter Hamilton was going to give him the opportunity to remedy that. Do you know anything more?"

Lucy turned toward them, regarding Theia icily. "You really want to talk about this in front of her?"

"Yes. She has experience with Hamilton."

Lucy's expression was slightly less hostile as she acknowledged it. "I suppose that's true." She dropped onto one of the awkwardly upholstered hospital waiting room chairs. "He was supposed to give Edgar an amulet. I assumed he already had and that everything was settled."

"Was there an amulet on him?"

"No."

Lucien considered. "Edgar seemed a little off when I left him, like he was exhausted by talking to me. I had the impression that whatever Hamilton was going to do for him, he hadn't done it yet."

Lucy pinched the bridge of her nose. "Do you think we should contact him? I hate the idea. He gives me the creeps. But maybe he can still reverse whatever's happening."

Theia was tempted to answer, to tell them that where Carter was concerned, they should run—fast—in the opposite direction. But this was their father, not hers.

"The deal's already been struck," said Lucien. "He'd just be fulfilling his end of the bargain."

"That's kind of what I'm worried about." Lucy sighed, staring up at the ceiling. "I'm not positive, but I have a sneaking suspicion that Edgar offered Hamilton more than just a controlling interest in the company." She leveled her eyes on Lucien. "I think he promised him me."

"*What?*" Lucien dropped onto the chair next to her, letting go of Theia's hand. "What are you talking about?"

"I don't know that Edgar meant it in quite the mercenary way it sounds. But I believe he thought Hamilton and I would be an obvious match and that promising me to him was merely a formality, because I would see the wisdom in such a 'merger' myself." She rolled her eyes. "And would apparently find Hamilton irresistible."

Theia had to swallow hard against the urge to retch. Not an uncommon reaction around the subject of Carter Hamilton, but this time it seemed clear it was Lucy's reaction she was picking up on. She certainly couldn't blame her.

Lucien put his hand on his sister's shoulder. "Hamilton's not coming anywhere near you as long as I'm around."

Lucy let out a sort of wheezing sound that seemed to be a laugh. "That's really sweet of you, Lulu, but I'm a big girl. I think I can take care of myself." She gave him a wry smirk. "I know the Russian martial art of Systema."

"I'm serious. If this was part of the deal Edgar made, I'm not standing for it."

Lucy's smirk turned into a glare. "Lucien, take the out when it's offered to you. If you don't stop patronizing me, I'm going to punch you in the throat and they're going to have to check you into your own room."

Theia had to look away to hide a smile. She could imagine Rhea saying the same.

"The point is," said Lucy, "I don't think we have a choice. We're going to have to call Hamilton eventually. He owes Edgar, and if he's withholding what he owes, he may find himself on the receiving end of one of my throat punches himself."

The elevator opened behind Theia. As she turned to move out of the way, she found herself face-to-face with none other than Carter himself.

He smiled, showing his overly white, perfect teeth. "Ms.

Dawn. What a pleasant surprise. Though not an entirely unexpected one."

Theia sneered. "It's not mutual."

Lucien rose and came to stand between them. "Hamilton."

Carter offered his hand, but Lucien put his in his pocket. "Terrible news about Edgar. How are you holding up?"

"We're just waiting to hear from the doctor."

Lucy rose behind them. "We've already had some interesting news. My father's health is exceptionally deteriorated. I believe you and he had an arrangement for you to share the secret of your good health with him. Why wasn't that done?"

Carter moved past Lucien to take Lucy's hand in both of his. "I can only imagine how hard this must be for you. I did offer to share my health regimen with Edgar, but I fear he may be beyond a few protein shakes and a low-fat diet at this point."

Lucy yanked her hand from his grasp. "Cut the crap, Hamilton. You were supposed to give him an amulet to safeguard him against something like this. Where is it?"

Carter frowned, casting a glance at Theia. "Are we divulging the Smok secrets in front of outsiders now? Has she signed an NDA?"

"As a matter of fact, she has," said Lucy. "So you can answer any and all questions related to the business in front of her. I'll take full responsibility."

"Will you? What an interesting development." He reached into his inside suit pocket and pulled out a small square box. "As it happens, I do have the amulet. It isn't a magical cure, however. It would have been better for Edgar to have had it on him before this ischemic event befell him, but it may prolong his life. As to the quality of that life, I can't make any guarantees. There was a ritual involved that would have imbued Edgar with the strength of the magic behind the amulet. We were supposed to meet this evening, but life happens swiftly, doesn't it?"

He opened the box and lifted out a length of gold chain with what looked like a gemstone charm dangling from it—black sapphire—set in ivory. Only Theia was pretty damn sure it wasn't ivory. Carter had used the bones of his victims to make his charms when he'd attempted to steal Rafe's power. She shivered and hugged her elbows.

Lucy held out her hand, but Carter didn't offer the amulet. "I think we need to come to some kind of an understanding about what this is worth."

Lucy frowned. "What do you mean, what it's worth? You own a controlling interest in Smok International. That was the deal. That's what it's worth."

"This deal took several months of negotiation, and it involves a number of complex elements. If you haven't already reviewed your father's copy of the contract, I suggest you do so in short order." Several months. So he'd been wheeling and dealing from behind bars, knowing he had someone in the DA's office to make his entire conviction go away—and knowing when. "The upshot is that, as the controlling interest in the company, I do have certain rights. And certain privileges." He dangled the amulet in the light, admiring it. "And this particular bit of magic wasn't easy to come by. But you are correct in saying that it was a large part of the deal."

"Then give it to me, or I'm going to have to contact our lawyers. And trust me when I say they will be going over every line of that contract with a fine-tooth comb."

Carter gave Lucy a look of admiration. "I've heard you like to play hardball. I like that in a woman."

"I don't really care what you like in a woman."

After setting the amulet back inside the box and closing it, Carter held it out to her. "I look forward to sparring with you. Consider this a gesture of good faith."

Lucy took the box, but Lucien stepped in and put his hand over hers. "Are you sure you want to do this, Lu?"

"I told you, I can handle myself."

Lucien gave Carter a dismissive look. "Can I speak with my sister in private a moment, Mr. Hamilton?"

"Certainly. I'm sure Ms. Dawn and I have some catching up to do."

Theia stared him down. "No, I'm sure we don't."

Carter grinned, like some spray-tanned ghoul, and strolled away from them down the hall.

Lucien ignored him, intent on Lucy. "You can't give this to Edgar without reading the fine print in that contract."

"He needs it, Lucien. And, frankly, *you* need it. I'm not going to have Edgar dying on me and you following him." Her voice wavered, just the slightest bit, in what Theia was sure was a rare display of emotion toward her brother.

"But you heard him. The required ceremony hasn't been done. It's not going to restore him to health."

"But it will keep him alive. And right now, that's the best we can do."

That much turned out to be true. After Lucy found a nurse who promised to put it on Edgar when Lucy managed to work up some impressive tears, telling the nurse it was a religious symbol that she didn't want her father to die without, the doctor emerged with good news. Edgar had stabilized.

Lucy and Lucien were allowed to see him briefly, but only one visitor at a time. While Lucien went in, Theia sat awkwardly beside Lucy in the waiting area, keeping a wary eye on Carter, who, for the moment, was maintaining a respectful distance.

"So." Theia cleared her throat. "Are you planning to wipe my memory or have me kicked out of the university after this? Or both?"

Lucy exhaled, her head against the seatback and her

eyes closed. "I reserve the right to do either at a later date if you intend to interfere in any way with how Lucien runs the business."

"I have no intention of interfering."

"You've already interfered, Theia. Your entire existence is an interference." She opened her eyes. "Lucien said he told you everything. Does that include the things he's done in the name of business over the years? Neither of us are innocents."

"I have some idea."

"You have no idea. And I suppose he told you about his suicide attempts and the fact that he's on antidepressants."

"No, he didn't. But it's not like I've never taken antidepressants before. Who hasn't?"

"You're almost adorably naive." Lucy wasn't smiling. "Almost. The only thing Lucien has ever done with any enthusiasm—besides drink and screw an endless parade of women—is his special project at Smok Biotech. He may not need it now. Maybe Edgar will hang on, and everything will be hunky-dory. But ask yourself what he's going to do without his research to keep him focused. And without his outlet of hunting rogue creatures. It's not an inexpensive hobby. How long will it be before he begins to resent you for taking everything away from him?"

Theia smoothed her hand along the seat's upholstery, studying the seams. "Are you saying that even with your father incapacitated, Lucien will be cut off if he continues to see me?" Lucy's momentary silence made her glance up.

"You are really something. I'm sitting here in the hospital with my father's life hanging by a thread, and you're conniving how to benefit from his misfortune."

Theia blushed, realizing that was exactly how it sounded. "I'm sorry. That's not what I meant. Of course I hope he recovers fully." She would have said more, but Lucien returned, looking grim.

He bent to give Lucy a kiss on the cheek, which seemed to alarm her.

"What's wrong?"

"He's stable, but he's barely there. He can't communicate. He doesn't respond when I speak to him—he just stares vacantly. If he survives, he's going to need around-the-clock home care."

Lucy's expression matched his. "And the amulet will keep him like that."

"Until I die, presumably."

She swore and shoved herself out of her chair, heading straight for Carter at the other end of the waiting area. "This is exactly how you planned it, isn't it?"

Carter remained seated, smiling up at her calmly. "How's that?"

"You never intended to keep up your end of the deal. You held on to that amulet until Edgar's body gave out on him, until all it would do was keep him alive as a living poppet."

"I think you're letting your emotions get the best of you, my dear. Totally understandable under the circumstances. But it might do you some good to go home and get some rest."

The tension in Lucy's body was clear even from where Theia was sitting. Lucy was holding back a well-deserved ass kicking with everything she had. Theia couldn't help rooting for her to fail in her endeavor to resist the impulse.

Lucy stared down at him, jaw clenched. "If anyone should go home, Hamilton, it's you. If you know what's good for you, you will get up and walk out of here right now before I do something I'll regret."

Carter rose with leisurely grace. "I can see that you're upset, so I'll give you and Lucien some privacy. And some time to decide how to proceed with Edgar's health care. Just let me know if there's anything I can do to help."

After nodding to Lucien and Theia on his way to the

elevator, he turned around to observe Lucien while waiting for it to arrive. "You look a little run-down, Lucien. You might want to take extra care with your archery. I assume it's also how you came by that fading black eye." He glanced at Theia, deliberately holding her gaze though he was still talking to Lucien. "You'll need all your strength for your other...pastimes. In my experience, the Carlisle women are absolute wildcats in bed."

The elevator opened before Theia could think of a snappy retort to put him in his place, and Carter stepped inside and faced them for one last parting shot. "But of course, you wouldn't know that yet, would you, Lucien? You've fallen for the delicate unspoiled fruit. Let me know how it goes if you manage to pierce that delectable untouched skin. Absolutely anything could happen."

Theia's face blazed, and Lucien launched himself toward the elevator with a snarl, but the doors closed in his face.

After giving Theia a disbelieving look, Lucy broke the awkward silence that followed. "If she's a virgin, what the hell did I walk in on the other day?"

Lucien turned to give her a sardonic, James Spader smirk, his eyebrows raised suggestively. "Creative chastity."

As Theia drove back to her place later, Lucien pushed the point of her bob behind her ear, letting his fingers linger at her nape. "Thank you for coming with me tonight. And for putting up with that odious piece of garbage."

Theia shrugged. "He doesn't bother me. His game is intimidation and trying to make everyone around him feel inferior. He's what would happen if an internet troll stepped out of the comments section into your living room. He deserves exactly the same consideration."

Lucien smiled at the thought of an in-person block button. "You know I'm not bothered about you being a virgin, either. I'm not concerned with..."

"Piercing my tender flesh? Being the first to pluck my delectable flower?" She gave him a quick sideways grin.

Lucien laughed. "Jesus. That guy. Who talks like that?"

"I was going to say a Neanderthal. But that would be an insult to Neanderthals." Theia slowed at the turn toward her apartment. "Rhea's going to look in on Puddleglum for me, so I was planning on staying in Flagstaff tonight. But would you rather be alone? Do you want me to drive you home?"

Lucien shook his head. "I most emphatically would not rather be alone. Lucy says she'll call me if anything changes, but the doctors don't expect it to. And for obvious reasons, neither do I."

Theia glanced at him. "Did you and Lucy talk about what you're going to do? I mean, are you…"

"Going to let my father live out the entire span of my life being spoon-fed pureed meat from a blender and wearing a diaper?" Lucien sighed. "I wish I knew the answer to that. It was his bargain to make. He sold his soul as surely as he sold mine. I have every right to live a full life before I pay the bill he racked up. I just wish that felt better to say than it does."

They climbed into bed with little fanfare, Theia in her underwear and a T-shirt and Lucien in his boxers, planning only to sleep. The splint and sling would make anything else difficult anyway. And making out didn't seem quite right with Edgar in the condition he was in. Although if Edgar remained in that state indefinitely, Lucien would have to get past that.

Despite their plans, Lucien couldn't help kissing her good-night, and the kiss turned into more. Not a lot more—he could tell she shared his apprehension about what might happen if they went any further—but he was content with moving slowly with Theia. Something he'd never considered in his life. He'd been other women's first—or other girls', anyway, in high school—but looking back, he was fairly sure he hadn't exactly been a great first experience. He wanted to do this right with Theia. Especially if it turned out to be the only time they could be together. If he was going to turn into some inhuman creature and join the seven-headed beast of the apocalypse afterward, he was damn well going to make it good for both of them.

He lay awake after she'd fallen asleep, his head too loud to find stillness, and got up to go to the bathroom after an aborted attempt to quiet it.

As he washed up by the glow of the electrical switch that served as a built-in night-light, Lucien glanced in the mirror over the sink. The shadows made his face look odd. Was his hairline receding? Laughing at himself for being paranoid, he switched on the light, but his laughter died as his eyes adjusted to the brightness. Two small, bony protrusions were erupting beside his widow's peak. Lucien touched the top of his head and confirmed his worst fear. He was growing horns.

Chapter 25

His hand, as he pushed back his hair to see closer, felt stiff and awkward. His fingers were hard to uncurl, as if he were an old man with severe arthritis. He brought his hand down in front of him. The fingernails were lengthening as he watched—long and curved and pointed. He was growing claws. He could feel it in the hand in the sling. As he nudged the fabric off his arm, his shoulders ached, and he rolled them back—and saw another protrusion at his shoulder blade. Lucien ran his fingers over the growth. It was leathery, and it was expanding.

Panic started to set in, and Lucien sat on the edge of the tub trying to breathe. There was a prototype of the anti-transformative at the lab. But how the hell was he going to get there? He couldn't risk calling a car and having something happen while he was in it that couldn't be undone. Maybe he could take Theia's car. He could slip out while she was sleeping, get to the lab and shut this whole process down in less than twenty minutes. The dosage hadn't been perfected yet, but they'd been successful in reversing the shift in the animals they'd bred for the lab. It was almost ready for human trials, and there was no time like the present.

But it was becoming quickly apparent that he was running *out* of time. He needed a thumbprint to get into the refrigerated case where the serum was stored, and his thumb was turning scaly. Maybe the retinal scan bypass would work. He rose and saw his reflection in the mirror. His eyes looked wrong. They were still the same pale blue, but the pupil was a vertical slit. The horns positioned above them were small but obvious. And from behind his back, a pair of leathery, webbed wings in brilliant blue were unfurling.

A loud crash woke Theia from a dream about the Carter-cockatrice gloating at Edgar Smok's bedside. Theia rolled over to see if Lucien had heard the noise, but he wasn't in bed. Across the hall, light was visible under the closed bathroom door. Maybe he'd dropped something.

"Lucien? Are you okay?" When she didn't get an answer, she threw off the covers and hurried to the door. "Lucien?" It was locked, and only silence emanated from behind it. Theia rattled the doorknob. "Lucien, answer me. Are you all right?"

Lucy's words came back to her. *And I suppose he told you about his suicide attempts.*

"Lucien!" Glancing around for something heavy, she spied the stone doorstop behind the front door and ran to grab it. With a few sharp blows, she'd broken the doorknob, latch and all.

Theia expected to find Lucien collapsed on the floor. Instead, the room was empty. A light breeze blew the thin window curtain inward through an empty frame above the bathtub, fragments of one of the sliding panes scattered in the tub. Theia scrambled onto the edge of the tub and looked out. There was nowhere he could have gone. They were on the fifth floor. The parking lot below them was undisturbed.

Lucien's clothes were still in her bedroom. So was his phone.

He was still using the same password, thank goodness. She selected Lucy's number, but the call rolled to voice mail after a single ring. Why would Lucy decline a call from her brother with their father in intensive care?

A moment later, a text message came through with the answer.

Sorry, Lulu, I'm exhausted. Edgar's condition hasn't changed. I've gone home to get some rest. Consider this permission to bone your girlfriend.

Theia quickly responded.

This is Theia. Lucien's disappeared. I'm worried.

She waited several minutes, but there was no indication that Lucy had read the message. Maybe she'd turned off her phone. After leaving a more detailed text about what had happened, Theia checked the contacts. Lucy's address at a luxury resort in Sedona was listed. Hopefully she didn't have more than one place she was staying.

After throwing on jeans and sandals, Theia took a quick walk around the complex before getting into her car to see if there was any sign of Lucien, but she found nothing. She drove by the lab first—where of course she couldn't get in—and checked the hospital, both in the ICU and at admissions to see if Lucien or a John Doe had been brought in. Nothing.

It was four thirty in the morning when she arrived at Lucy's resort. The room number was a villa with a private entrance. Theia expected her to ignore her knocking, so she kept at it until at last she heard movement inside.

"Lucy?" She shouted against the door as she continued pounding. "It's Theia. Lucien's missing. Open the door."

"Maybe he's just sick of you" came the reply from the other side.

"Can you just open up?"

"It's four thirty in the morning, Theia."

"And I'm going to stand out here pounding on your door until you open it, so you might as well get it over with before I wake the adjoining villas."

There was silence for a moment followed by the clunk

of a dead bolt. The door opened, and Lucy peered through the crack, the security latch stretched across the gap, her face in shadow.

Theia squinted into the darkness. "I replied to your text."

"Yeah, I saw it."

"Aren't you the least bit concerned? Lucien went out a five-story window in his boxers without leaving so much as a broken twig at the bottom where he ought to have landed."

"Maybe he just climbed down. He's always been a good climber."

Theia sighed. "Lucy, you obviously know something. Is he here? Is he having some kind of a breakdown?"

"No, he's not here. I don't know where he is. But I wouldn't be surprised if he's having a breakdown. I'm considering one myself."

"Did you get some news about your father? I went by the hospital to see if Lucien was there. They said Edgar was sleeping and hadn't had any visitors."

"Edgar isn't sleeping. He's in a catatonic state. He will probably never sleep again—or do anything else—thanks to Hamilton and his amulet. And apparently we were all wrong about what that means."

"Wrong how? What do you mean?"

Lucy leaned her forehead against the door frame and sighed before unhooking the security latch and stepping back to hold the door open.

When Theia entered, Lucy went to sit on the couch. The lights were off, but the pale predawn glow through the sheer curtain illuminated Lucy's features. Her usual neatly styled hair looked tousled above her braid. Of course, she'd just been woken up at four thirty in the morning.

Theia sat on the edge of the chair opposite her. "So what did you find out?"

Lucy chewed on a cuticle. "You'll appreciate this. You're into genetics. Lucien and I are monozygotic twins, like you and Rhea. We're identical, not fraternal. But apparently, our original fertilized egg had an extra X chromosome, and when our tiny little blastocyst split, Lucien took the Y chromosome with him. Hence, identical twins but different sexes."

It was unusual but not unheard-of. "Makes sense. You two do have an extraordinary resemblance."

"The upshot," said Lucy, "is that it turns out we're both cursed by dear old Madeleine Marchant. And the amulet, it seems, has the effect of rendering Edgar effectively dead as far as the curse is concerned. So, lucky us, it kicked in early this morning."

"What do you mean, *it kicked in*?"

Lucy stretched her arm along the back of the couch to switch on the lamp beside her. In the glare of the compact fluorescent bulb, her pupils contracted. Into vertical slits. And what Theia had taken for tousled hair was the result of two small but distinct garnet-colored horns. It looked like a clever Halloween costume—novelty contact lenses and carefully applied spirit gum under latex horns. But Theia had seen enough magical transformation to know it wasn't.

"Yeah," Lucy agreed to words Theia hadn't said. "Kinda leaves ya speechless, doesn't it? Of course, my first reaction was a bit more audible. And I demolished my bathroom mirror." She held up her bloodied knuckles. "My martial arts training took over, and I tried to kill the mirror demon, but it punched me back."

"Shit."

"Yeah, that was the next thing I said. Plus a few other choice expletives."

"And this just happened to Lucien, too. In my bathroom."

"It would seem so."

"Did he come here?"

"No. I haven't heard from him, except a phone call I ignored because I was freaking out. But I guess that was you."

"Yeah." Theia pushed her hair out of her eyes, as if it would make Lucy's appearance go back to normal. "But how did he manage to crawl out my bathroom window and disappear from the fifth floor?"

Lucy sighed and stood. "I imagine with the help of these." A pair of ruby-red webbed wings unfolded at her back, extending from her shoulders at least three feet in either direction, bony segments between the webs terminating in black claws. "Ruined one of my favorite shirts. I'm not pleased."

"Well, this is—wow." Theia shook her head. "Lucien and I were afraid that if we—if I—if we consummated the relationship, it might trigger the transformation. Carter Hamilton intimated as much."

"And did you?"

"No. Now I'm starting to feel pretty stupid about that."

Lucy retracted her wings and sat back on the couch. "If it's not too personal—oh, hell, of course it's personal, but I don't really give a damn. Is there a reason you're still a virgin at age..."

Theia swallowed. "Twenty-two. For a while I thought it was because I was unfuckable." She dismissed the notion with a shrug. "But really, it was my dreams. My visions. I kept seeing an alliance with a dark prince, and it scared me, so I kept pushing guys away."

Lucy laughed. "And then your dark prince comes along and you miss your window of opportunity."

"I like to think the window's still open. I mean—you don't think he flew...to the underworld?"

"To hell? Well, *I* didn't. But maybe he's still the one who has to pay the soul price. He did grab that Y chromosome in the zygote lottery. Who knows? I have a feeling, though, that this isn't the final transformation."

"You think…"

"I expect the full dragon experience is yet to come."

"What about Smok Biotech's research? Lucien said the lycanthropy suppressant was months away from clinical trials, but maybe it could inhibit your trigger."

"My trigger? And what do you suppose triggered this? Obviously, it was Edgar's collapse. I think it's a little late for suppressing genes."

"That's not what it does. I mean, obviously, much of the research was geared toward isolating the gene responsible for the shift and finding a way to shut it off. But what Lucien was working toward was developing a drug to manage lycanthropy. Like you'd manage diabetes."

"Turning into a dragon is not diabetes."

"No, but it's a condition that can be managed, and a response to a trigger that can be suppressed. Like inhibiting serotonin or norepinephrine reuptake in antidepressants. We just have to pinpoint the right neurotransmitter."

"God, no wonder Lucien's into you. You sound like a biology textbook. I'm pretty sure he jerked off to those as a kid."

"My point is that there may be a simple fix to this. But we have to find Lucien. Do you have any idea where he would go with no clothes and no wallet?"

Lucy shrugged. "I don't know. Maybe to Polly?" Lucy seemed almost apologetic, as if she cared whether the idea was hurtful to Theia. "That's where he's always gone in the past when he's been in trouble. Sometimes she gives people sanctuary at the Grotto. And she has contacts who could hide him. We've used them for safe houses. She doesn't like to divulge her list, but she'll hook people up with what they need. For a price."

There was always a price.

Rhea and Leo were asleep in Phoebe's room when Theia stopped by to grab some clothes. And Leo, apparently, slept in the nude. Well, they both did, but Theia had seen Rhea naked plenty. Facedown on the bed with his arm across Rhea protectively, Leo displayed a nice little half-moon above the sheets. Theia took a picture for trotting out later to mess with Rhea.

After tiptoeing to the dresser and sliding open the drawers as quietly as she could, Theia turned around with a pair of Phoebe's capris and a clean T-shirt to find she'd disturbed Rhea anyway.

Rhea rubbed her eye with a fist, looking crabby. "What time is it? What are you doing here?"

"I'll tell you when you wake up. Go back to sleep."

Puddleglum appeared and jumped onto the pillow above Rhea's head to announce that it was time for breakfast. Whoever slept in Phoebe's bed, apparently, was the designated server.

Rhea sighed and slid out from under Leo's arm. "I'm up, you philistine."

With her eyes half-open, Rhea fed Puddleglum while Theia brewed a pot of coffee.

Rhea shuffled to the breakfast bar and slouched onto a stool, yawning. "How's Lucien? What's the word on his dad?"

"That…is a complicated story."

"Of course it is."

"You can go back to bed."

"Shut up. Just tell me."

"Edgar is in a vegetative state. Probably thanks to Carter Hamilton. And Lucien…took off."

"Took off?"

The coffeemaker beeped, and Theia waited until she'd poured them each a cup. "He went into the bathroom in the middle of the night, apparently developed secondary dragon characteristics and flew out the window."

Rhea nearly choked on her coffee. "You pulled an Ione,

didn't you? You screwed his brains out and turned him into a dragon. You little minx."

"No, I didn't."

"Of course you did. Just own it."

"I *didn't*."

"Come *on*. What makes you think it wasn't you?"

"Because I haven't had sex with him."

Rhea nearly snorted coffee through her nose. "Right. Because you're saving yourself for marriage." Her mocking grin faded slightly as she took in the serious expression on Theia's face. "You… Theia… You've *had* sex before."

Theia didn't respond. Which was response enough.

Rhea set her mug on the bar with a bang, sloshing coffee over the top, her mouth hanging open. "You've never had sex and you never told me?" Her shocked expression turned to aggravation. "I can't believe you don't tell me things. Our whole lives, I thought we were open books to each other. We shared everything. Who *are* you?"

The equilibrium Theia strove to maintain, like an internal level that kept her on an even keel, not buffeted by the stress of other people's confusing emotions or intrusive visions, suddenly snapped.

"Do you realize that I've never had anything private, never kept a secret—from any of you—for most of my life? Everybody always assumed that whatever you did, I did, like I wasn't a whole person, I was just half of a twin set. I never needed to act up. I'd get in trouble in school—and at home—for things you'd done. People never asked my opinion on anything, just filled in what they thought I was thinking. Thought I'd like whatever you liked. I always got birthday and Christmas presents in your favorite colors, books and video games that were on your wish list. Doesn't that bother you? Didn't it ever drive you crazy when people acted like we were interchangeable?"

Rhea, for once in her life, was at a loss for words. "I…

got you in trouble on purpose, stupid. Because you were Miss Perfect. And now I find out I was living with a creepy pod person the whole time."

"Very funny."

"That's me. The hilarious one. See? People know that about me. We're totally different. No one thinks you're funny at all."

Theia growled and threw her hands in the air, dropping onto the stool beside Rhea to drink her coffee in resignation.

"Sorry." Rhea nudged her with her elbow. "It never bothered me because I was always trying to live up to your image. When people thought I was you, it made me look good." She took a sip of her coffee and muttered into it, "I *may* have given certain people the impression that you were a total slut in high school, though."

"Nice."

"So what are you going to do about Lucien? Do you want me to send Leo after him?"

"What is he, a bloodhound?"

"No, I just figured..." Rhea considered for a moment. "No, I guess he can't just automatically find magical people. He hunts down murderers and oath breakers."

Theia swallowed a sip of coffee. "I'm going to go talk to Polly."

Rhea swiveled on her stool to stare at her. "Are you sure that's a good idea?"

"You think I can't handle talking to his ex? You talked to Faye plenty of times, if I recall correctly."

"Polly didn't seem like that much of an ex the other night. And Faye's different." Rhea lowered her head over her mug. "We have an arrangement."

Theia paused with her cup halfway to her mouth. "*Have* an arrangement? What arrangement? I thought she released him from his bond when you broke the Norns' curse."

"She did. She just...sometimes we...the three of us get together and..."

Theia had tried to take another sip of coffee, and she nearly choked on it. "Oh. My. God."

Rhea sneaked a glance from the corner of one eye, a mischievous grin on her face. "You're such a prude. *Virgin.*"

"I am *not* a prude. I just don't... I thought you said you were just experimenting in college."

"You, of all people, should know how experiments go. You have to do it multiple times to see if you can duplicate the results."

"Wow." This was a whole new side to Rhea she'd never suspected. Apparently, Theia wasn't the only one with secrets. "Regardless, that is *not* happening with Polly. I don't need to conduct any research on that subject."

Rhea shook her head. "That's a shame. I mean, a *siren*, come on."

Theia concentrated on her coffee. "So, anyway, I'm going to go talk to her and see if Lucien sought sanctuary with her or maybe is hiding out someplace she knows about. Lucy says Polly keeps lists of information on people in the magical community."

"Well, that doesn't sound at all shifty."

"She also exacts a price for information, so I'm not sure what that's going to be."

"I can think of one."

"Enough with the threesomes, you perv."

"You just assume I was talking about a threesome."

"Weren't you?"

Rhea grinned. "Well, yeah, but it's rude to assume." She got up to refill her coffee. "In all seriousness, though, I don't trust this siren chick. Who knows what she's going to want? If she's going to be offering Faustian bargains, you're going to need backup."

"I don't think she deals in souls. Lucy would have said so—that's her thing, after all."

"I suppose there's that. But I'm going with you."

Theia sighed. "If we both go, she'll want a payment from you, too. She's not going to hand out information to whomever I happen to bring along."

Rhea set the pot on the warmer. "I'll stay in the car, and you can signal with a text if you need help."

"*No.* Will you just let me do this myself, please? Now I'm sorry I told you."

Rhea took a sip of coffee, looking sullen. "Keeping secrets, being all virginal, doing things by yourself—you are the worst twin. I want a new one."

"Oh my God. You pain in the ass."

Rhea smiled. "That means I'm going."

"Fine. You're going. But you *are* staying in the car."

"Cool. We'll take Minnie."

Theia hadn't considered the fact that she was going to face Lucien's super-hot ex-girlfriend when she'd chosen the navy capris and white T-shirt. She felt awkward as she got out of the car in the parking lot of Polly's Grotto. For that matter, what if no one was here at this hour? It wasn't like Polly actually lived in the club. Was it?

The door was locked. Theia stood in front of the entrance, trying to decide what to do. Should she knock? Maybe she should call Lucy and find out what the protocol was. Or maybe she should stop being a baby and suck it up and try the door.

Before she could psych herself up, one of the doors opened on its own. Polly probably had a camera on it. No turning back now.

Theia took a deep breath and went inside. The door swung shut behind her.

Chapter 26

As her eyes adjusted to the dim interior, she realized the place wasn't empty. A woman with long platinum-white hair that clearly wasn't white with age was seated in a semi-circular booth between two unearthly pale young men on one side—who seemed to be a couple—and someone Theia could only describe as a human tiger on the other. The naked tiger-man growled.

"Now, now, Giorgio. Don't be rude." The white-haired woman stroked his fur. "Polly's is open to everyone who finds their way in. Particularly tasty little demon-blood girls." She extended her hand toward Theia. "Don't be shy. Giorgio won't bite. Without my permission. And Raul and Rocco only bite boys."

Theia approached the booth, feeling decidedly under-dressed. Polly was draped in a white silk gown that looked like it belonged to some femme fatale from the 1940s, designed to show off her curves.

Theia reached over Raul and Rocco, who were paying her no mind—and appeared to be giving each other hickeys, though Theia suspected they were sharing blood—and took Polly's hand to shake it, but Polly simply held hers with her fingertips, looking Theia up and down. "I'm Theia Dawn—"

Polly stopped her. "I know all about you, sweetheart. Even if I hadn't already met your twin—who's waiting in the parking lot to come to your rescue should I turn out to have an appetite for human flesh—I make it my business to know about everyone who matters. What I don't know is what you're doing here. If you've come to make a fuss over Lucien, I'm afraid you're wasting your time. I offered him my bed, knowing he wasn't getting his needs met with you—no offense—but he refused."

Theia wasn't quite sure what to say to that, but she breathed a little sigh of relief. "Nice to know I matter, anyway."

"You and your sisters have more power than you think. So long as that power doesn't threaten mine, you matter, but you're of little consequence to me. Now what is it that's brought you into my cozy grotto?"

Theia wanted to remove her hand from Polly's, but yanking it away seemed rude. "I'm generally a good judge of whether someone's lying to me or not, so I'm going to assume from your question that Lucien isn't here."

Polly's frosty-white eyebrows rose. "And why would he be here? Don't tell me you've lost him?"

"I think you know how I lost him."

"If you mean his transformation, yes, I am aware. But not because he's been here. What made you think he would be?"

Her fingers were really beginning to feel awkward in Polly's grasp. "I was told he might come to you for sanctuary."

"Sanctuary." Polly smiled, amused. "Lucien would never need to take sanctuary with me, though I would certainly give it if he asked." Her smile turned mischievous, and her eyes literally twinkled. "One must always ask the right question if one is to receive the right answer."

So they were playing word games. She supposed it made sense.

"Do you know where Lucien is?"

Polly's expression gave nothing away. "I do not." She'd answered in the negative, but Theia had the impression that there was more to it than the simple reply. And she was still holding Theia's hand.

"Do you know of anyone who does?"

"I know of someone who may have the answer." Now they were getting somewhere. Maybe.

"Will you tell me who that someone might be?"

The siren curled her fingers around Theia's and drew her closer across the table. "What's the answer worth to you?"

"What do you usually charge?"

Giorgio roared, and Theia jerked back on her arm and nearly fell sideways into the laps of Raul and Rocco when Polly didn't let go. But Giorgio, it seemed, was laughing.

"I don't *charge*. I merely expect. It's a courtesy. I see Lucien hasn't explained how I operate, so let me make it easier. I like shiny, pretty things." She held up her other wrist, a charm bracelet sparkling with gemstones of various shapes and sizes.

Theia bit her lip. "I don't think I have anything shiny."

"Oh, sure you do. Lots of shiny things. Everyone does. I once had a choker made of irises."

Theia thought she meant the flowers, but after a significant glance from Polly's glittering eyes, the meaning became clear. Her own widened. No way in hell was she giving this nutjob an eye.

Polly laughed. "Those were from desperate men, as I'm sure you can imagine. People generally pay what they're willing to give up. From you, I think…" She studied Theia intently, as if trying to decide, though it was clear she had something in mind from the start. "Yes, a drop of blood would make a lovely trinket."

This was starting to bring to mind monkeys' paws and Faustian bargains. "Where would the drop of blood be taken from?"

Polly laughed. "Smart girl. Just a finger prick. Nothing life threatening and no need to maim anything. You'll barely feel it."

"And what are you going to do with it?"

Polly's expression turned unfriendly. "That's a very rude question. Do you ask everyone you give a gift to what they're going to do with your gift?"

This wasn't exactly a gift. It was more like extortion. But Theia knew better than to say so out loud.

"Let me put it another way, then. Will this 'gift' give you any power to harm me?"

"Oh, you *are* a smart girl." Polly's affable smile was back. "No. It won't affect you in the least. It will simply be my trinket to do with as I please, when I please." She took a pin from her gown—which certainly didn't look as if it were holding any pins—and drew Theia's index finger toward her. "Are we agreed?"

"This is the only price you're requiring? No hidden follow-up or extras?"

"Nothing at all." Polly placed the pin against Theia's finger.

"And you'll tell me who knows where Lucien is?"

"I'll tell you the name of someone who *may* know. That's the best I can do. Not knowing where he is myself, I can't speak in certainties. I can only give you likelihoods."

This was starting to seem like a bad deal, but the pin had pricked her finger before Theia could back out of it.

Polly touched the drop of blood, transferring it from Theia's fingertip to her own, and released her. "Marvelous. I think I'll have to wear this one on its own. It's much too nice to be crowded by a bunch of ordinary charms." The red drop solidified on her finger into a sparkling, faceted gem. Polly tucked it away into her cleavage and glanced over Theia's head toward the door. "Your vivacious twin is getting anxious."

The door swung open in the same leisurely fashion as before, and Rhea, facing the parking lot, whirled around. She took a step inside, peering into the darkness.

"I'm over here, Rhe. You didn't have to come after me. I'm fine."

"You've been in here forever."

Polly laughed. "If she'd been in here forever, you'd have perished long ago."

Theia sucked at the still-bleeding finger and pressed it to her thumb to stop the blood. "The name, please?"

"Of course," said Polly. "Lucy Smok."

Theia blinked at her. "Is this some kind of joke?"

"Not at all."

"You don't think I'd thought of that? That Lucy wasn't the first person I went to?"

"It's hardly my fault you didn't specify whom you'd already spoken to. You asked me who would be most likely to know where Lucien is. And that is Lucy."

Theia wanted to strangle her. "Lucy is the one who told me to come see you. That's why I'm here."

Polly shrugged. "That's unfortunate. You might have led with that. Nevertheless, Lucy Smok is the most likely person to be able tell you where Lucien is. If she chooses not to, that's her business."

Rhea marched toward the booth. "People like you love to play games of semantics. Come on, Thei, you're wasting your time with her." She grabbed Theia's hand and turned her toward the door.

"People like me?" Polly's voice hinted that Rhea had gone too far, and Theia tried to pull her toward the exit without saying anything else, but Rhea paused and turned around.

"You immortals. Like the Norns. Creatures above it all who like to mess with mortals, making sketchy deals where everything's fine print."

"Forget it, Rhea. Come on." Theia tugged her toward the door, afraid it might close on them at any moment and lock them in.

"For your information," said Polly as they reached the exit, "I do *not* make sketchy deals. I provide information honestly."

"Oh, really?" Rhea shook Theia's hand off her arm. "My sister asked you a simple question, and you gave her a bullshit answer because it fit the semantics of the question. That's not my definition of honesty."

"Your sister seems to have a pretty good grasp of semantics, and she considered her question carefully. Do you think you could do better?"

"*Rhea.*" Theia shook her head, but once someone pissed Rhea off, there was no dissuading her.

"In the interest of *honesty,*" said Polly, "Theia has already asked me directly if I know where Lucien is, and the answer is no. But if you have another question, I may have another answer."

"And what did Theia give you for it?"

Polly took the gemstone from her cleavage and held it up in the light. "A drop of blood. Isn't it pretty? I wouldn't mind a matching set. They would make lovely earrings."

Rhea glanced at Theia. "You gave her your blood?"

"It was just a drop. A finger prick. She swore it wouldn't give her any power over me or cause me any harm. What she said rang true."

"Fine." Rhea stepped forward, holding out her finger.

"Rhea, don't. She's just playing with us."

"I have a question," Rhea said stubbornly.

Polly smiled, producing her pin from nothing once more. "Ask first. Present your gift after."

"Are you working with Carter Hamilton to harm my family or Lucien's family?"

Damn. Rhea was good at this. It hadn't even occurred to Theia that Polly might be in cahoots with Carter. But it ought to have. She was the one who'd hooked Lucien up with his anonymous source.

Polly seemed to be trying to formulate an answer. Rhea had definitely hit on something.

Rhea folded her arms. "Are you going to answer the question or not?"

"It's not a simple question."

"I think it's a very simple question. Yes or no?"

"I would never do anything to harm Lucien." Polly threw a pointed look at Theia. "Or anyone he cares about."

"But you *are* working with Carter."

"I *work* with no one. I provide information. Carter Hamilton bartered with me for certain information that he was free to do with as he pleased. But if he's used that information to harm Lucien…" Polly frowned. "I would be extremely unhappy with him."

"Well, he has." Theia returned to the booth. "He made a deal with Edgar to become a silent partner of Smok International, promising Edgar an extended life. And then withheld what he'd promised until giving it to him would only prolong Edgar's suffering."

"Mr. Hamilton isn't known for his scruples, but Edgar did make the deal. Though I don't see how he's harmed Lucien."

"You don't see how? Because Edgar is in this limbo state between living and dying—this state that Carter drove him to deliberately—Lucien is transforming into a demon. You probably know Lucien better than anyone. How can you not see that as harm to him? He's been afraid of this happening his entire life. And if I can't find him, he'll probably end up in hell. If he isn't there already."

"And you have some magical means of keeping him out of hell?"

"No, I don't," Theia admitted. "But if anyone can, I would think it would be a direct descendant of Madeleine Marchant. And I intend to do everything in my power to find a way."

Polly studied her. "Being an inhuman creature isn't the worst fate. As you and your sisters have discovered, there are strengths in having unnatural blood. Lucien has always feared his power—trying to deny it, trying to run from it. I think that's a mistake. But if this transformation has been forced on him early and Mr. Hamilton is responsible, he's forfeited any remaining good will he may have had with me. I did, in fact, put him in touch with Lucien. I now regret that. At the time, I thought it would cheer Lucien up to have some new targets."

"Targets like my boyfriend," said Rhea.

"Another thing Mr. Hamilton misled me about. I wasn't aware that Leo Ström had been made mortal. I was led to believe that despite having been released from his mistress, he was still a Hunt wraith."

Rhea uncrossed her arms. "So let me get this straight. People come to you for information because you've got the goods on all things supernatural, and in the past week or so, you've let this one narcissistic, two-bit necromancer give you easily debunked information and use you to bring harm to someone who apparently means a great deal to you. Do I have that right?"

Theia cringed as Polly's glittering eyes began to smolder. Beside her, the tiger-man growled low in his throat, and they'd finally gotten the attention of the lovebird vamps. Raul and Rocco slid out of the booth without being asked, stepping back and giving Polly a wide berth as she emerged from it.

She came to stand face-to-face with Rhea, who, to her credit, didn't flinch. "Are you maligning my reputation?"

"I think you're doing a pretty good job of that all by yourself."

Theia put her arm out in front of Rhea as if to stop a physical fight. "Carter Hamilton is an expert at telling people what they want to hear. He's done his best to ruin more than one excellent reputation in this town. Just ask my sister Ione."

Polly narrowed her eyes at Theia. "And just what does that have to do with me?"

"You might consider that he's deliberately undermining your reputation for his own gain as part of his larger plan."

"What larger plan?"

"He envies everyone's power. He wants it all for himself."

Polly's expression softened slightly, and she laughed. "You think he has his eye on my little grotto?"

"And your good name. They go hand in hand, don't they?"

The siren's expression hardened again. "He's in for a big surprise if he thinks he can unseat me." Without warning, she grabbed Rhea's hand and stabbed her finger—to Rhea's squeal of surprise—taking her drop of blood. "You've gotten your answer. Time for you little witches to go."

Theia turned Rhea around and hurried her to the door before she could get them in any worse trouble. She suspected it was only the finger in Rhea's mouth that kept her from running it.

Polly spoke once more before they reached the exit. "Ask Lucy where Lucien would go if he didn't want to be found via electronic means."

Theia paused and looked over her shoulder.

"Electronic," Polly repeated.

Theia nodded. "Thanks."

Chapter 27

Rhea held her pricked finger off the steering wheel as she drove toward Phoebe's place. "What was that about 'electronic means'?"

"I think she meant somewhere without cell phone service or Wi-Fi."

Rhea's shoulders rippled in a little shudder. "Sounds like hell to me. Do you know someplace like that with meaning for Lucien?"

"No, but I think Lucy must." Theia glanced at Rhea's profile. "Thanks, Moonpie."

"Oh, God. I'm Moonpie again. What did I do now?"

"I think you riled her up to the point that she was mad enough to actually give me some helpful information."

Rhea grinned and gave her a sidelong glance. "By the way, did you see how riled up 'kitty' was? And I do mean *up*."

Theia groaned. "I'm never going to be able to look at Puddleglum the same way again."

Rhea couldn't stop giggling about "Bad Kitty" on the drive back to Phoebe's. She climbed into bed with Leo when they arrived, and Theia put in her ear buds to drown out any embarrassing noise that might ensue and dragged out Rafael Sr.'s archives, carefully rereading everything. She'd missed any hint of a curse the first time, so maybe she wasn't looking in the right place.

She combed through deeds and bills of sale in French, in which she was far from fluent but could get the gist of. Lists that looked like maybe instructions for household staffs and bills of lading—things she would have been fascinated by at any other time—and finally stumbled upon something promising after several hours of eyestrain: the declaration of Madeleine's guilt, attested to by Philippe Smok, Vicomte de Briançon.

Seeing the words on paper made her shiver. This was Madeleine's denouncement by her own employer, who, by Lucien's account, had done it for personal gain. It made it seem a great deal more real, even if she couldn't read much of it. Theia stroked her fingers over the ancient ink. At the bottom of the page was what she thought at first was a smudge. But on closer inspection, she was convinced it was the symbol of the black moon—the mark of Lilith.

She stroked the ink of her tattoo—one she'd gotten because of a dream. She'd thought it would protect Rhea from the danger the dream had foretold if she had the tattoo she'd seen on Rhea on her skin instead. Of course, Rhea had already tattooed herself with the symbol. And the dream had actually been about Leo and not danger at all. Trying to outsmart her dreams was a fool's errand.

Theia looked back carefully through some of the daily minutiae she'd skimmed over. Had she seen the symbol on something else? Sure enough, there it was on what she'd taken for a bill of lading—with what looked like a partial signature at the bottom that could have been "Madeleine." Were these Madeleine's own words?

The antiquated syntax was difficult to understand. Time for her translator app, even if it would only give her an imperfect understanding of it.

Painstakingly, Theia typed in one line at a time and copied the translations into her notepad. It seemed to be an exhortation of some kind. Theia pieced it together and came up with an approximation.

> Mind what you have wrought. Seven daughters born and seven lost. The great lady will birth them again

anon. And from every seven born and gone among your house will the Devil reap a son.

It was the curse Madeleine had spoken against the house of Smok.

After Lucy ignored her call and texts, Theia returned to the villa.

This time Lucy opened the door promptly and sighed. "What now? I haven't heard from him. I would have told you if I had."

Theia wasn't so sure about that. "I spoke to Polly. She didn't have any information except to tell me to talk to you and ask you where Lucien would go to avoid electronic communication."

Lucy squinted at her, obviously sensitive to the light. "Electronic?"

"Someplace off the grid. Is there somewhere you went when you were kids that might have special meaning for him? Somewhere he'd feel safe?"

"Around here?" Lucy reached up to scratch her head but stopped with a grimace as she evidently remembered what was making it itch. "We didn't spend much time around here when we were children. Although…"

"Although what?"

"There was this one time when Lucien said he was going to run away from home. Edgar was mad at him about something. I think it was right after our grandmother died. The family doctor had been at the funeral, and Lucien snuck into the back of her car. She was going to some vacation home she owned, and he ended up at her cabin. When she realized she had a stowaway, she let him stay for a day or two before she drove him back. Lucien never told Edgar where he'd been, and Fran didn't give him away. Lucien only told me about it later."

It sounded promising.

"Do you know where it is?"

"I don't, but I can get the address from Dr. Delano." Lucy was already dialing. "Hi, Fran. No new developments. I just wondered—this is going to sound like an odd question, but do you have the address of that place you used to have in the White Mountains?" Lucy listened for a moment. "You do? That would be great, thanks." She ended the call and glanced at Theia. "She still owns it. She's texting the address to my phone." Lucy forwarded it to Theia when it came through. "Seems like a long shot, but here you go."

"Thanks." Theia paused. "Do you want to come with me?"

Lucy laughed and partially unfurled her wings. "I don't think so. Not until I figure out what to do about all this myself. Lucien may have the right idea."

It was just an hour before sunset by the time Theia reached the turnoff for Heber-Overgaard, but among the towering pines lining the two-lane highway that wound up into the mountains through logging country, it was already dusk. She was stuck behind a logging truck on the gradual incline, and it was nearly dark when she found the gravel road that led to the lakeside cabin. It was slow going after that, and Theia was starting to get the creeps driving so deep into the woods. Maybe she should have waited until morning.

But just as she was seriously considering finding somewhere to turn the car around, the headlights illuminated a log cabin in a small clearing—although "log cabin" seemed too rustic a name for it. It looked like a stately old homestead, as though someone had traveled west, stopped here before reaching the other side of the mountains and let the trees grow up around them until the place had been forgotten.

Theia stopped in the ruts of an old parking spot overgrown with weeds and got out, using the flashlight app on her phone to approach the cabin. Every horror movie cliché ran through her head. Why in the world had she driven here alone? She checked the cell signal. She'd definitely entered a dead zone.

There were no lights on inside the cabin. Theia tried the door and found it unlocked. She took a deep breath and opened it. The cabin smelled long unoccupied.

"Lucien?" Her voice came out in a raspy whisper, like she was trying to shout in a dream. The eerie feeling that maybe this *was* one of her dreams came over her. She cleared her throat and tried again. "Lucien, are you here?"

Something moved in the darkness. Theia pointed the light toward the sound, but whatever it was moved swiftly out of the beam. What if Lucien wasn't here and she'd startled some wild animal? Or an ax-wielding maniac? Just as she was about to call out again, the figure in the dark spoke, and the rough whisper made the hairs on her arms stand on end.

"Why did you come?"

"Lucien?"

"Not anymore." He squinted against the beam of light as she turned it on him, and she caught the flash of something bright blue before he rushed her and snatched the phone from her hand and shut it off. He was standing just inches in front of her now, and all she could see was the preternatural glow of his eyes. "You shouldn't have come."

"You shouldn't have run off without telling me what happened."

"Should I have come back to bed and touched you like this?" A claw stroked her cheek, and Theia jumped. "You see? I disgust you."

"No, you don't, you idiot. You're just scaring the crap

out of me by hiding in the dark in a cabin in the woods and acting like you're an ax murderer."

"You should be scared."

She was beginning to adjust to the darkness. His dim shape in the shadows just looked like Lucien. Except for the wings peeking out over the tops of his shoulders, slowly rising and falling with his breath.

"Who are you, Jeff Goldblum? Stop being dramatic."

"*The Fly.* It's a good analogy. I'm not Lucien anymore. I'm like Seth Brundle becoming the fly—Brundlefly." He paused. "*Smokdragon.* Has a nice ring to it. Actually, 'Smok' means dragon in Polish." He seemed to be getting his sense of humor back.

"Except the Brundlefly was a monster. You're not."

"Give me a few days." He stroked her with his claw again, running it down her arm, but this time she was prepared and didn't flinch. She might, in fact, have gotten a little aroused. "How did you find me?"

"I asked Lucy. She didn't have any idea where you'd go at first, but then I...went to see Polly, and she told me to ask the right question."

Lucien's eyes narrowed. "You went to Polly? What did you give her?"

"A drop of blood."

"Theia." He shook his head. "God, I wish you hadn't done that."

"She promised she wouldn't use it to hurt me, and I can read people pretty well. Their emotions give themselves away when they're lying. She was telling the truth."

"Of course she won't use it to hurt you. Because now you'll never be able to hurt *her.* Any harm that comes to her will be felt by you and all her gammon. You'll come to her aid. That's how she protects herself. It's why she surrounds herself with those creatures. They all belong to her gam."

"Her...what? Her gam?"

"It's what they call a pod of whales or dolphins. A gam. From gammon. That's what Polly likes to call the ones who give her 'trinkets.'"

"Are you one of these…gammon?"

In the dark, she could just see the sadness in his smile. "Of course I am."

And Rhea had given the siren a trinket, too. It was something Theia would have to worry about later. Right now she was more concerned with Lucien.

"So what are you planning on doing, hiding in the woods and living off squirrels?"

"I was thinking possum. More meat." His smile was less sad and more amused. "But as it turns out, Fran has a propane-powered freezer full of meat, and the pantry is fully stocked." Lucien stroked her arm again, seemingly unaware he was doing it. "If you're hungry, I can whip something up."

Theia's stomach growled to announce that apparently she was.

"I'll take that as a yes." His hand slipped down to hers, but he seemed to remember himself as she intertwined her fingers with his, and he let go with a jolt. "As you see, I won't be making anything complicated, but I think I can handle a spoon and a pot." He turned and moved swiftly through the darkness into the kitchenette, as though he no longer needed light to see.

Theia followed, feeling for furniture and banging her knees on the corners of things along the way.

She rubbed her arms as she watched Lucien fill a pot with water and light the burner under it on the stove. "So there's gas at least. No electricity?"

"There is, but it's shut off when the place is empty, I guess. Sorry. Luckily all the appliances use propane." He glanced at her after taking a box of couscous down from the shelf. "Are you cold?"

"A little bit, yeah."

He shook his head. "My senses are all out of whack. Maybe I can light a fire later." He slipped off the robe he was wearing and held it out for her. "Go ahead, take it. My core temperature is higher now."

Theia put on the robe. Though it had been snug on Lucien, it fit her well enough, but she had to roll up the sleeves. He was wearing nothing but his boxers, which made for a nice view of his abs as he stirred the spices into the water. It also gave her an excellent view of his brilliant blue wings when he turned around.

Lucien caught her staring. "Freakish, aren't they?"

"That's not the word I was thinking of."

"Oh? What would you call them?"

Theia smiled. "They're kind of sexy, actually. Lovely color."

Lucien laughed sharply. "Right. So sexy. Just like the scales on my fingers and the horns on my head."

"I don't mind."

"How are you going to feel when I get further and further from human?"

"How do you know you will?"

"It's how the curse works."

"I'm not sure you know how the curse works. Have you read it?"

Lucien stopped stirring and stared at her. "Have I *read* it?"

"Because I have. Rafe's father's archives on the Covent—they're magical. Every single item that's been tagged and inventoried over the centuries can be conjured up from its listing."

"And you *saw* Madeleine Marchant's curse? In writing?"

"I held it in my hands and touched the ink."

Lucien whistled. "So what does it say? Will the gates of hell open and swallow me up?"

"Well, that's the thing. It's not so specific about details. It's more…poetic. I think she meant for your ancestors to spend years trying to work it out until the first son was transformed."

The water had started to boil, and Lucien turned back to the stove to put the couscous in. "So it's useless, in other words."

"Not if we can figure out what the words mean. I saved the whole thing on my phone. We can take a look and try to decipher it."

"Theia, there's no magic cure. The drug Smok Biotech is working on might have done something to prevent this, but it's too late. It's happening." He put the lid on the pot and turned off the heat to let the grain absorb the water. "If you want to do something useful with your phone, set the timer for five minutes. Forget Madeleine's stupid poetry."

She decided not to push it and let the subject drop.

When it was ready, Lucien dished up the couscous and served it with a bottle of water. "Sorry. I may have misled you about my culinary skills. There *is* plenty of food in the freezer, but this is actually all I know how to make, to be honest."

Theia laughed. "It's fine with me."

They took their meal into the great room, and Lucien set about trying to figure out how to light a fire in the fireplace while Theia sat on the couch to eat. Lighting fires, it seemed, wasn't part of his skill set, either, and after the fifth or sixth match failed to do anything but incinerate the balled-up newspaper he'd tucked into the logs, he bellowed in frustration. Surprising both of them, his outburst expelled a blast of blue flame—luckily aimed right at the firewood. In an instant, they had a cozy blaze.

Lucien straightened and grabbed the bottle of water he'd given Theia and drained it. "That was…" He shrugged after a moment. "Weird."

"Did it hurt?"

"No, but it dried out my throat. I feel like I've been in a stadium all night screaming." He did sound a bit gravelly. Which only added to his allure. He sat beside Theia. "I forgot to ask you how Lucy was handling things. She and Edgar have always been—well, *closer* isn't the right word, because Edgar doesn't really do close, but let's say less acrimonious than Edgar and I."

"She's handling it about as well as you'd expect. I mean, she didn't run off and hide in the woods, but she's staying close to home."

"Why would Lucy want to hide?"

Theia paused with a forkful of couscous. "You don't know? I thought maybe you two had a magical twin connection, and you could feel it. But I guess you're a little preoccupied with what you're feeling."

"Feel what? What happened?"

"You're not the only one who was struck with the curse. Lucy assumes it's because you both shared an egg."

Lucien was stunned. "She's shifting? She's…" He indicated his horns and claws. "Like this?"

Theia nodded, eating the bite of couscous. "Pretty much exactly like that. Not so much with the claws but the horns and the wings. Only her color is red."

"It never even crossed my mind that something could happen to Lucy." Lucien tried to brush his hand through his hair and cursed as his claws hit his horns. "So I guess it's a package deal. Edgar sold both our souls, and he didn't even know it. I suppose we'll both end up in hell."

"Unless we can work out what Madeleine's curse means and see if there's any way around it."

Lucien frowned, contemplating his food. "I know you mean well, but I really wish you'd drop it. I've spent the last twenty-four hours trying to come to terms with the fact that this is actually happening to me. I don't want to think about magical cures or spend my time chasing false hope." He met her eyes. "I'd pretty much resigned myself to never seeing you again. And then you show up here. And I can't pretend I'm unhappy about that fact. As much as I dread losing my humanity and becoming something even more grotesque—and as horrified as I am at the prospect of you witnessing it—all I want now is to spend the time I have left with you. Just being with you. Not fighting this."

Theia set her bowl on the steamer trunk that served as a coffee table and reached for Lucien's hand. He hesitated, claws tightly clenched inside his fist, but finally relented.

"And I'm here for that. I won't bring it up again." Which didn't mean she wouldn't keep pondering Madeleine's secrets. She just wouldn't mention it.

Lucien leaned toward her and kissed her chastely, but Theia *wasn't* here for that. She'd had enough of chastity.

She moved her other hand to Lucien's neck, thumb against the rough stubble at his jawline, and kept him from pulling away as she deepened the kiss. He wasn't difficult to persuade. He also tasted of mint. Theia laughed softly against his lips, and Lucien drew back slightly, a puzzled smile on his face.

"What's funny?"

"You brushed your teeth before I got here. You heard me coming, and you brushed your teeth."

He smiled, a hint of color to his cheeks that wasn't reflected firelight. "Maybe I just like clean teeth."

Theia shrugged off the borrowed robe. "Be quiet," she murmured and climbed over his lap, knees balanced on the couch cushions. The fabric of the long skirt of Phoebe's she'd changed into before heading out stretched to accommodate the position, but Lucien pushed the hem up higher, his hands against her thighs, abandoning self-consciousness.

The luminescent blue of his eyes was almost white.

"You're bossy tonight."

Theia rested her forearms on his shoulders. "No, I'm not. I just know what I want."

"And what would that be?"

"To stop wondering what it would be like for you to fuck me."

Chapter 28

The unexpected bluntness of that word on her tongue, so matter-of-fact, so sensually charged, sent a buzz of electric energy through him, straight to his groin. He hadn't considered that she'd want this. Not now. Not when he looked like *this*. But the delivery of that little word had certainly said otherwise. And her eyes said she wanted him completely.

He hadn't realized his hands had kept sliding, gliding up along the smooth plane of her skin beneath the skirt. His thumbs brushed lace. Cautiously, he let his claws slip beneath the elastic at the crease of her thighs to see how she'd react.

A little gasp escaped her. Not shock. Arousal. She rose slightly so his hands could encircle her hips.

Lucien pulled her closer, settling her more firmly in his lap, where she couldn't miss the hardness of his erection inside the cotton boxers. Theia rocked into him. He could feel the damp heat between her thighs. He moved his hands from her hips and brought them up to her waist beneath the T-shirt.

"Do you want these hands on you?" His voice was rough with desire. "When they're like this?"

In answer, Theia pulled the T-shirt over her head and moved his hands up higher. "They're your hands. Why wouldn't I?" She hooked her arms around his neck and kissed him, and Lucien forgot about his hands and his horns and his wings.

Kissing Theia, as always, was like happily drowning. Tasting her, drinking her in, forgetting to breathe, her soft moans vibrating against his tongue like they were coming from him. He stroked his palms across the hard peaks of her nipples through the bra, careful not to snag his claws in the lace, and her little noises became more insistent in his mouth. He tried to unhook the bra anyway and got himself caught, but before he could ruin the moment with anger at himself, she reached back and unhooked it for him, tearing the lace away from his claw to slip the garment off.

Cock straining against his boxers at the touch of her skin, he moved his hands back to her breasts. Perfect and petite—he could cover them entirely in each hand. But he didn't want them covered. Lucien withdrew his mouth from hers, ignoring her moan of protest, and brought her up higher on her knees, dipping his head to circle one taut nipple with his tongue to the accompaniment of her increasingly melodic sighs of pleasure until she let out a breathless squeal as he sucked the nipple into his mouth. He loved making her breathless.

She returned the favor with a sudden dip of her hand into the opening of his boxers to encircle his cock. The damp nipple slipped from his mouth as he let out a soft groan.

"Are we really doing this?" he breathed against her.

"Of course we're doing it."

It dawned on him that all he'd brought with him to the cabin were the boxers, taking wing in a panic as he'd thrown himself out her bathroom window, somehow thinking he might land on the ground. He'd soared high, exhilarated even as he was horrified, not knowing where he was going until he'd reached the pine forests of the White Mountains and remembered Fran's cabin.

"Theia." The word came out part groan of desire, part lament. "I don't have any condoms."

To his surprise, she just laughed. "Don't worry. I bought some on the way here."

Lucien's eyes widened, and he stifled another groan as

she stroked his cock. "You came up here looking for me, knowing what you'd find...and you brought condoms?"

A sexy, self-confident shrug rippled downward from her shoulders with a little motion that jiggled her breasts. Here she was, sitting in his lap, skirt pushed up to her waist, topless, his cock in her hand, and she was nonchalant about the fact that she'd come prepared to lose her virginity to him despite the fact that he was becoming a monster.

He couldn't help but laugh, delighted and amazed by her. If he lost his humanity in the morning, at least he'd have this one ordinary, extraordinary night with her.

Lucien tucked her hair behind her ears with a stroke of the claws on his index fingers. "God, I love you." The last word caught in his throat as he realized he'd said it out loud. He drew back, mortified. "Sorry, I meant—"

"Lucien." Theia put her hands on his shoulders and held his gaze. "It's okay. Don't panic. I love you, too."

He kissed her to avoid looking her in the eye any longer. He'd never said those words to anyone. He'd been in love with Polly once, his first real love, but he'd known better than to tip his hand by saying so. Polly didn't do exclusivity, and she sure as hell didn't do love. And now he'd just blurted it out to Theia like an amateur.

And she loved him back. At least tonight.

Lucien slid her off his lap and scooped her up in his arms to carry her to the large sheepskin rug in front of the fire. "Where are the condoms?"

"In my bag on the front seat of my car."

"Be right back."

He dashed outside and found the bag, digging through it to find the box so he wouldn't have to fumble for one when he got back inside. With his prize in hand, he headed back into the cabin to find Theia casually naked and lying on her belly, ankles crossed in the air behind her.

Oh, what the hell. Why not say it again?

Lucien grinned. "Have I mentioned that I love you?"

"I think you may have, yes." She swung her feet and recrossed them.

"Good. Just checking. I might have to say it a few more times." He stripped off his boxers, and Theia watched with an approving eye. "You still want to do this?"

Theia laughed. "If you don't get down here and fuck me instead of asking me that question repeatedly, I'm going to start getting mad."

He dropped to his knees beside her and felt his wings partially unfold, tipping back to balance his new center of gravity.

Theia followed the motion with her eyes, and Lucien cringed, but she looked curious. "Can I see them? All the way?"

"Right now?"

"Will it affect…anything else?"

Lucien laughed. "I think I can maintain two opposing states." He rolled his shoulders and unfolded the new bones he hadn't had the day before, letting the wings extend to their full width.

Theia rose onto her knees to face him. "Can I touch?"

Lucien nodded, and she reached up to stroke the top edges of each wing, fingers following the curve of the bone as far as she could. It was a curious, energizing sensation, a new erogenous zone, making his abs tighten and his erection stand up even straighter. When she let go, instead of sinking back onto the carpet, Theia lowered her hips to sit on her heels and took hold of his cock. While he balanced on his knees with his infernal wings stretched wide, Theia took him into her mouth.

Lucien stroked a claw lightly along her shoulder, tracing the curve of her spine to the dip before her pert bottom, trying to breathe steadily and keep it together, but the touch drew a voluptuous moan from Theia that nearly made him lose it.

He grabbed her by the hair a bit abruptly and pulled back, inspiring a less sensual sound of protest from her as she let go.

"Sorry." Lucien softened his grip and brushed her hair back into place with a sheepish grin. He folded his wings behind his back and lowered himself to the carpet, drawing her with him, his mouth against her throat. "If you want me to fuck you, darling, we're going to have to slow down." It was the sort of thing he might have said a week ago—in an entirely different tone—to keep her at arm's length, like a verbal talisman to ward off emotion he couldn't handle. But this time the word *darling* was a little prayer of devotion.

He rolled her onto her back and kissed her mouth, making sure she'd heard it the way he meant it, before moving down to the hollow of her throat, her collarbone, the slope between her breasts. Teasing each nipple with his tongue until she was arching toward him and pulling him closer with pleading moans. Tracing the contours of her breasts with his claws and reveling in her delightful shiver as he made his way farther down. And at last parting her legs and coaxing her open with his tongue.

Theia whimpered as he teased her clit, her fingers curled in his hair and her hips tilting upward to give him better access. He wanted to make her come as he had the first time he'd tasted her, but her whimper had turned into whispered words: "Please fuck me, Lucien."

It was all he needed.

He scrambled for the condom packet and ripped it open only to realize he couldn't handle the latex with his claws. "Shit."

Theia saw his predicament and took it from him, sitting up to unroll the condom over his cock. "Teamwork," she said with a wink, and Lucien framed her face with his hands and kissed her, trying to understand how he'd gotten this lucky. If it was fate and blood and demons and curses that had drawn them together, he no longer cared.

He eased her back down to the carpet, still kissing her as he brought himself between her legs. Using his fingers was out of the question.

"You sure?" he asked one more time.

Theia rolled her eyes. "Jesus. Are you going to make me sign an NDA?" She wrapped her legs around his hips. "I'm sure. And I'm not made of china, I'm just getting older by the minute."

Lucien laughed—something he'd never expected to do at a moment like this. Time to get out of his own head. Theia moaned softly as he entered her, her crossed ankles at his hips urging him on. Every motion of her body, every sound she made said she wasn't interested in his attempt to be gentle. He soon forgot to be, rocking and grinding with her as he pumped his hips, their bodies perfectly in tune, rolling with her after a moment so that she was on top. Theia rode him without hesitancy, hands beside his head as she tilted her pelvis to just the right angle to bring herself to orgasm.

He watched her nipples tighten as she picked up speed, soft moans rising in pitch until she arched her back and cried out, hips locked against his, the cry becoming soft and melodic and a little wistful as it died down. Lucien gathered her to him and kissed her throat.

"You're amazing," he murmured.

Theia gave him a shaky giggle. "I had a little help."

"A *little*?"

She laughed as he rolled her onto her back.

Lucien winked. "I'll show you little." He let go of all restraint and fucked her with abandon, letting himself vocalize while Theia crooned encouragement, hooking her ankles behind him once more. The heat of the fireplace warmed his back, and sweat was making their bodies slippery. The climax burst out of him joyfully, and without meaning to, he flung out his wings as he came inside her, dimly recognizing that she was reaching a crescendo of sound herself, coming again on the heels of his climax.

It didn't occur to him until they lay panting beside each other, relaxing in the afterglow, that her second orgasm had come with the spreading of his wings. He chuckled to himself.

Theia rolled onto her side, resting her chin on one arm against his chest. "What?"

"I think you're fetishizing me. You just want me because of my wings."

"Shut up. I can't help it if you're even hotter as a demi-demon."

"You're a wing freak. Admit it."

"Oh my God." Theia slapped his chest playfully. "I need to use the bathroom." She climbed to her feet. "Tell me it's not an outhouse."

"No, there's a genuine bathroom upstairs. Nicely appointed, too. First door on the right." He watched her go with a smile, admiring the way her body moved, perfectly at home in her nudity as she trotted up the stairs. He had to laugh at how stupid he'd been, fearing that she'd bring the demon out of him, that she'd entered his life to fulfill the curse. The curse had been triggered by something utterly unrelated to Theia—that Lucy was also affected was proof. And who knew? Maybe Theia was right. Maybe there was something in Madeleine's words that held the key to suppressing this. Maybe the Smok Biotech serum could control it. All was not lost. He'd had sex with a daughter of Lilith, and the world hadn't ended.

Lucien sighed with satisfaction. He'd probably better clean up. It would be awkward if Fran showed up, alerted by Lucy that he was squatting here, and found him naked on her sheepskin rug with a used condom discarded beside him.

A twinge went through his knuckles as he picked up the condom to throw it away, and Lucien flexed his fingers. Had his claws gotten sharper? He didn't remember them curling over quite so much. A pang struck his gut just as another twisted along his spine.

"No." Lucien stared in horror as the scales that covered the tips of his fingers moved up his hands.

It was Theia, after all.

Chapter 29

Theia took her time washing up, savoring the ache between her legs. For an event that had been given such a buildup—the hype beginning before she'd even hit puberty—losing her virginity was remarkably unremarkable. She wasn't magically changed. *Nothing* was changed, really—thanks to her personal experiments with penetration, there had been no proverbial cherry popping to speak of—except that she now belonged to this not-terribly-exclusive club.

And yet it had been far better than she'd imagined. Feeling Lucien inside her, being physically closer to him than she'd ever been to anyone—as close as they could get—had given her a connection with him she couldn't explain. She still felt him there, nestled in the sensitive folds of her body. She could smell him all over her, could still taste the salty-sweet drop glistening on the tip of his cock.

She licked her lips at the memory, smiling at her reflection as she washed her hands, hair a little cockeyed, eyes shining. She was, as Rhea would call it, stupid in love. Theia dried her hands, leaving her hair mussed, and headed back down, looking forward to falling asleep in front of the fire in Lucien's arms.

She slowed on the stairs. Lucien stood facing the fireplace, wings half-erect and shoulders slightly hunched, staring at his hands.

"Lucien? Are you okay?"

He cringed visibly at her voice—*cringed*—and didn't turn. "You need to go." His voice was rough, as though he'd been stoking the fire with his breath.

"What do you mean, go? I'm not going anywhere unless you're coming with me. Why don't we just sleep here tonight and figure out what to do in the morning?"

"There's nothing to figure out. There's nothing to be done. I want you to leave."

Theia came down the last few steps, her chest tight with anger not entirely her own. "We are *not* doing this. Whatever you've fixated on, it's your depression talking to you."

"It's not depression, goddammit." Lucien whirled around.

Theia couldn't help but gasp. His hands were curled into reptilian forelimbs, blue scales covering his arms and his abdomen. And his face…his face was drawn and inhuman. Still a human-shaped mouth and nose, but no longer the pale ivory flesh—it was leathery and taut and brilliant blue.

"Lucien…"

"No. I don't know who I am, but I'm not Lucien anymore. There's no Lucien. I'm a monster. And I want you to go."

She moved toward him, reaching for him, and he snarled, making her hesitate. "Lucien, I'm not going. I love you."

"Then there's something wrong with you. And if you won't go, I will."

"No—"

He'd moved so quickly that she was still staring at the place he'd been, her hair blown across her face by the breeze he created as he passed by her. Theia turned, and he was at the door.

He paused, his hands too gnarled to turn the knob, and lifted his head. "Tell Lucy I'm sorry." The door exploded outward as he rushed it and leaped into the air, and Theia ran after him just in time to see brilliant blue wings flapping in the distance.

"No. No, this isn't fair." Tears rolled down her cheeks as she stared up into the empty sky, stars twinkling over the pines as if nothing were wrong. She couldn't even call Rhea for comfort, and she was freezing, and the ache in her cunt was compounded by its emptiness. She went back inside and found the robe, curled up in it on the couch and sobbed.

Eventually, her swollen eyes and stuffy nose forced her up in search of tissues, and she saw the wide-open gap where the door had been. Anything might get in. What the hell was she going to do now?

"Thanks a lot, Lucien, goddammit!" she yelled into the emptiness. "You could have just asked me to open it for you." But she wouldn't have. And he'd known it. She started crying again, and then got mad at herself and at Lucien and Madeleine Marchant and Edgar Smok—and why not throw God in, even though she didn't believe in him—and then really full of white-hot murderous rage at Carter fucking Hanson Hamilton.

A light appeared through the trees in the distance—two lights, headlights—accompanied by the rumble of an engine. Her heart leaped for an instant until she realized Lucien hadn't left in a car. So who the hell was this?

The car came closer, a silver Range Rover, driving a little too swiftly over the gravel for her taste. Theia stepped back inside, tightening the belt on the robe and glancing around for anything to use as a weapon. All she could find was the poker by the fire, and she brandished it as the Range Rover came to a stop in front of the house.

A woman got out, middle aged with short salt-and-pepper hair.

She stared at the broken door lying on the ground and back at Theia. "What the hell happened to my door?"

Theia lowered the poker. "Are you… You must be Fran."

"I know who *I* am. Maybe you'd like to tell me who you are?"

"I'm Lucien's…" The poker slipped out of her fingers and clattered onto the floor. She wasn't Lucien's anything.

"You're the Marchant girl." Fran closed the door of the

Range Rover and came toward her. She stopped in front of Theia and took stock of her tearstained, puffy face. "Oh, honey. I'm so sorry."

Theia had effectively broken into her house, stolen her robe, eaten her food and had sex on her rug, but she flung herself into Fran's arms, undone by the sincerity of her emotion.

"Come on. Let's get you inside. Your feet must be frozen." Fran led her to the couch, and Theia sank onto it, unable to protest. The older woman produced a box of tissues from somewhere, and Theia blew her nose while Fran went outside and dragged the door upright to inspect it. She glanced at the hole in her house. "The frame is cracked, but I think I've got some extra screws in the kitchen. We can put this back up, at least overnight until I can get a carpenter up here."

She propped the door against the wall and went to get the screws, returning with a toolbox. "Come on, give me a hand."

Theia dried her eyes and came to hold up the door while Fran screwed the hinges back onto the frame. It closed, albeit with a little wobble.

"All right, honey. Let's get some hot chamomile into you and you can tell me what happened."

Fran listened as Theia relayed the events of the past twenty-four hours, frowning at the mention of Lucien flying away. "And I suppose his arm was no longer splinted."

"Splinted? No, it wasn't. I'd actually forgotten it had been. I guess the transformation healed the bone."

"It may have made him feel invincible, like a shot of adrenaline, but I doubt the break has healed." Fran sighed. "That boy is as stubborn as his father. Worse."

"You've known Lucien a long time, I guess."

Fran studied Theia's face for a moment, as though trying to decide whether to trust her. "You love him."

"Yes."

"He hasn't had much of that in his life, I'm afraid." She took a sip of her tea and exhaled. "I've known Lucien longer than anyone in his life. I was at his birth."

"You were the attending physician?"

She met Theia's eyes. "I'm his mother."

Theia blinked in surprise. "He didn't tell me."

"He doesn't know." Fran combed her hair back with her fingers with the same gesture Lucien used. "Edgar insisted that I sign a nondisclosure agreement."

"Oh my God. These people and their NDAs."

Fran smiled sadly. "I knew what I was getting into when I married him, but I somehow thought I could, I don't know, soften him. That fatherhood would soften him. When I realized what he'd done to escape the curse for himself—leaving it to Lucien—I was furious. I told him I wanted out. That I was taking my babies and leaving him. And he reminded me that I'd signed a prenup that relinquished any claim to his offspring. I tried to stick it out for a while, but I just couldn't. It was soul crushing. So I left, but Edgar's lawyer insisted on the NDA. If I ever wanted to see my babies again, I could never tell them who I was."

"That's barbaric."

"That's Edgar. I couldn't live with him, and I couldn't live without ever seeing my children again, so I agreed. And he 'graciously' hired me as the company's doctor, which included treating the children when they needed it. I lived for their bouts of croup and strep throat. Isn't that horrible?" She shook her head, remarkably unfazed by it. "But I tried to give them affection and guidance from the perspective of a caring family doctor. Especially Lucien. Lucy has always been pragmatic and resilient—not to mention headstrong. But Lucien feels things very deeply."

"He does," Theia agreed. "It's what I love about him."

Fran squeezed her hand across the table. "You may be

the first person to see that about him outside of Lucy and myself. No wonder Lucy's impressed with you."

"Impressed?" Theia laughed. "She hates my guts. She was going to drug me and wipe my memory to get me out of Lucien's life."

"She doesn't hate you at all. She just loves her brother. She's very protective." Fran shrugged. "She's had to be."

"I take it you know what's happened to her—that the curse has hit her, too."

Fran nodded. "But only partly. It hasn't progressed as it has with Lucien, and we may have some luck with the anti-transformative serum."

Theia looked down at her teacup. "Lucien's progression is my fault. It's my Lilith blood. We finally..." Theia blushed, waving her hand vaguely. "And then afterward, that's when it happened."

"No, honey. I don't think it had anything to do with you. It was Edgar. He's died."

"Died?" Theia raised her head, shocked. "I'm so sorry."

Fran pursed her lips. "I'm only sorry it hastened Lucien's transformation."

"But how? I thought the amulet was supposed to protect him."

"Someone removed it." Fran's eyes darkened. "And I'm quite sure it wasn't anyone on staff at the hospital."

"Carter Hamilton," said Theia.

"It would seem so."

"So it's too late. There's nothing we can do." Theia had lost him.

"There may be something. I remember Edgar talking about a loophole years ago. Beyond his personal cheat, that is."

"A loophole?"

"I've been through Edgar's papers at the office and the house, and so far I haven't found anything. But I know he had other places he kept things. Safes in other houses he owned. It could be anywhere. There's supposed to be something in Madeleine Marchant's own words, an addendum to her curse."

"You mean the riddle?"

"The riddle?"

"It's part of the text of the curse. She'd magically disguised it as a household list."

"How do you know that?"

"I found it," said Theia. "I translated it. At least as far as I could. I've got it on my phone."

She got up and found her phone in the great room. "Here it is." She showed Fran the first part she'd translated, the text of Madeleine's curse on the house of Smok. "I couldn't make out all the words that followed, but it seemed to be written as some kind of cipher, like she wanted someone to figure it out."

"'And from every seven born and gone among your house will the Devil reap a son.'" Fran sighed. "That's pretty much self-explanatory, I'm afraid. Every seven generations, the eldest son of the Smok family has inherited the curse and taken his place in hell."

"I know, but the part after—see here? I think it reads, 'The harvest will materialize…' But then I couldn't make out the next bit. After that, I got 'must the seventh son be bound to be free.'"

Fran took the phone from her and studied the original. "'The harvest will come to fruition when the *déesse*…the goddess…'" She chewed her lip. "The ink has smeared here. *Demande,* maybe?" She shook her head. "I'm not sure that's right. But the next is 'seed.' 'The seed of the…' I can't make out this word, but then it's 'of the first.'" She studied the illegible word again. "*Armure?*"

"Armor?"

"I'm not sure. Her handwriting is so stylized."

"So we've got 'The harvest will come to fruition when the goddess demands. To the seed of the armor of the first must the seventh son be bound to be free.'"

They both shook their heads. It didn't make any sense.

"Wait." Fran looked closely at the text again. "*Arbre*, not *armure*. Tree."

"The seed of the tree of the first… The family tree? Maybe the first is Madeleine. So the seed of Madeleine would be…" She glanced up at Fran as the meaning came clear.

"Madeleine's descendant." Fran set the phone down. "I've heard this before. Phrased a little differently, as a daughter of Lilith. It used to make Edgar pink with rage. No son of the house of Smok was going to be bound to a daughter of Lilith, as long as he was alive."

So a daughter of Lilith had to willingly bind herself to Lucien. Theia didn't have a problem with that. If it meant legally, well…that might take a little more convincing.

"But there's one more line," Fran pointed out. Theia had mistaken the stylized, repeating letters for the signature. "*Lié à l'enfant et lié à l'enfer.* 'Bound to the child and bound to hell.'"

That wasn't quite so promising. If she freed Lucien, it seemed to be saying, she'd end up pregnant and in hell.

Chapter 30

Theia waited until morning when Fran closed up the cabin to face the drive home. She had no plan for finding Lucien, and even if she found him, the loophole might not be a loophole at all. It might be a death sentence.

She responded to anxious texts from Rhea once she was back in range of a cell tower. That she'd found Lucien but lost him again was all she was willing to tell her. She wasn't about to go into the whole night. Rhea probably wouldn't tease her about it at a time like this, but she just wasn't ready to talk about the fact that she'd finally gotten laid. And she'd never hear the end of it if any of her sisters even suspected that she'd turned a guy into a dragon and sent him to hell the first time she ever had sex. That topped Ione's first time with Dev and Phoebe's sex tape combined.

There was also a message from Laurel. Once again, she was the only sister Theia could talk to. After checking in with the TA who'd subbed for her biology final, she met Laurel for lunch downtown.

"I have news," Laurel said before Theia could bring up hers. "I got in touch with Rowan and Rosemary."

"You did? That's terrific." But Laurel's face wasn't saying "terrific."

"We met for lunch, and they seemed really happy to see me. There was hugging and reminiscing, and it was all great until I told them I'd been in touch with Dad's other daughters."

"Oh. No."

"Yeah, it didn't go well. They think I've joined up with 'the enemy.'"

"I'm sorry, Laurel. I know it's not the same, but you have us. Ione's open to getting to know you, and Rhea will come around."

Laurel laughed. "I'm not holding my breath, but thanks. Anyway, it's not like it's any big loss. I hadn't seen them since I was little. I barely remember them. But it was just one more childhood fiction bubble popped, you know? I used to imagine they'd come rescue me and we'd all be a happy family again."

Theia reached across the table and squeezed Laurel's hand, but Laurel laughed and brushed it off. "Really, I'm okay. It's you I'm a little worried about."

"Me?" Theia swallowed. "What did you see?"

"Carter's up to his old tricks, isn't he?"

"Oh." Theia breathed a little sigh of relief that it wasn't something horrible about Lucien. "Yeah, you could say that. He convinced Lucien's father to sign half the company over to him—they own Smok International—in exchange for an extra dozen years of life, and then he killed the guy."

"Oh my God."

"He was dying anyway, but Carter never misses an opportunity to make a bad situation worse." She wasn't sure how much she should say about Lucien's problem.

"And Lucien—sounds like you decided which way you were going to go with that."

"Yeah, I guess both our visions came true there." Theia concentrated on her food to keep from blushing furiously, which she knew she would if she saw Laurel's face. "That's what I wanted to talk to you about, actually. It turns out—"

"He's turning into a dragon?"

Theia's head shot up. "Shit. You do see everything, don't you?"

"To be fair, it's not much of a leap, considering the rest of your family."

"Ha. Yeah. I just didn't think... I mean, I figured I'd

end up with the Prince of Darkness, not a full-on dragon who happened to *be* the Prince of Darkness. And here's the kicker—I think I can save him from being permanently damned to hell. But it might mean damning myself."

"By signing the contract."

Theia nodded. "Figuratively speaking."

"No, not figuratively. I saw an actual contract."

"But where would I get a contract that would involve selling my soul?"

"From Smok Biotech, I suppose."

"Smok..." Theia dropped her fork, and it clattered loudly on the ceramic-tile floor of the outdoor patio. "The fine print."

There was something to be said for being a monster. Lucien didn't have to care anymore whether what he was doing was right or wrong. He might not be able to pick up a pen and write a check from the bottomless Smok account to get what he wanted, but he could take what he wanted, when he wanted. And who cared if anyone saw him do it? They pissed themselves and ran away—or simply told themselves it wasn't real. Amazing what humans were willing to just *not see.*

The area around Heber-Overgaard in the White Mountains was known for UFO sightings—the *Fire in the Sky* abduction had allegedly taken place there in the '70s. So, really, what was one naked half man, half dragon breaking into the general market stockroom in the middle of the night and stealing a cheap pair of jeans, an oversized plaid flannel shirt—to wear over his tucked wings when he wasn't flying—and work boots? When they reviewed the security camera footage the next day, they'd probably find some way to explain it. Just another out-of-work logger on a bender. He'd grabbed a red ball cap for good measure.

Lucien had stayed close to the cabin, worried that he'd

left Theia vulnerable. He'd seen Fran show up, and he'd seen the two of them leave in the morning. Who knew what misguided plan they were hatching together? Fran must have already known what had happened to him after talking to Lucy. But it didn't matter what they were planning. He was beyond helping. And he didn't give a damn how they felt about it.

Except that he couldn't stop smelling Theia on his skin. And every time he closed his eyes, he saw her perched in his lap, head thrown back in ecstasy, that one bead of sweat trickling between her pink-tipped breasts as she came.

Great time to have a pair of gnarled forelimbs for hands.

It was also infuriating that the transformation hadn't progressed any further. Hell needed to get it over with and open up and swallow him already.

He waited for nightfall again and kept to the forested mountain terrain as he flew until he reached the stunning red hills and zeroed in on Lucy's villa in Sedona. As much as he'd relegated himself to the realm of monsters and as little as he was sure he cared about what happened to anyone else, he'd shared a womb with Lucy. And she'd inherited his stupid curse by mistake.

He perched like a gargoyle on the rooftop of the building opposite and watched for any sign of her. But nothing moved inside. If it had, he'd have seen it. His eyesight was excellent. He could have used this when he was hunting things like him.

So if Lucy wasn't inside, where the hell was she?

A little while later, he spotted her car pulling into the lot. She'd driven somewhere? Looking like a freak? Except when Lucy got out of the car, she wasn't a freak at all. She was just Lucy. No horns. No claws. No wings. No scaly anything.

Lucien swooped down and climbed through the window

of the kitchenette—shockingly easy to jimmy with a good pair of claws—and sat waiting for her in the dark.

She opened the door dressed in one of her tailored suits—nowhere to hide wings in that—and jumped when he moved in the dark. She didn't have his eyesight. Instead of turning on the light, Lucy dropped into a defensive posture, ready to kick his ass. And she probably still could, enhanced strength or not.

"Lu, it's me." The growl managed to sound like words.

She lowered her fists and straightened. "Lucien?"

"Don't turn on the light. I just wanted to see if you were okay. Looks like you're doing much better than I am." He moved in front of the window where she could see his silhouette against the streetlamp.

"Fran told me. Why did you take off again? Why not stay there?"

"And do what? I can't be with Theia." The words were ragged in his throat. "Her blood did this to me." It hurt that Theia had been the cause of it. Even though she hadn't known for certain it would happen, it felt like a betrayal.

Lucy interrupted his thoughts. "It wasn't Theia. Edgar's dead."

"He's..." Lucien blinked. "How?"

"Someone took the amulet during the night. He suffered total organ failure almost immediately."

He ought to feel bad about it. He *did* feel bad about it. But on a level so deep he didn't know how to touch it. Lucien was floating above it. Stoic. Monster. Whatever.

"That's why you're back to normal. The curse fully transferred to me."

"Sort of. Not entirely. If you hadn't run off, Fran and I could have helped you get the serum. She got some for me last night. It works, Lucien. It suppressed my symptoms."

"But it's too late for me now."

"I think it might be, yes."

"Why am I still here? Why hasn't my damn soul been harvested?" It occurred to him that maybe it had. Not having a soul would explain why he couldn't feel anything.

"I don't know. You haven't fully transformed yet."

"Maybe there's a backlog in hell."

She smiled in spite of herself. He'd always been able to make Lucy smile when she didn't want to.

"You know Edgar set up the trust to transfer to you on our twenty-fifth birthday. Maybe there was a reason for that. Maybe whatever effect Hamilton's meddling has had on the curse, it can't fully manifest until the time is right."

Lucien nodded. It made sense. Their birthday was in a few hours. It gave him a sense of finality even as it terrified him. He couldn't go on like this indefinitely. If he were his former self, he'd have hunted his new self down by now. But there were other things he could hunt down in the meantime.

"I'm glad the serum helped you, Lu. Take good care of the company. And don't be too quick to send me new souls." He smiled even though she wouldn't see it and turned away.

"Lucien, wait." Lucy crossed the room, holding something out to him. His phone. "At least take this with you so I can contact you if something changes."

He shook his head. "What could possibly change that matters?"

"Just take it, goddammit."

He showed her his claws. "How would I even use it?"

"I disabled your password and the thumbprint recognition. You can use your knuckles. I tried."

Lucien sighed and snatched it from her to avoid an argument. "Happy birthday, Lu." He leaped through the window before she could say anything else. He hated long goodbyes.

He went through his list mentally—rogue creatures and deserving half humans he'd kept in his sights. He supposed he didn't need the crossbow now, even if he could have wielded it.

There was a certain priest in the Phoenix area who'd been transferred from one parish to another for years to hush up scandals. The harm he'd caused to the young boys entrusted to his spiritual care had been bad enough while he was mortal. Now he fed on his victims as well after having been turned by a former parishioner in an act of revenge. He ought to have died, but he'd managed to summon Smok Consulting in time to save his pathetic life and allow him to continue it as a closeted bloodsucker.

Maybe that phone would come in handy after all.

It didn't take long to nail down the priest's current location. Lucien took to the air and soared over the desert with the night birds. They viewed him with idle curiosity. He had a good sense of direction, and he'd memorized the map on his phone. The grid of the metropolitan area was laid out for him in lights.

At the church, his heightened senses led him to the scent of blood. He found the priest in the darkened chapel. Far too late for mass, he was cloistered in "confession" with a child he must have kept after. Lucien tore the roof off the confessional, exposing the monster. He hadn't really thought about the standard problem with eradicating vamps. Wooden stakes were a Hollywood cliché, and burning them—with sunlight or fire—just made them angry. Though it did have the satisfying effect of making them experience a great deal of pain while they grew new skin.

But it turned out that Lucien's enhanced abilities included being able to bite a vamp's throat in two, taking the head clean off. Tasted disgusting, but it did the trick. The boy cowered on the floor of the confessional as Lucien tossed the priest's corpse aside. What could he possibly do to allay the child's fear? Nothing, he realized. He was the devil, and the devil had just killed a priest.

A familiar chill rushed into the church, the thundering of horses' hooves and raucous calls accompanying a hunting horn in the distance. Through the open chapel doors, Lucien could see the approach of the Wild Hunt. He straightened to face the chieftain.

Leo Ström swung off his spectral mount, sword drawn, taking in the bloody scene with cold calculation. He approached Lucien with his sword raised, his brown leather duster scattering the flurry of ice that seemed to emanate from the Hunt itself—ice in May.

"So this is how I get to hell," said Lucien. "Makes sense."

Leo drew up short. "Lucien?"

His growl was still mostly intelligible, but he was surprised that Leo recognized him. "You have a good eye."

"Just a good nose."

He wasn't sure how to take that. He imagined he wasn't smelling too good about now, and he didn't think he'd had a body odor problem before turning into a monster.

"Fair warning," said Lucien. "I can more than beat you in a fight now, and I don't intend to go easily."

"Go? I'm not here for you. I came for this piece of garbage." He kicked at the head and it rolled under a pew. Leo studied Lucien's condition. "Slept with Theia, did you?"

Lucien burst out laughing—though it probably sounded more like a roar. It felt good for a moment to have a genuine laugh.

Leo sheathed his sword inside the duster. "I could use someone like you in my hunting party."

"That's a generous offer coming from a man I tried to kill, but I won't be around much longer. Just waiting for my soul to be collected."

"Sorry to hear that." And he actually did seem sorry. "But it won't be collected by me."

Lucien nodded and turned toward the shattered stained-glass window he'd climbed through. "Do me a favor," he said as he jumped onto the sill. "There's a very frightened boy in the booth over there. If you could get him some help, I'd appreciate it. He's lost a lot of blood, and he'll need some antivenin therapy from Smok Biotech. Give Lucy a call. She'll know what to do."

Leo nodded and tipped his hat. "Farewell, my friend."

Lucien hadn't expected that. Maybe he did have some capacity for emotion left in him, because it made him blink his eyes rapidly as he took flight. Maybe it was just the force of the wind.

As he pondered his next target, his phone vibrated in his pocket. Lucien ignored it. For all he knew, Lucy might have told Theia he had the phone, and he couldn't afford to let himself indulge in any communication from her. When it buzzed again, he decided to set down on a rooftop and turn off all notifications before he took a moment to figure out where he was headed next.

A message from Lucy showed on the screen, just Hamilton.

Well, that was a thought. He could take out that piece of shit as a gift to both Lucy and Theia.

But the next message was just as brief and cryptic. Daisy.

Daisy? The shade that had possessed Lucy?

Painstakingly, he texted her back. Where are you?

He could see her typing, but there was a long pause before the answer came—in three distinct texts.

Holy C
Holy holy holy
Holy shit, you are both so stupid. Enjoy rotting in hell.

Lucien let out a roar and shot into the air, his blood boiling—and it didn't feel like a metaphor. He'd been right about the incident with the shade. Carter Hamilton was controlling it, and he was using it to control Lucy. But what had all that "Holy" stuff been about? She'd started typing Holy C— but seemed unable to finish whatever word started with *C*. Holy Cow? Holy Christ?

It could be the name of a church. *Holy Cross*. The Chapel of the Holy Cross was a well-known landmark in Sedona. Lucy had been trying to answer his question: "Where are you?"

He arrived at the darkened church nestled between a pair of Sedona's ubiquitous red buttes to find Lucy alone in front of the chapel. She faced outward atop the short brick wall that served as a tourist lookout point for the desert valley.

Lucy turned at the sound of his approach and grimaced. "God, she was right. You really do look like hell." Something glittered in the darkness, nestled in her cleavage. She saw him zero in on it and looked down, fingering the gemstone. "Pretty, isn't it? They let me in any time of day or night to visit Edgar. All I had to do was give him a little Judas kiss and take this with me."

Lucien chose not to respond to the taunt. "I offered to help you the other day. I could have freed you from the one who's controlling you. Lucy still can."

A hooded figure stepped out of the shadows beside the chapel. "Lucy will do nothing but join you in hell." The figure drew back the hood, and Lucien wasn't the least bit surprised to see that it was Carter Hamilton.

He took a menacing step toward the necromancer. "Lucy is stronger than you think. And I'm about to end you."

"Are you really? I highly doubt that."

Hamilton made no move to block him or even evade his attack as Lucien charged with demon speed—and nearly tumbled off the edge of the wall behind the spot where Hamilton had been standing. Just like at the reception, it was only a projection.

"Coward."

Hamilton smirked. "This from a privileged scion who didn't even have the guts to take his place at the table of one of the most prestigious and influential firms in the world. So now that place is mine." He glanced at Lucy. "And it can be your sister's as well if I choose to keep her in her body." He stroked his phantom hand over Lucy's breasts. Her face had gone blank. Daisy's autonomy within the body had apparently been suspended.

The idea of what Hamilton might do to Lucy when he was gone turned Lucien's stomach and made his blood heat with rage. "You keep your damn hands off Lucy's body. If you think I can't find you wherever you're hiding and tear your head off with my bare hands, just try me."

"And how are you going to manage that while you're fending off my friends?" Hamilton nodded over Lucien's shoulder. Something in the desert night smelled even worse than Lucien.

He turned to find half a dozen shuffling revenants crawling over the rocks. But these weren't just revenants. They were *draugr*, resurrected in putrefying bodies to serve their master.

"I understand they find living women irresistible," said Hamilton. "Like a drug habit or a sweet tooth they can no longer satisfy while in their graves—and then, suddenly, they're presented with candy."

"You piece of shit," Lucien growled and turned, snarling, to face the advancing *draugr*.

Chapter 31

Lucy wasn't answering her phone. Theia had found her copy of the Smok Biotech contract, and she needed a legal interpretation of the fine print. If only Phoebe were back from the Yucatán. She'd stopped practicing, but corporate law had been her specialty in school before she'd gone to work for the public defender. Of course, this was more like infernal law.

While Theia was pondering what to do next, she got a call from a number she didn't recognize. With all that was going on right now, she figured she shouldn't ignore anything.

"Polly would like to have a word with you." The voice was oddly thick, as though it was coming from a larynx not built for human speech.

"Oh, really? And just who is this?"

"Hello, Theia." The caller had evidently handed off the phone.

"Polly."

"I've been alerted to a situation I thought you ought to be aware of."

"Oh?"

"Normally, I wouldn't discuss one patron's business with another, but when a patron betrays my trust, all bets are off. I thought you'd want to know that Carter Hamilton is currently employing necromantic means to put Lucien's sister at risk. And when Lucy is threatened, Lucien responds."

So that was why Lucy wasn't answering. Goddamn Carter, up to his old tricks.

"Do you know where they are?"

"The Chapel of the Holy Cross. You're likely to need reinforcement against Hamilton's magic. That's all I can tell you. It's all I know."

"Thank you, Polly. I won't forget this."

"I know."

Theia tried to reach Rhea on the way to Holy Cross but got no answer. Ione was equally unresponsive. What was going on? The clock on her dash said it was almost midnight. She hadn't realized how late it was. Maybe they were in bed.

She arrived at the road to the chapel with a sense of foreboding. The last time she'd been here had been under the hypnotic control of a century-old Nazi bent on stealing Leo's soul. She had zero memory of the experience, but Rhea had told her enough that she counted herself lucky.

A gray, bloated form scrabbled across the road in front of her. Theia swerved to miss it, but it was already gone. A terrible stench, worse than Mrs. Ramirez, seemed to seep in through the vents as she drove through the space it had occupied. Theia's stomach lurched. Rhea had described the undead thing that had been unleashed on them by the Nazi, Brock Dressler, and Theia was certain she'd just seen one. Another skulked in the bushes ahead.

As Theia parked the car in the lot at the top of the hill, it occurred to her that Polly might have been setting her up. Why should Theia believe she was betraying a confidence and not just helping Carter further his agenda?

An inhuman, gut-churning bellow came from the walkway to her left, followed by a slightly more human snarl and a thick sound, like something punching through gelatin. As she came around the corner of the lot, she tried to make sense of what she was seeing. The remains of several of the things were strewn across the rocks, but the severed parts were inching back toward one another, and in the center of the melee what looked like a reptilian lumberjack was ripping one of the things in half.

Theia blinked, holding her hand over her mouth and nose against the awful stench. "Lucien?"

The glowing eyes fixed on her for a moment, and he growled. "Dammit, Theia. What are you doing here?"

Trying not to vomit. Theia swallowed against the urge. "Polly told me you needed help."

"Of course she did." He tore the arm off the *draugr* advancing on him and hurled it into the brush. "Start grabbing up these things before they reassemble and toss them as far as you can."

Theia swallowed again. "Grabbing?" There was no time to be squeamish. Steeling herself, she plucked up a—God, she didn't know *what* it was—and flung it over the low wall into a clump of cactus before grabbing another and hurling it into the parking lot below. "Isn't there any way to kill them?"

"Not unless you're a necromancer or you know where their graves are. Best I can do at the moment is keep them in pieces."

Theia was pitching the things at a fairly even pace, keeping up with the ones creeping toward each other while Lucien battled the already reassembled. She tried not to look as he tore them to pieces. At least she'd forgotten to eat today, because she'd seriously be losing her lunch.

At a lull in the festivities, she realized someone was standing motionless on the top of the wall beside the chapel, facing out toward the valley. "Is that Lucy?"

Lucien hurled a bloated head up into the rocks, and it burst like a melon. Theia steadied herself against the wall, trying not to succumb to a convulsion of dry heaves.

"She's being controlled by a shade. Waiting for Carter to come back and give her the order to jump. I've been too busy fending off these foul things to try to get her down from the wall."

"A step-in?" If only Phoebe or Rafe were here. Phoebe was a talented evocator who'd been channeling step-ins most of her life, and Rafe, of course, had the power to command the dead. "Maybe I can get the shade to talk to me."

"Be my guest. Her name is Daisy." Lucien punched a *draugr* that had crawled over the parking lot wall, having apparently found all—or most, anyway—of its parts, and beheaded it with a kick to the jaw. "Wish I had that Viking sword of Leo's. Would make this work a lot quicker."

Theia approached Lucy carefully, sitting on the wall beside her and swinging her legs over the edge. The side of the butte below wasn't a sheer drop—more like a wide, sloping ledge. Lucy would have to take a running leap to fling herself over it.

"Daisy, can I talk to you?"

Lucy didn't move, but after a moment, she broke her silence. "What for?"

"I was just wondering if you could communicate with Lucy. Can she hear me when I talk to you? Can you hear what she's thinking?"

"She's asleep." Daisy gave her a quick sideways peek as if she was curious about this new person addressing her. "I can wake her up. But she won't be able to answer you."

"Would you, please?"

Daisy shrugged Lucy's shoulders, and her posture changed, becoming more tense and alert.

"Lucy, I don't know if you can hear me—"

"She hears you."

"Fran told me she'd given you something to control those symptoms you were having. Do you know if Carter is aware of your...condition?"

"I told you, she can't answer."

"Well, you can. Does she know?"

Daisy sighed and pondered for a moment. "She doesn't think so."

"And how long do you think the medication lasts? When do you need to take it again to keep the condition under control?"

Lucy's brow wrinkled—clearly not an expression that was natural to her—as Daisy tried to understand the answer. "Not long? I think that's what she said." Daisy turned to look at Theia. "Why? What are you trying to do?"

"I don't think you really want to do what Carter's telling you. I think Lucy can help you defy him."

"You don't know anything about it. *He* said he's got one of my bones." She threw a glance at Lucien, who was flinging the lower part of a *draugr* torso over the wall.

"And we can get it back and release you. I've done this before with my sisters. We bound the necromancer so he couldn't hurt anyone."

Daisy laughed, making Lucy sound hoarse. "Yeah. I see how well that worked out."

Theia shrugged in acknowledgment. "Well, we still have to find the source of his power, but we could certainly help you."

"The ugly one over there said the same thing. It's bullshit. You just want me to step out because all you care about is your friend. But even if I could, I wouldn't. Why should I? You'd just double-cross me as soon as I did. And then he'd make me pay."

"My brother-in-law is Rafael Diamante. Have you heard of him?"

Lucy's brows drew together in suspicion. "The Lord of the Dead? I don't believe you."

"What does Lucy say? Can you tell if she tries to lie to you?"

Lucy frowned. "I can hear what she's really thinking.

She says it's true. She also says he's in the Yucatán. So how's that going to help me?"

"He can be here in just minutes using his *nagual*—his animal form." She hoped that was true. God, Phoebe was going to kill Theia if she interrupted her honeymoon. "His power trumps Carter Hamilton's."

Someone else spoke behind her. "That's what you think."

Theia whirled to see Carter looking overly dramatic in a hooded cloak.

"He's not really here," Lucien growled. "He's a projection."

"Am I?" Carter smiled. "Try me."

Lucien stalked toward him and flung the rotting forearm of a *draugr* in his direction as if he expected it to go through him, but a look of consternation crossed his face when Carter snatched it out of the air.

"You'd be wise not to underestimate me." Carter tossed the forearm aside and glanced at Lucy with a nod. "Daisy."

Lucy's face fell, and she looked up at Theia. "You see? You couldn't help me at all." Before Theia could stop her, she'd turned and stepped off the wall, tumbling onto the rock ledge below. Lucien's roar drowned out Theia's shout. Lucy was still crouched on the ledge, arms and legs scraped up but otherwise apparently unhurt, staring down at the sheer drop as though trying to psych herself up to jump.

Lucien had charged toward them, but Carter threw him back with some kind of necromantic spell. Whatever magic he'd tapped into this time was definitely stronger than before. It was up to Theia to stop Daisy from finishing what she'd been ordered to do.

While Carter was occupied with Lucien, she climbed over the wall and skidded down the rock face, digging her fingers into a crevice for purchase as she slid toward Lucy. With her fingers firmly in the handhold, she stretched out her other hand.

"Daisy, don't do it. Just take my hand."

Lucy turned halfway and glared at her. "You said the Lord of the Dead would come."

"I can call him right now if you promise to stay put for a moment." She put her hand in her pocket and took out her phone, selecting Phoebe's name one-handed. Rafe's cell phone number was third on the list under Phoebe's and her landline. Might as well go straight to the source and save time. Phoebe was going to murder her either way. It rang three times, and Theia was afraid it was going to voice mail when Rafe answered.

"Well, hello, Tweedledee. Phoebe says this better be good…" He paused. "And also 'why the hell is she calling you, Rafe, are you having an affair with my baby sister?'" Rafe laughed. "Just relaying the message. What's up?"

"I need your particular skills to stop a shade from killing someone."

Rafe's voice turned serious. "Of course. How can I help from here?"

Theia hit FaceTime and held out the phone. "Rafe, this is Daisy. Carter's controlling her, and he wants her to throw Lucy Smok off a cliff. I was hoping you could talk her down."

Rafe spoke from the video. "Daisy, can you hear me?"

Lucy's eyes went wide as she straightened. "It's really him."

"Listen to me, Daisy. The necromancer who's bound you has usurped my authority. I know it will be difficult for you to obey, but you must ignore the pull of his magic and do as I tell you. Come away from the edge."

The struggle was visible on Lucy's face. "I can't."

"Yes, you can. Come to me." He held out his hand as if he were actually standing there and she could take it. Maybe as a shade, she could.

Daisy took a halting step forward, looking as though the

effort caused her physical pain. Theia inched toward her, pondering how to grab Daisy's hand and hold the phone at the same time without letting go of the crevice in the rock.

"That's it," Rafe encouraged her. "You can resist him."

Lucy was just a foot away from Theia now. Above them on the walkway, the sounds of conflict between Lucien and Carter were ramping up, rocks shattering and crashing. She let go of her handhold. What mattered right now was keeping Daisy from jumping. She could worry about getting back up once Lucy was safe.

Rafe continued to speak in a calm, authoritative voice. "Come to me. Take Theia's hand and let her help you."

As Lucy reached for Theia's outstretched hand, her face suddenly contorted. "No. No, it doesn't matter. You can't help me. He's taken my body away from me. What's the difference?"

"Daisy, don't," Theia pleaded, but in an instant, Lucy had taken two broad steps back. Theia lunged toward her with a shout as Lucy plummeted from the cliff. The phone tumbled from Theia's grip as she grabbed for a handhold once more, and it bounced on the rocks and skittered off to follow Lucy.

Chapter 32

Theia nearly skidded off the rock ledge with them, managing to catch herself with a sneaker wedged into a crack. She closed her eyes, in shock, feeling the currents of the brisk spring wind swirling around her in eddies. It was quiet in the chapel courtyard above. Crickets were serenading as though it were an ordinary May night. What had happened to Lucien?

Carter's treacly voice echoed down to her. "It's pointless to go against me, Theia. You and your sisters should have learned that by now. My devoted, if somewhat pungent, foot soldiers have defeated all of them. You can come back up here and face me like an adult, or you can follow Lucy. The choice is yours. But know that either way, I own you. You signed an oath of fealty to Smok International and its leadership. And that leadership is now me. The house of Smok is no more. I own it all."

Which meant Lucien was dead. Despair fell over her like a black cloak. Like darkness must feel if you could touch it. What was the point of resisting? Carter had won.

Theia worked her shoe out of the crack that kept her from sliding farther, resigned to letting gravity finish what it had started. As her feet dangled over the empty air, something stirred it, whipping her hair around her face. Out of the darkness, crimson wings swooped toward her, and a pair of talons grabbed her by the shoulders, carrying her up and over the wall and dropping her onto her feet.

Beside her, Lucy brushed off her suit as she folded her wings over the torn jacket, glaring at Carter, who stood speechless before her. "Wrong again, asshole. You forgot to wish me a happy birthday."

"So you inherited the curse as well." Carter's pale brows drew together in irritation. "But not fully. Not enough to open the gates of hell, as your brother has done. And not enough to cast out my little helper. Daisy, close her mouth."

Lucy had taken a menacing step toward him, but she stopped and stared blankly as Daisy took over her conscious functions once more. The unexpected shift had apparently only bought Lucy momentary control.

At the perimeter of the courtyard, the reassembled host of *draugr* hovered as if awaiting Carter's command. And against the rocks behind Carter lay an object that at first glance appeared to be a large, blue, crumpled tarp. But Theia knew what it was. It was the wyvern from her dreams. It was Lucien. She ran to the dragon and knelt beside it. It was still taking shallow breaths.

"He lives, for the moment," said Carter. "His transformation was very helpful in unlocking a source of power I've been seeking to acquire for some time. 'When the heir to the infernal throne rises, the gates of hell are opened, and when the heir descends, the gates are closed again for seven generations.' A little something I learned from Madeleine Marchant."

Stroking the dragon's neck, Theia was barely paying attention to him, but the last words sank in, and she raised her head. "You've been around since the *fifteenth century*? I'd have thought you'd be better at this by now. But I guess practice makes perfect, you fucking psychopath."

Carter laughed, though his eyes weren't smiling. "I didn't learn it from Madeleine directly. I learned it from the elder Rafael Diamante. He was quite the magical history buff."

"So where are these open gates you're so fond of? I don't see anything."

"It's not a visible manifestation. At least not for someone of your limited vision. It flows through the heir—*H-E*-I-R. In essence, he *is* the gate. I can't keep it open indefinitely, of course, but the longer it remains open, the greater the power I can absorb."

The wyvern stirred beneath her hand, its gem-like blue eye opening. Theia scrambled back as it struggled to rise. As dragons went, it was fairly small, but it was still easily twice as large as a man. The wyvern rose onto its jointed wings, using the forward joint like the forelimbs it no longer had to walk on the stone like a bat. The right wing was clearly broken, and it dragged beside the wyvern as the dragon hobbled forward, eyes fixed on Carter as though sizing his throat for its teeth.

"Still trying to win." Carter shook his head. "You can't win, Lucien. You lost before you were born—the moment Edgar sold your soul. You should know better than anyone that a soul price will always be paid, no matter how you attempt to avoid it."

A soul price.

Theia narrowed her eyes at him. "You killed that poor old woman. It was your people who gave Rosa Campos the overdose when Lucien went to take it back."

"*Lucien* killed the old woman when he tried to circumvent his own corporate contract. I didn't feel it was good business." Carter raised his arm and held up his palm toward the wyvern as if signaling "stop."

"I'd rather not strike you again. It would most likely hasten your death. The way I see it, I have at least another five or ten minutes of energy transfer from the gates if you just stay put." The wyvern continued moving toward him, and he shook his head. "Have it your way, then. I've gotten plenty."

As Carter lifted his arm, Theia darted forward and put herself between him and Lucien. "Over my dead body."

Carter observed her with amusement. "If you insist."

Theia threw her arms out at her sides as if to block Carter's attack from the wyvern and closed her eyes, bracing for impact, but as she did so, she seemed to feel her sisters' hands taking hers and the Lilith bond forming. They'd pooled their strength before, but never without physical contact. Maybe she was just imagining it. Or maybe Carter had been overconfident about the success of his *draugr* minions.

She closed her fists around the invisible hands, taking strength from them, and willed Carter's attack to be inert. Theia felt the strike, but a field of energy rushed out of her at the same moment, and the space between the two opposing forces seemed to warp for an instant, rippling like gelatin as her energy absorbed the blow.

She opened her eyes to find Carter's blazing.

"Stop wasting my time. You're only going to exhaust yourself, and Lucien is in no condition to take me on. I have endless reserves of energy as long as the gates remain open, and you have the finite potency of demon blood."

He was trying to wear her down emotionally before he wore her down physically, but it was true. She wasn't going to be able to hold him off for long, even with the Lilith bond. Maybe if she had a binding spell from Ione, but without her sisters physically here, there was no hope of that.

As she repelled a second attack, the aura of a vision wavered at the perimeter of her sight. Theia clenched her teeth. What good was a vision now? It would only detract from her concentration. Lightning flashed in the distance, and thunder rolled around the edges of the surrounding mountains, circling the butte, echoing from rock to rock. The air began to ripple with the electrified energy of a monsoon storm, though it was too early in the season.

Theia watched the lightning fork beneath the clouds again, horizontal, a bolt of brilliant blue turning the night sky to daylight for an instant. A loud crack split the air directly over their heads, almost deafening her. The strike had been just feet away. She seemed to be floating within herself, unanchored but full of power—the power of the demon goddess.

She shouted something at Carter as he struck out at her once more, a word she didn't even recognize, old French. Carter jerked backward as if she'd stunned him. Behind her, the dragon was moving once more, taking a running leap into the air. Despite its broken wing, the wyvern barreled into Carter like another flash of lightning and toppled him to the ground. Carter lashed out, not with magic, but with a short blade. He slashed the leathery blue scales and drew blood.

The dragon stumbled, and Theia shouted again, more words she didn't consciously know, and this time she could see her feet actually floating inches off the ground. Carter made a noise of pain, as if her words were hurting him, but lashed out once again with the desperation of a cornered animal. The dragon was limping as it tried to evade the blade, and it sank into scaly flesh.

Noise and chaos seemed to have risen up around the valley, stones and cactus undulating, as if the ground were fluid. And then Theia heard the unmistakable thunder and whinny of horses and the blast of a hunting horn.

Leo, in a cowboy hat and duster, led the party charging toward them across the sky. "For Freyja!" he shouted—or was it "For Rhea"?—and leaped from his mount with his sword drawn.

Theia was still muttering foreign words, and they trailed out in front of her like pieces of gold rope, forming unfamiliar curly letters she knew instinctively only she could see, and surrounding Carter Hamilton.

The wyvern pinned Carter against the stone with the thick joint of its good wing and roared. Fire blasted from its nostrils and curled around the hand that held the weapon, burning it until Carter shrieked and let the blade fall.

Leo stood over him, sword point at Carter's throat, and nodded to the wyvern. "I've got this, brother."

Electrical energy was still pulsing through Theia, but the Lilith bond was receding, and she stumbled as her feet touched the ground. She grabbed for Lucy's arm, and a startled noise escaped Lucy as Daisy's shade stepped out of her, visible to Theia somehow, looking as shocked as Theia felt. Both Theia and Daisy hit the ground, and Lucy turned as if waking from a trance.

"Theia? Are you all right?" She reached down and touched Theia's shoulder but recoiled, gripping her arm, as the dissipating energy snaked toward her in a visible static spark. "Shit. I think you've been struck by lightning."

Daisy seemed to look through them both, eyes wide, and Theia turned in the direction of her gaze to see an unusually large crow alight on the top of the wall. As it lowered its wings, the crow became a man—Rafe Diamante, his iridescent blue-green-and-violet-feathered wings half folded at his sides.

"The Lord of the Dead," Daisy whispered.

Rafe, wearing nothing but a pair of rather thin white linen pants, stepped down from the wall and came toward them, eyes taking in the entire chaotic scene.

He reached a hand down to Daisy and touched her lightly on the head in an almost fatherly gesture. "You're free, Daisy. Go where you will."

The shade, tears pouring down her cheeks, nodded and dissipated.

"Theia." Rafe sank onto his haunches. "Thank God. I thought you'd gone over the edge with…" He paused and looked at Lucy. "I thought you'd both—oh, I see." He nodded with approval. "Nice wings."

Lucy smirked. "Same to you." She glanced at Theia.

"Theia's a bit...electrified. I think lightning struck her. I'll leave her in your hands. I need to see to Lucien."

"I'm fine," Theia insisted as Rafe looked her over with concern. "Although I could see Daisy. I thought for a minute I might have crossed over without realizing it."

"You saw her shade?"

Her head was starting to throb. "I think I was channeling my sisters. Maybe it was Phoebe's gift."

"Phoebe can't see them."

Theia shrugged. "I don't know. But really, I'm okay. Stop fussing." Around them, the *draugr* minions still hulked on the perimeter. "Maybe you can do something with them, though."

Rafe stood and nodded. "We had some in Cancún as well. I sent them packing."

"I think he sent them to Rhea and Ione, too," she said as Rafe helped her up.

"They seem to have lost their power." Rafe threw a smug look toward where Carter still cowered under the point of Leo's blade. He threw his arms out wide and stretched his wings. "Return to your graves, unnatural *muertos*. Your master is defeated."

The nasty things recoiled and shuffled backward, whining, and disappeared into the dirt as if they'd sunk into the ground.

In the corner, by the chapel doors, Lucy was engaged in an earnest discussion with the wyvern. As Theia approached them, Lucy turned and shook her head in warning.

The wyvern's blue eyes met Theia's for a moment, heavy with sorrow, before it turned and limped toward Carter. Leo stepped back as the wyvern grabbed hold of Carter by its foreclaws. It leaped into the air, taking Carter with it, and flew away.

Lucy blinked back tears. "The gates couldn't stay open

any longer. I'm sorry. He can't survive in this realm. He had to go."

Madeleine's loophole no longer mattered. Lucien was gone.

Chapter 33

Theia rode back to Phoebe's place with Rafe—who had expended too much energy in translocation to return to Phoebe the same way—letting him take the wheel. In her lap were the torn garments Lucien had cast off with his transformation, including the stupid red cap.

After a few minutes of respectful silence, Rafe glanced over at her. "Those Lucien's?"

Theia nodded. "I suppose you think I'm an idiot for falling for him anyway after your warning. After reading your father's archives."

"Of course I don't. Nobody's an idiot for loving someone. And from what I saw, it seems I misjudged Lucien and his sister without even knowing them."

"They were both entangled in the darker side of Smok's business," said Theia. "But Lucien was trying to do the right thing. And I think, in her way, Lucy is, too. Of course, it's all hers now. Lucien inherited the *other* end of it."

"I'm sorry, Theia."

"Me, too."

He turned onto the semiprivate drive that led to Phoebe's place. Lined up on the side of the road in front of the house were two cars besides Rhea's Mini in the driveway. Among them was Ione's motorcycle, her not-so-secret secret.

"What's going on?"

Rafe shrugged. "I haven't been in contact with anyone. I left my phone in Cancún. Phoebe's probably going insane right now."

"Yeah, sorry about that."

He parked behind what looked like Dev's Mercedes. "Seems like the gang's all here."

Rhea threw open the screen door and ran out as Theia stepped from the car, and Dev darted after her to catch the speeding ball of Puddleglum fluff making a break for it.

Rhea bear-hugged her. "Why haven't you called or answered your texts?"

"I lost my phone."

Rhea glanced at Rafe. "So you did make it here. Phoebe's on the phone, and you're in big trouble."

Rafe grinned. "What's new?"

"Ouch. Trouble in paradise already?"

"Nothing but good trouble."

Rhea linked arms with Theia, turning her toward the house. "You're not going to believe who else is here."

Inside, Laurel was seated in Phoebe's living room, with Ione next to her. They looked remarkably civil.

"We pooled our resources," said Rhea. "Did you feel it?"

"I... The three of you? Together?" Theia shook her head in amazement. "I certainly did. I just didn't realize—I thought maybe Phoebe had somehow joined remotely."

"It was Laurel's idea." Ione rose. "She came to find me. Said you were in trouble. She'd seen it, but she couldn't reach you. So we formed the bond."

So it was Laurel's ability she'd been channeling when she'd seen Daisy's shade.

Phoebe's exasperated voice came from the cell phone sitting on the coffee table. "Is that Theia? Goddammit, you guys! What's going on?"

Rafe picked up the phone. "I'll take care of her," he said with a wink and headed for the bedroom.

Rhea snorted. "I'll bet you will."

Theia tucked her hands into her pockets, feeling awkward. "Carter said he'd sent *draugr* after all of you."

Dev nodded. "We handled it."

Rafe popped his head out before closing the bedroom door. "He's finished, by the way. He won't be bothering anyone anymore."

Rhea glanced at Theia. "Leo took him to Náströnd?"

Theia shook her head. "Lucien took him." She sank onto the couch. "And he's not coming back."

"Oh, sweetie." Rhea enfolded her in her arms. "I'm so sorry."

They stayed up talking until Leo arrived just after dawn. Dev and Ione headed home, giving Rafe a ride to his place, while Laurel headed back to Flagstaff despite Rhea's insistence that she was welcome to sleep there. Theia finally got to crash.

When she woke after noon, Rhea and Leo were gone. Rhea had left her a box of her favorite sugared cereal. Theia curled up in the papasan chair with the entire box, eating it by the handful. She'd finished her finals, so she had the whole day to just wallow and be disgusting.

But someone was heading up the drive as she glanced out the window. Theia sighed and set the box aside as Lucy pulled up in front of the house. How had she gotten this address? She supposed Smok's database had everyone's information. She locked Puddleglum in the bedroom and opened the door.

"Theia." Lucy took off the dark shades that made her look like one of the Men in Black. "I wanted to thank you for what you did for me last night."

Theia shrugged. "You would have done the same." She held the door open. "Did you want to come in?"

"Actually, I came by because I knew I couldn't reach you by phone." Lucy held out a brand-new smartphone. "It's from Smok."

"Oh." Theia took it reluctantly. "I guess I'm still bound by the contract."

"It's not that kind of phone." Lucy made an attempt at a warm smile. "It's just a gift. The contract, well…that's what I wanted to talk to you about."

"Did you come to wipe my memory? Because I think you're going to have to use your flashy thingy on my entire family if that's what you have in mind."

"Flashy thingy?"

"*Men in Black*. Never mind."

Lucy shrugged. "I don't watch television. But, no, I didn't come here to make you forget. I talked to Fran this morning, and she mentioned the text you and she translated."

"It's kind of a moot point now. He's gone."

"It's not as if he's dead."

"Well, it's not as if I can just go to hell, either. Unless you came for my soul."

Lucy made her scoffing version of a laugh. "Not today." Well, that was encouraging. "I received a call from Polly. She said you should go see her."

Theia sighed. "What, do I owe her more blood for her help last night?"

"I think she has something for you, actually."

Polly might have saved Lucien's skin last night, but there was no way she didn't want something else for her trouble. Theia might as well get it over with. The sooner all of this was over, the sooner she could get back on track with her program and her classes. She hadn't even looked at the outline for her thesis in over a week.

Business was apparently already in full swing for the evening when she arrived at Polly's place. The bouncer seemed to recognize her, even though she was sure she hadn't seen him before. Maybe there was something about Polly's gammon that gave them away. Maybe he could smell it on her; he was big and bearded, and he looked like a werewolf. On second thought, maybe he was just a bear.

A waiter escorted her to Polly's table without asking who she was, and Polly, mercifully, was alone.

"You wanted to see me?"

Polly smiled, aqua-blue hair flowing in waves over her shoulders to rest on a teal gown that sparkled with red where her fingers brushed the nap. "Theia, darling. Have a seat."

Theia scooted into the booth reluctantly.

"Lucy told me what happened with Lucien, and I understand there was some prophecy about the two of you? That only one of your line can break the Smok curse?"

"I could have, but it's too late."

"Not necessarily. I know the words. I heard them many years ago. And the key begins with the descent of the goddess."

Theia wrinkled her nose. "I don't even know what that means."

"It means, sweetie, that you couldn't have broken the curse before it came to pass, before Lucien's transformation was complete. It means you have to journey to the underworld to complete your 'quest.' It's one of the oldest myths. You can find it in many cultures."

"And how the heck am I supposed to journey to the underworld?" She'd already asked Rafe and Dev and even Leo about the possibility. Even if they'd been willing to help her enter it, there was no telling if Lucien shared a common underworld with them. It was all about perception—his. "The gates have to be opened, and only Lucien can do that. And I can't contact him."

"The thing about Polly's is that it exists in many dimensions at once, in many places and many times. If I choose, the doors can open virtually anywhere." Polly smiled darkly. "Even in hell."

It took Theia a moment to understand the significance. "Wait...are you saying you can get me into hell?"

"That's exactly what I'm saying."

"What would I have to give you?"

"Nothing at all, darling."

"You don't strike me as the altruistic type."

Polly laughed. "No, indeed. But Lucien is special to me, and I'd prefer for him to be able to travel in this plane and not be trapped in hell being miserable. Besides, I owe him one, and I don't like owing people. So if you'll agree to go in and get him, I'll open the door for you. It's as simple as that."

"And will you open the door for me to come back, or is this a one-way ticket?"

"Such a smart question. Two-way door. No strings attached."

She didn't need to think about it. "I'm in."

As busy as the Grotto was, she couldn't imagine how Polly was going to manage having a door that opened into hell, but Polly, of course, had a separate, private door. When she opened it, it was impossible to see what lay on the other side.

Theia took a deep breath and stepped through. But she was still in Sedona, golden-orange setting sun glinting off the red rocks encircling the little enclave where Polly's was tucked. The back door led to the alley. Polly was full of shit.

Theia turned around, but the door had disappeared. Great. She'd fallen for the dumbest trick in the book. She hoped the siren and her creepy friends were having a good laugh.

When she walked around to the front of the building, the parking lot was empty. The sign that said Polly's was still there, but the club looked dark inside. What was going on?

Theia yanked open the door, determined to give Polly a piece of her mind—and found Lucien, in his human form and looking absolutely devastating. He was seated in front of a fireplace in a leather chair with his feet up on a matching ottoman, intent on reading some leather volume.

Theia breathed in sharply, intending to say his name, but only a squeak came out as she choked on her own saliva. He'd taken her breath away. Again.

Chapter 34

Lucien glanced up at the sound, and his mind couldn't make sense of what his eyes were seeing.

"Theia?" He jumped up from the chair, scattering the delicate pages as he let the ledger fall to the floor. Maybe he was starting to hallucinate. She couldn't be here.

He crossed swiftly to her and peered into her eyes, hands at her shoulders, and Theia sputtered, eyes welling up as if she'd swallowed wrong and couldn't catch her breath.

Lucien pounded her on the back awkwardly. "Are you okay?"

Theia nodded, the moisture in her eyes a little brighter as she gazed up at him.

"What are you doing here? You haven't..."

"No." She shook her head. "I haven't crossed over. Polly opened a door for me."

"Polly?"

"She said she owed you one. When I went through the door, I thought she was pulling my leg. It looks just like home out there."

Lucien nodded. "It's merely a different plane. It's all about perception. Which is why you perceive me as myself, as you knew me."

"Stop talking like you're dead."

"I am, to the plane above. I can't come back, Theia." He tucked her hair behind her ear, pained by her understated beauty. "God knows, I wish I could." The irony of his choice of words wasn't lost on him.

"But you can. Fran and I deciphered Madeleine's message. The curse can be broken."

"Theia, it's too late. I'm not human anymore. If I went back, I'd be a monster. And I have a job to do here. It's all very bureaucratic and dull, actually. You can't even imagine. Nobody burning in a lake of eternal fire, no demons prodding people with hot pokers. Just a lot of people doing ordinary jobs. And a lot of creatures that have to be cataloged and managed in their proper zones to keep order. There are lower levels, of course. Personal hells. Like where Carter Hamilton will spend eternity feeling powerless and bitter."

"Lucien, listen to me. There's a way for you to return with me—at least part of the time. If you're willing to be bound to me."

"Bound to you?"

"Fran said it was a blood bond." Theia's cheeks went pink. "We might…have to have…offspring together."

"*Offspring?*" Lucien's hands fell away from her shoulders and rested at her hips. "Are you telling me you'd have my child?"

"Well, not right away. I mean, I have my master's to finish, and I was hoping to get my PhD—"

"You realize you're certifiable."

"Maybe a little." Her mouth curved up in a slight, mischievous smile. "All it means for the moment is that we'd agree to be bound by blood. Always. It would break the curse that keeps you from being able to retain your human form in the earthly plane—and it would tie me to hell along with you."

Lucien frowned, the little flicker of hope she'd ignited extinguishing. "I can't tie you to hell, Theia."

The flush of pink in Theia's cheeks took on the redder hue of anger. "You don't get to make decisions for me, Lucien. If I want to tie myself to hell, I damn well will."

Despite his misgivings, Lucien couldn't help smiling. "*Damn* well, huh?"

"Oh, shut up." Theia slipped her arms around his neck as he let his hands travel around her waist. "Just say you'll do it and kiss me."

Lucien did the latter, just to silence her, but their mouths together felt right—everything about her felt right. He'd forgotten how not touching her felt like he was deprived of air. And the idea of having a baby with her wasn't, as he'd always imagined, an unthinkable prospect. It wasn't anything he wanted any time soon, but he wouldn't mind the practice involved.

"This binding...how would it work?"

"Fran said it could be a finger prick and a vow. Or...other physical contact involving...fluid exchange."

Lucien laughed. "You're saying if we have unprotected sex, I can walk out that door with you and end up in the earthly Polly's."

Theia smirked. "That's the idea. And there's no rule that says we can't use the morning-after pill. I've got some at home, in fact."

Lucien lifted an eyebrow. "Do you, now?"

"You never know when you're going to need it—or a friend or sister is."

He trailed his fingers down her arm, enjoying the little shiver the touch elicited. "I suppose they're all waiting for you now."

She shook her head. "They have no idea I'm here. Polly's offer took me by surprise."

Polly was *full* of surprises, it seemed. She never did anything without expecting something in return. But Lucien was thinking too much again. There would be plenty of time to find out what she wanted later. Right now, Theia was here, and he was flesh and bone, and he wanted her so badly his chest ached.

Theia was watching him intently, as though cataloging his emotions as he cycled through them. "So what do you think? Should a son of Smok and a daughter of Lilith be eternally bound by blood?"

"Is that a proposal?"

Theia colored. "I didn't mean… That's not exactly…"

Lucien laughed and kissed her, pulling her into his arms. "Doesn't matter, darling. For you? Whatever it is, the answer's yes."

Despite thoroughly enjoying the necessary ritual, Lucien maintained his skepticism until he walked through the back door with Theia, prepared at any moment to do a quick about-face and return to his den. But when the door opened into Polly's suite, he was still himself. Polly was nowhere to be found, and Lucien walked out the private door with Theia into the spring Sedona evening, and nothing changed. Crickets were chirping, Oak Creek was still running over its polished slabs of sandstone, and the full moon was unabashedly gorgeous.

Lucien drew Theia into the circle of his arms. "No claws or wings. It seems Madeleine's loophole works after all."

"Fran said you should come see her. There might be a time limit to how long you can stay, but the Smok Biotech serum might still be useful in setting your own schedule."

"Time enough to figure that out, though, I suppose. Right now, I just want to go home with you and do some more bonding."

Phoebe arrived home from Cancún the following morning, still a little cranky about having been abandoned on her honeymoon and a bit put out to discover that Ione and Dev had beaten her and Rafe to the altar. Rhea had conspired with Dev to throw Ione a surprise reception, and Theia helped distract Ione, taking her shopping and bringing her back to her house to find the entire place festooned with cream satin ribbon and balloons.

Lucien showed up looking gorgeous in a buff-colored silk suit. "You didn't tell me what you'd learned about Fran," he murmured as he wrapped his arms around her from behind.

"I didn't think it was my place."

"Lucy knew. For years, apparently. I asked her why she didn't tell me, and she said it wasn't her fault I was born stupid."

Theia laughed. "Yeah, I get that kind of thing from Rhea a lot. There's an evil twin in every set, I guess. So did she have any insight into how long you can stay?"

"She thinks it may be tied to the phases of the moon."

Theia turned in his arms and smirked. "So I guess we'll have to wait and see if we get PMS together."

Lucien grinned, but then his expression turned serious. "I also talked to Polly. Her comment about owing me one was evidently in regard to my circumstances solving a rather vexing problem for her. It turns out Carter Hamilton was actively trying to turn her patrons against her in his bid to control the unnatural world. That stopped, of course, the moment I took him with me through the gates. But what she said she owed me wasn't the opportunity to let you complete your rescue mission." Lucien winked. "That was for her own selfish purposes. What she wanted was to return this."

He reached into his pocket and pulled out a small, hinged red velvet box. Theia's hand flew to her mouth as he opened it to show her the most perfect, flawless diamond nestled inside.

"It was the price she asked of me that day you drove me to the Grotto. A tear. You showed me I could express them without shame. So I think it should be yours. It's just the stone, of course, at the moment. We can shop for a setting together."

Theia couldn't speak as Lucien dropped to one knee in his exquisite suit among the tea roses in Ione's garden.

"Theia Dawn, will you do me the honor of becoming *officially* eternally bound to the reluctant Prince of Darkness?"

All she could do was nod, happily. As usual, he'd taken her breath away.

* * * * *